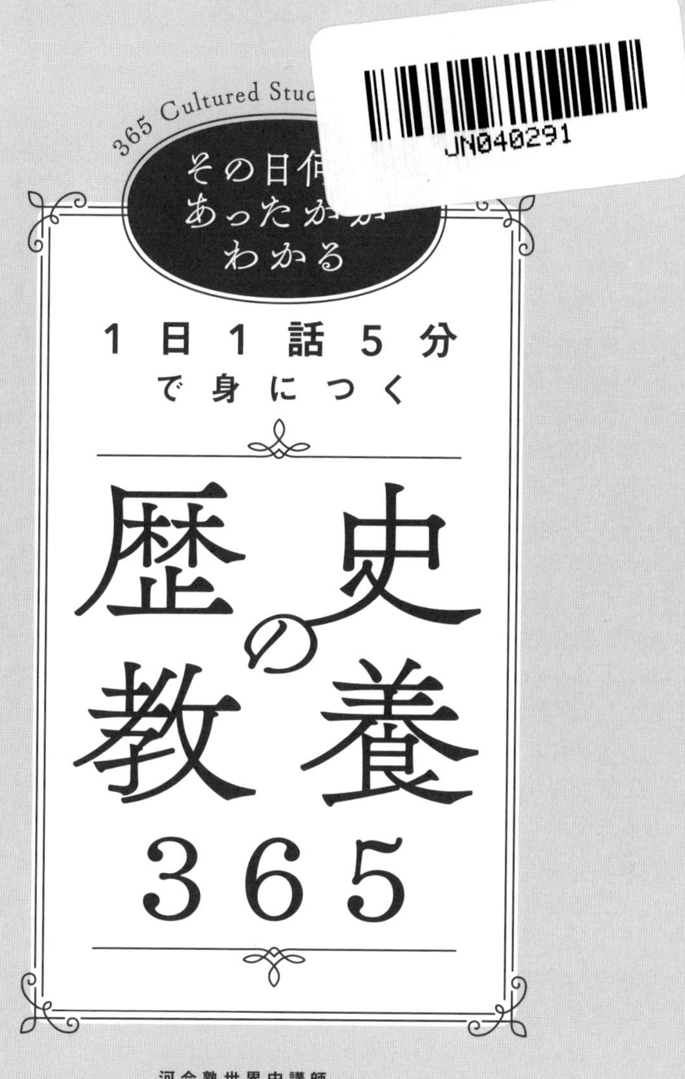



1日1話5分
で身につく

# 歴史の教養365

河合塾世界史講師
神野正史 監修

宝島社

## はじめに

歴史学ほど人生に有益な学問も他にありません。

しかも、ひとたびハマれば「学んで楽しく、しかも爆発的に教養を高めてくれる」というスグレモノです。しかし、この“ひとたびハマれば”というのが曲者で、「初学者にとって学び始めのハードルが少々高い」という難点のために、歴史を学ぶ歓びを知る人が少ないという哀しい現実があります。学校の歴史教育にも問題があり、「歴史を理解できていない教師が教壇に立ち、丸暗記偏重主義の授業をする」という陋習はよく語られるところですが、それ以外にも「全地域と全時代を古代から順に学ばせる」という指導法も学生の歴史に対する学習意欲を萎えさせてしまう大きな要因となっています。

そうした惨状を憂い、筆者は永年にわたって、予備校の教室では学生たちを前に声を嗄らして「歴史の正しい学び方」を教え、書斎にあっては筆を執って「その楽しさと重要性」を訴えてきました。

ところで、歴史学というのは「初学者にハードルが高い」というデメリットとともに、「どんな切り口からでも学べる」というメリットもあるのですから、初学者の最初の取っかかりとして自分の興味のある“切り口”から学ぶことは有効です。筆者が、「成功哲学」「覇権国家」「粛清」「戦争と革命」「移民」「古典文学」「聖書」「地政学」などなど、さまざまな切り口から歴史入門書を上梓しているのも、こうした理由があります。

しかしながら、それとて“継続”しなければ意味がありませんが、それがなかなか難しい。そこで、ひとつの策として「暦」を“切り口”として毎日の日付から「今日は何の日かな？」と１日につき１ページづつ読み進めるという手法は有効です。

そうした観点から、本書はなるべく歴史的事件が偏らぬよう、広い範囲から厳選しつつ、その日に起こった出来事を述べるだけに留まらず、その事件が現代を生きる我々の社会にどう繋がってくるのか、どのような意味があるのかについて簡単に触れるように心掛けました。

本書を手にし、１日１ページづつ読み進めれば、１年経ったときには自然と365もの「歴史的な重大場面」を学ぶことになり、もしその中から興味を持った事件があれば、それをさらに深く掘り下げて自分なりに調べてみたり、それに関する本を読んでみます。

そうして気がついたときには“歴史の深み”にハマっていくことになってくれたなら、本書はその役目を果たすことになります。

**神野正史**

その日何があったかがわかる　1日1話5分で身につく

# 歴史の教養365

## 目次

地図索引



●年月日は原則として出来事が起きた場所・時点で使われていた暦法に則り、西暦で表記しています。和暦やそれぞれの国の暦の日付は、現代の暦に換算していません。

# 1月

January

# 1月1日【1912年】

# 孫文、中華民国の成立を宣言 アジアで最初の共和政国家に

No.001

孫文は西洋列強の侵出により清朝が混乱していた1866年に、広東省香山県の貧しい農家に生まれた革命家だ。12歳のときに兄を頼ってハワイに渡り、キリスト教の教会学校で学ぶなか民主主義などの西洋思想に目覚めた。

その後帰国し、マカオで病院を開業するとともに、1894年にハワイで清朝打倒を目的とする革命組織の興中会を結成。中国本土で武装蜂起を企てたが失敗し、日本に亡命した。このとき、政治家の犬養毅（いぬかいつよし）や右翼活動家の頭山満（とうやまみつる）などが、物心両面で孫文を支援している。

初代中華民国臨時大総統となった孫文

やがて孫文は、欧米を巡り清朝打倒を訴えながら、革命のための資金集めに奔走。これにより、しだいに孫文の名は革命家として世界的に有名になっていく。そして、1905年に東京で、日本人の支援を受けながら興中会、光復会、華興会などの革命結社を糾合して中国同盟会を結成した。

中国同盟会において孫文は、自身が西洋で学んだ民主主義を基に「三民主義」を掲げ、これを革命の基本理論とした。「三民主義」とは、異民族王朝である清を打倒して漢民族の独立を目指す「民族独立」、民主主義の実現を目指す「民権伸長」、経済的な不平等を解消する「民生安定」の3つの「民」のことだ。

1911年10月に武昌（ぶしょう）で革命思想に共鳴する兵士たちの武装蜂起が発生。これが中国全土に広がり、辛亥（しんがい）革命につながっていく。同年11月には当時の中国の全24省のうち14省が独立を宣言したが、それらの省をまとめる新政府の樹立は難航し、また革命政府のリーダーを誰にするかで内部闘争が激化した。

そんななかアメリカにいた孫文が帰国すると、革命勢力は長年革命活動に尽力し、その思想的支柱となっていた孫文を熱狂的に迎え入れ、孫文を臨時政府大総統に選出した。これを受けて、孫文は1912年**1月1日**に中華民国の建国を宣言。南京に臨時政府が成立した。この中華民国は、中国のみならず、アジアで最初の共和政国家となった。

ただ、中華民国内ではその後も権力闘争が続き、独立勢力同士の衝突も繰り返された。しかし、1925年に孫文が病死すると、中華民国は彼に「国父」の称号を与え、「三民主義」とともに国のシンボルとした。この中華民国が、現在のいわゆる台湾だ。

**その他の出来事**

646年・改新の詔、発布　1863年・リンカン、奴隷解放宣言　1873年・日本で太陽暦実施

# 1月/2日【1492年】スペイン、国土回復運動でイスラーム勢力を排除する

No.002

711年にイスラーム王朝であるウマイヤ朝がイベリア半島に侵出。この地を治めていた西ゴート王国を滅ぼし、半島の大半がイスラーム勢力の支配下に置かれることになった。これにより、ヨーロッパにイスラームの拠点ができる。

13世紀のイベリア半島の勢力図

ウマイヤ朝の属州となったイベリア半島では、住人のイスラームへの改宗は強制ではなく、人頭税を払えばキリスト教やユダヤ教の信仰も許されていた。しかし、西ゴート王国の残存勢力は718年、半島北部でキリスト教徒を率いて蜂起し、アストゥリアス王国を建国。イベリア半島をイスラーム勢力から取り戻そうとした。こうして始まったのが、レコンキスタ（国土回復運動）だ。

ただ、レコンキスタはアストゥリアス王国の建国で達成されたわけではない。イスラーム勢力を追い出そうと、ヨーロッパのキリスト教勢力は幾度となくイベリア半島に攻め入ったが、一枚岩になれなかったこともあり、半島の奪還は容易ではなかった。一方、ウマイヤ朝も安泰だったわけではない。中東を拠点としていたウマイヤ朝は750年にアッバース朝に滅ぼされてしまった。ウマイヤ朝の王族はイベリア半島へ逃亡し、そこに後ウマイヤ朝を建国した。その後ウマイヤ朝も内紛などにより1031年に滅亡。以後、半島のイスラーム王朝が次々と交代していくなか、しだいにキリスト教勢力は国土を回復していった。

13世紀の時点でイベリア半島の大半は、アラゴン王国、カスティリャ王国、ポルトガル王国という3つのキリスト教国家が支配し、イスラーム勢力は南部に追い詰められたグラナダ王国（ナスル朝）だけとなっていた。そして、1469年にアラゴン王国の王太子フェルナンドとカスティリャ王国の女王イサベルが結婚することで、1479年に両国が合体したスペイン王国が成立。スペイン王国はレコンキスタの総仕上げとしてグラナダ王国に攻め入り、1492年**1月2日**、アルハンブラ宮殿が陥落したことでグラナダ王国は滅亡した。

こうして、約800年間もかかったレコンキスタは、ようやく完成。これは同時に、“ヨーロッパ近世の幕開け”を意味していた。

**その他の出来事**

1268年・モンゴルの使者が来朝　　1615年・伊達政宗の使節・支倉常長、スペイン王フェリペ3世に謁見

# 1月3日【1868年】 鳥羽・伏見の戦い（戊辰戦争）が始まる

No.003

江戸幕府最後の将軍となった第15代・徳川慶喜

1853年のペリーの黒船来航以降、西洋列強の強引な開国要求を受け入れてしまったことで江戸幕府の権威は低下。全国に倒幕の機運が盛り上がった。その倒幕運動の中心となっていた長州藩（山口県）に対して、幕府は1866年に第２次長州征討を行なったが、失敗に終わり、さらに権威は失墜。これを受けて、薩摩藩（鹿児島県）も長州藩と結び、武力倒幕を決意した。そんななか、第2次長州征討後に将軍職に就いた徳川慶喜(よしのぶ)は、倒幕派の機先を制するため、1867年にみずから朝廷に政権を返す大政奉還を申し出た。慶喜としては政権を返した後、諸藩の合議による連合政権をつくり、その主導権を徳川氏が握ることで延命を図ろうとしたのだ。

しかし、あくまで武力倒幕を目指していた薩長両藩は、公家の岩倉具視(いわくらともみ)と連携し、徳川氏を完全に政権から排除して天皇中心の政治を行なうという王政復古の大号令を出した。その結果、約260年間続いた江戸幕府は終焉(しゅうえん)し、新政府が発足する。

ただ、慶喜は新政府を認めず、いったん大坂城に引き上げた後、旧幕兵と徳川氏側を支援する会津藩（福島県）、桑名藩（三重県）などの藩兵に京都への進軍を命じた。これを、薩長両藩が中心となった新政府軍（官軍）が京都の鳥羽や伏見などで迎え撃ったことで、1868年**1月3日**、鳥羽・伏見の戦いが開戦した。

戦いは、西洋の最新兵器で武装した官軍が優勢に進め、各地で次々と旧幕軍は敗北。さらに、薩長軍が天皇の軍隊であることを示す錦の御旗を掲げて戦ったことに慶喜は衝撃を受けた。慶喜としては、徳川氏と薩長の私戦というつもりだったのが、天皇に逆らう朝敵ということになってしまったのだ。

これにより厭戦(えんせん)気分に陥った慶喜は、同月6日に味方の軍勢を大坂に置き去りにして、大坂湾に停泊中だった幕府軍艦の開陽丸で江戸に退却してしまう。総大将である慶喜が勝手に逃亡したことに旧幕軍は戦意を失い、各自、江戸や自藩へと帰還することとなった。こうして、わずか3日間で鳥羽・伏見の戦いは終結した。だが、これはその後1年以上続く、新政府軍と旧幕府勢力の戦いである戊辰戦争の幕上げに過ぎなかった。新政府軍は慶喜を追って、旧幕府側の勢力を打ち破りながら江戸に攻め下った。

**その他の出来事**

1959年・米国、アラスカが49番目の州に　1961年・米国、キューバと国交断絶

# 1月4日【1894年】 露仏同盟が完成 三国同盟vs三国協商の構図へ

No.004

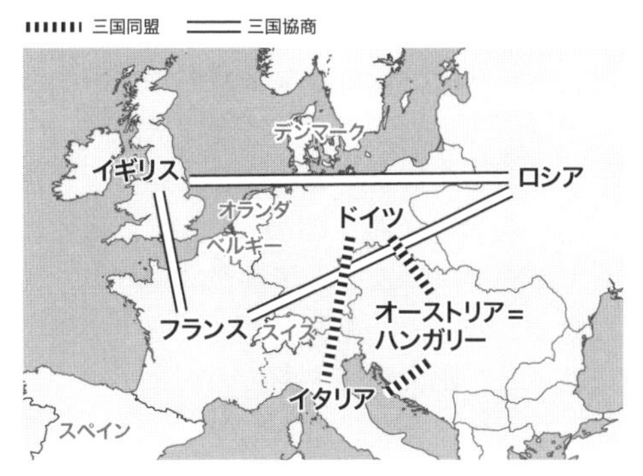

三国協商と三国同盟の対立構造

19世紀末のドイツでは、首相のビスマルクが国際的にフランスを孤立させる方針の外交政策を採っていた。その一環として、ロシアと軍事同盟である独露再保障条約を結び、後方の安定を図った。だが、1888年にヴィルヘルム2世がドイツ皇帝の座に就くと、新皇帝は自由に政治を行なうことを望み、ビスマルクを引退させる。そして、1890年に独露再保障条約の更新を拒絶した。ただ、ヴィルヘルム2世は、ビスマルクが結んでいたドイツ、オーストリア＝ハンガリー、イタリアによる秘密軍事同盟の三国同盟は継続した。

一方、ロシアはドイツから同盟関係を切られたことで、工業化・資本化の資金を求めてフランスに接近する。ドイツによって国際的に孤立していたフランスにとっても、これは望ましい話だった。

しかし、ロシアとフランスの関係がすぐに良好になったわけではない。当時最も強権的といわれた帝政のロシアと、フランス革命の伝統を引き継ぎ共和政を誇るフランスでは、国家体制が水と油すぎたのだ。

そこで両国は時間をかけて秘密裡に何度も交渉を繰り返し、まず、1891年に政治協定が結ばれた。翌年には秘密の軍事協定が成立。1894年**1月4日**に、ようやく軍事同盟の露仏同盟が公式に締結された。

この露仏同盟は、ロシアとフランスのどちらかが、ドイツ、オーストリア＝ハンガリー、イタリアの三国同盟側から攻撃された場合は相互に援助しあうという内容だった。また、この同盟によりロシアにはフランスから資金が流入するようになり、フランスのほうも国際的孤立から脱することができた。

その後、1904年に英仏協商が結ばれ、1907年には英露協商が締結された。これにより、三国同盟に対抗してロシア、フランス、イギリスが協調する三国協商が成立する。やがて、この三国協商と三国同盟の対立は、第一次世界大戦へとつながっていった。ちなみに、日本は1902年に日英同盟を結んでいたため、第一次世界大戦は三国協商側で戦うこととなる。

**その他の出来事**

1643年・英ニュートン誕生　1946年・GHQ、軍国主義者の公職追放を指令　1948年・ビルマ独立

# 1月5日【1919年】 ドイツ労働者党結成 のちにナチスへと展開する

No.005

アントン＝ドレクスラー

ドイツ労働者党は、国家社会主義ドイツ労働者党（ナチス）の前身となる政党だ。のちにナチスは政権を取ると、第二次世界大戦を引き起こし、またユダヤ人に対する大量虐殺を行なった。

第一次世界大戦末期の1918年、敗色濃厚だったドイツでは皇帝への不満が高まり、ドイツ革命が勃発した。その結果、皇帝ヴィルヘルム2世は廃位され、議会制民主主義のヴァイマル共和国が樹立される。また、これに伴いドイツが敗戦したことで第一次世界大戦は終結した。

だが、革命を指導したクルト＝アイスナーやローザ＝ルクセンブルク、エルンスト＝トラーなどの政治家や思想家たちの多くがユダヤ系であったことと、革命に左翼勢力の影響が大きかったことに、国内の右翼勢力は反発。右翼や国民の一部のなかに、ドイツはまだ第一次世界大戦を戦えたのに、ユダヤ人と共産主義者の陰謀によって敗北したという考えが広まっていった。

そんななか、機械工で政治活動家だったアントン＝ドレクスラーは、1919年**1月5日**、少数の仲間とともに右派政党であるドイツ労働者党を結成した。同党の主張は多くの右派と同じく、反ユダヤ人主義、反共産主義、および反資本主義だった。このドイツ労働者党に同年9月、アドルフ＝ヒトラーが入党する。

復員兵だったヒトラーは、初めは軍からの依頼で政党活動を監視する目的でドイツ労働者党に接近したが、同党の主張に共感を覚え、軍を離れて正式に入党した。巧みな演説能力とカリスマ性のあったヒトラーは、たちまち同党の有力者となり、ドレクスラーに替わってドイツ労働者党の活動を主導するようになっていった。そして、1920年にヒトラーが改名を主張し、ドイツ労働者党は国家社会主義ドイツ労働者党（ナチス）になった。その後、ナチスの実権を握ったヒトラーにより、創設者だったドレクスラーは名誉党首に祭り上げられたものの、党での影響力を完全に失ってしまう。

やがて、ナチスは1932年の選挙で第1党となり、翌年、ヒトラーは首相に就任。こうしてドイツは戦争へと突入していく。

**その他の出来事**

675年・日本初の占星台置かれる　1348年・楠木正行（まさつら）、四條畷で戦死　1895年・仏ドレフュスの階位剥奪式

1月6日【1948年】

# 日本が共産主義への防壁に。「逆コース」が始まる

No.006

陸軍長官時代のロイヤル（肖像画）

1945年に日本はポツダム宣言を受け入れ、第二次世界大戦に敗北。日本はアメリカを中心とする連合国軍最高司令官総司令部（GHQ）の占領下に置かれることとなった。

GHQの当初の占領政策は「日本の民主化・非軍事化」というものだった。この方針に基づき、旧日本軍は武装解除され、戦前の日本の経済界を支配していた財閥も解体された。そのほかにも、女性参政権や労働組合の合法化、共産党員などの政治犯の釈放も進められた。そんなGHQの初期占領政策の締めくくりが、新憲法の制定だった。GHQの指導の下1946年に、主権在民・平和主義・基本的人権の尊重の3つの柱を基本原理とし、天皇を国の象徴と位置付け、戦争放棄を明記した日本国憲法が公布される。

ここまでは、「民主化・非軍事化」というGHQの初期の占領政策に沿ったものだった。もちろん、この占領政策は日本に民主化を実現させるためのものであったことは間違いない。ただ同時に、戦争でアメリカを苦しめた日本の軍事力と経済力を弱体化させるという狙いがあったのも事実だ。

ところが、第二次世界大戦の終結後しばらくすると、自由主義・民主主義のアメリカと、共産主義のソ連という二大大国の対立が露（あら）わになってくる。いわゆる、冷戦構造だ。そこでアメリカは日本の占領政策を変更し、日本を対ソ連、対共産主義の強力な防波堤にする方針を固めた。それが初めて公になったのは、アメリカ陸軍長官のケネス＝クレイボーン＝ロイヤルが1948年**1月6日**に行なった演説だ。その演説のなかで、ロイヤルは、「日本を極東における共産主義に対する防壁にする」と明言したのだ。

この方針転換に伴い、1950年には自衛隊の前身である警察予備隊が創設され、日本の再軍備への道が開いた。また、翌年からはA級戦犯の減刑・釈放が行なわれ、戦前の指導者層の社会復帰も進んだ。さらにGHQは、労働運動や共産党の活動への弾圧も強めていった。つまり、日本を弱体化させるのではなく、軍事的にも経済的にも強くする方針に変わったのだ。これらの動きは、当初の「日本の民主化・非軍事化」に逆行するという意味で、「逆コース」と呼ばれている。

**その他の出来事**

1784年・オスマン帝国、ロシアのクリミア併合を認める　1917年・フィンランド、ロシアからの独立宣言

# 1月7日【1861年】 ヴィルヘルム1世、プロイセン王に ドイツ統一に向け、軍事力を強化

No.007

1879年のヴィルヘルム1世の肖像画

19世紀初頭のドイツは、35の君主国と4つの自由都市に分裂した状態にあった。それらの国々は、ドイツ連邦という形でゆるやかに連合していたものの、統一国家だったわけではない。ドイツ連邦のなかでは、プロイセンとオーストリアの2つの国の勢力が強かったが、連邦の中心だったのはオーストリアだ。

そのプロイセンの王として1861年**1月7日**に即位したヴィルヘルム1世は、ドイツ統一を目指し、軍事力の強化を図ろうとした。だが、議会は予算がかかりすぎるという理由で、強硬に反対した。ヴィルヘルム1世はいったん退位を考えるまで追い詰められたが、貴族出身の政治家であるオットー＝フォン＝ビスマルクを首相に抜擢（ばってき）。ビスマルクは「現在の課題は、議論や多数決ではなく、鉄と血で解決される」と演説し、議会の承認なく予算を執行する強硬策を進めた。

これにより、強力な軍事力をもつようになったプロイセンは、1864年にデンマークに戦争を仕掛けて領土を拡張。そこで獲得した領土は、オーストリアとの共同管理という約束だったが、ビスマルクはそれを履行せず、その独占を図る。そのためオーストリアと対立するようになり、プロイセンは1866年に北ドイツの諸領邦とともにドイツ連邦を脱退。これに対してオーストリアがプロイセンに宣戦布告をして始まったのが、プロイセン＝オーストリア戦争だ。

プロイセン＝オーストリア戦争ではビスマルクが戦略を練り、モルトケが軍を率いて、勝利。その結果、プロイセンを中心とする北ドイツ連邦が成立し、以後、オーストリアはドイツ統一から除外された。さらに、プロイセンはフランスを挑発して、1870年にプロイセン＝フランス戦争を引き起こすと、これにも勝利を収め、アルザス・ロレーヌ地方を領土として獲得した。

こうして誰の目にもプロイセンがドイツの盟主であることが明らかになると、1871年に占領したパリのヴェルサイユ宮殿でヴィルヘルム1世はドイツ皇帝に即位し、これにより統一されたドイツ帝国が成立する。ただ、ヴィルヘルム1世は生涯プロイセンの王であることにこだわりをもっており、ドイツ皇帝になることを心底嫌がったが、ビスマルクに説得され、しぶしぶ即位したという。

**その他の出来事**

645年・玄奘、16年ぶりに帰国　1610年・ガリレオ、木星の衛星発見　1989年・昭和天皇崩御

# 1月/8日【1918年】 ウィルソン大統領「十四カ条の平和原則」を発表

No.008

第一次世界大戦が勃発した当初、アメリカは中立の立場に立っていた。だが、第28代アメリカ大統領のウィルソンは、国内の参戦世論に押し切られる形で1917年3月にフランス、イギリス、ロシアなどの連合国（協商国）側で参戦。これにより、連合国の勝利が決定付けられた。

ウィルソン大統領

そこで、ウィルソンは1918年**1月8日**にアメリカ連邦議会において、大戦後に実現されるべき国際秩序の構想である「十四カ条の平和原則」を全世界に向けて発表した。その内容は、講和の公開、秘密外交の廃止、公海航行の自由、平等な通商関係の樹立、軍備の縮小、植民地問題の公正な措置などを掲げたもので、非常に理想主義的な内容だとされている。しかし実際には理想主義を装ったアメリカ至上主義の内容にすぎず、その真の狙いは、19世紀に大英帝国が実現させたパクス＝ブリタニカ（イギリスによる平和）に代わり、パクス＝アメリカーナ（アメリカによる平和）を実現し、自分たちのイニシアチブで支配できる20世紀の世界秩序だった。ちなみに、このウィルソンの平和原則は、第一次大戦末期の革命で成立したソ連の指導者であるレーニンが発表した「平和に関する布告」に対抗したものともいわれている。

第一次世界大戦が終結すると、戦後の国際秩序を決めるため1919年1月にパリ講和会議が開催された。この会議は、ウィルソンの十四カ条の平和原則に基づいて進められることとなった。しかし、各国の利害が衝突し、会議はなかなか合意に至らなかった。業を煮やしたウィルソンは、交渉を打ち切り、帰国を準備するまでとなる。それでも粘り強く会議は続けられ、いちおうの合意が形成されたのは会議開始から半年以上もたった6月末のことだった。

ところで、十四カ条の平和原則の第14条は「国際平和機構の設立」というものだ。ウィルソンはこの実現にも奔走し、それは1920年に国際連盟という形で結実した。だが、国際連盟の提唱国であったアメリカは上院議会が強く反対したことで、結局、国際連盟に加盟しないという皮肉な結末に終わった。

**その他の出来事**

1591年・天正遣欧使節、秀吉を訪問　1932年・桜田門事件　1959年・ド＝ゴール、大統領に就任

# 1月/9日【1968年】 アラブ石油輸出国機構(OAPEC)が結成される

No.009

アラブ石油輸出国機構(OAPEC〈オアペック〉)は、クウェート、サウジアラビア、リビアの3カ国が1968年**1月9日**に、アラブ産油国の利益を守るために設立した組織だ。本部はクウェートに置かれている。

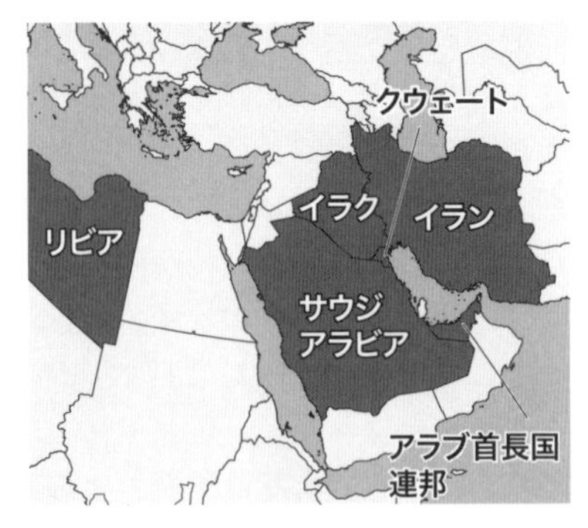

中東の主要OPEC加盟国

このOAPEC設立に先立つ1960年、イラン、イラク、クウェート、サウジアラビア、ベネズエラの5つの産油国によって、石油輸出国機構(OPEC〈オペック〉)も設立されていた。OPECが設立された背景には、当時、アメリカ、イギリス、オランダなどの国で発祥した国際石油企業が原油公示価格を決定していたことへの反発があった。これら欧米の企業に、産油国が団結することで利益を守ろうとしたのだ。

このような産油国同士が協力する機構がすでにありながら、OAPECが設立されたのには次のような理由がある。1967年にイスラエルとエジプトの間で第3次中東戦争(六日戦争)が勃発。アラブ産油国はエジプトを支援するため、イスラエルに味方するアメリカ、イギリス、旧西ドイツなどへ石油輸出を禁止するという強硬措置を採った。ところが、イランやベネズエラなどの非アラブ産油国が増産して、アラブが禁輸措置を採った国への輸出を増大したため、アラブの狙いは失敗に終わる。

このことの反省から、アラブの産油国は自分たちが今後さらに足並みをそろえる必要を痛感し、OAPECを結成したのだ。そういう意味で、OPECが産油国の利益を守るため、原油の公示価格の維持を最大の目的としているのに対し、OAPECはアラブ諸国が団結することでイスラエルに対抗するという、より政治的な目的をもっている。

その証拠に、のちにOAPECにはシリアやエジプトなど、石油輸出国ではない国々も加わった。現在、OAPECは、アラブ首長国連邦、アルジェリア、イラク、エジプト、カタール、クウェート、サウジアラビア、シリア、バーレーン、リビアの10カ国で構成されている。1973年には、日本をはじめ世界的に原油価格が高騰し、各国の経済が低迷するオイルショックが起きた。これは、第4次中東戦争が勃発したことに対し、OAPECが原油生産の段階的削減を決定したことが遠因となっている。まさに、機構の設立目的どおりに反イスラエルでアラブ諸国が団結し、世界に影響を及ぼしたのだ。

**その他の出来事**

802年・坂上田村麻呂、胆沢城を築城開始　1867年・明治天皇、即位　1873年・ナポレオン3世、死去

# 1月10日【8年】 前漢が滅亡。儒教色の強い新が建国される

No.010

中国最初の統一王朝である秦がわずか十数年で滅びた後、中国の覇権を巡って項羽との死闘に勝った劉邦(りゅうほう)が紀元前202年に建国したのが漢（前漢）だ。劉邦は長安（現在の西安）に都を建設。秦の制度を受け継ぎながら、国家の礎を築いた。

前漢の最大領域

第7代皇帝の武帝（位前141～前87年）の時代に、皇帝権力は最高に強まり、漢の繁栄は絶頂に達した。そして、その頃から儒教が漢の国教とされるようになっていった。儒教は、紀元前5世紀頃の思想家・孔子の教えで、「孝（父母への愛）」や「仁（社会や国家への愛）」を説いたものだ。とくに第10代皇帝・元帝（位前48～前33年）は、父である宣帝が心配するほど儒教に傾倒した。このような社会の変化を受けて、しだいに人々は皇帝よりも、儒家（儒教思想家）に期待するようになり、儒家のなかから宰相になる者が増えていった。

元帝の皇后の甥にあたる王莽(おうもう)は、皇帝との縁戚関係を利用して朝廷内で出世すると、みずからが儒教の理想に基づいた国家の運営を行なおうとした。そのために、朝廷での影響力を増大させることに尽力。やがては政権中枢で実権を握り、自身の意思で皇帝を決められるまでとなった。

紀元後5年に第13代皇帝・平帝が崩御するが、これは王莽が毒殺したともいわれている。それが事実かどうかは別にして、王莽は平帝の後継者として、まだ2歳の劉嬰(りゅうえい)を指名。だが、劉嬰がまだ幼年であることを理由に自身が摂政となり、劉嬰の後見となった。そのうえで、王莽は「天命に基づいて禅譲を受けた」として、みずから皇帝に即位し、新を建国する。これにより、8年**1月10日**、いったん漢は滅亡した。

王莽は念願だった儒教色の強い政治を行ない、土地・奴婢の売買禁止や貨幣の改鋳などを行なった。しかし、あまりに理想主義的すぎたそれらの政策はすべて失敗に終わり、各地で農民の蜂起が発生。王莽は反乱軍に殺され、新は1代で滅亡した。その後、漢の皇族の血を引く劉秀(りゅうしゅう)（光武帝）が25年に皇帝に即位し、漢を再興させた。光武帝以降の漢は、王莽に滅ぼされた漢を前漢と呼ぶのに対し、後漢と呼ばれている。

**その他の出来事**

1873年・徴兵令発布　1920年・国際連盟発足　1946年・国際連合第1回総会、ロンドンで開催

# 1月11日【630年】ムハンマド、メッカに無血入城 イスラームの聖地となる

No.011

ムハンマドはイスラーム教の開祖で、アラビア半島の交易都市メッカで570年頃生まれた。生家はメッカを支配するクラーシュ族のハシーム家の一員だったが、幼いときに両親が死んだため、ムハンマドは孤児となってしまい、祖父や叔父に育てられることとなった。

聖地メッカにあるカーバ神殿

やがて、成人したムハンマドは隊商貿易に従事するようになり、豪商の未亡人のハディージャに隊商を任せられるまでとなる。そして、25歳の頃に彼女と結婚し、ムハンマド自身も裕福な生活を送るようになった。

その頃から、ムハンマドは瞑想にいそしむようになり、610年頃、大天使ジブリール（ガブリエル）を通して、唯一神アッラーの言葉を授けられた。これにより、ムハンマドはイスラーム教を開き、アッラーの教えを説くようになった。

だが、ムハンマドが偶像崇拝や富の独占を厳しく批判したため、メッカの大商人たちは彼を厳しく弾圧。メッカにいられなくなったムハンマドは、少数の信者たちとともにオアシス都市のヤスリブ（現在のメディナ）へと逃れた。ちなみに、このヤスリブへの移住を、イスラーム教ではヒジュラ（聖遷）と呼んでいる。のちにつくられたイスラーム暦（ヒジュラ歴）では、ヒジュラが行なわれた西暦622年7月16日を、イスラーム暦の紀元元年1月1日としている。

ヤスリブに逃れてからもムハンマドは熱心に布教活動を続け、多くの信者を獲得。周辺の諸部族と同盟を結びながら勢力を拡大していき、しだいに宗教指導者であると同時に、政治と軍事の指導者にもなっていった。

こうして一大勢力となったイスラーム教徒たちは、メッカと戦争を繰り広げるようになり、勝利を重ねていく。その結果、メッカはこれ以上の抵抗は無意味と悟り、630年**1月11日**に降伏。ムハンマドは無血入城を果たした。

その後、ムハンマドとイスラーム教徒たちは、多神教の神殿であったメッカのカーバ神殿の偶像を破壊し、イスラーム教の神殿とした。以後、現在に至るまでメッカは、イスラーム教にとって最大の聖地となっている。

**その他の出来事**

1851年・洪秀全、太平天国樹立　　1930年・金輸出解禁実施

# 1月/12日【1519年】ハプスブルク家の礎を築いたマクシミリアン1世、死去

No.012

中世最後の騎士・マクシミリアン1世

ハプスブルク家は、オーストリアを中心に栄えたドイツ系貴族。この一族は、さまざまな国の王や皇帝を輩出したため、ヨーロッパ随一の名門王家ともいわれている。

そんなハプスブルク家の戦略を端的に言い表している言葉が、「戦争は他家に任せておけ。幸いなオーストリアよ、汝は結婚せよ」というものだ。この言葉どおり、同家は巧みな結婚政策により、領土を拡大させていった。そんななかでも、最も成功を収めたのがオーストリア大公で神聖ローマ帝国の皇帝でもあったマクシミリアン1世だ。

マクシミリアン1世は、神聖ローマ皇帝フリードリヒ3世の子として1459年に生まれた。やがて、1477年にブルゴーニュ公の公女マリと結婚。これにより、東部ブルゴーニュとネーデルラントがハプスブルク家の領土となった。その後、マリとの間に生まれた息子のフィリップと娘のマルグリットを、それぞれカスティリャ＝アラゴン王家の王女フアナと王太子フアンと結婚させた。その結果、ハプスブルク家はイベリア半島の大部分と、ナポリ王国、シチリア王国を手に入れる。

さらに、マクシミリアン1世は、フィリップの息子と娘であり、自身にとっては孫にあたるフェルディナントとマリアを、ハンガリー・ボヘミアを治めるヤギェウォ家の子女と結婚させた。こうして、ハンガリーとボヘミアの王位もハプスブルク家のものとなった。まさに、マクシミリアン1世は「汝は結婚せよ」というハプスブルク家の基本戦略を忠実に実行し、同家隆盛の礎を築いたのだ。

ただ、マクシミリアン1世は結婚政策を採っただけでなく、北イタリアの支配権を巡ってフランスと戦ったイタリア戦争をはじめ、生涯を通して、みずから兵を率いて戦場で戦い続けた。そのため「中世最後の騎士」とも呼ばれている。そんな一代の英雄であったマクシミリアン1世は、1519年**1月12日**に病死した。しかし、孫のカール5世は、のちにスペイン王と神聖ローマ皇帝を兼ね、ハプスブルク家をいっそう繁栄させた。以後、同家は20世紀初頭に至るまで、ヨーロッパで強大な勢力を誇り続ける。

**その他の出来事**

1729年・英バーク、誕生　　1874年・日本初の政党、愛国公党結成　　1914年・桜島大噴火

# 1月13日【1597年】 慶長の役の兵が朝鮮に上陸 豊臣家の終わりの始まりに

No.013

織田信長亡き後、その跡を継いだ豊臣秀吉は、1590年に天下統一を果たした。これにより、長きにわたって続いた戦国時代は終わりを告げる。だが、秀吉はすぐに朝鮮を征服し、明までも征服するという無謀な計画を実行に移した。もっとも、この計画は、天下統一を果たす前から秀吉が温めていたものだった。

1587年に秀吉は、対馬の宗氏を通して朝鮮に入貢と明出兵の先導を要求。朝鮮がこれを拒絶すると、秀吉は出兵の準備を始め、肥前（佐賀県・長崎県）の名護屋(なごや)に本陣を築いて、1592年に15万余りの大軍を朝鮮に派兵した。これを、「文禄の役」という。

文禄・慶長の役の日本軍の侵攻図

釜山に上陸した日本軍は漢城（現在のソウル）を陥落させ、さらに平壌にまで進軍し、占領した。しかし、明の援軍によって戦局はしだいに不利になり、いったん日本と明は講和を模索するようになる。

その和平交渉で秀吉は明に対して、明の皇女と天皇との婚姻や勘合貿易の再開、朝鮮南部の割譲、朝鮮王子の人質など日本にとって都合のよい条件を求めた。だが、当然、明がこれを受け入れるはずもなかった。実際に和平交渉を担った戦国大名の小西行長と明側の将軍は、秀吉の条件を曖昧にしたまま無理やりにでも講和にこぎつけようとしたが、1596年に明の使節が来日した際、秀吉は自分の出した条件が何1つ通っていないことを知り、激怒。その結果、交渉は決裂した。

交渉が失敗に終わったことで、秀吉は1597年の正月に、ふたたび朝鮮に14万余りの兵を送った。これを「慶長の役」という。同年**1月13日**、日本軍は朝鮮に上陸。だが、大国である明の征服という秀吉の無謀な野心に、日本軍の将兵の多くは嫌気が差しており、厭戦(えんせん)気分に包まれた日本軍は最初から苦戦を強いられた。そして、翌年秀吉が病死すると、それをいいことに急いで撤兵した。これにより、慶長の役は終結する。

膨大な戦費と兵力を消費した文禄・慶長の役は、豊臣政権を弱体化させた。また、諸大名の豊臣氏に対する反感を育ててしまった。それが、のちに徳川家康が天下を取る一因となる。

**その他の出来事**

1199年・源頼朝、死去　1822年・ギリシア、オスマン帝国からの独立を宣言

# 1月14日【1944年】ソ連、レニングラード戦線で大反攻を開始する

No.014

ヒトラー率いるドイツは、1939年にソ連との間に独ソ不可侵条約を結んだ。こうしてソ連の了解を得たドイツは、かねてからの計画どおり、ポーランドに侵攻し、これにより第二次世界大戦が勃発する。ドイツは緒戦で勝利を重ね、ヨーロッパの大半を占領するが、イギリスは頑強に抵抗し続けた。そこでヒトラーは、ソ連が敗れればイギリスも降伏すると考え、1941年6月、不可侵条約を一方的に破り、ソ連への侵攻を開始。こうして、独ソ戦が開戦した。

独ソ戦が始まるとドイツ軍は快進撃を続け、開戦から3カ月後にはソ連第二の大都市であり、ロシア革命の中心地でもあったレニングラードを大軍によって包囲した。だが、ドイツ軍最高司令部は、レニングラードを力押しで占領するのではなく、包囲して餓死させるという方針を定める。ドイツ軍はレニングラードの水道・電気・ガス供給施設、食糧備蓄施設などを重点的に攻撃。その結果、1942年に入ると市内では飢餓が発生し、1月、2月だけで餓死者は20万人に及んだという。

当然、ソ連もレニングラードを解放しようと、幾度となく攻撃を繰り返したが、はかばかしい成果は得られなかった。しかし、1943年に入ると、ソ連は「イスクラ（火花）作戦」を決行。ドイツ軍によるレニングラード包囲網の一部を突破することに成功する。これにより、市内への鉄道輸送が再開され、多少の物資が運び込まれるようになった。それでも、まだドイツ軍は包囲陣地の多くを維持しており、連日、市内への砲爆撃が続いた。

そこで、ソ連は1944年**1月14日**にレニングラードを包囲するドイツ軍へ大軍を送り込み、猛攻撃を開始。この大反攻でドイツ軍は壊滅状態に陥り、敗走。レニングラードの872日間にわたる封鎖はようやく解け、完全に解放されることとなった。また、これにより独ソ戦におけるドイツの敗北は決定的となり、それが第二次世界大戦全体での敗北にもつながっていく。ちなみに、戦後のソ連の発表によれば、レニングラード包囲戦における市民の死者は63万人とされているが、実数には100万人以上が亡くなったともいわれている。その死因のほとんどは、餓死だった。

**その他の出来事**

1943年・カサブランカ会談でシチリア島上陸作戦を決定　　1950年・ベトナム民主共和国独立宣言

# 1月15日【1772年】「近代日本の先駆者」田沼意次、老中に就任する

No.015

田沼意次は、わずか600石という低い身分から身を起こしながら、江戸幕府の政治の中枢を担う老中にまで上り詰めた人物だ。その権勢は、のちに「田沼時代」と呼ばれるほどだった。

田沼意次

意次の父はもともと紀州藩（和歌山県）の足軽だったが、徳川御三家の1つである紀州藩の徳川吉宗が8代将軍になったことで、下級の幕臣となる機会を得た。江戸に味方のいなかった吉宗は、紀州藩の家臣で側近を固めることで幕政を掌握。その流れのなか、意次も吉宗の子で、のちに9代将軍となる家重の小姓として抜擢される。

1745年に家重が将軍職に就いた頃から、意次はしだいに幕政に参加するようになっていった。家重から重用された意次は、1758年には1万石の大名に取り立てられ、相良藩（静岡県牧之原市）の藩主となっている。その3年後に家重は亡くなってしまったが、遺言により10代将軍・徳川家治も引き続き意次を重用した。その結果、意次は1767年に将軍の命令を老中らに伝える重要な役目である側用人へと昇進する。

こうして意次が幕政の中枢に関わるようになった頃、幕府の財政は極めて悪化していた。そこで意次は、大商人たちを利用して経済活動を活発にすることで、財政を立て直すという方針を立てた。具体的には、商工業者の株仲間を積極的に公認し、幕府直営の座を設けて銅や鉄を専売にした。また海産物を中国に輸出するなど、あらゆる手段を使って幕府の収入の増大を図った。また、印旛沼の干拓にも着手し、蝦夷地（北海道）の開拓も進めようとした。さらに、士農工商の別に捉われない実力主義に基づく人材登用も試みようとした。これらの政策を懸命に進めていくなか、ついに意次は1772年**1月15日**、将軍職を除いた幕府の最高職である老中に就任する。

だが、意次の革新的な政策は保守的な幕閣や大名たちからはつねに不評であり、成り上がり者という批判もついて回った。そのような反感が、1784年に意次の子の意知が江戸城内で殺されるという事件の遠因となり、以後、意次の権勢は陰りを見せていく。そして、1786年に最大の後ろ盾だった家治が死去したことで失脚し、幕政を追われた。しかし、資本主義を先取りしたかのような政策を実行した意次は近年、「近代日本の先駆者」と高い評価を得ている。

**その他の出来事**

1919年・ドイツ共産党弾圧　1936年・日本、ロンドン海軍軍縮会議脱退　1992年・スロベニアとクロアチアの独立承認

# 1月16日【1979年】 イラン革命が勃発 西欧化を捨て宗教国家に

No.016

イラン革命を指導したホメイニ

1925年に成立したイランのパフレヴィー朝の第2代国王（シャー）であるパフレヴィー2世は、1950年代から親欧米路線を推し進め、1963年にイランの近代化、西欧化を目的とする「白色革命」を宣言。農地改革や森林国有化、国営企業の民営化、婦人参政権、識字率の向上などを、上からの改革で実現しようとした。

だが、イスラーム教の宗教勢力や国内の保守派は、国王の改革に反発。また国民のなかには、イランがアメリカの傀儡（かいらい）国家になるのではないかと危惧する意見も少なくなかった。これに対し、パフレヴィー2世は秘密警察を使って反対派を弾圧し、近代化革命や世俗化の名の下、イスラーム勢力を強引に排除しようとした。

その排除されたイスラーム勢力のなかに、イスラーム法学者のホメイニがいた。ホメイニは以前からパフレヴィー朝の西欧化政策を強く批判しており、国王に反抗する勢力のシンボル的存在となっていた。国民へのホメイニの影響力を恐れたパフレヴィー2世は、1964年に彼を国外追放する。

だが、はじめイラクに、のちにフランスに亡命したホメイニは、積極的にメディアを利用して国外からイラン国民へ国王への抵抗を呼びかけ続けた。やがて、ホメイニの扇動もあって1978年にイラン国内で暴動が発生。国王は事態の収拾を図ろうとしたが、暴動はイラン全土に広がり、ついに1979年**1月16日**、パフレヴィー2世とその家族は国外へと亡命した。これにより、パフレヴィー朝は滅亡する。

同年2月に帰国したホメイニは、国民投票での圧倒的な支持を得て、イスラーム教に基づいた国家であるイラン=イスラーム共和国の樹立を宣言。自身は、終身任期の最高指導者（国家元首）となった。この一連の動きをイラン革命という。

宗教指導者が国家元首となり、宗教に基づいた国家運営をするという体制が20世紀の後半に誕生したわけだが、イスラーム世界では国家は基本「宗教国家」。そして、このイスラーム復興の動きが、冷戦体制崩壊後のイスラーム世界対欧米という対立構造につながっていく。

**その他の出来事**

754年・鑑真来日　　1919年・米憲法に禁酒条項が付加

# 1月17日【395年】テオドシウス帝、死去 ローマ帝国が東西に分割する

No.017

紀元前27年に成立したローマ帝国は、地中海世界を中心とした広大な版図を支配し、繁栄を謳歌(おうか)していた。だが、3世紀頃から帝国のまとまりは崩壊し始め、各属州の軍人が勝手に皇帝を立てて元老院と争い、短期間に多数の皇帝が即位しては殺されるという混乱状態に陥るようになった。さらに、この頃から頻繁に帝国の北と西からゲルマン人が侵入したため、国土は荒廃した。

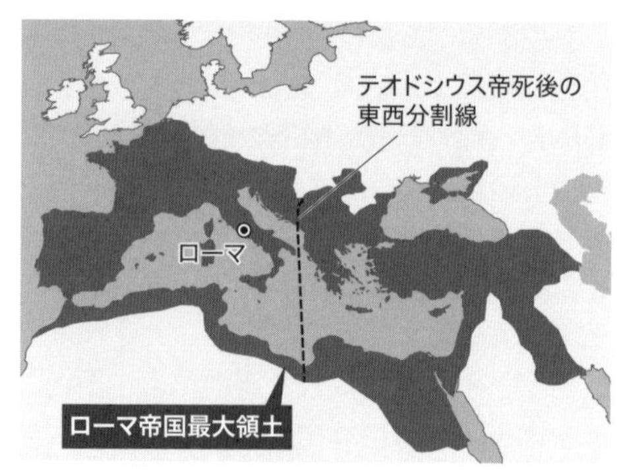

ローマ帝国最大領土と東西分割

こうして、誰の目にも衰退が明らかになっていたローマ帝国では、しだいに広い領土を分割して統治する方法が試されるようになっていった。その後、帝国は分裂と統一を繰り返すようになるが、最後に帝国全土を1人で支配した皇帝がテオドシウス1世だ。

テオドシウスは347年にスペインで将軍の子として生まれ、父に従って軍功を挙げた。その頃、ローマ帝国は分裂しており、西帝グラティアヌスと東帝ヴァレンスという2人の共同皇帝によって統治されていた。378年にヴァレンスが戦死すると、グラティアヌスはテオドシウスを東ローマ帝国の共同皇帝に任命。これにより、ローマ皇帝テオドシウス1世が誕生する。

テオドシウス1世は皇帝の座に就くと、侵入してきたゲルマン系のゴート族を打ち破ったのち、彼らを「同盟者」とすることで国内の安定を実現した。だが、その直後の383年に、グラティアヌスが軍人のマグヌス＝マクシムスによって殺され、マクシムスが西帝を称するという事件が起きる。これに対し、テオドシウス1世は388年にマクシムスを破り、ローマ帝国の再統一を果たした。

しかし、もはやローマ帝国を1人の皇帝が治めることは不可能だと悟っていたテオドシウス1世は、395年**1月17日**に亡くなる際、2人の息子のうち長男アルカディウスを東ローマ皇帝に、次男ホノリウスを西ローマ皇帝に指名した。この結果、ローマの東西分裂が確定し、以後、2度と統一ローマ帝国は成立しなかった。

ちなみに、テオドシウス1世はキリスト教をローマ帝国の国教とし、ほかの宗教を禁じた皇帝としても知られている。この政策によってキリスト教は、現代に至るまでヨーロッパにおける最大の宗教勢力となり、絶大な影響力をもつようになった。

**その他の出来事**

1377年・教皇グレゴリウス11世ローマに帰り、「教皇のバビロン捕囚」が終わる　1874年・民撰議院設立建白書が提出

# 1月18日【1915年】 二十一カ条の要求を提出 国際社会の反感を買う

No.018

1914年8月に第一次世界大戦が勃発すると、日本は日英同盟を口実にドイツに宣戦布告した。だが、日本の本当の狙いは中国における勢力拡大であり、具体的にはドイツが中国にもっている権益を奪い取ることだった。

日本のその目論見は成功を収め、日本軍はドイツの中国における拠点だった山東半島の青島を占領。さらに、山東省全域を征服し、統治を始めた。

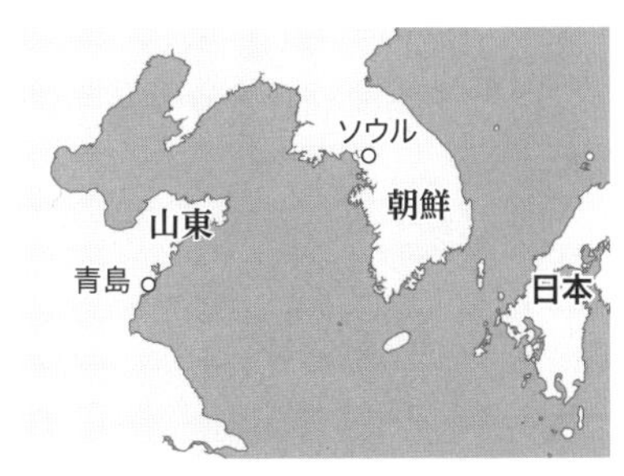

日本が第一次世界大戦で獲得した山東省

そのような状況下の1915年**1月18日**、日本は中華民国の袁世凱政権に対して二十一カ条の要求を突き付けた。この要求は、大きくは5つに分かれており、それぞれの要求に細かな条項が付帯するという形で構成されていた。5つの要求のおもな内容は、第1号がドイツの山東半島の利権を日本が継承すること。第2号が、旅順・大連の租借期限を99年延長することなど。第3号は、南満洲や東部内蒙古の鉱山の権益を取得すること。第4号は、中国の領土を他国に譲渡または貸与しないこと。第5号は、日本人顧問を中国政府に入れることであった。

日本は事前に二十一カ条の大枠をイギリス、アメリカ、フランス、ロシアなどの列強に示しており、内諾を得ていた。しかし、じつは日本が列強に知らせたのは第4号までで、第5号は通達していなかった。第5号は、日本が中国を保護国化する意図と受け取られる危険性が高かったためだ。

日本は第5号を「希望条項」として加えたうえで要求を突き付けたが、二十一カ条の要求そのものが受け入れがたかった中国は、第5号の存在を世界に公表することで国際世論の非難を日本に集めようと画策。その狙いはある程度成功したが、日本も強硬であり、結局、第5号を除いたすべての要求を中国はのまされてしまう。

ただ、この1件によって中国国内では激しい反日運動が沸き上がった。また、アメリカとイギリスは日本の中国への侵出を強く警戒するようになった。アメリカもイギリスも、日本が中国市場を独占することを望まなかったのだ。そして、アメリカの意向もあり、20年以上継続していた日英同盟は、1923年に破棄されることとなる。こうして日本は、しだいに国際的に孤立への道を進んでいくことになる。

**その他の出来事**

1657年・明暦の大火

# 1月19日【1981年】 米・イランが大使館の人質解放協定に調印

No.019

©毎日新聞社

米大統領の人形を串刺しにするテヘラン市民。1980年1月撮影。

1979年に親米路線だったイランのパフレヴィー朝がイラン革命で倒れると、イランは強硬な反米路線に方針転換した。前国王のパフレヴィー2世がアメリカに亡命したことで、イラン国民の反米感情はさらに高まり、首都テヘランにあるアメリカ大使館の周囲では、連日のように反米デモが行なわれるようになった。

そして同年11月4日、ついにイスラーム法学校の学生たちと暴徒の一部がアメリカ大使館に侵入。アメリカ人外交官と、その家族の計52人を人質に取って、前国王のイランへの身柄引き渡しをアメリカ政府に要求する「イランアメリカ大使館人質事件」が勃発した。

じつは、この事件は偶発的なものではなく、革命後に成立した軍事組織のイスラーム革命防衛隊が主導したものだった。そのため、イラン政府も警察も大使館の占拠を制止できなかったという。人質事件は国際的な強い批判を浴びたが、立て籠もった学生たちも、それを支援するイスラーム革命防衛隊も批判に耳を貸そうとはしなかった。

当然、アメリカ政府と当時の大統領だったカーターは、人質事件に激怒した。だが、当初は穏健な方法で解決しようとし、パフレヴィーをアメリカから出国させ、パナマへ移送している。しかし、大使館の占拠は解かれなかった。そこで、強硬路線に転換したアメリカは軍事力による人質奪回を決意し、1980年4月、ペルシア湾に展開した空母と艦載機による「イーグルクロー作戦」を発動する。ところが、この作戦は軍用ヘリコプターが砂漠で故障してしまったことで、失敗に終わってしまった。

軍事作戦の失敗により、強硬策を諦めたアメリカは、イラン政府と粘り強い交渉を続けたが、なかなか事態は進展しなかった。しかし、同年7月にパフレヴィー前国王が亡命先のエジプトで急死したことで、前国王の身柄引き渡しという大使館占拠の目的が消え、状況は劇的に変わった。

これを受けて、アメリカとイランは仲介国のアルジェリアを通して交渉を続け、1981年**1月19日**に、ようやく人質解放協定の調印にこぎつけた。翌日、人質は444日ぶりに解放されたが、事件の解決に手間取ったカーター大統領の人気は凋落(ちょうらく)しており、事件中に行なわれた大統領選で敗北。人質解放の日に、新大統領のレーガンが就任した。

**その他の出来事**

1428年・足利義教が6代将軍に就任　1899年・勝海舟、死去　1966年・インディラ=ガンジー、インド首相に就任

# 1月20日【1924年】第1次国共合作が成立 列強への抵抗の足がかりになる

No.020

1917年3月12日にロシア革命が起き、帝政政府が倒れると、社会主義、共産主義といった思想への関心が中国でも高まった。さらに、1919年にソ連が旧ロシア帝国の秘密条約をすべて破棄し、あらゆる権益を中国に返還すると宣言したことで、中国での社会主義・共産主義熱はいっそう高まっていった。

この流れを受けて共産主義の国際組織であるコミンテルンは、中国の共産主義者たちを組織化することを図った。その影響もあって、1921年に中国共産党が結成される。その第1回全国代表大会が7月23日、上海のフランス租界で開かれた。このときの代表は13人しかおらず、誕生したばかりの中国共産党の力は弱かったが、しだいに支持者を増やしていった。

一方、中華民国の初代臨時大総統だった孫文は、その頃内部抗争によって政権を追われており、袁世凱（えんせいがい）とその後継者が政権を運営していた。これを北京政府という。孫文は政権を追われたのちに結成した革命団体の中華革命党を1919年に改組し、中国国民党を結成。より幅広く民衆へ働きかける方針に転換し、1923年には国民党が中心となって北京政府に対抗する広東（カントン）政府を樹立した。

同時に孫文はソ連に接近し、共産党員が国民党に入党することを認める代わりに、ソ連に国民党を支援させることを狙った。同年1月、ソ連の政治家であるヨッフェと会談した孫文は、孫・ヨッフェ宣言を出して、ソ連との提携を公表。同年11月には、ソ連との連帯、共産党との一体化、労働者・農民の運動を助けることを3本柱とする「連ソ・容共、扶助工農」という政策を国民党は掲げた。20年代を通じてソ連は国民党への援助を続けたが、同時に中国共産党への影響力も保ち、両党が協力することを求めていた。

そして、1924年**1月20日**に、広州で国民党第1回全国代表者大会が開催され、そこで北京政府の打倒と列強の干渉の排除を実現するため、中国共産党との協力が宣言された。これを、第1次国共合作という。この第1次国共合作では、中国共産党員は個人としての資格で国民党に加入することとなった。このとき、毛沢東や陳独秀など中国共産党の創設メンバーも国民党に加入している。

ただ、第1次と付くように、この国共合作は孫文の死後瓦解してしまう。第2次国共合作は日本の侵略に対抗するため1937年に成立したが、第二次世界大戦後、こちらも瓦解し、両者は内戦状態に入っていく。このような国民党と中国共産党の融和と対立の繰り返しが、現代の台湾問題にも尾を引いている。

**その他の出来事**

1869年・薩長土肥、版籍奉還を上表　　1925年・北京で日ソ基本条約調印。日ソ国交樹立

# 1月21日【1793年】 ルイ16世、ギロチンで処刑 反革命の機運が高まる

No.021

フランス革命で処刑されたルイ16世

18世紀後半のフランスは、慢性的な財政赤字に苦しんでいた。とくに負担となっていたのが、軍事支出だ。17世紀以来、イギリスと世界の覇権を争ったことでフランスの軍事費は増大。負債返済額が国庫支出の半分を占めるまでとなった。

そんななか、1774年に即位したルイ16世は、積極的な財政改革に取り組もうとした。穀物・小麦価格の自由化やギルド（職業組合）の解散、手形割引銀行の設置など、自由主義経済思想に基づいたルイ16世の経済改革は、当時としては先進的なものだった。だが、あまりにも変化を急ぎすぎたことで各方面から反発を受けてしまい、この経済改革は頓挫してしまう。結果として、フランスの財政赤字は解消されなかった。

やがて1785年からの数年間、ヨーロッパ全体で異常気象が続くようになった。これにより、フランスの小麦生産は壊滅的なダメージを受けてしまう。その結果、パンの価格も高騰。フランスの労働者階級の収入に占めるパンの消費支出の割合が、1789年には88パーセントにまで跳ね上がってしまった。

これにより、フランス国民、とくに貧しい市民や農民の不満が高まり、フランス各地で暴動が頻発するようになっていった。そして、1789年7月に圧政の象徴となっていたバスティーユ監獄がパリの民衆に襲撃されたことで、フランス革命が勃発する。革命が暴走しつつあるのを恐れた立憲国民議会は革命勃発後、ルイ16世に対して封建的特権の廃止と国民主権を要求したが、ルイ16世はこれを拒否。ただ、この段階ではルイ16世の命が危険にさらされていたわけではない。しかし、ルイ16世は1791年にオーストリアへ亡命しようとし、革命派に捕まってしまった。

この亡命未遂を知った国民は、ルイ16世が外国勢力と結んで革命を潰そうとしていると考え、王に対する反感は極限にまで高まった。そして、1792年に開設された新たな国会である国民公会は、王政を廃止してフランスを共和政にすることを決定するとともに、ルイ16世に対して反革命の罪で死刑を宣告。1793年**1月21日**にルイ16世はギロチンで斬首刑にされた。これを知った欧州諸国はいっせいに革命に対する危機感を高め、反革命を旗印に干渉のための戦争を繰り返すようになる。

**その他の出来事**

1866年・桂小五郎と西郷隆盛が薩長連合を密約　1924年・レーニン、死去　1965年・インドネシア、国連脱退

1月22日
【1905年】

# 「血の日曜日事件」が発生 1917年のロシア革命を導く

No.022

多数の犠牲者を生んだ「血の日曜日事件」 ©Opale/アフロ

19世紀末から20世紀初頭にかけて、ロシアでは工業化が進み、国力が増大した。鉄鋼業では世界第4位となり、石油生産は世界総生産量の半分を占めるまでとなったのだ。また、この発展により人口も増え、20世紀初頭のロシアの人口は1億2500万人を超えるまでとなった。

だが、急激な成長が1900年代半ばに停滞すると、土地不足に対する農民の抗議活動や都市部での労働者のストライキ、学生によるロシアの専制体制への批判など、さまざまな社会運動が盛んになっていった。これに伴い、国外に亡命していたレーニンなど社会主義者の政治活動も活発化し、ロシア国内では政治家の暗殺事件も頻発した。

そのような社会情勢のなか、1905年**1月22日**に首都ペテルブルクで、憲法改正や政治改革を求める労働者とその家族10万人によるデモが実行された。このデモは平和的な請願行進であり、暴力的な要素はいっさいなかったが、デモ隊が冬宮殿に向かうと警官隊はデモ隊に向かって発砲してしまった。これにより、デモ隊に多数の死傷者が発生。正確な数はわかっていないが、1000人から4000人もの人が亡くなったとされる。この事件は日曜日に起きたため、「血の日曜日事件」と呼ばれた。

血の日曜日事件はロシア国民に大きな衝撃を与えた。そして、これがきっかけとなって、第1次ロシア革命が勃発。労働者のストライキや農民蜂起、民族運動などがロシア全土に広がった。さらに、黒海艦隊の戦艦ポチョムキンでの水兵の反乱も起こり、全国で、交通と通信が麻痺した。ロシア皇帝ニコライ2世は事態を収拾するため、国会（ドゥーマ）の開設を認めざるをえなかった。ただ、いったん国内の騒乱は収まったものの、国民の不満は解消されず、それが共産主義革命である1917年の第2次ロシア革命へとつながっていく。

ちなみに、血の日曜日事件が起きたときは、日露戦争の最中だった。日露戦争におけるロシアの直接的な敗因は、バルチック艦隊が日本の連合艦隊に日本海海戦で敗れたことだ。しかし、第1次ロシア革命で国内が不安定になっていたことが、ロシアに早期の講和を決意させた遠因となっていることも間違いない。

**その他の出来事**

1863年・ポーランド反乱　1901年・英ヴィクトリア女王、死去　1924年・英初の労働党内閣成立

1月/23日【前27年】

# オクタウィアヌスが帝政を確立 ローマの共和政が終焉する

No.023

オクタウィアヌスは、共和政だったローマで独裁的な権力を確立したカエサルの甥だ。カエサルが暗殺されると、その遺言によって養子となり、彼の権力基盤を受け継いだ。

ローマではカエサルが亡くなったことで、ふたたび元老院体制に戻そうとする動きが強まった。だが、オクタウィアヌスは、カエサルの腹心の部下で政治家・軍人だったアントニウスと、同じくカエサルの部下だった政治家・軍人のレピドゥスと政治同盟を結び、カエサルの死によって混乱していた国家を再建するという名目で元老院派を粛清した。こうして3者によって主導されたこの時期のローマの政治を、第2回三頭政治という。

ちなみに第1回三頭政治は、軍事的才能に優れたポンペイウス、大富豪クラッスス、カエサルの3人が前60年に結んだ私的な政治同盟。元老院と閥族派に対抗し、政権を握ったが、前53年クラッススが戦死して解消したのち、カエサルの独裁が始まった。

オクタウィアヌスらで主導された第2回三頭政治は安定せず、オクタウィアヌスと対立したレピドゥスが、まず政治の中枢から追放された。その後、オクタウィアヌスはプトレマイオス朝エジプトの女王クレオパトラと組んだアントニウスと対立。これを、前31年にギリシア西北岸における「アクティウムの海戦」で破ったことで、オクタウィアヌスはローマにおける絶大な権力を握った。

ローマに凱旋後の前27年**1月23日**に、オクタウィアヌスは元老院からアウグストゥス（尊厳者）の称号を与えられ、これにより実質上の帝政ローマが始まった。ただ、オクタウィアヌスは皇帝を名乗らず、「市民の第一人者」を意味するプリンケプスを自称し、元老院などの共和政の制度を残した。しかし、同時にあらゆる権限を自分に集中させた。この政治体制を元首政（プリンキパトゥス）というが、事実上は皇帝独裁だった。そして、その地位と権限のすべては養子のティベリウスに継承され、二度と共和政は復活しなかった。

オクタウィアヌスは軍事的にはカエサルより消極的で、領土拡張より内政の充実に重点を置いた。これにより、ローマ帝国は繁栄し、以後、地中海世界は200年に及ぶ平和を享受した。これを、「パクス＝ロマーナ（ローマによる平和）」という。

ちなみに、オクタウィアヌスの得た称号アウグストゥスは、英語のAugustをはじめ、多くの欧米諸国で8月を意味する言葉の語源となっている。

**その他の出来事**

661年・第4代カリフのアリー暗殺される　1368年・朱元璋、明朝を建国　1793年・露普、第2次ポーランド分割

# 1月24日 カリフォルニアで金発見 ゴールドラッシュが始まる

【1848年】

No.024

1848年**1月24日**、当時はまだ州になっていなかったアメリカのカリフォルニアで、開拓者の1人であるジェームズ＝ウィルソン＝マーシャルが製材所の放水路で金の欠片を発見した。これにより、カリフォルニアに豊かな金鉱脈があることが知れ渡ると、国内外から30万人もの人々が一攫千金を夢見てカリフォルニアに向かった。こうして始まったのが、ゴールドラッシュだ。

ゴールドラッシュでカリフォルニアを目指したのは男性だけでなく、その家族である女性や子どもも多数いた。初期の採掘者たちは、1849年に旅立った者が多かったことから「フォーティナイナーズ」とも呼ばれている。そんな当初の採掘者たちはアメリカ人が大半だったが、しだいにラテンアメリカ、ヨーロッパ、オーストラリア、アジアなどからも、何万人もの人が集結した。

ゴールドラッシュの初期には、川で砂金をさらうという原始的な方法で金は集められたが、やがて専用の設備を使用した本格的な金山開発が始まった。これにより、個人の採掘者よりも会社組織の探鉱の比率が増していった。ゴールドラッシュで発見された金の量は、現在の貨幣価値に直すと数百億ドルにもなるという。ただ、莫大な富を得られた者はごくわずかで、ほとんどの人は金を見つけられず、カリフォルニアにやってきたときと変わらない資産のまま故郷に戻ったとされる。

しかし、このゴールドラッシュによって、カリフォルニアの農業、鉱業、経済などは急速に発展した。カリフォルニアの都市サンフランシスコの人口は、1846年には200人しかいなかったが、爆発的に増加し、1850年にカリフォルニアはアメリカ合衆国31番目の州となった。

こうしてアメリカの発展に大きく寄与したゴールドラッシュも、金が採れすぎたことで金価格が暴落し、1850年代半ばに終焉した。そして、金が採れる土地から原住民であるインディオ（インディアン）が追い出されたり、採掘によって川や湖などの自然環境が汚染されるという負の側面があったことも事実だ。

19世紀の初めよりアメリカ北部では木綿産業の工業化が発展し、南部では綿花栽培が盛んになっていた。同時に西部地域への領土拡大で、多くの人が西部の土地獲得を目指して移動する「西漸運動」が起こっていた。ゴールドラッシュはその運動を促進させたともいえようが、こうした西部への領土拡大は、奴隷州を増やそうとする南部と自由州を増やそうとする北部の対立を深め、1861年から始まる南北戦争へと至る。西漸運動はその後も、大陸を横断するユニオン＝セントラル－パシフィック鉄道（1869年）、サンタフェ鉄道（1885年）、サザン＝パシフィック鉄道（1883年）の開通へと受け継がれていった。

**その他の出来事**

1522年・ルターのヴィッテンベルク騒動　1911年・大逆事件の被告、死刑執行　1972年・横井庄一さん、発見

# 1月25日【1077年】「カノッサの屈辱」でハインリヒ4世、許しを乞う

No.025

©Hi-Story/Alamy Stock Photo

カノッサの屈辱を描いた絵画

1049年にローマ教皇となったレオ9世は、教皇庁の改革に精力的に取り組んだ。その努力の結果、教皇の地位は世俗の王や皇帝の意思で決まるのではなく、教会内の枢機卿団によって選ばれるべきものだということが確立され、カトリックの権威は高まった。しかし、地方の教会をまとめる司教や修道院長など聖職者を任命する権限（聖職叙任権）については、依然、教会と君主たちの間で争いが続いた。

1070年代、ドイツ国王ハイリンヒ4世はイタリアにおける影響力を増すため、自分の子飼いの司祭たちをミラノ大司教、フェルモやスポレートの司教などに次々と勝手に任命してしまった。これに対し、レオ9世に引き立てられて1073年にローマ教皇となったグレゴリウス7世は、司教の任命権が君主ではなく教会にあることを通達し、司教の擁立中止を求めた。だが、ハインリヒ4世は聞き入れようとはしなかった。それどころか、ハインリヒ4世は1076年に独自の教会会議を開いて、教皇の廃位を宣言してしまう。

ここに至って、グレゴリウス7世もハインリヒ4世の教会からの破門と王位の剝奪を宣言。この宣言を、かねてからハインリヒ4世への敵対意識が強かったザクセン公をはじめとするドイツの諸侯たちは好機と捉え、ハインリヒ4世に反旗を翻した。これにより、国内の地位が危うくなったハインリヒ4世は慌てて、1077年**1月25日**にイタリアのカノッサ城に滞在していたグレゴリウス7世の下を訪れ、破門の解除と教皇の許しを懇願した。これを「カノッサの屈辱」という。

このとき、ハインリヒ4世は雪が降り積もるなか、カノッサの城門の前で裸足のまま3日3晩、断食と祈りを続けて教皇に許しを乞うたとも伝えられているが、これはカトリック教会による後世の創作だとされている。だが、この一件によって、教皇の権威が世俗の君主よりも上位にあることが明確になり、ヨーロッパにおけるカトリックの権威は絶対的なものとなった。一方で16世紀に宗教改革が起きると、プロテスタント諸派は「カノッサの屈辱」をカトリックの横暴を象徴する事件として批判した。

**その他の出来事**

901年・菅原道真の大宰府行きが決定　　1981年・中国、江青ら四人組に死刑判決

# 1月26日【1939年】フランコ軍がバルセロナを奪い人民戦線政府の敗北が決定

No.026

軍事独裁政権を築いたフランコ将軍

1930年代のスペインでは、政治の混乱が続いていた。1930年にはプリモ＝デ＝リベーラ将軍の独裁政権が倒れ、国王も退位。これにより共和政に移行したが、右派と左派が激しく対立し、テロも横行した。

1936年の選挙では左派の人民戦線派が勝利し、人民戦線政府が成立。だが、政府内では議会制民主主義を目指す穏健派と、社会主義革命または無政府主義革命を目指す強硬派が対立した。また、左翼政権の成立に、軍部、保守派、カトリックなどは危機感を強めていた。このような状況のなか、1936年7月にフランコ将軍が反乱を起こし、スペイン各地で軍の右派が蜂起する。

反乱が発生すると、政府は正規軍、治安警察、武装労働者などを投入して、マドリードやバスクなどを防衛したが、反乱軍はセビーリャやサラゴサなどの大都市を占領。こうして、スペインを二分する「スペイン内戦」が始まった。

フランコ将軍が率いる反乱軍はヒトラー政権のドイツと、ムッソリーニ政権のイタリアからの支援を受けた。一方、人民戦線政府はスターリン政権のソ連から支援を受けた。また、世界各国から反ファシズムを掲げる学生や労働者、知識人などが義勇兵としてスペインに渡り、反乱軍と戦った。国際旅団と呼ばれたこの義勇兵のなかには、アメリカの作家ヘミングウェイやフランスの作家マルローなどもいた。

しかし、戦局はしだいに人民戦線政府側が劣勢となっていき、次々と主要都市が反乱軍の攻撃の前に陥落していった。1937年にはバスク地方の都市ゲルニカがドイツ軍の無差別爆撃を受け、多数の死傷者が発生。この惨禍を題材にスペインの画家ピカソが描いたのが『ゲルニカ』だ。

そして、1939年**1月26日**にバルセロナが陥落したことで、人民戦線政府の敗北は決定的となり、同年2月にはイギリスとフランスがフランコ政権を承認。最後の砦だったマドリードも同年3月に陥落したことで、人民戦線政府は完全に崩壊した。こうして成立したフランコの軍事独裁政権は、第二次世界大戦を中立の立場で無傷で乗り切り、戦後は西側陣営の一員として1975年まで存続する。

**その他の出来事**

1788年・イギリス人がオーストラリアに植民開始　　1805年・幕府がロシア船来航に関する処置を諸大名に通達

# 1月27日【1973年】 パリ協定が締結され ベトナムから米軍撤退が決定

No.027

キッシンジャー（左）とトランプ大統領（右）

アメリカが支援するベトナム共和国（南ベトナム）と、ソ連、中国が支援するベトナム民主共和国（北ベトナム）の戦争であるベトナム戦争は、完全に冷戦構造下の米ソの代理戦争だった。1960年代から始まったこの戦争では、アメリカは物量作戦で北ベトナムを壊滅させようとしたが、北ベトナムと、同国が支援する軍事組織の南ベトナム解放民族戦線（ベトコン）が密林でゲリラ戦を繰り広げて抵抗したことでアメリカ軍は苦戦。ベトナム戦争はいつ終わるともしれない泥沼状態へと陥っていった。

そんななか、アメリカの強権的な振る舞いに対して、しだいに国際的な批判が集まるようになっていった。同時に、厭戦（えんせん）気分の広がるアメリカ国内でも若者を中心に反戦運動が盛り上がっていった。

このような国内外の世論を受けて、1969年にアメリカ大統領に就任したニクソンは国務長官のキッシンジャーとともに、ベトナムからの撤退を模索するようになる。しかし、軍事的な敗北による撤退の形を取らず、アメリカの体面が傷付かないような「名誉ある撤退」を求めたため、アメリカと北ベトナムの和平交渉はなかなか進まなかった。

それでも、1972年に入ると和平合意に向けた動きが加速。パリで行なわれた秘密交渉のなかで、キッシンジャーと北ベトナムのレ＝ドゥク＝ト特別顧問は、和平協定案の仮調印にこぎ着けた。

そして、1973年**1月27日**に、南ベトナムの外相とアメリカの国務長官、北ベトナムの外相と北ベトナムの傀儡（かいらい）政権である南ベトナム共和国臨時革命政府の外相の4者の間で、和平協定であるパリ協定が交わされた。

これにより、ベトナムからアメリカ軍の撤退が決定し、ニクソン大統領はアメリカ国民に向けて「ベトナム戦争の終結」を宣言した。だが、これはアメリカが手を引いたというだけのことであり、南北ベトナムの戦争は継続していた。結局、ベトナム戦争が完全に終結するのは、1975年に南ベトナムの首都サイゴンがついに陥落し、ベトナム全土が北ベトナムによって統一されたときのことだ。

**その他の出来事**

1219年・3代将軍・源実朝殺害　　1889年・仏ブーランジェ将軍、クーデタ未遂

# 1月28日【1115年】 女真族が金を建国 中国河北の支配へ

No.028

10世紀に成立した中国の宋は、建国以来つねに周辺の異民族に圧迫されていた。なかでも、宋の建国初期において、最も手強い敵だったのが、中国北方を支配していた遼（契丹）だ。遼はたびたび宋の領土に攻め込むとともに、周辺のほかの異民族勢力を滅ぼし、中国東北部にまで支配地域を広げた。

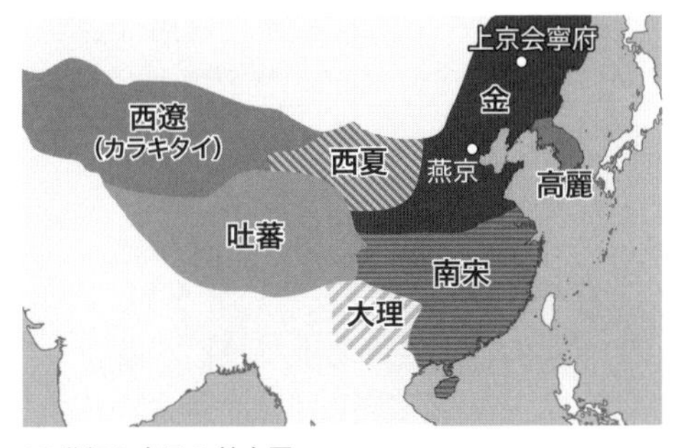


12世紀の中国の勢力図

その中国東北部では、もともと女真（女直、ジュルチン）という民族が狩猟や牧畜、農耕などを行なって暮らしていた。だが、遼の領土が拡大するにつれ、女真族の一部はその支配下に置かれた。遼の支配は過酷であり、しだいに女真族のなかに不満がたまっていったという。

そんななか、11世紀後半に入ると女真族のなかの一部族である完顔部が力を付け、女真族をまとめるようになっていった。やがて、完顔部の族長だった阿骨打（完顔阿骨打）は遼に対して反旗を翻し、1115年**1月28日**に皇帝に即位すると国号を金と定めた。金の首都は初め上都（現在の黒竜江省ハルビン市近郊）に置かれ、のちに燕京（現在の北京）に置かれた。

阿骨打に率いられた金の勢いは強く、次々と戦争で遼を打ち破り、その領土を奪い取っていった。また同時に、阿骨打は漢字と契丹文字を参考に女真文字をつくるなど、文化政策にも力を入れた。

このような金の勃興を見た宋は、遼に奪われていた燕雲十六州の回復を目指し、同盟を結んで遼を挟み撃ちにする計画を金に提案。金はこれを受け入れ、宋との共同作戦で1125年に遼を滅ぼした。しかし、奪い返した燕雲十六州の帰属問題を巡り、宋と金は対立するようになる。

やがて金は中国北部（華北）に攻め込み、宋の首都であった開封を陥落させた。これにより、金は中国の北半分を支配するまでとなる（靖康の変）。またこのとき、金は宋の皇帝の欽宗とその父を捕らえ、自分たちの本拠地である北方に連れ去ってしまった。中国の皇帝が異民族に連れ去られるというのは中国の歴史上初めてのことであり、中国にとっては屈辱だった。しかし、宋に皇帝を取り戻す力はなく、欽宗の弟は南に逃れ、そこで皇帝に即位した。これ以後の宋を南宋という。

**その他の出来事**

712年・『古事記』完成　1871年・パリ陥落。仏、プロイセンと休戦協定締結　1932年・第1次上海事変起こる

1月/29日
【1919年】

# 米憲法修正第18条が発効 アメリカで禁酒法が施行される

No.029

アメリカでは19世紀から敬虔なキリスト教徒を中心に、禁酒運動が盛んに行なわれていた。長年、禁酒の賛成派と反対派は拮抗していたが、20世紀に入るとしだいに賛成派が優勢になっていった。やがて、1917年にアメリカ全土で禁酒を達成するための憲法修正決議が議会に提出され、両院を通過する。その後、修正決議は48の州のうち36州で批准され、1919年**1月29日**に米憲法修正第18条、いわゆる禁酒法が発効した。

捜査官立会の下、廃棄される酒類

この日以降、アメリカではアルコールの製造、販売と輸送が違法となり、禁酒法時代が始まった。それに合わせて、約1500人の連邦禁酒法捜査官が任務に就くこととなった。禁酒法に賛成していた人たちは、これを「高貴な実験」といい、禁酒法が施行されたことで、酔っ払いもいなければ、犯罪もなくなる「新しい国」が生まれると確信していたという。

ところが、現実はその逆となった。アメリカ全土にもぐりの酒場が増え、アルコールの消費量は禁酒法施行以前より増加。大量に密造酒もつくられるようになり、また外国からも違法に酒が輸入されるようになった。そして、それらの違法なアルコールの売上によって、アル＝カポネなどのギャングたちが繁栄したのだ。この時期、ギャングたちは禁酒法のおかけで、何百万ドルも稼いだとされる。

だが同時に、ギャング同士の抗争も激化し、連邦禁酒法捜査官とギャングの銃撃戦も頻繁に起きるようになった。その結果、捜査官とギャングのみならず、巻き添えを食らった市民も合わせれば、数千人の死者が出たとされている。

こうした社会情勢を受けて、だんだんと禁酒法の撤廃を望む声は大きくなっていった。1932年の大統領選挙では禁酒法が争点の中心となり、その改正を訴えたフランクリン＝ローズヴェルトが勝利した。ローズヴェルトは1933年に禁酒法の修正案に署名。こうして、14年間続いた禁酒法の時代は終わりを告げた。ただ、アルコールの輸送を制限、ないしは禁止する権利は各州に委ねられたため、ミシシッピ州では1966年まで実質的に禁酒法は廃止されなかった。

**その他の出来事**

1016年・藤原道長が摂政となる　　1878年・吉野作造、誕生

## 1月30日【1902年】

# 日英同盟、調印 明治後期の外交基軸となる

No.030

日英同盟締結時の外相・小村寿太郎

1900年に清朝末期の中国で民衆の反乱である義和団事件が起きると、日本、イギリス、アメリカ、ロシア、フランスなどの列強は中国に軍隊を送り、自国の居留民や外交官を救出するとともに、反乱を鎮圧した。ところが、ロシアは乱が収まったのちも、満洲に十数万人の大軍をとどめ、さらに南下して朝鮮半島を勢力下に置こうとする気配を見せた。こうして、日本とロシアは満洲と韓国の利権を巡って対立するようになる。

ロシアの勢力拡張に対して、日本政府内の意見は2つに割れた。1つは日露協商論で、ロシアに満洲での自由行動を認める代わりに日本の韓国支配を認めさせようとするものだった。もう1つは日英同盟論で、イギリスと提携することでロシアを抑え、韓国での権益を守ろうとするものだった。

従来イギリスはどことも同盟を結ばず、「光栄ある孤立」を守ってきた。だが、その頃、バルカン半島や東アジアでロシアと対立しており、日本とロシアが接近することは望ましくなかった。そういう意味で、日英同盟論はイギリスにとっても歓迎できるものだった。また、イギリスは日清戦争で勝利を収めていた日本の国力を高く評価していた。

結局、日露協商交渉が失敗に終わったこともあり、日本政府内でも日英同盟論に意見は一本化。その結果、1902年**1月30日**にロンドンの外務省において日英同盟が締結された。協約の内容は、(1) 清国・韓国の独立と領土保全を維持するとともに、日本とイギリスがそれらの国にもつ権益を互いに擁護すること。(2) 日本とイギリスのどちらかが第三国と開戦した場合、他方は中立を守ること。(3) さらに、2国以上と交戦したときは援助を与え、共同して戦闘にあたる、というものだった。

この日英同盟は、1905年の第2次、1911年の第3次と継続更新され、明治後期の日本における外交戦略の基軸となっていった。そして、これは日本が欧米列強と結んだ初めての対等条約であり、これにより日本は欧米列強の仲間入りを果たしたことを意味していた。だが、それは同時に列強と肩を並べて勢力拡張競争に参加するようになったということでもあった。

**その他の出来事**

1649年・英チャールズ1世斬首　1933年・ヒトラー、独首相に就任　1948年・インド、ガンディー暗殺

# 1月/31日【1917年】 ドイツ、無制限潜水艦作戦の再開を宣言する

No.031

1914年に第一次世界大戦が始まった当初、ドイツは中立国船舶への潜水艦での攻撃を禁止し、また対戦国の船舶であっても攻撃前の事前警告を義務付けていた。だが、イギリス海軍に北海を機雷封鎖されたことに対抗するため、1915年2月からドイツは潜水艦（Uボート）による無制限潜水艦攻撃を宣言した。これには、イギリスが輸入に依存していた小麦を商船ごと沈めて打撃を与えようという狙いもあった。

ドイツ海軍の潜水艦Uボート

この作戦は軍事面では成功し、潜水艦に撃沈されるイギリス商船が急増。イギリスは食糧難の危機に陥った。しかし、同年5月にイギリスの豪華客船ルシタニア号を撃沈した際、乗船していた128名のアメリカ人が亡くなったことでアメリカ国内の反ドイツ感情が高まってしまった。第一次世界大戦で中立を守っていたアメリカが参戦してくることを恐れたドイツは、わずか半年で無制限潜水艦攻撃をいったん中止する。

だが、戦局がしだいに不利になっていったことで、ドイツは1917年**1月31日**に無制限潜水艦攻撃の再開を宣言。しかも、今回は船舶の国籍はいっさい問わず、中立国の船舶であっても無警告で撃沈するというものだった。ドイツ国内でも無制限潜水艦攻撃に対しては、国際世論の批判やアメリカ参戦の可能性が高まることから慎重論もあったが、軍部が強引に押し切り、作戦は実行に移された。

今度も無制限潜水艦攻撃の開始当初は多大な戦果を挙げ、イギリスは飢餓寸前にまで追い詰められた。しかし、ドイツが警戒していたとおり、無制限潜水艦攻撃の宣言に怒ったアメリカは1917年4月にドイツに宣戦布告し、第一次世界大戦に参入してきた。

また、無制限潜水艦攻撃によって甚大な被害を出していたイギリスも、商船に船団を組ませ、駆逐艦などで護衛する護送船団方式を採用して対抗。これにより、無制限潜水艦作戦は、再開後しばらくするとほとんど戦果を挙げられなくなってしまった。

結果的には、無制限潜水艦攻撃はアメリカの参戦を招くだけのこととなり、それが原因でドイツは第一次世界大戦で敗北することになる。ただ、第二次世界大戦においては、無制限潜水艦作戦はアメリカをはじめ各国が実行する常用手段となった。

**その他の出来事**

1606年・イギリス火薬陰謀事件の実行者ガイ＝フォークスら処刑　　1948年・インド、ガンディー国葬

# 2月

February

2月/1日
【1906年】

# 漢城に韓国統監府を設置 日本が韓国を保護国化する

No.032

1904年2月に勃発した日露戦争は、朝鮮半島の韓国における日本とロシアの権益争いが原因だった。この日露戦争に勝利した日本は、ポーツマス条約（日露講和条約）で、日本の韓国に対するいっさいの指導、保護、監督権の優先的地位をロシアに認めさせることに成功。その結果、ロシアは韓国から完全に手を引き、韓国での権益は日本が独占することとなった。

初代韓国統監府統監の伊藤博文

日本はすでに日露戦争開戦直後の1904年8月に第1次日韓協約を結んでおり、韓国に日本への協力を約束させ、また日本人顧問を派遣して韓国の財政と外交に介入していた。そして、ポーツマス条約締結後の1905年11月に第2次日韓協約（韓国保護協約）を結び、日本は韓国の外交権も握った。この協約に基づいて翌年**2月1日**、漢城（現在のソウル）に韓国統監府が設置され、伊藤博文が初代統監として赴任。これにより、日本は韓国を保護国化した。

この保護国化に対して、大韓帝国皇帝の高宗は1907年6月にオランダのハーグで開催されていた第2回万国平和会議に密使を送って抗議したが、会議参加国すべてに拒絶されてしまった。それどころか、朝鮮半島の日本による管轄権が国際的に認められる機会をつくることになる。

さらに日本は、この「ハーグ密使事件」をきっかけに韓国の皇帝を退位させ、第3次日韓協約を結んで韓国の内政権を奪い、軍隊も解散させた。これにより韓国国内では反日武装闘争が活発になり、そこに解散させられた軍隊も加わって義兵運動が盛んになったが、日本は軍隊を出動させてこれを鎮圧。だが、1909年には伊藤博文がハルビン駅で韓国人民族運動家の安重根（あんじゅうこん）に暗殺されるという事件も起きた。

伊藤博文は韓国の併合に反対していた。しかし、その伊藤が亡くなったことで反対派の力が弱まり、日本政府は韓国を併合する方針を固め、1910年に韓国併合を強行した。これにより、大韓帝国は消滅。韓国の名称も朝鮮に変わり、韓国統監府も朝鮮総督府に改組された。以後、第二次世界大戦で日本が敗戦する1945年まで、韓国は実質的な日本の植民地として統治されることとなった。

**その他の出来事**

1874年・佐賀の乱　1922年・山縣有朋、死去　1979年・イラン革命、ホメイニ帰国

2月/2日
【589年】

# 隋が中国を統一 世界一の大帝国の始まり

No.033

3世紀に魏・呉・蜀の三国が争った三国時代の勝者となったのは、魏の流れを汲む西晋だ。西晋は漢（後漢）の滅亡以来、ようやく中国を統一した。だが、その西晋は半世紀ほどで滅亡してしまい、以後、中国は分裂状態となり、さまざまな国が現れては争い、滅びる混乱状態に陥っていった。

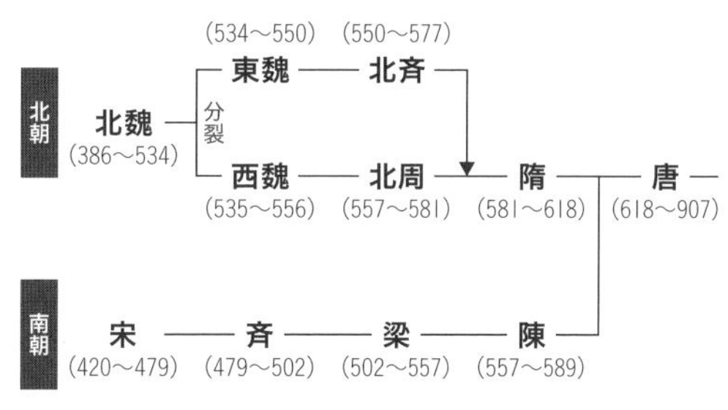

中国の王朝交替図（南北朝～隋唐時代）

6世紀中頃の中国では、周（北周）、斉（北斉）、陳、梁（後梁）という4つの国が争っていた。北周の武帝は宿敵の北斉を577年に滅ぼしたが、翌年病死。跡を継いだのは武帝の子である宣帝だった。その宣帝の皇后の1人は北周の将軍である楊堅の長女の楊麗華で、彼女は宣帝の側室が生んだ太子の宇文闡（静帝）を養育していた。

宣帝は奇矯な性格の人物として知られており、即位後、わずか8カ月で退位してしまう。新たに皇帝となった静帝はまだ7歳だったことから、楊堅がその後見を務めることとなった。やがて、580年に宣帝が崩御すると、楊堅は静帝の摂政として北周の政治の全権を掌握。これに対して、北周の一部の有力者たちは反乱を起こしたが、楊堅はこれを巧みに撃破し、権力をいっそう強固にした。そして、581年に静帝に禅譲を迫り、文帝として皇帝の座に就くと、隋を建国した。

文帝はまず静帝をはじめとする北周の皇族を皆殺しにした。それから、北周の都だった長安城の郊外に大興城を築き、遷都した。この大興城が、のちの長安（現在の西安）だ。こうして基盤を固めた文帝は中国の統一に乗り出し、手始めとして587年に後梁を併合。さらに、588年に陳へ大軍を送り込むと、すでに弱体化していた陳は抵抗する術もなく、翌589年**2月2日**に滅亡した。これにより、隋は西晋以来、300年ぶりに中国統一を果たした。

統一後、文帝はそれまでの中国の王朝において弊害が目立っていた貴族政治を改めるため、さまざま内政の改革に取り組んだ、そのなかでも、最も大きなものは科挙制度の創設だ。科挙とは、家柄ではなく試験の成績によって官吏の任用を決定するという制度で、低い身分でも実力があれば出世できるという当時としては画期的なものだった。この科挙制度は、20世紀初頭の清の時代まで約1300年間にわたって継続された。

**その他の出来事**

962年・オットー1世、神聖ローマ帝国初代皇帝となる　　1943年・スターリングラードの戦い終結

2月/3日
【960年】

# 趙匡胤が宋を建国 五代十国時代が終わる

No.034

宋を建国した趙匡胤

約300年間にわたって繁栄した唐が907年に滅亡すると、中国（華北）では5つの王朝が誕生しては短期間で滅亡する混乱期を迎えた。この時代のことを五代という。また5つの王朝のほかに、華南で地方政権が次々と現れては消えていき、それらの地方政権は10あったことから十国とも呼ばれ、五代と併せてこの時代を五代十国（ごだいじっこく）ともいう。

五代の最初の王朝は後梁（こうりょう）で、これが15年ほどで滅びると後唐が成立。その後唐は13年ほどで滅び、後晋（こうしん）が建てられるが、これも10年ほどで滅びた。その後の後漢は3年しかもたず、951年に五代最後の王朝である後周が成立した。

後周の初代皇帝である郭威（かくい）（太祖）は農村復興など内政に力を入れ、荒れ果てていた国土を回復することに尽力。その跡を継いだ2代目皇帝の世宗（せいそう）は五代随一の名君とされており、軍制度を整備すると南唐、後蜀、北漢など十国に攻め入り、領土を拡大した。

このまま世宗の治世が続いていれば、後周によって中国は統一され、五代十国時代は終わっていたかもしれない。だが、世宗は959年に遠征からの帰路、病死してしまう。世宗の跡を継いだのは、わずか7歳の柴宗訓（さいそうくん）（恭帝（きょうてい））だった。この状況を好機と見た北漢は後周に侵攻。これに対し、幼い柴宗訓の下で戦うことに不安を感じた後周の軍人たちは、世宗の側近で将校だった趙匡胤（ちょうきょういん）を擁立しようとした。

趙匡胤は自分を担ごうとする軍人たちに、恭帝はじめ後周の皇族や官僚たちの誰ひとり傷付けないこと、決して略奪行為を働かないことを約束させたうえで、帝位に就くことに同意。960年**2月3日**に後周の首都・開封（かいほう）に入ると、恭帝を保護して禅譲を受け、宋を建国した。

趙匡胤は皇帝になると十国の征服に乗り出し、次々と攻め滅ぼしていった。そして、2代目皇帝となった趙匡胤の弟である趙匡義（ちょうきょうぎ）の時代の979年、十国で最後に残った北漢を滅ぼしたことで、宋は中国の統一を果たす。ただ、宋は軍事的に強大な国ではなく、中国統一後も周辺の異民族勢力の侵攻を受け続け、圧迫された。しかし、宋の時代に中国では政治、経済、文化が発展したため、この時代は中国のルネサンスとも呼ばれている。

**その他の出来事**

313年・ミラノ勅令、キリスト教を公認　1488年・ディアス、喜望峰に到着　1917年・米国、対独断交

# 2月4日【1945年】
# ヤルタ会談が開催 米ソ冷戦体制がデザインされる

No.035

1939年に始まり、長きにわたって続いた第二次世界大戦も、1944年6月の連合軍によるノルマンディー上陸作戦の成功以降、ドイツの敗北は確実となり、終結が見え出していた。そこで、戦後処理の方針を決めるため、1945年**2月4日**からクリミア半島の保養地であるヤルタに、イギリス首相のチャーチル、アメリカ大統領のフランクリン＝ローズヴェルト、ソ連首相のスターリンの3者が集まり、協議が行なわれた。これをヤルタ会談という。

米英ソの首脳が集結したヤルタ会談

この会談で3者が合意した内容は、協議最終日の2月11日にヤルタ協定として発表された。それは、次のようなものだ。(1) 国際連合を設立すること。また、その国際連合の安全保障理事会で大国の拒否権を認めること。(2) ドイツが降伏した後は、アメリカ、イギリス、ソ連、フランスの4カ国で分割管理すること。(3) ドイツに占領されたポーランドの臨時政府を民主的基盤のうえに改造し、すみやかに自由選挙を行なうこと。またドイツの占領から解放された諸国に主権と自治を回復させ、民主的な政府を樹立させること。

ただ、じつはヤルタ協定にはこれ以外にも、公表されなかった秘密条項があった。それは、ソ連はドイツの降伏後3カ月以内に対日参戦するということ。その条件として、南樺太および千島列島をソ連に帰属させることをアメリカとイギリスが認めるというものだ。この秘密条項があったため、ドイツが1945年5月8日に降伏すると、ソ連は1945年8月8日に日ソ中立条約を一方的に破棄し、日本へ宣戦布告。満洲、樺太、千島列島へと侵攻した。

そして、同年8月15日に日本が降伏したことで、第二次世界大戦は終結。戦後の国際体制は、ヤルタ協定に基づいて形成されたため、これをヤルタ体制という。また、このヤルタ体制は米ソの二大大国が世界を分割統治するという意味をもっており、ここから米ソの対立である冷戦構造が始まったともいわれている。そのため、1989年に米ソ首脳のマルタ会談によって「冷戦終結宣言」が出された際、「ヤルタからマルタへ」ともいわれた。

**その他の出来事**

1861年・米国南部脱退諸州、アメリカ連合国を結成　　1907年・足尾銅山暴動事件

2月/5日
【1917年】

# メキシコで新憲法が成立 ラテンアメリカの近代化を促進

No.036

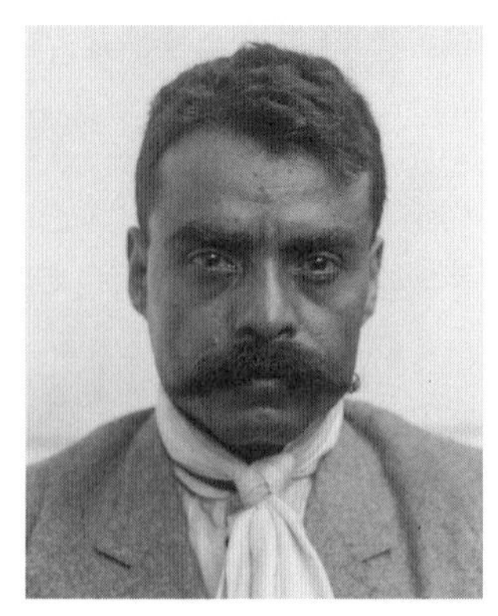
メキシコ革命の指導者の1人であるサパタ

スペインの植民地だったメキシコは、1821年に独立を果たした。その後、テキサスの所属を巡ってアメリカと対立し、1846年にアメリカ＝メキシコ戦争が勃発。これに敗れたことで、メキシコでは国内改革の必要性が叫ばれるようになった。

1858年に政権を取った自由党のフアレスは、教会の土地所有を禁止するなどの改革を進めたが、これに軍や保守派が反発したことで内戦が勃発。保守派がフランスのナポレオン3世に介入を働きかけると、フランスはメキシコに出兵した。だが、この動きにアメリカが反発したことで、フランスの介入は失敗に終わった。

1877年に、フランスの侵攻に抵抗したことで国民的英雄となっていた軍人のディアスがメキシコ大統領に就任。ディアスは鉱山開発などによりメキシコの近代化を進めたが、政権が長期化するにつれ、その手法は独裁的になっていった。

このことにメキシコ国民の不満が高まっていき、1910年に自由主義者のマデロと、農民指導者のサパタがディアス独裁政権の打倒を掲げてメキシコ革命を起こした。これにより蜂起が全国的に広がり、翌年、ディアスは亡命。こうして、ひとまず革命は成功に終わったかと思われたが、その後、激しい内部分裂が起き、マデロもサパタも暗殺されるなど混乱が続いた。この間、アメリカは軍事介入を試みたが、メキシコ国民の反発を受け、撤退を余儀なくされた。

やがて、1915年に革命指導者の1人で立憲派だったカランサが大統領に就任。このカランサ政権で、1917年**2月5日**に新憲法が成立したことにより、ようやくメキシコ革命は終結した。新憲法では、政教分離、土地改革の推進、天然資源への外資の進出規制、8時間労働制、最低賃金やストライキ権の保障などが明記された。

ただ、その後もメキシコ国内の混乱は続き、完全に政治が安定するのは1930年代に入ってからのことだ。しかし、この革命は、ラテンアメリカにおける民主政治の実現、社会変革を目指した最初の試みであり、これ以降、多くのラテンアメリカ諸国に大きな影響を与えた。

**その他の出来事**

1869年・明治政府が小学校設置を指示　　1901年・官営八幡製鉄所、第1高炉火入れ

# 2月6日【1922年】 ワシントン会議で海軍軍備制限条約が合意される

No.037

第一次世界大戦後の1921年11月、アメリカ、イギリス、フランス、日本、イタリアなど9カ国が参加するワシントン会議が開催された。この会議では各国の海軍力削減が議題となり、長い話し合いの結果、1922年**2月6日**にアメリカ、イギリス、フランス、日本、イタリアの主力艦の保有トン数と上限の保有比率を定めた海軍軍備制限条約が合意された。これを、ワシントン海軍軍備制限条約という。

軍縮が決まったワシントン会議

海軍軍備制限条約で決まった比率は、アメリカとイギリスが5、日本が3、フランスとイタリアが1.67というものだった。日本は対米英比の7割を主張したが、アメリカとイギリスが反対。結局、受け入れざるをえなかった。ただ、その代わりに、アメリカとイギリスから廃棄を要求されていた戦艦・陸奥を廃艦にしないことと、太平洋の軍事施設を現状のままとすることを認めさせた。この会議で決められた軍縮は、日本を狙い撃ちして軍備制限をかけるもので、フランス、イタリアを連ねたのはポーズにすぎない。アメリカが圧倒的軍事力をもって太平洋地域に君臨するためのものだったのだ。

この条約によって軍事力を制限された日本の軍部には強い不満が残った。また、日本では軍備や作戦は天皇に統帥権（とうすいけん）があると憲法で定められていたため、政府が外国と軍縮を協議決定するのは、そもそも天皇の権限を犯しているという意見も強まった。さらに、会議におけるアメリカの強硬な対応から、軍部は今後アメリカが最大の仮想敵国になると考えるようになっていった。その結果、日本の仮想敵国は、それまでロシア、アメリカ、中国の順番だったが、条約の締結後にアメリカ、ロシア、中国の順番に変更された。一方、アメリカも将来日本と軍事衝突する事態を意識するようになり、そのための準備を始めた。

こうして、両国は日米戦争への道を秘かに進み始めた。そして、日本は1933年に国際連盟を脱退すると、翌年12月にワシントン海軍軍縮条約の破棄を閣議決定し、アメリカに通告。日本はその3年後の1937年から日中戦争に突入していき、1941年には真珠湾攻撃によってアメリカとも開戦した。

**その他の出来事**

1778年・仏、米の独立を承認　　1874年・台湾出兵を決定

2月/7日
【1965年】

# 北爆が開始され、ベトナム戦争が始まる

No.038

圧倒的な物量作戦で北ベトナムを空爆したアメリカ軍

ベトナムの内戦であるベトナム戦争は宣戦布告がないまま始まったため、正式にいつ開戦したとは、はっきりはいえない。もともとベトナムはフランスの植民地だったが、第二次世界大戦の終結後、共産主義国家であるベトナム民主共和国（北ベトナム）として独立した。しかし、それを認めないフランスとの間で1946年12月にインドシナ戦争が勃発。この戦争において、共産主義国家であるソ連と中国はベトナムを支援する一方、アジアに共産主義が広がることを嫌ったアメリカはフランスを支援した。すでに、この段階でベトナムを舞台にした米ソの代理戦争は始まっていたのだ。

インドシナ戦争においてフランスは敗北を続け、1954年に完全撤退を決定する。だが、フランスが撤退したことで、逆にアメリカはベトナムへ本格的に介入するようになった。そして翌年、アメリカの後押しによってベトナム共和国（南ベトナム）が建国された。アメリカは南ベトナムに軍事顧問団を送って、軍事教練を行なうなど、露骨に北ベトナムへの対立姿勢を見せた。こうしてしばらくの間、南北ベトナムは小規模な軍事衝突を繰り返しながら、にらみ合うこととなる。

やがて1960年代に入ると、アメリカのケネディ大統領はベトナムへのアメリカ正規軍の派兵を決定。これにより、北ベトナムとアメリカ軍が直接交戦する事態となった。しかし、アメリカ軍は北ベトナムのゲリラ戦術に苦戦。そこで、1963年に暗殺されたケネディに代わって大統領となったジョンソンは、北ベトナム軍によって米軍艦艇が攻撃されたとする「トンキン湾事件」と呼ばれる事件を捏造し、これを口実に、アメリカ空軍による北ベトナムへの空爆（北爆）を決定した。

そして、1965年**2月7日**にアメリカ空軍は北ベトナムのタンホイ空軍基地を空爆。この日をベトナム戦争の正式な開戦日とする見方が一般的だ。以後、アメリカは1968年まで北爆を続け、北ベトナムに約223万トンの爆弾を投下した。この攻撃で亡くなったベトナム人は、約5万人とされている。だが、それでもアメリカと南ベトナムは決定的な勝利を手に入れることができず、戦局はしだいに泥沼化していった。

**その他の出来事**

1184年・源義経、一ノ谷の戦いに勝利　　1913年・立憲同志会を結成

2月8日【265年】

# 司馬炎、西晋を開き、15年後に中国を統一する

No.039

西晋の初代皇帝となった司馬炎

2世紀末に後漢が衰退すると、中国では魏、蜀、呉の3国が争う三国時代となった。3国のなかで魏がしだいに優勢になっていったが、建国者の曹操が220年に亡くなると、その子である曹丕(そうひ)が皇帝となった。だが、曹操と曹丕に仕えていた将軍の司馬懿(しばい)が249年にクーデタを起こし、以後、魏の朝廷の実権は司馬懿の一族が握ることとなった。

その後、司馬懿の子である司馬昭(しばしょう)は263年に蜀を滅亡させた。そして、265年**2月8日**に司馬懿の孫である司馬炎(しばえん)が、形ばかりの皇帝に禅譲を強要。これにより魏は滅び、司馬炎は晋(しん)を建国した。

この司馬炎が280年に呉を滅ぼして、後漢の衰退以来分裂状態が続いていた中国を、およそ100年ぶりに統一した。しかし、それからわずか20年ほどで、司馬氏の間で内紛が起き、8派に別れて争うようになった。これを、八王の乱という。

八王の乱では、それぞれの勢力が兵力として中国北方の異民族を傭兵(ようへい)として使った。その結果、もともと華北の農耕地帯への進出を狙っていた異民族たちに機会を与えることになり、晋による統制が利かなくなったこともあって、華北での異民族の活動は活発になった。

やがて、異民族の1つである匈奴(きょうど)をまとめていた劉淵(りゅうえん)は、晋から完全に独立し、漢（前趙(ぜんちょう)）を建国すると皇帝を名乗った。そして、漢の軍隊は311年に洛陽に侵入し、占領。これを、永嘉(えいか)の乱という。その後、316年に漢は長安（現在の西安）に兵を進め、晋の皇帝を捕らえたのち、殺してしまった。こうして、晋はいったん滅亡する。

だが、318年に司馬氏の司馬睿(しばえい)が建康(けんこう)（現在の南京）に都を置いて、晋王朝を再建した。こうした経緯を踏まえ、異民族の漢に滅ぼされた晋を西晋、司馬睿が再建した晋を東晋という。だが、東晋に異民族を追い払う力はなく、以後、中国では五胡十六国時代と呼ばれる、さまざまな民族が独立し、相争う混乱期が長期にわたって続く。五胡とは5つの異民族のことで、一般的には匈奴、鮮卑(せんぴ)、羯(けつ)、氐(てい)、羌(きょう)の5つを指す。十六国とは、それらの漢民族、異民族入り乱れた国が16もあったという意味だが、実際には16以上の国が興亡を繰り広げた。

**その他の出来事**

1587年・メアリ＝ステュアート、斬首　1725年・露ピョートル1世、死去　1963年・イラクでバース党のクーデタ

2月/9日

【1234年】

# 金国、漢化による弱体化でモンゴルに滅ぼされる

No.040

金を滅ぼしたモンゴル第2代皇帝のオゴタイ

11世紀末に中国東北部を拠点とする女真族が建国した金は、南下すると宋（北宋）を滅ぼした。その後、宋の皇族は南に逃れて南宋を建国するが、中国の覇権は金がほぼ握ることとなった。圧倒的な力を誇る金に対して、南宋は臣下の礼を取り、毎年、銀や絹を送ることで、辛うじて存続しているにすぎなかったのだ

金の強さの根底には、まだ国家となる前の中国東北部で牧畜や狩猟などで暮らしていたときの軍制を、そのまま金建国以降も国の基本制度として守っていたことにある。つまり、強力な軍事国家だったのだ。だが、皮肉なことに金が強国だったせいで、北宋を滅ぼした後で平和な状態が続くと、軍事優先の体制がゆるむようになってしまう。とくに第4代の海陵王の時代に、首都を女真族の拠点に近い北の上都（現在の黒竜江省ハルビン市近郊）から、中国の中心地に近い燕京（現在の北京）に移したことで、金の統治体制や文化は中国化し、民族独自の利点を失っていった。

やがて12世紀後半に入ると、北方のモンゴル高原では部族勢力の動きが活発になり、金に対するタタール部や契丹の反抗が激しくなった。金はこれを抑えるためモンゴルの遊牧民族の力を借りたが、結果として、これによりモンゴルの勢力が増大し、1206年にモンゴルのチンギス＝ハンによる大モンゴル国の建国を助けることとなる。チンギス＝ハンは金への朝貢を拒絶し、1211年にみずから軍を指揮して金の領土に侵攻した。これを防ぎきれなかった金は南の開封に遷都を余儀なくされた。こうして、モンゴルは現在の北京を中心とする一帯を支配下に収めた。

その後、モンゴルの進行が西を目標にしたため、いったん金に平和が訪れたが、チンギス＝ハンが亡くなり、その跡を継いだオゴタイは1230年に南進を再開。1232年に金軍とモンゴル軍の戦いで金は大敗を喫し、開封は陥落。金の皇帝は開封から脱出して逃れるところを、モンゴルと南宋の連合軍に挟撃されて自殺し、その跡を受けた末帝も即位からわずか半日たらずの1234年**2月9日**にモンゴル軍に殺害された。

こうして金は完全に滅亡した。異民族ゆえの強さで中国の王朝を滅ぼした金が、漢化することで弱くなり、別の異民族に滅ぼされたのは歴史の皮肉といえる。

**その他の出来事**

1478年・明が室町幕府に返書と銅銭を送る　1674年・ウェストミンスター条約締結　1932年・血盟団事件

# 2月/10日 【1258年】 フラグ率いるモンゴル軍、アッバース朝を滅ぼす

No.041

アッバース朝を滅ぼしたフラグ

13世紀にモンゴル高原の遊牧民族をまとめあげ、大モンゴル国を建国したチンギス＝ハンは、南下して中国に領土を広げると同時に、ひたすら西にも軍を進め、領土を拡大していった。そんな大モンゴル国の西進は、チンギス＝ハンの孫で、4代目皇帝のモンケの時代も続いていた。

モンケは、弟のフラグを1253年から西アジア遠征に派遣。すでにこの時代、イラン方面は、チンギス＝ハンの遠征によってモンゴルの勢力下に入っており、2代目皇帝のオゴタイ時代にはイラン総督府が置かれ、大モンゴル国はアフガニスタンからトルクメニスタン、カスピ海南岸を押さえていた。さらに、アゼルバイジャンからカフカス地方、アナトリアでもモンゴル軍駐屯部隊が活動していた。

フラグに率いられたモンゴル軍は、まず1256年に北部イランで独自の支配圏を築いていたイスラーム教イスマーイール派の分派勢力（暗殺教団アサシン）を制圧。その後南下してイラクに入り、アッバース朝の首都であるバグダードを包囲した。アッバース朝は750年に成立したイスラーム帝国で、バグダードを中心に、最盛期には北アフリカから中央アジアに及ぶ広大な領域を支配していた。

だが、破竹の勢いのモンゴル軍に対して、アッバース朝に勝ち目はなく、包囲戦が始まってから2週間もたっていない1258年**2月10日**に降伏。これにより、約500年間にわたって繁栄してきたアッバース朝は滅亡した。バグタードに流れ込んだモンゴル軍は、それから1週間にわたって虐殺、略奪、破壊を繰り広げ、それにより一説には10万人もが殺されたという。

こうしてイラン高原からメソポタミアを制圧したフラグの次の標的は、エジプトのマムルーク朝が支配するシリアとなった。しかし、1259年にモンケが急死したため、フラグはモンゴルへと帰還しようとする。ところが、その帰路の途中でモンゴル5代目皇帝の座に兄のフビライが就いたことを知ると、フラグはイラン北方にとどまり、イル＝ハン国を建国した。以後、14世紀半ばまで、イランからメソポタミアにかけての地域をイル＝ハン国が支配することとなった。

**その他の出来事**

1439年・足利持氏、永享の乱で自刃　1763年・フレンチ＝インディアン戦争終了　1904年・日本、ロシアに宣戦布告

2月/11日
【1889年】

# 大日本帝国憲法発布 近代的な立憲君主政国家になる

No.042

『新皇居於テ正殿憲法発布式之図』(1889年)

明治新政府にとって、幕末に欧米列強と結ばれた数々の不平等条約の改正は悲願だった。列強と対等に交渉するためには、近代国家としての体制を確立しなければならない。そのため、憲法をはじめとする各種近代的法律の整備を急ぐ必要があった。

そこで、まず1880年に刑法・治罪法を制定・公布し、ついで1890年に民法の一部が公布された。だが、その民法の内容に対して、伝統的家制度を破壊するという反対意見が相次いだため実施は延期され、のちに修正民法（明治民法）が公布・実施された。

こうして、刑法・民法の整備は終わったが、近代的国家体制確立には憲法の制定は欠かせない。ヨーロッパでの立憲政治の調査を終えて帰国した伊藤博文は、1886年から政治家の井上毅（こわし）、伊東巳代治（みよじ）、金子堅太郎（けんたろう）らとともに、ドイツ人の法律顧問ロエスレル、モッセらの助言を得て、憲法の起草に取りかかった。

伊藤らは、ドイツのプロイセン憲法（ビスマルク憲法）を参考に、憲法草案を作成。この憲法草案は枢密院において非公開で審議され、そこで多少の修正を経たのち、1889年**2月11日**に大日本帝国憲法が発布された。

帝国憲法や明治憲法などとも呼ばれたこの憲法は7章76条からなっており、第一条には「大日本帝国ハ万世一系ノ天皇之ヲ統治ス」と、日本が君主政であることが明記された。その後も天皇に関する規定が続き、そのなかで天皇は神聖不可侵とされ、さらに国家元首として陸海軍の統帥（とうすい）、編制、法律の裁可・公布・施行、議会の召集、宣戦布告・講和などの権限を有するなど、絶対的な権力をもつものとして規定された。ただ、同時に天皇の統治権は無制限ではなく、憲法の条文に従って行使されなければいけないという立憲主義の原理も明記された。これにより、日本は立憲君主政の国家として成立する。

東アジア最初の近代憲法である大日本帝国憲法には、内閣や内閣総理大臣に関する規定がないなど、欠陥もあった。だが、日本が1947年に大日本帝国憲法を改正する形で日本国憲法を施行するまで、56年間にわたって一度も改正されることなく、日本の憲法として機能した。

**その他の出来事**

1167年・平清盛、太政大臣となる　1929年・ヴァチカン市国、誕生　1990年・南アでネルソン＝マンデラ釈放

# 2月/12日 【1912年】 宣統帝・溥儀が退位し、清朝が滅亡する

No.043

清の最後の皇帝となった宣統帝

17世紀に女真(じょしん)族が建国した清は、中国全土を支配し、最盛期にはモンゴル、チベット、シベリア南部までを含む、広大な領土を誇る強国だった。だが、1840年にイギリスとのアヘン戦争に敗れて以降、欧米列強の侵略を受け、列強の半植民地化の道をたどっていった。また、その間、太平天国の動乱が起こるなど、国内情勢も不安定になっていった。

これに対し、清も近代化を図ることで対応しようとしたが、1894年に勃発した日清戦争に敗れたことで、日本の侵出も許すようになってしまう。その後、帝国主義列強による中国の分割が進むと、1900年に民衆が蜂起して義和団事件が起きる。義和団の反乱軍は一時北京を占領するまでとなるが、最終的には列強によって鎮圧された。

この義和団事件後、清は改めて改革を実行しようとし、科挙の廃止、憲法の制定、近代軍の設置などの政策を進めようとした。だが、軍人の袁世凱(えんせいがい)が西太后陣営に寝返ったため、改革は失敗に終わった。一方、この頃から革命家の孫文による清朝打倒・民族独立の運動も盛んになっていった。

このような状況下の1908年、第11代皇帝・光緒帝(こうしょてい)が亡くなると、光緒帝の甥だった溥儀(ふぎ)が、朝廷で実権を握っていた西太后の遺言によって、わずか2歳で宣統帝として即位する。実際の政治を取り仕切ったのは、摂政となった父の載灃(さいほう)だった。だが、すでに清は滅亡寸前であり、1911年に清朝政府が財政難を解消するため鉄道国有化政策を打ち出したことがきっかけで暴動が発生し、それが中国全土に波及する形で辛亥(しんがい)革命が起きた。

翌1912年に孫文は南京で臨時大総統となり、中華民国の成立を宣言。この機に乗じようとした袁世凱は孫文と取り引きし、自身が大総統になることを条件に、武力によって幼い宣統帝を脅して退位を迫った。これにより、宣統帝は同年**2月12日**に退位し、清は滅亡する。また同時にこれは、秦の始皇帝以来、約2000年間続いていた中国の皇帝政治が終わったことを意味していた。その後、宣統帝は北京の紫禁城で軟禁生活を送るようになる。

**その他の出来事**

729年・長屋王、自刃　　1603年・江戸幕府開府

# 2月/13日【1689年】 オレンジ公ウィリアムとメアリ、「権利の宣言」を承認する

No.044

イギリス議会の歴史は古く、13世紀のジョン王の時代に成立した、王権を制限し、都市の自由を認める大憲章（マグナ＝カルタ）に、その源流があるとされる。だが、国王と議会は長年にわたり、国家運営の主導権を巡って争い続けた。

17世紀に入ると議会は大きな政治勢力となり、国王との対立が激しくなっていった。そこに、カトリックとプロテスタントの宗教的対立も影響を及ぼし、国王がイギリス国教会の立場からピューリタン（清教徒）を弾圧すると、ピューリタンが大勢を占める議会の反発も強まった。やがて、その対立は内乱に発展し、1644年にピューリタン革命が勃発する。この革命で国王チャールズ1世は処刑され、イギリスは共和政となった。だが、共和政は長続きせず、1660年にはチャールズ2世による王政が復活する。

オランダから招かれイギリス国王となったウィリアム3世

そのチャールズ2世の跡を継いで国王となったジェームズ2世は、強権的にイギリスをカトリックの国に戻そうとした。この動きに、議会は反発。当時、議会には王権に妥協的なトーリ党と、非妥協的なホイッグ党の2つがあったが、両党はジェームズ2世の専横に対して一致団結し、オランダ総督のウィレム3世（オレンジ公ウィリアム）を新たなイギリス国王として迎え入れようとした。ウィレム3世の妻はジェームズ2世の娘メアリであり、この夫婦はどちらもプロテスタントだった。

ウィレム3世は、イギリス議会の要請に応えるという形でオランダ軍を率いて、1688年にイギリスに上陸。国民の支持を失っていたジェームズ2世は、抵抗を諦めてフランスに亡命した。そして、翌1689年**2月13日**に、ウィレム3世夫妻は議会がまとめた「権利の宣言」を受け入れ、それぞれウィリアム3世、メアリ2世として共同でイギリス王位に就いた。この変革はピューリタン革命と違い、多数の死傷者を出さずに実現したことから、名誉革命とも呼ばれている。

「権利の宣言」は、立法権・徴税権・軍事権は議会にあり、また王を任免する権利も議会にあることを保障するものだった。この宣言は同年に改めて「権利の章典」として成文化され、制定・公布。これにより、イギリスは事実上、立憲君主政の国となった。

**その他の出来事**

1870年・樺太開拓使が置かれる　　1875年・平民も必ず姓を称し、不詳の者は新たに付けるように布告

2月/14日
【前87年】

# 前漢の衰退が見え始めるなか漢の武帝死去

No.045

©CPA Media Pte Ltd/Alamy Stock Photo

前漢の最盛期をつくり出した武帝

紀元前202年に劉邦（りゅうほう）によって建国された漢（前漢）は、紀元前141年に第7代皇帝として即位した武帝の時代に最盛期を迎えた。武帝はまず、「建元」という元号を立てた。これは世界で最初の元号だ。また、武帝は全国を13の州に分けて刺史（しし）（監察官）を置き、郡の太守や県の県令・長を取り締まる体制を築いた。

こうして国内制度を整えた武帝は、積極的に外征を進めるようになる。手始めとして紀元前139年に使者を西域の大月氏国（だいげっしこく）に送り出し、中央アジアの動静を探らせた。これにより西域の情勢を把握した武帝は、西域の匈奴（きょうど）勢力を一掃。続いて、中央アジアのフェルガナ地方の大宛（だいえん）に軍を派遣し、これを服属させた。

さらに武帝は、紀元前112年に、ベトナムの南越を滅ぼして交趾（こうし）郡（現在のハノイ）や日南（にちなん）郡（現在のフエ）などの南海9郡を直接支配。紀元前108年には朝鮮にも侵出して、楽浪郡（らくろうぐん）以下の4郡を置いて直轄領とした。こうして、漢は広大な領土を支配することとなった。

だが、たび重なる遠征や、獲得した領土を維持していくためには、莫大な軍事費が必要だった。そこで武帝は、国家による塩・鉄・酒の専売を始めることで財源を確保しようとした。同時に、大量の銅銭を発行し、貨幣経済を進めようともした。だが、これらの政策は経済格差を広げ、多くの国民を苦しめる結果となる。

やがて、その治世が半世紀近くになった頃、武帝は老いを感じるようになり、不老不死を求めて神仙思想に傾倒するようになっていった。その影響で、宮中でも巫蠱（ふこ）という呪術が流行した。そんなとき、皇太子の戻太子（れいたいし）が巫蠱によって武帝を殺そうとしていると密告される。武帝はこれを信じてしまい、追い詰められた戻太子は挙兵するが、敗れて自害した。これを「巫蠱の乱」という。

のちに戻太子が無実であったことを知った武帝は、悲しみと後悔が癒えず、「巫蠱の乱」の5年後の紀元前87年**2月14日**に亡くなった。武帝による統治は54年間に及び、漢は大いに繁栄したものの、国民の疲弊や宮中の混乱など武帝の晩年の迷走によって衰退の兆しも見え始めていた。

**その他の出来事**

741年・聖武天皇、全国に国分寺・国分尼寺建立の詔　　1950年・中ソ友好同盟相互援助条約調印

# 2月15日【2011年】 リビア騒乱が勃発 カダフィ体制は崩壊へ

No.046

独裁政権を続けたカダフィ大佐

2010年12月、チュニジアで失業中の青年が街頭で果物や野菜の販売を始めたが、無許可であったため警察官に商品を没収されたうえ、暴行を受けた。青年はこれに抗議をするため、県庁舎前でガソリンをかぶって焼身自殺した。

この事件を知ったチュニジアの民衆は、23年間も続いていた独裁的なベンアリ政権への不満もあり、全国で暴動を起こした。これにより、ベンアリ政権は辞任に追い込まれ、チュニジアは民主的な新体制が生まれた。これを、ジャスミン革命という。

ジャスミン革命はインターネットを通じて、短期間のうちにアラブ諸国へと伝わった。多くのアラブ諸国ではベンアリ政権同様の独裁的長期政権への不満が高まっており、エジプト、イエメン、シリア、リビアなどでも大規模な暴動が発生するようになった。このアラブ諸国に広まった民主化と自由を求める運動は、「アラブの春」と呼ばれている。だが、ほとんどの国ではチュニジアのようには成功を収めなかった。

たとえば、42年間に及ぶカダフィ政権が続いていたリビアでは、2011年**2月15日**に人権活動家の弁護士の釈放要求デモをきっかけに、カダフィ退陣を求めるデモが国内で拡大。これに対して、カダフィは国民を弾圧した。そこで、欧米各国は軍事介入を行ない、NATOとリビア国民評議会を主にした反政府組織によって、8月24日に首都トリポリが陥落。カダフィは脱出して抵抗を続けたが、同年10月20日に国民評議会は潜伏していたカダフィを発見し、殺害した。こうして、カダフィ体制は崩壊した。

ところが、その後、カダフィという共通の敵がいなくなったことで、各勢力の対立が表面化する。2014年には、トリポリを拠点とした暫定政府と、東部のトブルクに逃れた代議院を中心としたトブルク政府が並立し、そこにISIL（イスラーム国）やカダフィ派残党、地方の武装勢力が加わることで、泥沼の内戦が本格化してしまった。

「アラブの春」が起こったほかの国でも、リビアと同じようなことが起きた。内戦やテロが広がり、無政府状態になるなど、「アラブの春」以前よりも状況が悪化した国が多数となったのだ。「アラブの春」の功罪と、その意味については今も議論が続いている。

**その他の出来事**

1763年・七年戦争終わる　1877年・西南戦争始まる　1898年・アメリカ=スペイン戦争始まる

# 2月16日 【1959年】
# カストロ、キューバ首相に就任 やがてアメリカと対立する

No.047

カストロ(右)とゲバラ(左)

15世紀のコロンブスによる「発見」以降、キューバは長らくスペインの植民地だったが、19世紀末に独立運動が活発化。これにアメリカが介入したことで、1902年に独立を果たすが、実質的にはアメリカに支配されることとなった。

1940年からキューバでは、親米的なバティスタによる独裁政権が続いていた。多くの国民が貧富の格差に苦しむなか、社会の不公平と政権の腐敗に憤っていた弁護士のフィデル＝カストロは1953年7月26日、仲間とともにモンカダ兵舎を襲撃し、バティスタ政権に対する蜂起を開始した。これは、「7月26日運動」と呼ばれる。だが、このときの蜂起は失敗に終わり、捕らえられたカストロらは懲役15年を宣告された。

1955年5月に恩赦によって釈放されたカストロはメキシコに亡命して、そこでのちに革命の同志となるチェ＝ゲバラと出会った。カストロとゲバラは翌年、同志たちとともにキューバに上陸。バティスタ政権にゲリラ戦を挑みながら、貧しい農民たちに支持を広げていった。そして、1959年1月に首都ハバナを占領し、バティスタ政権を倒して権力を奪取した。これを、「キューバ革命」という。

新生キューバを誕生させたカストロは、同年**2月16日**に首相に就任する。当初、カストロはとくに社会主義的な方向を目指していたわけではなかった。だが、アメリカ系の砂糖企業も含めて土地改革を断行すると、これにアメリカが強く反発。1961年にアメリカのアイゼンハワー大統領はキューバと国交断絶し、革命によって亡命したキューバ人によるカストロ政権の打倒を計画するようになった。

このカストロ政権転覆計画は、ケネディ政権にも引き継がれたが、結局は失敗に終わった。だが、アメリカの露骨な反カストロの姿勢に、カストロはソ連寄りの姿勢を強め、社会主義的な国家運営方針を明確にしていった。その後、キューバはアメリカによる経済封鎖に苦しみながらも、存続。カストロは国民的カリスマとして、2008年まで長期間にわたって首相を務めた。また、キューバは冷戦崩壊後も社会主義体制を存続させ、現在も社会主義の国だが、彼の晩年の言葉、「私は死してのち、地獄に堕ち、そこでマルクス・レーニンと会うことになるだろう」は意味深い。そして死の前年（2015年)、ついにアメリカと国交を回復した。

**その他の出来事**

1791年・フランス国民議会、ギルド廃止を宣言　1936年・スペイン人民戦線派、総選挙に勝利

# 2月17日【1979年】 中国がベトナムに侵攻 中越戦争が勃発する

No.048

ベトナム戦争の当初、共産主義政権であるベトナム民主共和国（北ベトナム）を支援していた中国とソ連だったが、中ソは政治路線の違いや領土論争を巡って、しだいに対立を深めていった。その結果、北ベトナムはソ連への依存度を高め、中国との関係が悪化した。

その後、1975年にベトナム戦争は終結し、ベトナムは北ベトナムによって統一された。その頃、隣国のカンボジアでは、共産主義のポル＝ポト政権が成立する。そのポル＝ポト政権が中国寄りの姿勢を強めたことと、ベトナム南部国境で領土を主張したため、ベトナムとカンボジアの対立は激化。ベトナムは1978年に締結したソ越友好協力条約を背景に、1979年1月、カンボジアに侵攻すると、首都プノンペンを制圧し、ベトナムの影響下にあるヘン＝サムリン政権を樹立した。

中国にとってベトナムのこの行動は看過できないものだった。ベトナムがカンボジアに侵攻した際に使用した武器の一部は、ベトナム戦争のときに中国から援助されたものだった。その武器を使って、中国の友好国であるカンボジアのポル＝ポト政権を崩壊させたことは、恩を忘れた裏切り行為同然と捉えたのだ。

そもそも1975年の南北ベトナム統一後も中国とベトナムは陸上国境、海上国境、インドシナ半島での影響力などを巡って対立を深めていた。中国にとっては、ベトナムのソ連への接近、華僑（かきょう）のベトナムからの大量帰国など、一方のベトナム側にとっては、中国の急速な対米接近と大国主義的政策に対する不信があった。

1979年**2月17日**に中国はベトナムのカンボジア侵攻に対する「懲罰」として、ベトナムに侵攻。こうして、中越戦争が勃発した。ちなみにこの戦争はアジアの社会主義国同士が戦った最初の戦争となった。

当初、中国は兵力差を利用した人海戦術で押し切ろうとしたが、ベトナム軍のゲリラ戦により、甚大な被害をこうむってしまう。そこで、大砲と戦車を主力とした戦術に切り替え、ベトナムの都市ランソンへの攻撃を開始。この戦いも激戦となったが、同年3月5日に中国はランソンを占領した。すると、その数時間後に、中国政府は予定の目標を達成したと発表。同日中に撤退を開始した。

だが、中国軍の被害があまりにも大きかったため、たった1つの戦果を撤退の口実としたかったためだった。撤退しながらの「勝利宣言」はむなしく響き、実際は中国の敗北であり、当時の最高政策決定者だった華国鋒（かこくほう）に対する批判が強まった。これにより、華国鋒は1980年に首相を、翌年には党主席を辞任することとなる。代わって鄧小平（とうしょうへい）が中国の最高指導者の地位に就くこととなった。

**その他の出来事**

1600年・伊ブルーノ、処刑　1880年・露アレクサンドル２世の暗殺を謀った冬宮爆破事件起こる

# 2月18日【1825年】幕府が異国船打払令を発布 欧米列強への対応に追われる

No.049

江戸幕府の成立以来、いわゆる鎖国政策によって日本は外国との交流を厳しく禁じていた。だが、19世紀に入ると、欧米列強が東アジアに侵出するようになり、日本の近海にもロシアやイギリスの船が頻繁に姿を現すようになった。

| 年 | 出来事 |
|---|---|
| 1778 | ロシア船、厚岸に来航 |
| 1804 | ロシア使節レザノフ、長崎に来航 |
| 1808 | フェートン号事件 |
| 1811 | ゴロヴニン事件 |
| 1818 | イギリス人ゴードン、浦賀に来航 |
| 1825 | 異国船打払令 |
| 1842 | 異国船打払令を緩和、天保の薪水給与令 |
| 1844 | フランス船、琉球に来航 |

列強の対日接近

ロシアは通商を求めて、何度も蝦夷(えぞ)地（北海道）に来航。しかし、そのつど幕府は交渉を拒絶した。そんななか、1811年には、双方の行き違いからロシア軍艦の艦長ゴロヴニンが幕府の役人に捕らえられ、監禁されるというゴロヴニン事件も起きている。この事件はその後解決したが、幕府にとってロシアの南下政策は頭の痛い問題だった。

一方、イギリス船の接近も幕府の神経を刺激していた。1808年にイギリス軍艦フェートン号が長崎港に侵入し、オランダ商館員を人質に取って、薪や水、食料を強要するというフェートン号事件が発生。しかたなく長崎奉行がその要求を飲むと、フェートン号は去っていったが、長崎奉行の松平康英(やすひで)は責任を取って自害した。

その後も、イギリス船は繰り返し日本に来航。幕府は穏便に済ませるため、毎回、食糧などを与えて帰国させた。

しかし、このままでは埒(らち)が明かないと考えた幕府は方針を転換し、1825年**2月18日**に「異国船打払令」を発布する。これは、日本の沿岸に接近する外国船を見つけたら、すぐに砲撃して追い返し、上陸した外国人については逮捕せよというものだった。ちなみに、この法令の触書には「二念無く打払ひを心掛け」という文言があることから、無二念打払令ともいう。

だが、強力な欧米列強の船舶に、いきなり武力で攻撃をしかけることを命じたこの法令は、当時の日本の実力を考えると、あまりに危険なものだった。やがて、1842年に大国だった清がイギリスに大敗したアヘン戦争の情報が日本に伝わると、幕府は震え上がった。そして、外国との戦争を避けるため、同年中に「異国船打払令」を廃止し、漂着した外国船には薪や水、食料を与えるという「薪水(しんすい)給与令」を出した。このように、対外政策が二転三転したことで、幕府の威信は低下していく。

**その他の出来事**

1207年・法然、親鸞配流　1564年・ミケランジェロ、死去　1960年・ラテンアメリカ自由貿易連合条約が締結

# 2月/19日【1796年】「白蓮教徒の乱」が発生 清の弱体化が知れ渡る

No.050

白蓮教は12世紀の南宋の時代に始まる仏教の一派だが、仏教と西域経由のマニ教と弥勒信仰が入り混じった独特の教義のため、正統な仏教からは邪宗とされた。しかし、呪術性に重きを置いたことで広く民衆からの支持を集め、たびたび時の権力に対する反乱の母体となった。

白蓮教徒の乱の広がり

モンゴル人による征服王朝である元の時代の末期となる14世紀にも、白蓮教徒を中心とした「紅巾の乱」が発生。のちに明を建国する朱元璋も、この反乱に身を投じている。その後、白蓮教は社会不安と結び付くことを恐れた権力者たちから厳しく弾圧されたが、秘密結社化し、民衆の間で生き延び続けた。

18世紀末の乾隆帝末期、清の政治は帝に寵愛された和珅による汚職政治で腐敗の極みにあった。皇帝が嘉慶帝に替わった1796年**2月19日**、悪政への不満をためていた民衆と白蓮教が結び付き、爆発。「白蓮教徒の乱」が始まった。

反乱の発端となった四川省、湖北省、陝西省の境界線辺りは、清初以来、雑穀生産や木材、鉱山業でにぎわい、入植者が多かった。家父長権や君主権を否定し、相互扶助と平等の社会を目標とする白蓮教は、血縁的結合の弱かった入植者たちが腐敗した清朝への不満を解消するよりどころとなったのだ。

白蓮教徒たちは弥勒下生を唱え、死ねば来世で幸福が訪れると信じて、命を惜しまずに戦った。そのうちに、反乱には白蓮教徒以外にも各地の窮迫農民や塩の密売人なども参加し、数十万人に膨れ上がって河南省、甘粛省などにも広がっていった。清は正規軍によってこの反乱を鎮圧しようとしたが、うまくいかなかった。そこで、漢人の有力農民が集めた義勇兵である郷勇の力を借りて、なんとか乱を終息させた。

しかし、終息までには10年もの歳月がかかり、その間の莫大な軍事費によって豊かだった清の財政は大きく傾いてしまった。清はこれを取り戻そうと増税を実行したが、それは余計に社会不安を増大させるだけだった。また、正規軍が弱体化しており、漢人の民兵に頼らざるをえなかったことは、清の衰退を明らかにしていた。

**その他の出来事**

1837年・大塩平八郎の乱、勃発　　1959年・英、ギリシア、トルコ間にキプロス独立協定調印

# 2月/20日【1947年】イギリスがインド独立を承認 やがて宗教対立へと展開する

No.051

インド独立運動を指導したガンディー

19世紀半ば以降、インドはイギリスにより直接支配下に置かれた植民地となっていた。イギリスはインド国内のヒンドゥー教徒とイスラーム教徒の宗教的対立を利用する巧妙な分割統治によって植民地を維持した。

しかし、1914年に第一次世界大戦が勃発すると、インドとイギリスの関係は大きく変化した。この戦争では、150万人ものインド兵がイギリス軍として戦い、3万6000人もの戦死者を出したのだ。さらに戦中、最前線でインド兵が受けていた虐待が暴露されたこともあり、第一次世界大戦終結後にある程度の自治を約束せざるをえなくなった。加えて、戦後のイギリスの経済力・軍事力の衰えが著しく、インド支配が困難になっていたという事情もあった。

こうして1919年にインド統治法が制定される。だが、その内容は、州行政の一部はインド人に委ねられたものの、中央はあいかわらずイギリスが掌握し続けるというもので、独立にはほど遠いものだった。これに対し、インドの国民は激しく反発した。そんななか、弁護士で独立運動家だったガンディーが、イギリスに対する非暴力による「非協力運動」を説くと、多くの民衆はこれに賛同。インドの独立運動は大きく盛り上がることとなった。

やがて、1939年に第二次世界大戦が勃発すると、ふたたび多くのインド人兵士がイギリス兵として戦場に送られた。そこでガンディーたちは戦争協力の前に、まずインドの即時独立を認めよとイギリスに迫り、「インドを立ち去れ」（クィット・インディア）運動を起こした。だが、イギリスはガンディーらを逮捕し、運動を弾圧した。

それでも、第二次世界大戦が終結すると、イギリスはもはやインドを植民地として維持することは不可能と判断。1947年**2月20日**にインドの独立を承認し、同年８月にインド独立は実現した。しかし、それはガンディーの目指していた「1つのインド」としての独立ではなく、ヒンドゥー教のインドとイスラーム教のパキスタンという2つの国として分離独立するというものだった。そして、この独立直後に、ガンディーが懸念していた宗教対立が深まり、カシミール帰属問題を契機としたインド＝パキスタン戦争が勃発する。両国は現在も対立を続けている。

**その他の出来事**

1928年・初の普通選挙実施　1933年・小林多喜二、虐殺　1946年・ソ連、千島列島と南樺太の領有を宣言

# 2月/21日【前202年】「垓下の戦い」で勝利し劉邦、前漢王朝を建てる

No.052

漢の初代皇帝となった劉邦

紀元前221年に中国を初めて統一した秦は、初代の始皇帝の死後、混乱状態に陥っていった。紀元前209年には、「陳勝・呉広の乱」と呼ばれる全国的な騒乱状態が発生。各地で反秦勢力が蜂起することとなった。その流れのなかで、まず頭角を現したのは項羽だった。項羽は秦に滅ぼされた楚の将軍の末裔で、叔父の項梁が楚を復国して懐王（のちの義帝）を擁立すると、項梁の死後、その跡を継いで反秦活動を行なった。

一方その頃、農民出身で若い頃は流浪の生活を送っていた劉邦も、故郷の沛県で挙兵。劉邦の下には数千人の若者が集まり、そのなかにはのちに劉邦の側近として活躍する蕭何や曹参、樊噲などの顔ぶれもそろっていた。

結局、「陳勝・呉広の乱」は秦によって鎮圧されたが、秦の末期的症状は誰の目にも明らかであり、項羽と劉邦はそれぞれ兵を率いて、秦の首都の咸陽を目指した。先に函谷関を突破して咸陽のある関中の地に入ったのは、10万の兵を率いた劉邦だった。秦王の子嬰は劉邦に降伏。こうして紀元前206年に秦は滅亡する。

劉邦は子嬰を殺さず、秦の財宝にも手を付けずに、項羽の来着を待った。ただ、関中の支配権は、先に入ったほうが得るという取り決めが楚の懐王によって両者に命じられていた。しかし、1カ月遅れで40万の兵を率いて到着した項羽は、その約束を守らず、劉邦に漢水の上流の地を与え漢王に封じるとともに、子嬰とその一族を皆殺しにしてしまう。

その後、しばらく劉邦は雌伏して力を蓄えていたが、やがて挙兵する。その後、これに先立つ紀元前206年に項羽が楚の義帝を殺害していたことを知り、劉邦は項羽を倒す大義名分を得た。こうして、項羽と劉邦が雌雄を決する楚漢戦争が始まった。

劉邦は何度も項羽の軍に敗れ、命の危機にも陥ったが、そのつど有能な家臣に救われた。そして、紀元前202年の「垓下の戦い」で劉邦はついに項羽を打ち破り、中国統一を果たした。同年**2月21日**、劉邦は皇帝に即位し、漢（前漢）を建国。中国の歴史上、農民出身で統一王朝の皇帝となったのはこの劉邦と、明の建国者である朱元璋だけだ。

**その他の出来事**

1258年・モンゴルがアッバース朝を滅ぼす　　1972年・米ニクソン、中国訪問

# 2月22日【1848年】 パリで二月革命が起こり束の間の共和政が実現する

No.053

ルイ＝フィリップ

1789年に起きたフランス革命によって、王政を廃止し、共和政となったフランスだったが、やがてナポレオンが権力を握り、ナポレオン1世として即位したことで帝政となった。これを第一帝政という。そのナポレオンが没落すると、代わりに権力を握ったのは、ルイ16世の弟であるルイ18世だった。ルイ18世はフランス国王に即位し、復古王政を始めた。

その後、ルイ18世の跡を継いだシャルル10世は、言論を弾圧し、代議院の解散を強行するとともに、参政権を制限する王令を出すことで、王政を強化しようとした。だが、これに反発したパリの民衆が武装蜂起し、1830年に七月革命を起こすと、国王は亡命。そこで、資本家や銀行家などブルジョワジーは名門貴族のオルレアン家のルイ＝フィリップを王に擁立した。こうして、自由主義的な立憲君主政である七月王政が始まった。

七月王政下のフランスでは、産業革命が進んだこともあり、経済が発展。しかし、ルイ＝フィリップは納税額によって参政権が得られる制限選挙制度を採用したため、参政権が得られなかった民衆の間に不満がたまった。さらに、1845年から不作が続いたことで、農民が困窮。これにより、連鎖的に経済が落ち込み、フランス全体が不況となった。

そんななか、立憲君主政左派や共和派は、パリで選挙制度改革を要求する集会を計画した。政府はこれを禁じたが、不況によって反政府感情を強めていたパリの民衆は、1848年**2月22日**に大規模なデモを起こした。こうして二月革命が勃発する。

武装した民衆たちは、3日間のバリケード戦のすえ、ルイ＝フィリップに退位と亡命を強いた。その後、すぐに社会主義者のルイ＝ブランや労働者たちによる臨時政府が樹立され、共和政への移行を宣言。これを第二共和政という。さらに臨時政府は、男性普通選挙制度の実施も宣言した。

ところが、同年11月に男性普通選挙制度に基づいて大統領選挙が実施されたところ、圧倒的な得票数で初代大統領に当選したのは、ナポレオンの甥であるルイ＝ナポレオンだった。そして、1852年に帝政復活を問う人民投票が実施されると、ルイ＝ナポレオンはこれにも勝利。皇帝ナポレオン3世として即位し、第二帝政を開始した。

**その他の出来事**

622年・聖徳太子、死去　　1732年・米ワシントン、誕生　　1989年・吉野ヶ里遺跡で環濠集落発掘

# 2月23日【1966年】ジャディードがクーデタ シリアの指導者となる

No.054

1947年にシリアで、アラブ民族による統一国家の樹立を目的としたバース党が設立された。「バース」とはアラビア語で、「復興」や「使命」といった意味だ。バース党が「アラブ統一」に至る戦略は、各国にバース党を設立し、それぞれの国で政権を取った各バース党政権が合体して統一国家を形成するというものだった。その戦略に基づき、上位の民族指導部がアラブ世界全体を対象として、シリアに置かれた。そして下位の各国の地域指導部が当該国を対象とし、シリアからイラク、ヨルダン、レバノンなどに広がっていった。

ジャディード

そのバース党が1963年にクーデタを起こして、シリアの政権を掌握する。しかし、すぐに党内における保守派と若手革新派の対立が露(あら)わになっていった。この対立は、民族指導部と地域指導部の対立でもあった。

民族指導部は地域指導部の動きを牽制(けんせい)するため、1965年11月、地域指導部に命令の拒否を禁じる決議を出した。だが、この決議に地域指導部事務総長補助で若手派閥を代表するジャディードは、すぐさま反発。シリア軍のタラース中佐に、民族指導部派だったホムス駐屯地の正副司令官を逮捕するよう命令した。

これにより、両派の対立は抜き差しならない状態となり、民族指導部は緊急会合を招集して地域指導部の解散を決定した。これに対し、ジャディードとその支持者たちは武力で抵抗することを決意し、1966年**2月23日**にクーデタを起こした。このクーデタは成功し、バース党の創設者の1人であるアフラクをはじめとした保守派は、シリアからの脱出を余儀なくされた。

こうして、バース党内の権力を掌握したジャディードは、事実上のシリアの指導者となった。ただ、バース党の創設者に反旗を翻したことは党の分裂を招き、党組織はシリア・バース党とイラク・バース党の2つに分かれてしまった。

そのうえ、ジャディード政権の寿命も短かった。1970年に党内で急進派のジャディードと穏健・現実主義派が対立。ハーフィーズ＝アル＝アサドをリーダーとした穏健・現実主義派がクーデタを起こして、シリア政府の実権を握ったのだ。これにより、ジャディードは逮捕され、死ぬまで刑務所に入れられることとなる。一方、アサドは大統領に就任し、2000年に死去するまで権力を保持した。そして、現在は息子であるバッシャール＝アル＝アサドが大統領として独裁政権を維持している。

**その他の出来事**

1581年・イエズス会ヴァリニャーニ、織田信長に謁見　1836年・アラモの戦い　1981年・ローマ教皇、初来日

2月/24日【1933年】

# 松岡洋右、国際連盟総会を退場 日本は国際的に孤立していく

No.055

松岡洋右

1931年の柳条湖事件をきっかけに日本の関東軍が中国東北部で戦線を拡大させた満洲事変が勃発すると、中国はすぐさま、これを日本の侵略行動だとして国際連盟に提訴した。また、中国は関東軍による「満洲国」の建国を認めなかった。

欧米各国は当初、事変を局地的なものと考え、楽観視していた。だが、日本政府が事変不拡大という約束を実行しないため、しだいに日本への不信感を高めていった。1932年に軍閥である張学良(ちょうがくりょう)の仮政府が置かれていた錦州(きんしゅう)を日本軍が占領すると、アメリカはこれを、日本も締結していた不戦条約と対中国政策の原則を規定した九カ国条約に違反していると非難した。

これらの国際世論を受け、国際連盟はイギリスのリットン伯爵を代表とするリットン調査団を設置。調査団は、日本、満洲国、中華民国を訪れ、事実関係の調査を行なった。その調査に基づいて出された報告書は、満洲に対する中国の主権を認め、満洲国が民族独立運動の結果成立したという日本の主張を否定するものだったが、同時に満洲における日本の権益も保障するものだった。そして、報告書には、満洲に中国の主権下で自治政府をつくり、治安を守るために少数の日本の憲兵隊を置き、それ以外の日本軍は撤退するという解決案を提示した。

だが、日本政府は軍部のつくりあげた既成事実を認め、リットン報告書の発表直前に、日満議定書を取り交わして、満洲国を承認してしまった。さらに、1933年に入ると、日本軍は中国における軍事行動を拡大。この行動は、国際連盟を強く刺激した。その結果、同年**2月24日**に開かれた国際連盟の臨時総会では、満洲における中国の主権を確認するとともに、日本軍の撤退を確認する決議案が出され、賛成42、棄権1（タイ）、反対1で可決された。反対したのは日本だけだった。

総会に日本の全権として参加していた政治家の松岡洋右(ようすけ)は、決議案が可決されると、その場で総会から退場。そして、同年3月27日に日本は国際連盟脱退を通告した。こうして、日本はアメリカやイギリスの反発を受けながら国際的に孤立していき、第二次世界大戦に至る道を進んでいく。

**その他の出来事**

1500年・カール5世、誕生　1637年・朝鮮李朝の仁祖、清朝に降伏　1848年・仏ルイ＝フィリップ退位、共和政へ

# 2月/25日【1956年】 フルシチョフがスターリン批判を行なう

No.056

ソ連において、歯向かう者はすべて粛清するという恐怖政治で独裁体制を築いていたスターリンが1953年に死ぬと、ソ連指導部は体制の改革を模索するようになった。その結果、国内では囚人が解放され、外交では米ソの対立も緩和された。この時期の緊張緩和は、ソ連の作家エレンブルグの小説のタイトルから「雪どけ」と呼ばれている。

フルシチョフ(左)とアイゼンハワー(右)

スターリンの死の直後、ソ連指導部は集団指導体制を採った。だが、しだいにそのなかからフルシチョフ共産党第一書記が頭角を現すようになっていった。そして、フルシチョフは1956年**2月25日**の第20回共産党大会で、それまでのソ連ではタブーだったスターリン批判の演説をした。

批判の内容は、スターリンが自身に対する個人崇拝を強要し、大量虐殺も行なったという厳しいものだった。フルシチョフがこの批判演説をした際、国内外の記者および外国代表は退席を求められ、参加していた代議員もノートを取ることを禁じられた。つまり、スターリン批判は党内部だけに向けた、秘密報告だったのだ。

しかし、その内容は西側諸国に漏れ、世界中に衝撃を与えた。とくに、東ヨーロッパの社会主義国では、かつてのスターリン体制に対する反発が爆発。ポーランドやハンガリーでは反ソ暴動が起きた。これにより、ポーランドではある程度の自主性をもった社会主義体制国家への変化が起きたが、ハンガリーの暴動はソ連軍によって鎮圧された。

この東欧での動乱に対し、西側諸国は「雪どけ」ムードに水を差さないため介入しなかった。また、介入をためらった背景には、ソ連の核開発が進み、米ソで核の均衡が成立していたこともある。

やがて、1959年にフルシチョフはソ連の最高指導者として初めてアメリカを訪れ、アイゼンハワー大統領と会談した。このときが、「雪どけ」ムードが最高潮に盛り上がったときだ。世界中で冷戦の終結への期待が高まった。

ところが、1960年にアメリカの偵察機がソ連領内で撃墜されるU2型機事件が起きると、米ソの対話ムードは急速に冷え込んだ。結局、冷戦が終結するのは、1989年まで待たなければならない。

**その他の出来事**

1634年・三十年戦争でヴァレンシュタイン暗殺　1875年・光緒帝即位。西太后、実権を握る

# 2月26日【1876年】 日朝修好条規（江華条約）を調印 朝鮮の利権を巡って清と対立

No.057

鎖国政策を採っていた朝鮮（李氏朝鮮）は、明治政府が再三開国を求めても、そのつど拒否した。そのため、日本国内では武力によって朝鮮を開国させるべきだという征韓論が高まった。政府首脳でも、西郷隆盛、板垣退助、後藤象二郎、江藤新平らは、積極的に征韓論を唱えた。

日朝修好条規が調印された江華島

だが、1873年に欧米視察から帰国した大久保利通と木戸孝允らは、欧米列強の発展ぶりに衝撃を受けていたことで、国外に侵出するより、まずは国内の整備が先決だと考えた。そのため、征韓論に強く反対する。結果、征韓論は立ち消えとなり、西郷ら征韓派の政府首脳はいっせいに辞職した。これを「明治六年の政変」という。

とはいえ、日本政府も朝鮮の開国を諦めたわけではなかった。そこで、朝鮮を開国させるきっかけをつかむため、政府は1875年に軍艦・雲揚を派遣し、朝鮮の沿岸で測量を行なうなどの示威行動を取った。さらに、同艦の艦長が朝鮮の首都・漢城（現在のソウル）に近い漢江河口の江華島にボートで近付くと、島の砲台から砲撃を受けた。これに対し、雲揚は反撃。砲台を砲撃で破壊すると、近くの島に兵員を上陸させて永宗城を占領した。この一件を、江華島事件という。

政府は日本の軍艦が攻撃を受けたということを口実に朝鮮に圧力をかけ、開国を迫った。これを朝鮮側も拒絶できず、1876年**2月26日**、朝鮮が開国することを認める日朝修好条規が締結された。この条約は、江華島で調印されたことから江華島条約とも呼ばれている。

日朝修好条規では、朝鮮が開国するだけでなく、日本の一方的な領事裁判権が定められ、朝鮮の関税自主権は認められないなど、不平等なものだった。これはまさに、幕末に日本が欧米列強と結ばされたものと同様だった。ただ、同時にこれは、朝鮮が清の属国ではなく、独立国家であることを認めるものでもあった。以後、欧米列強も日朝修好条規と類似の条約を朝鮮と結んでいった。

長年、朝鮮を属国としてきた清は、この流れに苛立ちを強めた。そして、朝鮮半島の利権を巡って日本と対立するようになり、それが日清戦争へとつながっていく。

**その他の出来事**

1936年・二・二六事件　1986年・フィリピン、マルコス大統領、米国へ亡命

# 2月/27日【1933年】ドイツで国会議事堂が放火 ナチス躍進の踏み台に

No.058

炎上するドイツ国会議事堂

1932年7月のドイツ国会選挙で第一党となったナチス（ナチ党）の党首ヒトラーは、翌年1月、ヒンデンブルク大統領によって首相に任命された。だが、この内閣はナチスと保守派の連立内閣であり、11人の閣僚のうち、ナチスはヒトラーを含めても3人にすぎなかった。より絶対的な権力を望んだヒトラーは、保守派の反対を押し切って、ただちに国会を解散。総選挙に打って出た。

その選挙中の1933年**2月27日**、ドイツの国会議事堂が何者かによって放火され、炎上するという事件が起きる。鎮火後、現場でうずくまっていたオランダ人共産主義者のルッベという男が逮捕された。ルッベの背後関係はまったくわからなかったが、ヒトラーはこれをドイツ共産党の企てと断定。「国家を危険にさらす共産主義者の暴力的行為に対抗する」という口実で、憲法で定められた基本的人権を停止する大統領緊急令を布告した。そして、この大統領令を盾に、選挙でナチスに反対している共産党員などを逮捕、拘束した。

しかし、選挙の結果、ナチスは大躍進したものの、単独過半数を獲得するまでには至らなかった。そこで、ヒトラーは共産党を非合法化したうえで、国会の立法権を政府に委ねる全権委任法案を提出する。この法律はナチスが目指していた「国民革命」の総仕上げだった。当然、左派の社会民主党は法案に反対したが、ナチスは保守派のドイツ国家人民党と中央党の協力を得て3分の2の賛成を確保し、法案を成立させた。これは、ドイツが実質的にナチスの独裁体制となったということだ。

その後、ナチスは各州や自治体の権力を掌握。さらに、ほかの政党を解散に追い込んで、ナチスの一党独裁体制を強固なものにした。

ところで、国会議事堂放火事件の犯人が、本当にルッベだったのかについては、今も議論が続いている。ルッベは1934年に処刑されたが、放火はナチスの自作自演だったという説もある。ナチスが国会議事堂に火をつけ、それをドイツ共産党のせいにすることで、選挙を有利に運ぼうとしたというのだ。この説は当時からささやかれていた。ただ、ヒトラーは放火事件にまったく関与していなかったという証言も残されている。もっとも、ヒトラーが事件を最大限利用したことだけは間違いない。

**その他の出来事**

1899年・最初の南米移民がペルーに出発　　1936年・二・二六事件に対し、東京市に戒厳令布告

# 2月28日【1638年】

# 島原の乱が鎮圧 キリスト教への弾圧が強化される

No.059

1637年に、一揆勢3万人余りが原城に立て籠もる島原の乱が発生すると、幕府は初め板倉重昌(しげまさ)を派遣して鎮圧にあたらせた。だが、一揆軍は団結しており、戦意が高かったため、鎮圧は失敗に終わった。

一揆軍が立て籠もった原城跡　©(一社)長崎県観光連盟

事態を重く見た幕府は、老中の松平信綱(のぶつな)を派遣。さらに、九州の諸大名ら約12万人の兵力を動員して原城を包囲した。幕府軍が与力を使って一揆軍の動きを調べさせたところ、原城内の兵糧が残り少ないことが判明した。そこで、信綱は力攻めではなく、兵糧攻めに作戦を切り替えたという。

また同時に、長崎奉行がオランダ商館に協力を要請。オランダはこれを了承し、軍艦を島原に派遣すると、海から城内に砲撃を行なった。この砲撃自体は目立った効果を上げられなかったが、キリシタンも多くいた一揆軍のなかには同じキリスト教を信じるポルトガルの援軍を期待する声があり、オランダの攻撃はその希望を打ち砕く、心理的効果があったとされている。

その後、陣中に諸将が集まって軍議が行なわれ、兵糧攻めを継続するか、総攻撃をするかが話し合われた。信綱は、乱が長期間鎮圧されないと幕府の威信に関わると考え、総攻撃を決断。1638年**2月28日**、ついに総攻撃が開始され、諸大名が次々と原城に攻め入った。兵糧、弾薬が尽きかけていた一揆側は、この攻撃に耐えられず、原城は落城。乱の総大将として担がれていた天草四郎は討ち取られ、一揆軍も皆殺しにされたことで乱は鎮圧された

幕府は島原の乱後、キリスト教徒を根絶やしにするため、とくに信者の多い九州北部などでイエス像・マリア像などを表面に彫った真鍮(しんちゅう)製の絵を踏ませる絵踏を行なわせた。さらに禁教を推し進めるために、1640年には幕領に宗門改役(しゅうもんあらためやく)を置き、1664年には諸藩にも宗門改役が設置された。

この乱の影響で幕府のキリスト教諸国に対する警戒心はさらに深まった。その結果、ポルトガル船の来航は禁止され、平戸にあったオランダ商館も長崎の出島に移され、長崎奉行の厳しい監視の下に置かれるようになる。

**その他の出来事**

1591年・千利休、自刃　1922年・英、エジプト独立を宣言し保護統治を放棄　1947年・台湾で二・二八事件

## 地図索引

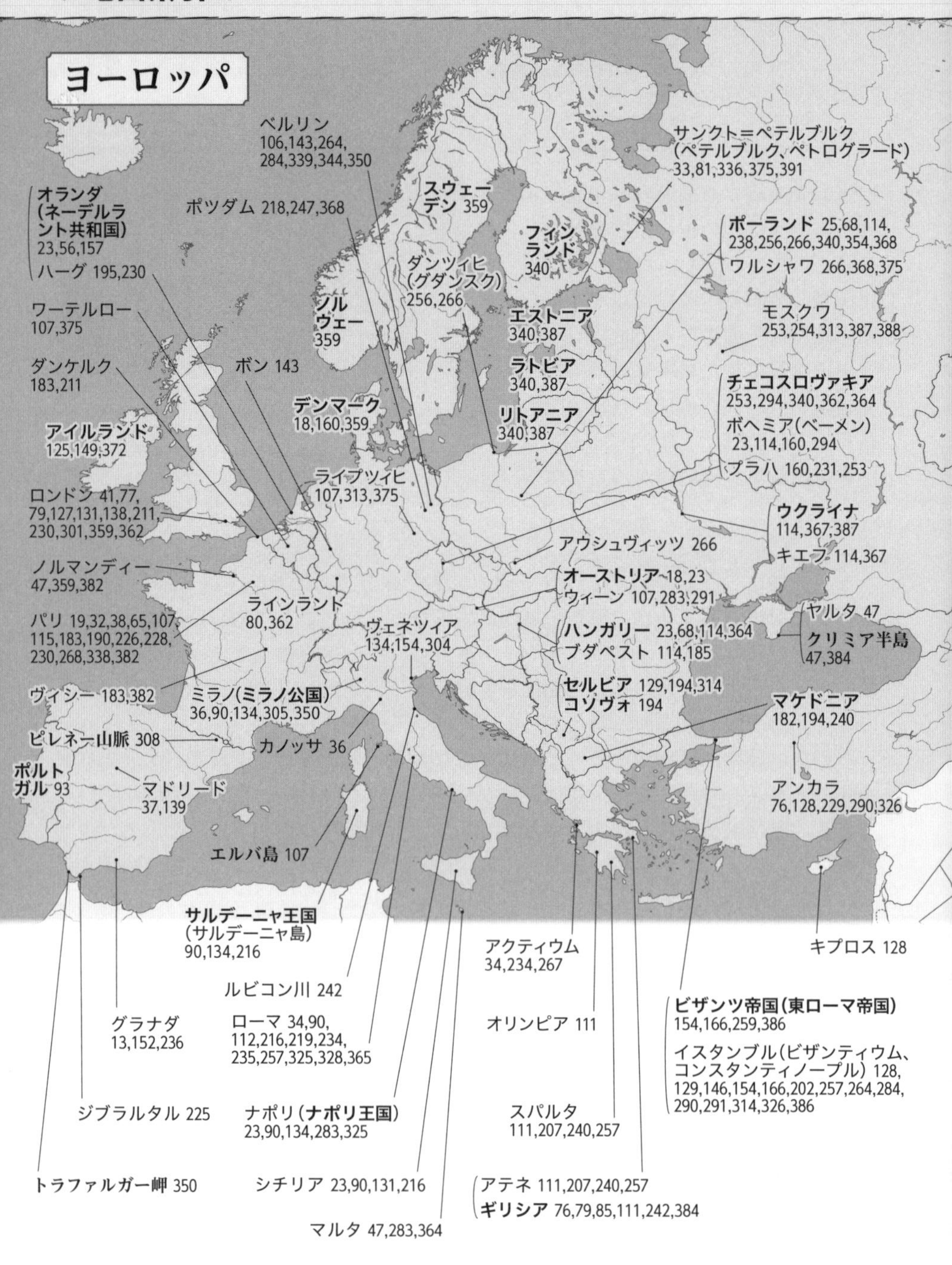

ヨーロッパ
ベルリン 106,143,264,284,339,344,350
サンクト＝ペテルブルク（ペテルブルク、ペトログラード）33,81,336,375,391
オランダ（ネーデルラント共和国）23,56,157
ハーグ 195,230
ポツダム 218,247,368
スウェーデン 359
フィンランド 340
ポーランド 25,68,114,238,256,266,340,354,368
ワルシャワ 266,368,375
ダンツィヒ（グダンスク）256,266
ノルウェー 359
ワーテルロー 107,375
エストニア 340,387
モスクワ 253,254,313,387,388
ダンケルク 183,211
ボン 143
ラトビア 340,387
チェコスロヴァキア 253,294,340,362,364
デンマーク 18,160,359
リトアニア 340,387
ボヘミア（ベーメン）23,114,160,294
アイルランド 125,149,372
プラハ 160,231,253
ライプツィヒ 107,313,375
ロンドン 41,77,79,127,131,138,211,230,301,359,362
ウクライナ 114,367,387
アウシュヴィッツ 266
キエフ 114,367
ノルマンディー 47,359,382
オーストリア 18,23
ウィーン 107,283,291
ラインラント 80,362
ヤルタ 47
パリ 19,32,38,65,107,115,183,190,226,228,230,268,338,382
ヴェネツィア 134,154,304
ハンガリー 23,68,114,364
クリミア半島 47,384
ブダペスト 114,185
セルビア 129,194,314
ヴィシー 183,382
ミラノ（ミラノ公国）36,90,134,305,350
コソヴォ 194
マケドニア 182,194,240
ピレネー山脈 308
カノッサ 36
ポルトガル 93
マドリード 37,139
アンカラ 76,128,229,290,326
エルバ島 107
サルデーニャ王国（サルデーニャ島）90,134,216
アクティウム 34,234,267
キプロス 128
ルビコン川 242
ビザンツ帝国（東ローマ帝国）154,166,259,386
グラナダ 13,152,236
ローマ 34,90,112,216,219,234,235,257,325,328,365
オリンピア 111
イスタンブル（ビザンティウム、コンスタンティノープル）128,129,146,154,166,202,257,264,284,290,291,314,326,386
ジブラルタル 225
ナポリ（ナポリ王国）23,90,134,283,325
スパルタ 111,207,240,257
トラファルガー岬 350
シチリア 23,90,131,216
アテネ 111,207,240,257
ギリシア 76,79,85,111,242,384
マルタ 47,283,364

# 3月

March

# 3月/1日【1932年】「満洲国」の建国を宣言 国際的な反発を招く

No.060

32年「満洲国」成立時の範囲

1931年9月、中国東北部の奉天（現在の瀋陽）郊外の柳条湖で、満鉄線路爆破事件（柳条湖事件）が発生すると、関東軍はこれを中国側の仕業と発表し、ただちに軍事行動を起こした。関東軍は、奉天、長春など南満洲の主要都市を占領。日本の朝鮮駐屯軍の一部も独断で鴨緑江を渡って満洲に入り、関東軍を支援した。

関東軍の勝手な軍事行動を知った当時の若槻内閣は、事変の不拡大方針を声明したが、関東軍はそれを無視して次々と軍事行動を拡大。翌年2月までに、チチハル、錦州、ハルビンなど満洲各地を占領した。これを、満洲事変という。

若槻内閣は軍部を抑えることができず、世論も関東軍の行動を強く支持した。その結果、内閣は退陣を余儀なくされる。代わって立憲政友会総裁の犬養毅が新内閣を組織した。一方、関東軍は満洲事変勃発直後から、軍閥の張学良を排除したのち、満蒙（満洲と内蒙古）に新政権を樹立し、日本の自由になる「独立国」をつくろうとする計画を進めていた。政府は、関東軍の計画が、中国の主権・独立の尊重を取り決めた九カ国条約の違反になり、日本が欧米諸国の非難にさらされるとして強く反対していた。

しかし、関東軍は政府の反対を無視して計画を実行し、1932年2月までに吉林、奉天などの要地を占領すると、同年**3月1日**に清朝最後の皇帝だった溥儀を執政として「満洲国」の建国を宣言させた。首都には長春が選ばれ、新京と命名。また、溥儀は1934年に皇帝として即位し、「満洲国」は帝政に移行した。そんな「満洲国」は形式上では独立国であり、満洲に在住するおもな民族（満洲人、日本人、漢人、蒙古人、朝鮮人）による「五族協和」を掲げていた。だが、当然ながら実際は日本の傀儡国家であり、実権を握っていたのは関東軍だ。

犬養内閣は満洲国承認を渋っていたが、同内閣が1932年5月にクーデタ事件の五・一五事件で倒れると、次の斎藤実内閣は軍部の圧力と世論の突き上げに抗しきれず、満洲国を承認した。しかし、政府が当初懸念していたとおり、日本のこの行動は各国から強い非難を浴びることとなる。

**その他の出来事**

1562年・仏で新教徒大量虐殺。ユグノー戦争の発端となる　　1919年・三・一運動

3月/2日
【641年】

# 唐の皇女・文成公主が降嫁 吐蕃は中央アジアの強国になる

No.061

文成公主の彫像

7世紀初頭、ソンツェン＝ガムポがチベット高原で暮らす諸部族を統一して吐蕃(とばん)を建国した。その頃、吐蕃と中国の唐の間には吐谷渾(とよくこん)という国があり、ガムポは当初、この吐谷渾から諸制度を学んでいたが、やがて攻め入り、滅ぼしてしまう。

こうして吐蕃を大国にしたガムポは唐と対等の関係を結ぼうと考え、皇帝の娘との婚姻を要求した。唐の第2代皇帝だった太宗がこれを断ると、641年に吐蕃は唐の国境付近を攻撃。これにより、太宗はガムポの実力を認め、同年**3月2日**に皇女の文成公主(ぶんせいこうしゅ)を降嫁させた。

文成公主は初め、ガムポの息子であり当時王だったグンソン＝グンツェンの妻となった。翌年には王子マンソン＝マンツェンが生まれている。だが、グンツェンは落馬が原因で急死してしまい、文成公主は首都のラサに寺を建て、夫の菩提(ぼだい)を弔った。

それから3年後、文成公主はグンツェンの死によってふたたび王位に就いていたガムポと再婚した。この結婚は、チベットでは先代の王の妃は次の代の王の妃となる習わしがあったためだ。3年の期間を開けたのは、喪に服すためだったと考えられている。

しかし、この再婚もガムポが亡くなったことで、わずか3年で終わりを告げた。ガムポが亡くなると、吐蕃では唐との戦争が起こりそうな空気となったが、文成公主は吐蕃と唐の間に入って和親に努め、全面対決を防いだという。結果的に、これにより吐蕃は滅亡を免れ、繁栄した。とくに8世紀に入ると吐蕃は強勢を誇るようになり、中央アジアのオアシス都市地域に支配を及ぼすとともに、唐と盟約を結んで国境を定めるまでとなる。

ところで、文成公主は降嫁した際、吐蕃に中国の仏教をもたらしたと伝えられている。ガムポにはネパールから迎えた妃がもう1人おり、彼女はネパール（インド）の仏教を伝えた。こうしてチベットでは、中国とインドの仏教が混合した独自のチベット仏教が成立し、以後発展していった。

**その他の出来事**

1835年・神聖ローマ帝国消滅　1836年・テキサス、メキシコから独立を宣言　1919年・コミンテルン創立大会開催

# 3月/3日【1924年】 トルコでカリフ制廃止 政治と宗教が分離される

No.062

トルコ近代化の父であるケマル

カリフとはアラビア語で「後継者」という意味で、イスラーム教の創始者ムハンマド亡き後、その代理人としてイスラーム共同体を指導する最高権威者の称号だ。ムハンマドの死後誕生したこのカリフ制は、当初は十分機能していた。だが、しだいにイスラーム国家の君主が政治的実権を握るようになり、その権威は低下していった。

13世紀末に成立したオスマン帝国でも、当初はスルタン（君主）がカリフの権威に頼ることなく、実力でイスラーム世界の盟主として君臨していた。しかし、18世紀後半に入ると周辺諸国に軍事力で押されるようになり、カリフの権威が必要となった。そこで、オスマン帝国のスルタンはカリフも兼ねるようになり、スルタン＝カリフ制が誕生する。

第一次世界大戦が始まると、オスマン帝国は同盟国側で参戦するが、大敗。連合国に領土を分割、占領されてしまう。さらに、ギリシア軍も列強の承認を得てアナトリアの占領に着手した。オスマン帝国にこの流れを押しとどめる力はなく、1920年に連合国側と大幅な領土分割を認めるセーヴル条約を結び、国家としての実体がほぼなくなった。

これに対し、国民の間では激しい抵抗運動が起きた。この運動の指導者に選ばれたのは、軍人のムスタファ＝ケマル（のちのケマル＝アタテュルク）だった。ケマルはアンカラにトルコ大国民議会を招集して、革命政権を樹立。革命政権は占領軍に戦いを挑み、初めは苦戦したが、旧オスマン軍の残存兵力とパルチザン部隊を統合して国民軍を編成すると、反撃に転じた。そして、1922年9月にギリシア軍を撃退することに成功。ケマルはスルタン制を廃止し、これによりオスマン帝国は完全に滅亡する。その後、1923年にケマルに率いられた革命政権は連合国とローザンヌ条約を結んでアナトリアの領土を回復するとともに、独立を果たした。そしてトルコ大国民議会でトルコ共和国の樹立が宣言され、ケマルが初代大統領に選出された。ケマルはトルコを政教分離の近代国家にするため、カリフ制の廃止を決断。翌年**3月3日**にトルコ大国民会議の圧倒的多数の支持を得てカリフ制度の廃止が決まった。このケマルによる一連の改革を、トルコ革命という。イスラーム世界の文化において政教分離を打ち出した意義は大きいが、それが現実に根付くのかどうか、現代でも答えは出ていない。

**その他の出来事**

1854年・日米和親条約調印　1860年・桜田門外の変　1918年・ソヴィエト、独墺側とブレスト＝リトフスク講和条約調印

# 3月4日【1931年】 インド総督アーウィンとガンディーがデリー協定調印

No.063

1920年代初頭、イギリス植民地となっていたインドで、独立を訴える政党・国民会議派を主導していたガンディーは非暴力による「非協力運動」を展開していた。だが、運動に参加していた農民が警官を殺害する事件が起きたことで、ガンディーは一時運動を停止した。

「塩の行進」を先導したガンディー（中）

その後、1930年代に入り、ガンディーはふたたびイギリスに対する「不服従運動」を開始。今度は、塩という生活必需品をイギリスが専売にして重税を課していることへの反対運動を主眼とし、ガンディーはそれを「塩の行進」と名づけた。

具体的な行動としては、当時のインドの法律を破り、勝手に海岸で塩をつくったのだ。これに対し、イギリス官憲は警棒を振るって制止しようとしたが、ガンディーとその支持者たちは血を流しながら無抵抗で塩をつくり続けた。これにより、ガンディーの名は一躍国内外に知れ渡ることになる。

この運動がインド全体で高揚することを憂慮したインド総督のアーウィンは、1931年にインド自治に関する話し合いであるロンドンでの円卓会議への参加を国民会議派に呼びかけた。国民会議派はこれを拒絶したが、同年**3月4日**、ガンディーはアーウィンとの個人的な会談に応じた。そして、その会談において、「不服従運動」を停止し、第2次円卓会議に国民会議派の代表者としてガンディーが出席する代わりに、インド人による塩の製造と政治犯の釈放を認めることで両者は合意した。これを、ガンディー＝アーウィン協定という。また、締結された場所からデリー協定ともいう。

国民会議派内部には、妥協的なこの協定に不満を抱く者も多かったが、ガンディーは約束を守り、1931年9月にロンドンに渡り、第2次円卓会議に出席した。そこで、ガンディーは統一インドの即時完全な自治を要求したものの、なんの成果も得られず帰国することとなる。

帰国後、ガンディーがただちに「不服従運動」を再開すると、イギリス当局はガンディーを逮捕し、裁判もせずに投獄した。それでもガンディーは諦めることなく、出獄後も独立運動に邁進。その悲願がかなうのは、第二次世界大戦後のことだ。

**その他の出来事**

1394年・エンリケ航海王子、誕生　　1771年・杉田玄白が『ターヘル・アナトミア』の翻訳を決意

3月/5日【1946年】

# チャーチルが「鉄のカーテン」演説 東西冷戦の幕が開ける

No.064

チャーチル

第二次世界大戦において、ソ連がドイツ打倒で果たした役割は大きかった。そのため、戦後になるとソ連および共産主義の存在感が戦前とは比べものにならないほど高まった。ヨーロッパ各国では食糧難が起こり、左翼勢力が伸長する。

イギリスでは、1945年の選挙でチャーチル率いる保守党が労働党に敗北。政権与党となった労働党は、重要産業の国有化、社会福祉制度の充実など、社会民主主義的な政策を実施する。フランスでも、1945年の選挙で共産党が第一党に躍進。イタリアでも共産党が票を伸ばし、連立内閣に参加した。

ソ連の最高指導者だったスターリンは当初、占領下に置いていた東欧諸国にソ連型の社会主義体制を押し付けようとは考えていなかったという。スターリンは、東欧諸国に親ソ的な政権をつくり、西欧諸国とアメリカに対する緩衝地帯にできれば、ひとまず十分と考えていたのだ。

だが、アメリカやイギリスは世界的な共産主義の高まりとソ連の影響力の増大を見て、警戒を強めた。そして、しだいに敵対する姿勢を明確に取るようになっていく。それに対し、ソ連の態度も硬化していった。こうして米英とソ連の対立が露(あら)わになってきたことを端的に表したのが、首相退任後のチャーチルがアメリカ大統領のトルーマンに招かれて訪米し、1946年**3月5日**にウェストミンスター大学で行なった演説だ。

その演説においてチャーチルは「バルト海のシュチェチンからアドリア海のトリエステまで、ヨーロッパ大陸を横切る鉄のカーテンが降ろされた」と発言。これは、ソ連が主導する東ヨーロッパの共産主義政権と西ヨーロッパの資本主義陣営が敵対している状況を述べたものであると同時に、「鉄のカーテン」という言葉でソ連および共産圏の排他的な姿勢を非難したものだ。

それゆえ、この演説は東西冷戦の幕開けを示す出来事とされている。また、演説のなかに出てきた「鉄のカーテン」という言葉は、冷戦を象徴するものとして広まっていった。ただ、チャーチルが演説した時点では、「冷戦」という言葉は存在していなかった。この言葉が使われるようになるのは、演説の翌年からだ。

**その他の出来事**

1770年・ボストンで市民と英軍が衝突　1932年・血盟団事件で団琢磨が射殺

# 3月/6日【1821年】 ギリシア独立戦争が開始 オスマン帝国からの独立へ

No.065

ナヴァリノの海戦を描いた絵画

ギリシアは15世紀以来、オスマン帝国の支配下にあった。だが、18世紀末のフランス革命以降、世界的に広まった自由主義やナショナリズムの影響により、ギリシアではオスマン帝国からの独立の機運が盛り上がっていく。

フランス革命発生以前の18世紀半ば頃から、ギリシア人のなかには、ギリシアこそがヨーロッパ文明の発祥の地であり、ギリシアはヨーロッパであるとする親ギリシア主義が芽生えていた。そこに、フランス革命以降の自由主義やナショナリズムの思想が流れ込んだことで、独立を求める声が大きくなったのだ。

この流れのなか、1814年にギリシア独立のための秘密結社「友愛協会」が結成され、その「友愛協会」主導の下、1821年**3月6日**にギリシア人たちが武装蜂起。これにより、ギリシア独立戦争が始まった。

オスマン帝国は、この独立運動を徹底的に弾圧しようとしたが、多くのヨーロッパ諸国は当初中立的な立場を取った。ところが、バルカン半島方面に進出して不凍港と地中侮への出口を確保する「南下政策」を採っていたロシアがギリシア支持の姿勢を示すと、ロシアが抜け駆けをして東地中海の権益を独り占めすることを恐れたイギリスとフランスもギリシアの支持を表明し、戦争に介入した。そして、1827年にナヴァリノ湾で、英仏露連合艦隊はオスマン帝国艦隊を壊滅させる。

さらに、1828年に入るとロシアはオスマン帝国に宣戦布告。戦いを優勢に進めたロシアは翌年、オスマン帝国とアドリアノープル条約を結び、ダーダネルス・ボスフォラス両海峡の自由通行権とギリシアの独立を帝国に認めさせた。1830年に開催されたロンドンでの国際会談（ロンドン会談）においてギリシアの独立は国際的に承認され、その2年後にギリシア王国が成立した。こうして、ギリシアは約400年ぶりにオスマン帝国の支配から独立を果たすこととなった。

ちなみに、このギリシア独立戦争は、オスマン帝国の属州だったエジプトにも波及し、1831年にエジプト＝トルコ戦争が勃発している。このときも、ロシア、イギリス、フランスは戦争に介入した。

**その他の出来事**

1297年・永仁の徳政令　　1957年・ガーナ共和国独立

# 3月7日【1936年】

# ドイツ、ラインラントに進駐 国民投票で98.8%の支持を得る

No.066

ラインラントとはドイツ領土内のライン川両岸地帯のことで、第一次世界大戦後のヴェルサイユ条約で非武装地帯と定められた。また、1925年にドイツ、フランス、イギリス、ベルギーなど7カ国が締結したロカルノ条約でも、ラインラントはドイツ領でありながらドイツ軍が進駐できない非武装地・不可侵地とされた。

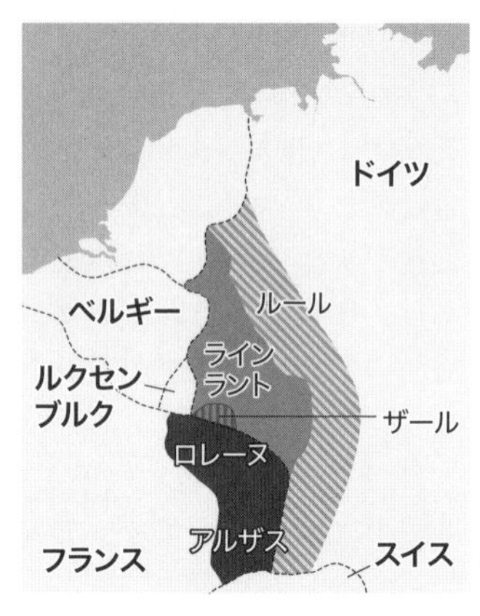

第一次世界大戦後のラインラント

1933年に一党独裁体制を築いたヒトラー率いるナチス（ナチ党）は、まず手始めに恐慌対策や失業者対策などの国内整備に取り組んだ。それが一段落すると、今度は対外拡張政策に取り掛かった。その準備として1935年にヒトラーは徴兵制復活と再軍備を宣言する。

ドイツの再軍備はヴェルサイユ条約違反だったため、同年3月、イギリス、イタリア、フランスは北イタリアのストレーザで会談を開き、3カ国がそろってドイツへ対抗することと、ヴェルサイユ条約およびロカルノ条約をドイツに遵守させることを確認した。これをストレーザ戦線という。だが、じつはこのとき、すでにイギリスはドイツと交渉しており、同年6月にドイツの再軍備を認める英独海軍協定を締結してしまった。ストレーザ戦線は、わずか2カ月で崩壊したのだ。

他方、フランスは同年5月に仏ソ相互援助条約を結び、ドイツへの備えにしようとしていた。するとヒトラーは、同条約をドイツに敵対する事実上の軍事同盟であり、ロカルノ条約違反であると非難。もはやロカルノ条約は解消されたとして、ドイツは1936年**3月7日**にラインラントの非武装地帯を占領してしまった。

この条約破りに対して、イギリス、フランス、国際連盟などは抗議声明を発表したが、それ以上の武力制裁などは行なわず、結局、ドイツ軍のラインラント進駐は、うやむやのまま既成事実化されてしまう。ヒトラーはその後、ドイツ軍のラインラント進駐の可否を問う国民投票を実施し、98.8%の支持を受けた。

国民の支持を固め、さらに再軍備に続いてフランス、イギリスが傍観するだけだったことでヒトラーは自信を深めた。そして、本格的に対外拡張路線を実行するための準備を進める。それが、第二次世界大戦へとつながっていく。

**その他の出来事**

628年・推古天皇、死去　1332年・後醍醐天皇、隠岐に配流　1977年・カイロで第1回アラブ・アフリカ首脳会議

# 3月/8日【1917年】 ロシア二月革命の発端となる示威運動が起こる

No.067

1914年に勃発した第一次世界大戦にロシアは連合国（協商国）側で参戦したが、苦戦が続き、国内経済も悪化。それが食糧、燃料の不足や物価騰貴をもたらし、国民の生活を急激に悪化させた。とくに人口の多い首都ペトログラード（現在のサンクト＝ペテルブルク）では市民の生活苦は深刻で、1916年頃から盛んにストライキが起こるようになった。

二月革命で広場に集まる群衆

そんななか、1917年**3月8日**にペトログラードで、繊維工場の女性労働者たちがパンを求めてデモを起こした。この日は「国際婦人デー」でもあった。やがて、女性労働者たちのデモに男性労働者や学生も加わり、数万人規模にまで拡大したものの、初めのうちは穏健なものであり、政府は警官隊の投入で十分だと考えていた。ところが、さらにデモの規模は拡大。発生から2日後には市内の労働者の大半が参加するようになり、ストライキが全市に広がった。その結果、新聞は発行されなくなり、電車も動かず、多くの大学も無期限で閉鎖された。

この事態に対し、皇帝（ツァーリ）のニコライ2世は軍にデモの鎮圧を命令。軍はデモ隊に発砲し、多くの死者が出た。しかし、市民への発砲を命じられた兵士たちが反乱を起こし、デモ隊に合流。皇帝は数個連隊をペトログラードに差し向け、反乱を鎮圧しようとしたが、その兵たちのなかからも反乱に加わるものが続出し、また民衆の蜂起がロシア全土に広がっていった。

これを見たニコライ2世は、同年3月15日に退位と弟のミハイル大公への譲位を表明。だが、ミハイル大公が皇帝即位を辞退したことで、ロシア帝国は終焉した。「国際婦人デー」の日に始まったデモから皇帝の退位までを「二月革命」という。ちなみに、3月に起きたのに「二月革命」と呼ばれるのは、当時ロシアでは旧暦（ユリウス暦）を使用しており、デモが発生したのは旧暦の2月23日だったためだ。

皇帝の退位後、国会では立憲民主党のリヴォフを首相とする臨時政府が成立し、議会制によるブルジョワ政権が成立した。一方で労働者や農民はソビエト（評議会）を結成し、臨時政府と対立した。この対立が、のちに「十月革命」につながり、世界で最初の社会主義国家であるソビエト社会主義共和国連邦（ソ連）を誕生させる。

**その他の出来事**

702年・度量衡を諸国に発布　1944年・インパール作戦開始　1963年・シリアでバース党が実権

3月/9日
【1933年】

# 世界恐慌を受けて百日議会が開会する

No.068

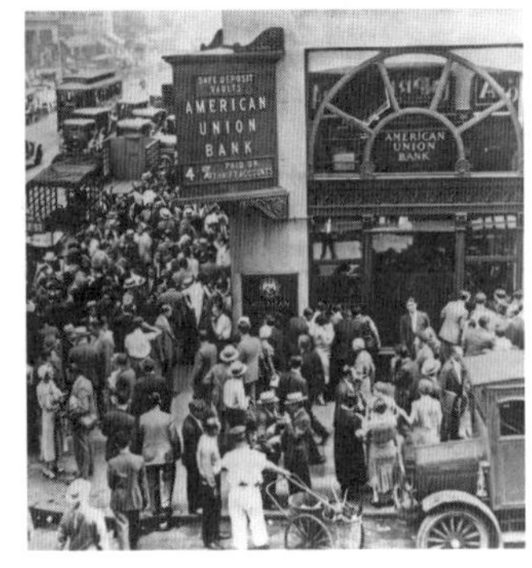

銀行前に集まる群衆

1929年10月、ニューヨークのウォール街にある証券取引所で株式相場の大暴落が起こった。翌年にはこれが金融恐慌に拡大し、やがてアメリカの有力銀行の閉鎖や倒産が相次いだ。このアメリカでの恐慌は、すぐに世界中に波及した。1932年までに世界貿易は3分の1以下に縮小。こうして世界恐慌が発生する。

1933年3月に大統領に就任したフランクリン＝ローズヴェルトは、就任から5日後の**3月9日**に百日議会を開会し、6月中には、ニューディール政策と呼ばれる一連の恐慌対策に関連する法律を可決した。ニューディールとは「新規まき直し」という意味だ。

ローズヴェルトはまず、銀行の連鎖的倒産を防ぐため、銀行の一時閉鎖を命令する緊急銀行法を制定するとともに、復興金融公社が銀行株を購入することで銀行の再建を図った。続けて同年5月には農業調整法（AAA）を成立させ、補助金を支給することで農産物の生産を縮小し、価格の下落を防止。全国産業復興法（NIRA）も制定し、価格協定を容認するとともに、労働者の団結権と団体交渉権を公認した。また、テネシー川流域開発公社（TVA）など巨額の公共事業を実施することで景気回復を目指した。

さらに、この時期、ローズヴェルトはロンドン世界経済会議に出席して、国際金本位制の再建への協力を拒絶している。これは、金の裏付けなしに通貨を発行できる管理通貨制のほうが、恐慌対策を採りやすいためだ。これはようするに、世界経済の再建よりも、国内経済の復興を優先したのだ。これにより、世界経済は同じ通貨を使ういくつかのブロックに分裂。それぞれが対立することで、第二次世界大戦の遠因となった。

だが、そこまで国内経済の復興を優先し、矢継ぎ早にニューディール政策を実施したものの、その効果は小さく、なかなか景気は回復しなかった。さらには、1935年に連邦最高裁判所がNIRAに対して、「自由主義の原則に反する」という理由で違憲の判決を出したため、この法案は廃止となった。このように、ニューディール政策は景気回復策としては効果を上げなかったが、失業保険や年金制度を整備した社会保障法を成立させたことで、貧困層の不満を解消し、アメリカ国内にファシズムが広がることを防いだ意味はあったという評価もある。

**その他の出来事**

1451年・アメリゴ＝ヴェスプッチ、誕生　1661年・マゼラン、死去　1888年・プロシア王ヴィルヘルム1世、死去

# 3月/10日 【1959年】 チベットで反乱が発生 中国からの独立運動が始まる

No.069

17世紀以降、チベットは清の属国となっていたが、その清が1912年に滅亡すると、実質上の独立国となった。だが、1949年に国共内戦に勝利し、中華人民共和国を樹立した中国共産党は、チベットにおける清の統治権を継承すると主張し、軍隊を派遣した。チベット人たちはこれに反抗したが、中国は武力で鎮圧し、チベット全土を占領した。

ダライ＝ラマ14世

こうしてチベットが中国の領土となると、多数の漢民族がチベットに移住。それにより、チベット各地で漢民族とチベット人の衝突事件が多発し、チベット人の反中国の意識は強くなった。また、1955年にはチベット東部が四川省に編入されたことも、チベット人の不満が高まる要因となった。

さらに、1958年から中国共産党の指導によって、チベットでも急進的な社会主義化路線が採られるようになる。これに対し、チベットの地主層は、社会主義化が進むことによって財産を失うことを恐れ、彼らを支持層とするチベット仏教の僧侶たちも中国に対する反感を強めていった。これらのことが積み重なった結果、1959年**3月10日**、チベット全土で反乱が勃発した。反乱の指導者として担がれたのは、チベット仏教の最高権威であり、当時まだ22歳だったダライ＝ラマ14世だった。

だが、この反乱は中国軍によってすぐに鎮圧されてしまった。ダライ＝ラマ14世はインドに亡命。それを追うようにして、約10万人のチベット人もインドへと逃れた。その後、ダライ＝ラマ14世はインドのアルナーチャル＝プラデーシュ州タワンに亡命政権を樹立し、チベットの独立を宣言する。

インドのネルー首相は、すぐさまダライ＝ラマ14世支持を表明し、中国を非難した。これにより、以前から懸案となっていた両国の国境線を巡る対立に火がつき、1962年には中印国境紛争が勃発する。また、ダライ＝ラマ14世のいなくなった後のチベットは中国による過酷な同化政策が採られ、一説には10万人近いチベット人が虐殺されたともいう。チベット亡命政府は現在もチベットの中国からの解放と独立を訴えており、チベット国内でも民族対立が激化するなど、チベット問題は今もまだ解決されていない。

**その他の出来事**

710年・平城京に遷都　　1845年・露アレクサンドル3世、誕生　　1945年・東京大空襲

# 3月/11日 【1582年】

# 武田氏、天目山の戦いで滅亡 織田信長の天下統一が目前に

No.070

『天目山勝頼討死図』(歌川国綱画)

甲斐（山梨県）を拠点とする戦国大名の武田氏は、武田信玄の時代に治水や金山開発など行ない、国力が発展。最盛期には9カ国に及ぶ120万石の領土を有し、精強な騎馬軍団を擁する戦国有数の大名となった。

その力を頼った室町幕府第15代将軍・足利義昭は、武田氏を織田信長包囲網の中核に据えた。これにより、天下を狙う信長にとって信玄の存在は大きな障害となった。だが、信玄が義昭の要請に応じて上洛しようとしていた最中に病死したことで、信長包囲網は崩壊してしまう。武田氏の家督を継いだのは、信玄の子である武田勝頼だった。勝頼は美濃（岐阜県）に進軍して領土を拡大したが、この頃から、しだいに武田氏の勢いに陰りが見え始める。

それがはっきりしたのが、武田氏が1575年に織田・徳川連合軍と激突した「長篠合戦」だ。この戦いにおいて、武田氏自慢の騎馬軍団が信長の大量の鉄砲と馬防柵を用いた画期的な戦法の前に大敗を喫してしまったのだ。この敗北により、武田氏は重臣層を含む多くの有能な将兵を失い、領国の動揺を招いた。一方、天下統一の障害を取り除いた信長は、翌年、近江（滋賀県）に安土城を築き始める。

そして、1582年に信長は、武田氏を完全に滅ぼすため、武田氏の領国である甲斐、信濃（長野県と岐阜県の一部）、駿河（静岡県中部・北東部）、上野（こうずけ）（群馬県）に侵攻。この総攻撃の前に、すでに力を失っていた武田氏は抵抗する術（すべ）もなく、勝頼は逃亡した。しかし、織田氏家臣の滝川一益（かずまさ）に追われ、もはや逃げ切れないと悟った勝頼は、天目山で同年**3月11日**に正室や嫡男とともに自害した。これにより、戦国時代に名をはせた武田氏は完全に滅亡する。ちなみに、天目山は15世紀に武田氏第13代当主・武田信満（のぶみつ）が自害したという武田氏ゆかりの地だった。

この時点で信長は、近畿、東海、北陸地方を支配下に置いており、宿敵だった武田氏を滅ぼしたことで天下統一も目前となっていた。だが、武田氏を滅ぼしたわずか3カ月後、毛利氏征討に向かう途中に滞在した京都の本能寺で、家臣の明智光秀に討たれて敗死してしまう。

**その他の出来事**

1160年・源頼朝、伊豆に流される　1966年・インドネシアのスカルノがスハルトに全権委譲

# 3月/12日 【1947年】

# トルーマン=ドクトリン発表 アメリカはソ連包囲網を築く

No.071

トルーマン大統領

第二次世界大戦では、ともに力を合わせて戦ったアメリカとソ連だったが、戦後、両国は世界の覇権を巡って対立するようになる。具体的には、ソ連が東欧諸国を衛星国家にしようとしていることや、世界的な共産主義の盛り上がりを見て、アメリカをはじめとする西側諸国はソ連の勢力拡大を警戒するようになったのだ。終戦からまだ半年ほどしかたっていない1946年2月の時点で、アメリカの外交官ケナンは本国に対して、ソ連の拡大をどこかで「封じ込める」必要があるという提言を行なっている。

米ソの冷戦が明確に始まったのは、1947年のことだ。きっかけとなったのはギリシア情勢だった。第二次世界大戦後、ギリシアでは王党派と共産党派の内戦が起きていた。当初この内戦ではイギリスが王党派を支援していたが、財政難から支援を続けることが難しくなっていった。また、イギリスはトルコにも財政援助を行なっていたが、こちらも財政難から打ち切りを余儀なくされた。

つまり、イギリスはギリシアとトルコの後ろ盾の役割から降りたのだ。このままでは両国に対するソ連の影響力が強くなると考えたアメリカ大統領のトルーマンは、イギリスの役割を引き継ぐことを決断。1947年**3月12日**の議会での演説で、「自由主義と全体主義の対立が行なわれており、前者を支援することがアメリカの義務である」と宣言した。ここでいう全体主義はソ連を指している。そして、ケナンの提言に従い、ソ連を「封じ込める」ことを明言したのだ。この政策を、トルーマン=ドクトリンという。

演説どおり、同年5月にアメリカ議会はギリシアに3億ドルの軍事・経済援助を、トルコに1億ドルの軍事援助を与える法案を可決した。さらに、翌月にはヨーロッパ復興のための経済支援計画であるマーシャル=プランも発表。当時、イタリアとフランスでは共産党の支持が広がっていたため、経済を安定させることで共産主義勢力の拡大を防ごうとしたのだ。さらに、1949年には西側自由主義陣営の軍事同盟である北大西洋条約機構（NATO）も設立。アメリカはトルーマン=ドクトリンに基づいて、ソ連包囲網を着々と築いていった。当然、ソ連はこれに反発。両陣営の対立は激化していく。

**その他の出来事**

1925年・孫文、死去　　1930年・ガンディー、塩行進で第2次不服従運動を開始

# 3月/13日【1881年】ロシア皇帝アレクサンドル2世が暗殺される

No.072

アレクサンドル2世

1853年に勃発したクリミア戦争で、ロシアはイギリス・フランス連合軍に大敗を喫した。敗北の原因は、ロシアの近代化の遅れだった。なにしろ、イギリスとフランスの軍艦が汽船だったのに対し、ロシア軍艦はまだ帆船だったのだ。

クリミア戦争の最中に死去したニコライ1世に替わって即位したロシア帝国の皇帝（ツァーリ）アレクサンドル2世は、敗戦後、ロシアの近代化を進める必要性を痛感。鉄道建設などを進めると同時に、農奴の解放に取り組んだ。農奴とは、領主である貴族に賦役や年貢を強いられていた半自由農民のことだ。この農奴制は近代軍隊の兵士として農民を徴兵する際の障害になり、また自由な商業や産業の発達の足かせとなっていた。そこで、アレクサンドル2世は貴族領主層の激しい反対を受けながらも、1861年に農奴解放令を公布する。

このとき、皇帝は貴族たちに対し、改革は「下から起こるより、上から起こるほうがいい」と説き伏せた。つまり、民衆の革命によって改革を強いられるよりも、皇帝や貴族が率先して改革をしたほうが自分たちの被害が少ないという意味だ。その後もアレクサンドル2世は、司法制度の改革や地方自治機関の設置など、「上から」の近代化を積極的に推し進めた。この一連の改革を「大改革」という。

当初、民衆はこの「大改革」に期待していたが、改革の不徹底や、憲法制定要求が無視されたことなどで、しだいに期待は失望に変わっていった。その失望はやがて、「下からの改革」の盛り上がりへとつながっていく。

そのなかで、無政府主義（アナーキズム）の影響を受けたテロも頻発するようになっていった。1870年代後半に結成された政治結社「土地と自由」や、そこから分裂した「人民の意志」党は、政府高官や治安責任者へのテロを繰り返すようになった。そして、1881年**3月13日**、ついにアレクサンドル2世も、「人民の意志」党員の投げた爆弾によって暗殺されてしまう。

アレクサンドル2世の跡を継いだのは、次男のアレクサンドル3世だった。父をテロリストに殺されたアレクサンドル3世は反体制派を徹底的に弾圧し、父とは反対に皇帝の専制権力強化を推し進めた。

**その他の出来事**

1192年・後白河法皇、死去　1848年・ウィーン三月革命勃発　1938年・独、オーストリア併合

# 3月/14日【1868年】 五箇条の誓文を布告 議会制度創設の原点となる

No.073

1868年に成立した明治新政府は、条約を締結している諸外国に王政復古によって天皇を主権者とする新政権が成立したことを通告し、承認を得た。また同時に国内に向けては、鎖国をやめて国を開き、外国との交流を行なうという開国和親の布告を行なった。

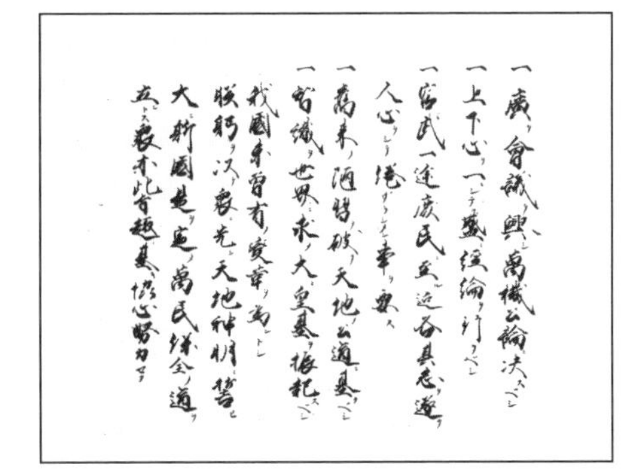

一 廣ク會議ヲ興シ萬機公論ニ決スヘシ
一 上下心ヲ一ニシテ盛ニ經綸ヲ行フヘシ
一 官武一途庶民ニ至ル迄各其志ヲ遂ケ人心ヲシテ倦マサラシメン事ヲ要ス
一 舊來ノ陋習ヲ破リ天地ノ公道ニ基クヘシ
一 智識ヲ世界ニ求メ大ニ皇基ヲ振起スヘシ
我國未曾有ノ變革ヲ爲ントシ朕躬ヲ以テ衆ニ先ンシ天地神明ニ誓ヒ大ニ斯國是ヲ定メ萬民保全ノ道ヲ立ントス衆亦此旨趣ニ基キ協心努力セヨ

「五箇条の誓文」の原本

そして、同年**3月14日**に、明治天皇が天地神明に誓約するという形式で、明治政府の基本方針である「五箇条の誓文」が布告された。その五箇条は、次のようなものだ。

(1) 広く会議を興し、万機公論に決すべし。(2) 上下心を一にして、盛んに経綸を行なうべし。(3) 官武一途庶民に至るまで、各その志を遂げ、人心をして倦まざらしめんことを要す。(4) 旧来の陋習を破り、天地の公道に基づくべし。(5) 智識を世界に求め、大いに皇基を振起すべし。

(1) は、これからは広く意見を聞いて会議で物事を決めるということ。(2) は、国を豊かにするということ。(3) は、国民が失望しないようにするということ。(4) と (5) は、古い習慣を捨てて新しい知識を学び、天皇中心の国を盛り立てるという意味になる。

この五箇条の誓文は、由利公正と福岡孝弟の2人の参与が起草し、それに木戸孝允が修正を加えて、岩倉具視に提出された。ちなみに、天皇自身がこれを呼ぶときは単に「誓文」という。

ところで、五箇条の誓文の (1) の「広く会議を興し」は、草案では「列侯会議ヲ興シ」となっていた。「列侯」とは元藩主や公家のことであり、起草者たちはそれらの特権階級の人々による合議で政府の方針を決めるという意味で考えていたとされる。しかし、のちにこの五箇条の誓文を根拠に、自由民権派は広く国民から選ばれた議員による国会開設を求めるようになった。また、しだいに政府もそのように解釈するようになり、1890年に国会を開設することを約束する勅諭（国会開設の勅諭）を発した。そういう意味で五箇条の誓文は、立憲政治や議会制度創設の原点となったといえる。

**その他の出来事**

1883年・マルクス、死去　1970年・大阪万博開催　1976年・エジプトがソ連との友好条約を破棄

# 3月/15日【前44年】 カエサル、ブルートゥスらに暗殺される

No.074

共和政だった古代ローマでは、紀元前1世紀頃から「内乱の1世紀」と呼ばれる混乱状態が続いていた。共和政ローマでは、貴族から選出された終身議員によって構成された元老院が政治を動かしていたが、この混乱を元老院は治めることができなかった。そのような状況下で、しだいに私兵と財力によって元老院に対抗できる政治家たちが現れるようになる。カエサルもその1人だ。

カエサルの彫像

カエサルは、元老院と対立する平民派の政治家で将軍だった。彼は有能な軍人として名高かったポンペイウスと大富豪のクラッススと手を組み、3者で元老院を抑える政治同盟を結んで政権を握った。これを、「三頭政治」という。

その後、カエサルはガリア地方への遠征で成功を収めたことにより英雄としての名声を手に入れ、急速に政界での地位を高めていった。これに危機感を抱いたポンペイウスは元老院と手を結び、2人はしだいに対立し始めた。やがて、紀元前53年にクラッススが戦死すると、三頭政治のバランスは完全に壊れ、カエサルとポンペイウスの対立はいよいよ避けられないものとなった。

紀元前49年、ガリア遠征から帰還したカエサルは元老院による武装解除命令を無視してルビコン川を渡り、イタリアに侵入。カエサルとの決戦に敗れたポンペイウスは逃亡先で暗殺され、カエサルは紀元前46年、ついに独裁権力を確立する。

独裁官に就任したカエサルを民衆は熱烈に支持した。カエサルは、その人気を背景に元老院を大幅に増員して新しい人材の登用に努めたり、太陽暦に基づいた新しい暦（ユリウス暦）を導入するなど、積極的な改革を行なった。そして、紀元前44年には終身独裁官に就任し、その権力を絶対的なものとした。

だが、カエサルは絶大な権力を手にしたことで、共和政を覆して王位に就こうとしているのではという疑惑をもたれることとなる。その結果、紀元前44年**3月15日**に、腹心の部下だったブルートゥスや元老院共和派のカッシウスらによって元老院の議場で暗殺されてしまった。しかし、もはや元老院主導による共和政は限界を迎えており、カエサルの養子であるオクタウィアヌスの手によってローマは事実上の帝政に移行する。

**その他の出来事**

220年・曹操、死去　1927年・昭和金融恐慌、勃発　1928年・三・一五事件で日本共産党員大検挙

# 3月/16日【1968年】 ソンミ村虐殺事件が発生 ベトナム反戦運動が盛り上がる

No.075

1965年から本格的に始まったベトナム戦争で、アメリカ軍は大規模な爆撃と陸上部隊の投入により、ベトナム民主共和国（北ベトナム）に攻勢をかけた。だが、北ベトナムの結成した南ベトナム解放民族戦線（ベトコン）のゲリラ戦術に苦しむこととなる。

そんな最中の1968年**3月16日**、アメリカ陸軍第23歩兵師団に所属する部隊が、南ベトナムのソンミ村で虐殺行為を働くという事件が起きた。ソンミ村虐殺事件と呼ばれるこの事件では、妊婦や幼児を含む村民が無抵抗のまま一方的に殺され、村は壊滅。犠牲者の数は、のちのアメリカ陸軍公式発表によれば347人ということになっている。しかし、ベトナム政府の発表では504人だ。

当初、この事件はアメリカ軍上層部に対して、村民の虐殺ではなく、ゲリラ部隊との戦いと報告された。だが、現場に居合わせた複数の兵士から事件の実態が報告されたことで、しだいに上層部も実状を把握する。にもかかわらず、軍上層部は国内外からの批判を恐れて、事件を隠蔽しようとした。

ところが、翌年に雑誌『ザ・ニューヨーカー』が真相を報じ、続けて『ライフ』誌の報道などでも、虐殺事件の事実が明らかになった。これにより、ベトナム戦争におけるアメリカの正当性への疑問が国内外で湧き上がり、アメリカ国内では反戦運動が盛り上がっていった。こうして、国内外の世論に押されることで、アメリカはベトナムからの撤退を考え始める。

その後、軍事法廷が開かれ、村民虐殺に関与したアメリカ兵14人が殺人罪で起訴された。だが、判決では部隊の指揮を執っていたカリー小隊長に終身刑が言い渡されただけで、残りの13人は証拠不十分で無罪となる。そのカリー小隊長も、のちに10年の懲役刑に減刑されたうえ、裁判の3年後の1974年には仮釈放された。

ゲリラ戦では、ゲリラと一般人の区別がつきづらいのは事実であり、ゲリラ掃討戦では一般人に被害が出ることが多い。ただ、このソンミ村虐殺事件が、行き過ぎたゲリラ掃討戦だったのか、最初から村民虐殺が目的だったのかは不明のままだ。

**その他の出来事**

1600年・ウィリアム＝アダムス、家康に謁見　1840年・渋沢栄一、誕生　1935年・ドイツ、再軍備を宣言

3月/17日
【1861年】

# イタリア王国成立 約1400年ぶりに統一成る

No.076

ガリバルディ

イタリア半島ではローマ帝国の崩壊以来、都市国家が乱立し、イタリア人による統一国家が存在しない状態が続いた。また、16世紀以降は、オーストリアやフランス、スペインなどのヨーロッパ諸国の介入も頻発した。だが、1796年にナポレオンのイタリア遠征軍がオーストリア軍に勝利し、フランス革命で誕生した自由の理念をイタリアにもたらすと、イタリアでは統一国家を目指す動きが活発になっていく。

イタリア統一運動の中心となったのは、サルデーニャ王国だった。同国の首相カヴールは巧みな外交戦略によってヨーロッパ列強のなかでのサルデーニャの地位を高めると、フランスからの支援を獲得した。これにより、サルデーニャは北イタリアを支配していたオーストリアに1859年に宣戦布告し、イタリア統一戦争が勃発。その結果、サルデーニャはオーストリア支配下のロンバルディア（旧ミラノ公国）を手に入れた。これを見て、トスカーナ、モデナ、パルマなどの中部イタリア諸国は1860年、住民投票によってサルデーニャ王国へ併合されることを決める。

イタリア半島にはこの段階で、サルデーニャ王国以外に、ローマを中心とした教皇領とシチリア島・南イタリアを治めるシチリア王国が残っていた。そんなとき、イタリア統一戦争で義勇兵を率いて戦った軍人のガリバルディが、独自の判断で義勇兵千人隊（赤シャツ隊）を組織し、シチリア遠征を敢行。ガリバルディはシチリア占領に成功すると、その勢いのままナポリも征服してしまった。

この事態に、カヴールはガリバルディにイタリア統一の主導権を握られないよう、急いでシチリア・南イタリアで住民投票を行なってサルデーニャへの帰属を決めさせたうえ、ガリバルディをサルデーニャ国王ヴィットーリオ＝エマヌエーレ2世と会見させた。ガリバルディは生粋の共和主義者だったが、これ以上イタリアで混乱が続くことを望まず、エマヌエーレ2世に征服地を献上することを了承した。

これにより、1861年**3月17日**にエマヌエーレ2世が初代国王として即位し、イタリア王国が成立する。ローマ帝国の崩壊以来、約1400年ぶりにイタリア半島に統一国家が誕生した瞬間だった。

**その他の出来事**

806年・桓武天皇、死去　916年・契丹建国　1220年・チンギス＝ハンがサマルカンドを占領

# 3月/18日【1970年】 カンボジアでクーデタが発生 シハヌークは中国へ亡命

No.077

シハヌーク

フランスの植民地だったカンボジアは、第二次世界大戦後にシハヌーク国王の下でカンボジア王国として独立した。シハヌークは王族でありながら、社会主義的な政策を推進。反米的な姿勢を取り、1965年にアメリカが北ベトナムへの空爆を開始すると、対米断交に踏み切った。

これに対し、アメリカはベトナム戦争遂行のためにカンボジアに親米的な政権をつくる必要があり、シハヌーク政権の打倒を計画する。そして、シハヌークが中国の北京を訪問中の1970年**3月18日**に、アメリカの後押しを受けた親米右派のロン=ノル将軍がクーデタを敢行した。これにより、カンボジア王国は崩壊し、シハヌークは滞在中の中国に亡命した。

だが、シハヌークは北京でカンプチア王国民族連合政府を立ち上げ、ロン=ノルへの抵抗を国民に訴えた。その結果、カンボジア全土に暴動が広がった。さらに、カンボジアでは独自の共産主義勢力であるクメール=ルージュも活動を活発化させていた。こうしてカンボジアでは、アメリカの支援を受けるロン=ノル政府とシハヌークの旧政府軍、クメール=ルージュによる三つ巴(どもえ)の内戦状態に突入していく。ちなみに、アメリカはロン=ノル政権支援のために1972年にカンボジア内戦に米軍を送り、直接介入。これによって、ベトナム戦争はインドシナ半島に拡大していく。

やがて、シハヌークはクメール=ルージュと反米・反ロン=ノルで共闘することを決め、カンプチア民族統一戦線を結成。統一戦線は首都プノンペンに迫った。ロン=ノルの頼みの綱はアメリカだけだったが、そのアメリカは1973年にベトナムから撤退してしまう。1975年にプノンペンが陥落し、ロン=ノルはインドネシアに亡命した。

その後、政権はクメール=ルージュの指導者だったポル=ポトが握った。ポル=ポト政権は形式的にはシハヌークを国家元首としたが、実際には幽閉してしまう。そのポル=ポト政権も1979年にベトナムの侵攻により崩壊。以後カンボジアは、ふたたび長い内戦状態に陥ったが、1991年にようやく内戦が終結し、1993年にカンボジア王国が復活する。そして、シハヌークが国王に復帰した。

**その他の出来事**

1584年・露イヴァン4世、死去　1919年・教皇庁、ジャンヌ=ダルクを聖者とする　1962年・仏、アルジェリアの独立協定に調印

# 3月/19日 【1279年】 フビライが南宋を滅ぼす 中国全土が元の支配下に

No.078

女真族の征服王朝である金に華北（中国北部）を占領されたため、南部の臨安（現在の杭州）に都を移して再建された南宋。しかしその金がモンゴル帝国に滅ぼされたため、必然的に南宋はモンゴル帝国の圧力にさらされることとなった。1260年にモンゴル帝国第5代ハンとなったフビライは、即位後、大都（現在の北京）に都を築き、中国風の元号を定め、国号も中国風の元（大元）とした。そして、1267年から大規模な南宋征服に着手する。

南宋の院体山水画家・馬遠の『山径春行図』

軍事的には強力ではなく、異民族に圧迫され続けたとはいえ、長い歴史をもつ中華帝国の南宋をフビライは強敵と考えていた。そのため、征服はじっくりと長期戦で進められた。南宋にとって国土防衛の最重要拠点だった襄陽の樊城を、元軍は大軍で囲むと、食糧の尽きるのを待ち、耐えきれずに守備側が出撃してくると火砲や火器で応戦するという戦法で攻略した。この包囲戦は6年間も続き、南宋軍は果敢に戦ったが、ついに1273年に陥落する。

こうして、最重要拠点を落とした元軍は、その後、長江を東進し、流域の都市を次々と開城させていった。やがて、1276年に首都の臨安に元軍の将軍バヤンに率いられた軍勢が迫ると、南宋の皇帝は戦わずに降伏し、臨安は無血開城した。これにより、南宋は事実上滅亡した。

だが、張世傑や陸秀夫など一部の軍人と官僚は、まだ幼かった皇帝の弟を連れて臨安を脱出。彼を皇帝として元に対する抵抗運動を続けた。しかし、しだいに元軍に追い詰められ、最後は杭州の南の厓山に立て籠もったが、元の討伐軍が海陸から厓山を攻撃。1279年**3月19日**に南宋の残党は敗れ、幼帝も入水して亡くなった。これにより、南宋は完全に滅亡。以後、中国全土は元に支配されることとなった。

北宋、および南宋は、つねに周辺勢力に圧迫され、苦難の歴史を歩んだ。しかし、文人官僚が軍人の優位に立って政治を行なう文治主義を中国に定着させるなど、政治的には大きな功績を残した。また、この宋の時代に経済や文化も発展し、中国は中世から近世へと変化したとされる。

**その他の出来事**

1644年・明朝、滅亡　　1920年・米、国際連盟不加入を議決　　1930年・英外相バルフォア、死去

# 3月/20日【1602年】世界最初の株式会社 オランダ東インド会社が設立される

No.079

胡椒（こしょう）などの香辛料の産地であるインドを中心とした南アジアとの貿易は、古代からヨーロッパ諸国にとって極めて重要なものだった。南アジアの産物は、長年、インド人商人やムスリム商人（カーリミー商人）によって中央アジアや西アジアを経由してヨーロッパまで運ばれていたが、15世紀に入ってオスマン帝国が勢力を伸ばしたことで、交易路が不安定になってしまった。

オランダ東インド会社の旗

そこで、ヨーロッパ諸国は南アジアと直接交易できるルートを開拓する必要に迫られ、これにより大航海時代が幕を開ける。インド航路を開拓し、先に南アジアの地に到達したのはスペインとポルトガルだった。スペインはフィリピンを支配し、ポルトガルはゴアやマラッカ、マカオなどに交易拠点を置いた。だが、スペインとポルトガルは軍事力による交易支配を目指したことと、キリスト教の布教に力を入れたことで、交易活動を安定して継続することができず、両国の勢いは17世紀以降衰えていった。

それに代わるように南アジア貿易の主役となったのが、オランダとイギリスだ。この両国は、東インド会社という会社組織を設立し、それを主体にすることで組織的にも財政的にもより安定した交易活動を展開した。やがて、オランダとイギリスの東インド会社はアジアの広い地域に交易拠点を築き、ヨーロッパとアジア間、ならびにアジア間での交易を本格化していった。

オランダとイギリスの東インド会社で、より先進的だったのは1602年**3月20日**に設立されたオランダの東インド会社のほうだ。イギリス東インド会社が1航海ごとに出資者を募る方式だったのに対し、オランダ東インド会社は恒常的な株主によって経営され、株式の譲渡も自由だった。この仕組みは、現在の株式会社と基本的に変わらない。そのため、オランダ東インド会社は世界で最初の株式会社とも呼ばれている。

このように先進的だったオランダ東インド会社は莫大な利益を上げ、一時期はイギリス東インド会社よりも優位な立場にあった。ところが、本国のオランダのほうが17世紀半ば以降、たび重なる戦争で国力を消耗し、衰退してしまう。その結果、アジア貿易の主役の座をイギリス東インド会社にゆずり渡すこととなった。

**その他の出来事**

1890年・ビスマルク、宰相の地位を退く　1895年・第1回日清講和会議開催

# 3月21日【1612年】 江戸幕府がキリスト教を禁止 キリシタン大名は国外追放に

No.080

大阪府高槻市にある高山右近像

江戸幕府は成立当初、キリスト教を禁じておらず、西洋との交渉にも積極的だった。1600年には、漂着したオランダ人航海士ヤン＝ヨーステン（耶揚子）と水先案内人のイギリス人ウィリアム＝アダムズ（三浦按針）を、徳川家康が江戸に招いて外交・貿易の顧問とし、それぞれ本国との通商を斡旋させた。また家康は、1609年にスペインとの貿易交渉にも動いている。つまり、キリスト教を積極的に歓迎はしないが、黙認するというのが成立初期の幕府の方針だった。

ところが、日本との貿易を独占したいオランダが、キリスト教の布教を許すとスペインやポルトガルの侵略を招くと助言したことで、幕府はキリスト教を警戒するようになった。同時に、当時まだ国内に多数いた日本人キリスト教徒が団結することを恐れるようになった。

そこで、幕府は1612年**3月21日**、幕府直轄領に教会の破壊と布教の禁止を命じる禁教令を出した。さらに翌年には、伴天連追放文が出され、キリスト教の排撃が宣言された。この法令に基づき、幕府は1614年、改宗を拒んだキリシタン大名の高山右近ら約300人をマニラとマカオに国外追放。また、1622年には、長崎で55人の宣教師・信徒を処刑した。

やがて、1637年から翌年にかけて、年貢に苦しむ農民たちとキリスト教徒による島原の乱が起こると、幕府はいっそうキリシタンへの弾圧を強めた。そして、すべての日本人が、どこかの寺の檀那になることを定めた寺請制度を施行した。

こうした一連の禁教政策は一時期、批判的に語られることも多かったが、最近では日本を守るために慎重に考えられた政策だったと再評価されている。16世紀以降、アジア各国は次々と西欧列強の植民地となっていったが、これとキリスト教の普及とは密接な関係があった。西欧諸国は目を付けた場所にまずは宣教師を派遣する。その後、宣教師の先導の下、商人が、そして最後に軍隊が送られ現地を支配していったのだ。もしこのとき、幕府が強硬政策を推し進めていなかったら、今ごろ日本はキリシタンに滅ぼされていたかもしれない。

**その他の出来事**

1935年・ペルシア、イランと改名　　1960年・シャープヴィルの虐殺

3月/22日
【1916年】

# 帝政を廃止した袁世凱が最後の中国皇帝となる

No.081

袁世凱は、もともと清朝末期の軍人だった。1884年に朝鮮で、日本の支援を受けた独立派が起こしたクーデタの「甲申事変」を鎮圧したことで出世。朝鮮における清朝の代表者となり、朝鮮の内政外政両面に大きな権限をもった。だが、そのことに日本は反発し、これが日清戦争につながっていく。

大総統時代の袁世凱

日清戦争が清の大敗に終わると、袁世凱は近代化の必要性を痛感し、清の地方軍を母体に西洋式の近代的軍隊である北洋軍を設立した。これに伴い、政治的影響力も増していった。

その後、袁世凱は一時期失脚するも、1911年に辛亥革命が勃発すると、清朝はこれを鎮圧するために実力者である袁世凱を登用。北洋軍は強い軍事力で革命派を圧倒したが、その間、袁世凱は密かに革命派と交渉をしていた。そして、自身が大総統となることを条件に革命派に寝返った結果、清朝は滅亡した。同年、袁世凱は革命の思想的主柱で初代中華民国臨時大総統だった孫文を追い落とし、第2代臨時大総統に就任する。

だが、袁世凱の強権的な姿勢に革命派は反発を強めた。そのため、孫文が結成した革命組織の中国同盟会を前身とする国民党が、1913年の国会議員選挙において過半数の議席を獲得。国民党の実質的指導者である宋教仁は、大総統の権限を制限しようとするが、この動きを見た袁世凱は宋教仁を暗殺し、議会の主導権を握ると、国民党を弾圧。同党を解散にまで追い込んだ。

こうして絶対的な権力を手にした袁世凱は、大総統の権限を強化するとともに、中央集権的体制の確立に邁進した。さらに、多大な犠牲を払った革命によって清朝の帝政を打倒したにもかかわらず、ふたたび中国を帝政にしようと画策。1916年に年号を洪憲と定め、国号を「中華帝国」に改めると、みずからが皇帝に即位した。

しかし、このあまりに強引な時代を逆行するやり方に、中国国内では反発が広がり、地方の軍閥も反旗を翻した。また、日本をはじめとする列強も帝政を支持しなかったため、袁世凱は同年**3月22日**にしぶしぶ帝政を廃止せざるをえなかった。これにより権威が失墜した袁世凱は、失意のなか3カ月後に病死。袁世凱が皇帝として在位していた日数は83日間であり、これが中国の最後の帝政となった。

**その他の出来事**

646年・薄葬令(墳墓葬送の制)発布　1459年・マクシミリアン1世、誕生　1945年・アラブ連盟憲章、調印

# 3月/23日 パキスタン・イスラーム共和国が成立する

【1956年】

No.082

パキスタン建国の父ジンナー

イギリスの植民地だったインドは、1947年にヒンドゥー教のインドとイスラーム教のパキスタンという宗教で2つに分かれる形で独立した。ただ、独立を果たしたものの、建国当初のパキスタンはイギリス国王を元首とするイギリス連邦の一員であり、国内の最高位はイギリスから任命される総督だった。初代の総督には1910年代から全インド＝ムスリム連盟を率いて独立運動を主導し、パキスタン建国の父とも呼ばれたジンナーが就任した。

宗教対立を抱えるパキスタンとインドの関係は最初から険悪で、建国した年にカシミール地方の帰属を巡って争い、第1次インド＝パキスタン戦争が勃発している。さらに、その戦争の最中にジンナーが病死し、後継者の首相も暗殺されたことで、パキスタンでは国内政治も不安定になった。

そんななか、1956年**3月23日**にパキスタン・イスラーム共和国憲法が制定され、国名もパキスタン・イスラーム共和国となった。ただ、「イスラーム共和国」と掲げたものの、憲法の内容自体は政教分離に基づいたものだった。そして、この時期インドに対抗する必要からパキスタンはアメリカに接近し、アメリカが主導する反共軍事同盟であるSEATO（シアトー）（東南アジア条約機構）やMETO（メトー）（バグダード条約機構）にも加盟している。

しかし、その後もパキスタンの政情は安定せず、軍事クーデタが頻発し、1965年と1971年には第2次、第3次のインド＝パキスタン戦争が勃発。また、1971年には内戦を経て、パキスタンからバングラデシュが独立した。

やがて1977年にズルフィカール＝ブットー大統領が軍事クーデタで倒され、ジアウル＝ハック陸軍参謀長が権力を掌握すると、ハックは国のイスラーム化を進めた。具体的には、憲法が停止され、司法面でもイスラーム化・政教一致が進められたのだ。これにより、イスラーム刑法が施行され、飲酒、姦通、窃盗などに対する刑罰として、石打ちや磔、手足の切断、鞭打ちなどが復活した。こうして、文字どおりパキスタンはイスラーム共和国となった。以後現在に至るまで、パキスタンは「イスラーム原理主義」の国でありながら、親米国家という不思議な立ち位置のまま存在している。

**その他の出来事**

1838年・緒方洪庵が適塾を開く　1919年・伊ファッショ（ファシスト党）結成　1933年・独、全権委任法が可決

# 3月24日【1927年】北伐軍が南京を占領し、「南京事件」が発生

No.083

蔣介石は1907年に日本に留学し、1年間にわたって日本陸軍野砲兵連隊で士官候補生として学んだ経験をもつ中国の軍人だ。この日本での留学中に、蔣介石は孫文が結成した中国同盟会に加わり、辛亥(しんがい)革命が勃発するとただちに帰国して革命に参加した。以後、孫文を軍事面から支えるようになる。

北伐の進軍経路

1923年に孫文は広東(カントン)政府を樹立するが、その2年後に病死してしまう。孫文が亡くなった後、広東政府は広州国民政府に改称し、それに伴って国民革命軍も編成された。そのなかで、蔣介石は国民革命軍の総司令官として軍事面の実権を握ることとなった。そして、晩年の孫文の悲願だった北京を支配する軍閥政府の排除を目指し、1926年に「帝国主義と売国軍閥の打倒と人民の統一政府の建設」を掲げ、約10万人の国民革命軍を率いる総司令として北伐を開始した。

北伐には中国共産党も協力し、さらにソ連の軍事顧問団も加わっていた。北伐軍は各地で軍閥の軍隊を撃破。武漢、南昌、福州、杭州を次々と制圧した。また、この北伐軍の進攻に呼応して、都市では労働者がストライキを起こし、農村では農民が地主を襲撃した。北伐軍が武漢を制圧したのち、広州国民政府は武漢に移転し、以後、武漢国民政府と呼ばれるようになる。その後も北伐軍は快進撃を続け、1927年**3月24日**に北伐軍は南京を占領した。当初、北伐軍は平和裏に南京に入ったが、間もなく兵や民衆の一部が「日英帝国主義打倒」を連呼しながら、外国の領事館や居留地などを襲撃し、暴行、略奪、破壊を行なった。これを南京事件という。

南京事件では、日本人、イギリス人、アメリカ人などに多くの犠牲者が出たため、それらの国々の国民政府に対する態度は硬化した。これに対し、事件発生から5日後に蔣介石は、暴行兵を処罰すること、治安を確保すること、国民政府は排外主義を目的としないことなどを声明で発表。だが、日英米仏伊5カ国の公使が、蔣介石の文書による謝罪や人的物的被害の賠償などを要求したところ、国民政府はそれに反発し、議論は紛糾した。やがて、この一件は、その後の国民政府の在り方と日本の対中政策に大きな影を落とすこととなる。

**その他の出来事**

1185年・平氏、壇の浦の戦いで敗北　　1603年・徳川家康、征夷大将軍に　　1603年・エリザベス1世、死去

# 3月/25日【1896年】 イタリア軍、エチオピアに侵攻を開始する

No.084

エチオピアの独立を守ったメネリク2世

イタリアでは長らく分裂状態が続き、1861年にようやく統一国家ができたため、周辺の列強と比べて植民地獲得などの対外政策は後れを取ることとなった。統一国家樹立後も、まず課題となったのは地域統合だった。しかし、鉄道国有化問題1つとっても地域間の利害が対立し、一定の合意に達するまで20年近い歳月がかかっている。

それでも、1870年代頃から、イタリアにも対外進出をする余裕が少しずつ生まれ始めていた。そして、イタリアはアフリカ東北部への進出を企てるようになる。そのアフリカ東北部には、伝統的なキリスト教国であるエチオピア帝国があった。エチオピア帝国の皇帝メネリク2世は近代化政策を進めようとし、国内の反皇帝勢力を抑えるために、1889年にイタリアとウッチャリ条約を締結。これは、イタリアから武器供与を受ける代わりに、エチオピアをイタリアの保護国化し、エチオピア領土のエリトリアを割譲することを認めるというものだった。

だが、メネリク2世はイタリアに従属することを拒否し、1893年にウッチャリ条約を破棄してしまう。メネリク2世の言い分は、条文の現地語アムハラ語訳文には「保護国とする」と取れる語がないというものだったが、これはイタリアが故意に誤認させるようにしむけたものだった。イタリアは条約破棄を口実に、1896年**3月25日**、一挙にエチオピアを制圧し、植民地とするための大軍を海岸地方のエリトリアから侵攻させた。こうして、第1次イタリア＝エチオピア戦争が勃発する。

イタリアは、この戦争での勝利を確信していた。ところが、北エチオピアのアドワでエチオピア軍と戦ったイタリア軍は、全部隊1万7千人の4割を失うという壊滅的敗北を喫してしまう。これにより、第1次イタリア＝エチオピア戦争はエチオピアの勝利に終わる。この勝利は、ヨーロッパに対する「ハンニバル以来アフリカが勝ち取った最大の軍事的勝利」ともいわれるが、じつはエチオピア軍はフランス軍から大量の武器支援を受けており、それゆえの勝利だった。ともあれ、19世紀までにアフリカの多くはヨーロッパ諸国の植民地となっていたが、エチオピアは独立を守り抜いたのだ。

**その他の出来事**

1826年・オランダのカピタン、将軍家斉に謁見　　1957年・欧州経済共同体・原子力共同体に調印

3月/26日
【1979年】

# エジプト=イスラエル平和条約が締結。アラブ諸国の反発を招く

No.085

2000年間以上、自分たちの国をもてなかったユダヤ人は、1948年に民族の故地であるパレスチナにイスラエルを建国した。だが、もともとその土地にはアラブ人（パレスチナ人）が暮らしており、エジプトを中心としたアラブ諸国はイスラエル建国に反発。同年、イスラエルと、エジプト、シリア、レバノン、ヨルダン、イラクのアラブ連盟が衝突する第1次中東戦争が勃発した。

この戦争はイスラエルの圧勝に終わり、パレスチナ人たちは土地を追われて難民となった。以後、1956年の第2次中東戦争、1967年の第3次中東戦争、1973年の第4次中東戦争と、イスラエルとアラブ諸国は戦争を繰り返した。アラブ側でつねに中心になっていたのは、アラブ諸国の盟主を自認するエジプトだった。

しかし、中東戦争はすべてイスラエルの勝利で終わり、第3次中東戦争でエジプトはシナイ半島を奪われてしまう。第4次中東戦争は、そのシナイ半島を取り戻すため、エジプトがイスラエルに奇襲攻撃をしたことで始まった。緒戦においてエジプトは勝利を収めたが、イスラエルの反撃にあい、半島の奪回は果たせなかった。

4度にわたる中東戦争に敗れたエジプトでは、軍事費の増大により経済が低迷するようになっていた。一方イスラエルのほうも、アラブ人による国土の奪還を目指すパレスチナ解放機構（PLO）のゲリラ戦に苦しんでいた。こうして両国の間に和平の機運が生まれた。エジプトのサダト大統領は1977年に突然、イスラエルを訪問し、エジプト＝イスラエルの和平交渉に入ることに踏み切った。

翌1978年にアメリカのカーター大統領の仲介により、サダト大統領とイスラエルのベギン首相がアメリカで会談。その結果、エジプトはイスラエルを承認し、国交を開くこと、その交換条件としてイスラエルはシナイ半島を返還し、ガザ地区とヨルダン川西岸のパレスチナ人の自治について交渉をするというキャンプ＝デーヴィッド合意が成立する。そして、これを受けて1979年**3月26日**にエジプト＝イスラエル平和条約が締結された。この条約に基づき、シナイ半島は1982年にエジプトに返還された。

ただ、エジプトがいわば勝手にイスラエルと和平条約を結び、パレスチナ人を見殺しにして自国領だけを回復したことにほかのアラブ諸国は強く反発した。結局、エジプトはアラブ連盟を脱退。アラブ諸国とPLOはエジプトと断交した。その後、イスラエルはPLOの拠点を潰すためレバノンに侵攻するなど、エジプト＝イスラエル平和条約が締結された後も中東に平和が訪れることはなかった。この状況は、現在も変わらず続いている。

**その他の出来事**

1592年・豊臣秀吉が朝鮮出兵のため名護屋城へと出発　1971年・バングラデシュ独立宣言

# 3月27日【1392年】 李成桂が李氏朝鮮を建国 親元派が一掃され明を重視

No.086

朝鮮王朝を建てた李成桂

朝鮮半島では10世紀に高麗が建国されるが、13世紀に入るとモンゴル帝国の侵略を受け、モンゴルに服属することとなった。その後、モンゴルは元と国名を変え、朝鮮半島と中国を支配していたが、14世紀に入ると白蓮教徒による「紅巾の乱」が起こり、政情が不安定になっていった。やがて、「紅巾の乱」に参加していた朱元璋が明を建国し、元は劣勢となっていく。

この状況に、高麗では親明派と親元派の対立が生じ、混乱した。また、当時朝鮮半島の海岸部は頻繁に倭寇の侵略を受けていたが、高麗政府には鎮圧する力がなく、人民は不満をためていた。こうして、王室の権威が弱まっていることが明らかになると、倭寇や紅巾軍の侵入に対抗するため国内では武将の権力が拡大していった。

そんななか、明が高麗領の割譲を一方的に通告してきたため、高麗王は倭寇征伐で功績を挙げていた武将の李成桂に明への攻撃を命じた。李成桂は、いまや日の出の勢いの明に逆らうことの愚を説き、出兵に反対したが、王はその意見を聞き入れようとはしなかった。やむなく李成桂は遠征軍を率いて国境へと向かったものの、途中で全軍を返して首都の開城に帰還。そのまま王を廃すと、新たに恭譲王を擁立し、実権を掌握してしまった。こうして李成桂が権力を掌握したことで、高麗は親明政策へと転換した。

やがて李成桂は、みずからが立てた恭譲王を追放すると、1392年**3月27日**に王位に就き、漢城（ソウル）を都とする朝鮮王朝を建てた。この新国家は李成桂が建国した国であるため、李氏朝鮮や李朝ともいわれる。ちなみに、恭譲王は建国から2年後に配流先で処刑され、李成桂は高麗王家の一族も皆殺しにしてしまった。

ちなみに、李成桂によって建国された朝鮮王朝は、以後約500年間存続するが、日本による1910年の韓国併合で廃絶する。その前年、韓国統監だった伊藤博文はこの併合に強く反対していたが、民族運動家の安重根に銃撃され、死亡する。併合慎重派の伊藤が暗殺されたことで、日本は韓国併合を強行できたわけだが、伊藤は犯人が韓国人であることを聞き、「バカなやつだ」とつぶやいたという。

**その他の出来事**

1671年・伊達騒動、決着　1864年・水戸天狗党、筑波山で挙兵　1933年・日本、国際連盟を脱退

3月/28日
【1767年】

# かつて国際貿易の中心だった タイのアユタヤ朝滅亡

No.087

アユタヤ朝はタイのチャオプラヤ川河口付近のアユタヤを中心に、1351年に成立した王朝だ。1431年には、東のカンボジア王国（アンコール朝）の都アンコールを占領し、壊滅させた。次いで、1438年には北方のスコータイ朝を併合して強大となり、領土を拡張している。

15世紀頃のアユタヤ

その後、西のビルマ（現在のミャンマー）ではタウングー王国が興り、ポルトガル人傭兵を活用して伸張。タウングー王国は1569年にアユタヤに侵攻し、これを占領した。こうして、一時アユタヤはタウングー王国の支配を受けることとなったが、15年ほどで独立を回復し、逆にビルマに侵攻した。

このアユタヤの繁栄を支えていたものが2つあった。1つは豊かな米の生産だ。余剰米はおもに中国に輸出され、その利益により、アユタヤの国力は高まった。そして、もう1つアユタヤの繁栄を支えたのが、中国、インド、ヨーロッパの中間に位置する地の利を生かした交易だ。アユタヤは、日本や琉球、東南アジア島嶼部、アラブ・ペルシア方面と活発に交易を行ない、莫大な富を得た。さらに、16世紀からはポルトガルとの交易が始まり、ヨーロッパとも盛んに交易をするようになる。

こうして、17世紀に入るとアユタヤは国際商業の中心地として栄え、日本町も建設された。この時期、日本町が発展したのは、戦国時代が終わったことで浪人の多くが失業し、海外に働き口を求めたためともされている。その日本町の頭領だった山田長政は、スペイン艦隊のアユタヤ侵攻を退けた功績により、アユタヤ国王によって高官に任ぜられ、王女と結婚したとも伝えられている。

このように国際色豊かだったアユタヤだが、18世紀に入ると、フランスなどヨーロッパ列強の進出に警戒感を抱くようになり、オランダを除くヨーロッパ諸国に対して鎖国状態に入った。ただ、この頃から衰退が始まり、ビルマを1752年に統一したコンバウン朝が勢力を強め、ふたたび隣接するアユタヤに侵攻してくるようになった。両国は何度か衝突したのち、1767年**3月28日**、ついにアユタヤの王宮がコンバウン軍に破壊され、400年間栄えたアユタヤ朝は滅亡した。

**その他の出来事**

1854年・英仏、露に宣戦布告、クリミア戦争　1871年・パリコミューン成立宣言　1876年・廃刀令、発布

# 3月/29日 【1867年】
# 英領北アメリカ法成立 カナダが自治領になる

No.088

1965年までカナダ国旗にはイギリス国旗が配されていた。

北米大陸のカナダには、数万年前の氷期の頃から、先住民としてファーストネイション（インディアン）やイヌイットなどが暮らしていた。最初にこの地を訪れたヨーロッパ人は、11世紀のヴァイキングたちだ。だが、彼らは居留地を築いたものの、短期間で放棄してしまった。

その後、1534年にフランスは探検家のカルティエを北米に派遣し、セントローレンス川流域を探索させた。このときカルティエが、この地をカナダと名づけている。そして、フランスは17世紀初頭にケベック植民地を建設し、以後、植民地を増やしていった。

一方、17世紀にはフランスに遅れてイギリスも北米に進出。1607年にイギリスは、北アメリカ東岸にヴァージニア植民地を建設した。

やがて18世紀に入ると、イギリスとフランスはヨーロッパのみならず、植民地でも領土を巡って激しく争うようになった。これを、第2次百年戦争という。1754年からは北米大陸でフランスとイギリスが激突。この戦いは、フランス軍がインディアン諸部族と結んでイギリス植民地軍を攻撃したため、フレンチ＝インディアン戦争と呼ばれている。また、フレンチ＝インディアン戦争の最中の1756年にはヨーロッパで、プロイセンとオーストリアの対立を軸とし、イギリスが前者を、フランス・ロシアが後者を支援した七年戦争が勃発した。この2つの戦争に勝ったイギリスは、1763年のパリ条約でカナダを手に入れた。こうして、カナダ全体がイギリスの植民地となる。

19世紀後半、南北戦争後のアメリカが急速に発展すると、アメリカによるカナダ併合の危機が高まった。そこでイギリス議会は、ばらばらに存在していたカナダの植民地を1つにまとめる必要に迫られ、1867年**3月29日**に英領北アメリカ法を制定する。これにより、ノバスコシア、ニューブランズウィック、ケベック、オンタリオの4州が統合され、自治領カナダが成立した。これは、イギリスの植民地で初めての自治領だった。

ただ、この時点では外交権はまだもたされておらず、カナダは独立国家とはいえなかった。外交権は第一次世界大戦後の1926年に与えられたが、カナダが真の独立国となったのは、北アメリカ法が改正され、カナダ憲法が成立した1982年のことだ。

**その他の出来事**

1461年・バラ戦争でヨーク家がランカスター家を破る　1894年・朝鮮で東学党蜂起　1925年・普通選挙法成立

# 3月30日【1870年】 アメリカで黒人選挙権が承認 100年後には公民権運動へ

No.089

アメリカで1861年に始まった南北戦争は、奴隷解放を掲げた北軍が勝利を収めた。その結果、黒人奴隷制度は廃止され、1870年**3月30日**、アメリカ合衆国憲法に憲法修正第15条を加えることで黒人にも選挙権が認められた。

奴隷解放を掲げて南北戦争を戦ったリンカン大統領

これにより、アメリカで暮らしていた黒人の多くは、初めて選挙権を行使することができるようになった。黒人が選挙権をもつようになると、いくつかの州では州議会の下院議員の半数近くが黒人議員によって占められた。また、州政府の各種機関にも多数の黒人が進出した。さらに、当然のことだが国政にも直接関与するようになり、1876年までの期間で14人の黒人下院議員と2人の黒人上院議員がワシントンの国会に送られた。

だが、憲法修正第15条には、じつは穴があった。この条文は、(1) 合衆国市民の投票権は、人種、体色、あるいは過去における服役の状態に基づいて合衆国あるいは各州により拒絶あるいは制限されることはない、(2) 連邦議会は、適当な法律規定によって本条の諸規定を施行する権限を有する、という2条で構成されている。

条文では、確かに肌の色や人種で選挙権に制限を加えてはならないとしている。しかし、選挙権を得るために財産や文字の読解力というような資格を設けることを禁止していない。奴隷の身分から解放されたばかりの黒人は、まだ貧しく、満足に教育を受けていない者も多かった。黒人への差別意識が色濃く残っていた南部諸州では、この条文の抜け穴を利用し、「人頭税」や「読み書き試験」を取り入れることで事実上、黒人の選挙権を制限するようになった。

本当の意味で黒人が選挙権を得たのは、約1世紀後のことだ。この時期、アメリカでは公民権運動が盛り上がっており、1965年に「投票権法」が制定された。アメリカの選挙では、各人が有権者登録をする必要があるため、黒人は文字を書けないなどの理由で登録を拒否される場合があった。だが、この法律により、一定の居住資格さえあれば誰でも有権者登録が行なえ、実際の投票も記名ではなく候補者に○を付けるという簡略な方法になった。

**その他の出来事**

585年・物部守屋が廃仏を唱え、寺を焼く　1856年・パリ条約調印。クリミア戦争終結　1940年・汪兆銘政権、南京に成立

3月/31日
【1905年】

# 第1次モロッコ事件が勃発 仏独が一触即発に

No.090

ヴィルヘルム2世

19世紀以降、ヨーロッパの列強は盛んにアフリカの植民地化を進め、列強同士でアフリカを分割しようとしていた。その流れのなかで、フランスは北アフリカのモロッコへの進出を狙うようになり、1904年には英仏協商を締結して、イギリスのエジプトでの権益を認める代わりに、フランスのモロッコ権益を認めさせた。

ドイツはこの列強によるアフリカ分割の流れに一歩後れを取っており、19世紀末に、ようやくカメルーンや東アフリカを獲得したぐらいだった。そこで、ドイツ皇帝のヴィルヘルム2世は、フランスのモロッコ進出を牽制(けんせい)するため、みずから乗り出していくことを決意する。こうして、1905年**3月31日**に起きたのが第1次モロッコ事件だ。

この日、ヴィルヘルム2世は地中海クルーズを楽しんでいたが、突然、モロッコの港湾都市タンジールに船を着けさせた。そして、ドイツ領事館でモロッコの領土保全と門戸開放を主張する演説を行ない、同席していたフランス代表を唖然とさせた。さらに、モロッコのスルタン（君主）の大伯父と会談し、その場で、改めて独立国としてのモロッコの地位を支持することを説いた。

このドイツ皇帝によるスタンドプレーに、フランスは態度を硬化させ、両国は戦争寸前までいってしまう。だが、フランス側も、英仏協商を結んでいるイギリスからの軍事援助が得られるかは不透明であり、また露仏同盟を結んでいるロシアもこの時期、日露戦争で手一杯だったため、できればドイツとの戦争は避けたかった。

そこで、1906年1月にスペインでドイツ、フランスをはじめ、13カ国が参加する国際会議が開催された。その場でドイツはモロッコの領土保全を主張したが、諸外国の支持を取り付けることができず、結局、モロッコの現状維持を承認せざるをえなかった。

その後、ドイツは1911年にモロッコ南西の港湾都市アガディールに軍艦を派遣し、再度モロッコからフランスの影響力を排除しようと試みた。これを、第2次モロッコ事件という。しかし、これもうまくいかず、以後ドイツは完全にモロッコから手を引くこととなる。

**その他の出来事**

1547年・仏王フランソワ1世、死去　　1947年・教育基本法・学校教育法公布

# 4月

April

# 4月/1日【1948年】 冷戦下でソ連がベルリン封鎖を開始

No.091

第二次世界大戦後、アメリカを中心とする自由主義陣営とソ連を中心とする社会主義陣営の東西冷戦が浮上する。その最前線となったのが、敗戦国のドイツだ。戦後のドイツは連合国に分割占領され、西部は米、英、仏の3国、東部はソ連の統治下に置かれる。東部のソ連占領地のなかにあるベルリンは、さらに米、英、仏が占領する西ベルリンと、ソ連が占領する東ベルリンに分かれていた。

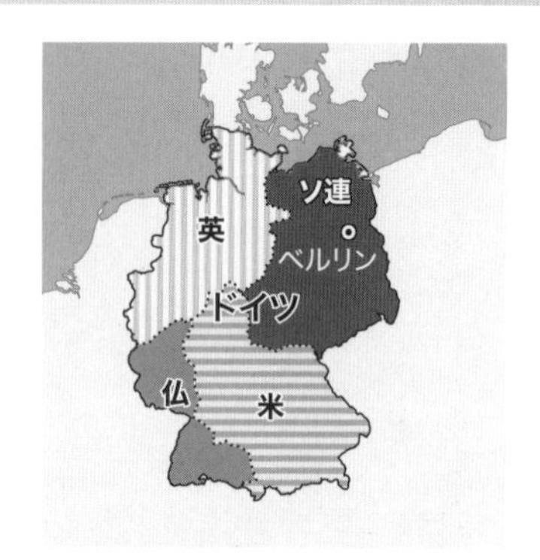

ベルリンはソ連地区のなかにあった

1948年**4月1日**、ソ連は西ベルリンと外部地域の境界線に検問を設置し、交通を制限する。さらに6月23日に西ベルリンとドイツ西部で、米英仏の主導によって新通貨が発行されると、翌日から西ベルリンへの鉄道、道路網と水路を封鎖した。このため、西ベルリンは孤立して食料や日用品などの物資が欠乏し、市民は困窮する。

ソ連側は、この封鎖によって米英仏の3国が西ベルリンから撤退することを期待していたが、アメリカは全力を挙げて西ベルリンの市民と駐留部隊のため物資の空輸を行なった。その回数は延べ27万回、輸送量は1949年春の段階で1日あたり8000トンにも及んでいる。アメリカ軍はこの空輸作戦に、第二次世界大戦で使用した最大級の爆撃機であるB29を投入した。ソ連占領地の上空に核爆弾を搭載可能なB29を飛ばすことは、そのまま、ソ連軍に対する無言の示威行為にもなった。

米ソ両国外相による交渉の結果、ソ連側は譲歩し、1949年5月12日にベルリン封鎖は解除された。同年9月、米英仏が占領するドイツ西部はドイツ連邦共和国（西ドイツ）として独立。続いて10月、ソ連が占領する東部がドイツ民主共和国（東ドイツ）として独立する。西ベルリンは東ドイツ領内にある西ドイツの飛び地となった。

ベルリン封鎖とドイツの東西分断は、間接的に同時期の日本にも影響を与えた。アメリカは世界的な社会主義陣営の拡大を懸念して、日本の占領統治方針を改め、労働運動や共産党員の活動をきびしく取り締まり、軍国主義的と見なされて公職から追放された日本の元軍人や官僚の復権を許した。こうした「逆コース」と呼ばれる施策は、1948年の初めから導入されていたが、それがより本格的に進められる。

**その他の出来事**

1907年・南満洲鉄道（満鉄）開業　1938年・国家総動員法公布　1958年・琉球政府発足

# 4月2日【1814年】 フランス元老院が皇帝ナポレオンの廃位を宣言

No.092

1804年5月にフランス皇帝に即位したナポレオンは、近代的な民法典の普及と財政の安定を実現し、ヨーロッパの大部分を支配下に置いた。さらに、みずからの血統を権威付けるため、最初の妻ジョゼフィーヌと離婚し、1810年4月にオーストリア皇女のマリア＝ルイーザと再婚する。しかし、栄光の頂点は長く続かなかった。

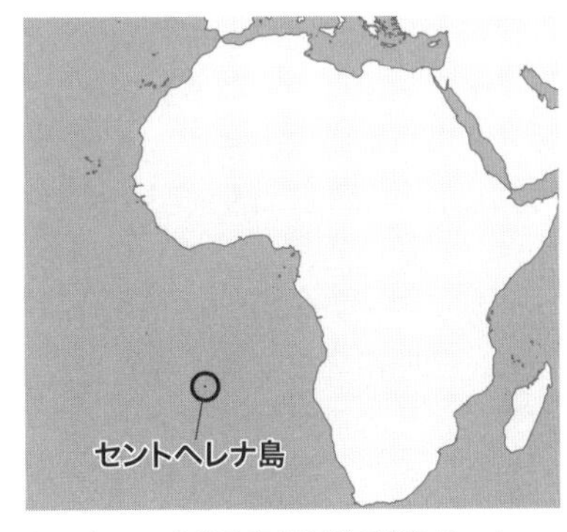

セントヘレナ島は南大西洋の孤島だった

ナポレオンが1812年6月に開始したロシア遠征は、その広大な国土と強烈な寒気（冬将軍）の前に失敗に終わる。これに前後してスペインでは反仏ゲリラが激化、ドイツでもフランスへの抵抗が広がる。1813年10月、ナポレオンの率いるフランス軍はザクセン王国のライプツィヒ郊外で、プロイセン、オーストリア、ロシア、スウェーデンの連合軍に敗れた。翌年には連合軍がフランスに侵攻してパリに入城、フランス政府と軍の重鎮らもナポレオンを見限り、1814年**4月2日**に元老院はナポレオンの廃位を宣言する。失脚したナポレオンは、イタリアのエルバ島に追放された。

ヨーロッパ各国の代表者は、オーストリアのウィーンに集まり、ナポレオン戦争の事後処理を話し合うウィーン会議を開催。フランスは革命以前の政治体制に戻され、ブルボン朝が復権し、ルイ18世が即位した。だが、復古王政に反発する者は多く、1815年3月には、エルバ島を脱走したナポレオンが政権を奪回する。ヨーロッパ各国は即座に介入を図り、ベルギーのワーテルロー郊外の戦闘でフランス軍はイギリスとプロイセンの連合軍に大敗した。ふたたび退位を余儀なくされたナポレオンは、南大西洋の英領セントヘレナ島へ送られ、同地で1821年5月5日に生涯を終えた。ナポレオンの一時的な復位は3カ月あまりだったので、百日天下と呼ばれる。

復古したブルボン朝は1830年7月に起こった七月革命で打倒され、新たに成立した立憲君主制のオルレアン朝では、ナポレオンの再評価が広がる。ナポレオンの遺骸は1840年にフランスに戻り、パリの廃兵院に埋葬された。2度の失脚と死後の数々の政変を経て、ようやくナポレオンはフランス国民の誰もが認める英雄となったのだ。

**その他の出来事**

1641年・オランダ商館を長崎出島に移す　1960年・マダガスカル独立　1982年・フォークランド紛争開始

# 4月/3日【1865年】南北戦争で南部の首都リッチモンド陥落

No.093

植民者によって建国されたアメリカ合衆国は、もともと中央連邦政府の権限は小さく、各州の独立性が高い。19世紀中期には、北部の諸州では商工業が発展して奴隷労働力は必要なくなり、国内産業を守る保護貿易政策が採られるが、南部は黒人奴隷を利用した綿花栽培などの大規模農場が産業の中心で、自由貿易政策が採られた。

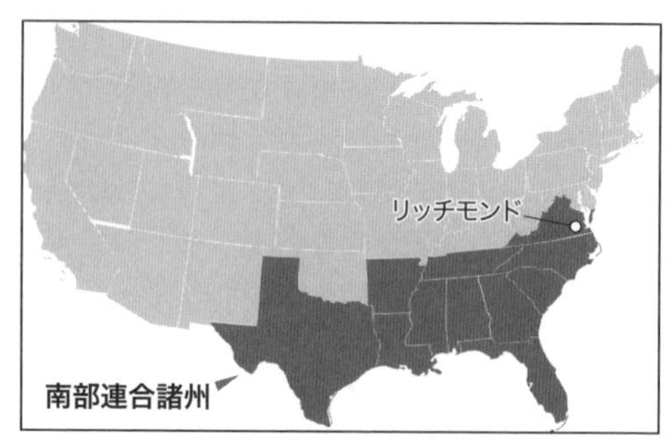

農作物の集積地として栄えたリッチモンド

1850年代には、新たに成立した西部諸州に奴隷制度を導入するかを巡り、北部と南部の対立が激化する。1860年、共和党出身で奴隷制に反対していたリンカンが大統領に当選すると、翌年に南部の諸州は合衆国から離脱し、元軍人のジェファソン＝デヴィスを大統領とするアメリカ連合国（南部連合）を結成した。1861年4月、北部の連邦政府は南部連合と軍事衝突し、アメリカ南北戦争が始まる。

開戦時、北部は23州で人口2200万人、南部連合は11州で人口900万人（うち350万人が黒人奴隷）で、兵力も工業生産力も北部が有利だった。しかし、愛郷心旺盛な南軍は、メキシコとの戦争で豊富な経験をもつリー将軍、ジャクソン将軍らの指揮の下、北軍の攻勢をもちこたえる。リンカンは、西部諸州の開拓民を味方に引き入れ、さらに連邦政府の大義を明示するため、1863年1月に奴隷解放宣言を行なう。1864年3月に北軍の総司令官に就任したグラント将軍は、南部の戦争継続を不可能にするため、敵軍ばかりではなく、南部の鉄道網、工場、商店、農地をも徹底的に破壊する殲滅（せんめつ）戦を進めた。

1865年3月、北軍はヴァージニア州に侵攻して南軍の防衛網を次々と撃破し、**4月3日**、南部連合の首都リッチモンドが陥落する。南軍総司令官のリー将軍は脱出したものの、6日後に降伏を受け入れ、南北戦争は北軍の勝利に終わった。

だが、北軍の殲滅戦に対する南部州の恨みは根強く、戦後にリンカン大統領は南部連合の支持者に暗殺された。その後も南部では連邦政府への反発心と、深刻な黒人差別が残る。21世紀の現在も、トランプ元大統領の熱烈な支持者や、南部州に多い白人至上主義者は、政治集会で南部連合旗（X印と13個の星）を掲げることが多い。

**その他の出来事**

604年・聖徳太子、憲法十七条を制定　1952年・ソ連、キューバと断交　1979年・中国、中ソ友好同盟相互援助条約廃棄

4月/4日
【1879年】

# 琉球処分によって沖縄県が成立

No.094

近代に入るまで、西洋以外の法的な国境の概念は、明確ではなかった。現在の沖縄県に当たる琉球は、江戸時代まで独立した王国でありつつ、薩摩の支配下にあり、さらに中国大陸の清に朝貢するという独特な立場だった。

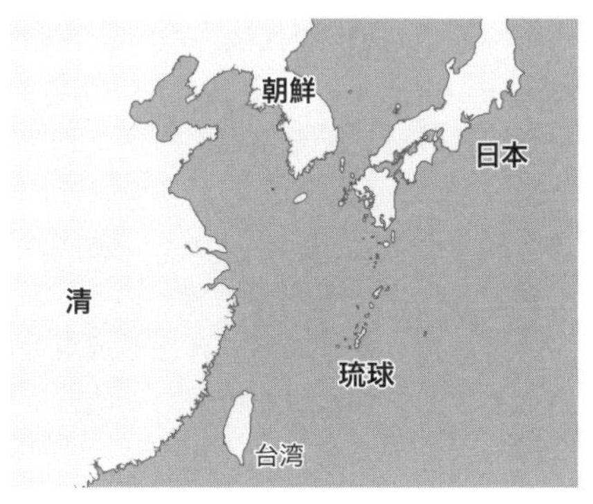

琉球は日本と清の領土の中間に位置した

1853年5月、アメリカ海軍のペリー提督は、日本への来航に先立って琉球を訪れ、翌年7月には琉米修好条約を結んでいる。明治維新後、新政府はひとまず琉球を薩摩藩の一部とした。そうした状況下、廃藩置県が行なわれた直後の1871年11月、琉球に属する宮古島の住民が清の領土であった台湾に漂着し、現地住民に虐殺される事件が起こる。この事件をきっかけに琉球を正式に日本の領土とする声が高まり、翌年、明治天皇が琉球国王の尚泰を琉球藩王に冊封する形式で琉球藩が成立した。

だが、琉球の宗主権を主張する清は日本側に抗議し、日本の政府内では清との開戦も検討される。1874年5月、陸軍中将の西郷従道が独断で出兵した。日本軍は一時的に台湾を占領し、駐清イギリス公使ウェードの調停によって、清側が宮古島の島民が殺害された事件の賠償金を支払うと日本軍は撤退した。

続いて、日本政府は琉球側に対して、清への朝貢を廃止し、日本の朝廷に服属することを求める。琉球王家の尚氏は懸念を示したが、政府は軍隊と警察を派遣して首里にあった藩王府の接収を断行し、1879年**4月4日**に琉球藩を廃止して沖縄県を発足させた。尚泰は華族（侯爵）の身分を与えられたが、首里を離れて東京での生活を余儀なくされ、政府が派遣した県令が沖縄県を統治した。この一連の措置は琉球処分と呼ばれる。

その後、日本政府は沖縄県民に対し、日本語教育や国家神道の普及といった日本人への同化を図ったが、沖縄県での商工業の振興はあまり進まなかった。第二次世界大戦で日本が敗れると、沖縄は27年間にわたりアメリカの占領統治下に置かれ、本土から切り離されたことで沖縄の経済発展は立ち遅れる。沖縄の本土復帰に前後する1970年代から、中国と台湾（中華民国）は、沖縄県に属する尖閣諸島の領有権を主張している。

**その他の出来事**

1887年・ロンドンで初の自治植民地会議　1949年・北大西洋条約（NATO）調印　1968年・キング牧師、暗殺

# 4月/5日【1976年】

# 周恩来の死から起こった第1次天安門事件

No.095

毛沢東の右腕だった周恩来

中国では1960年代後半から、共産党中央委員会主席の毛沢東が、学生や若い党員を動員して、党内外の敵対分子を攻撃するプロレタリア文化大革命（文革）を進めた。共産党幹部のなかで、文革を積極的に主導したのは、姚文元（ようぶんげん）、張春橋（ちょうしゅんきょう）、王洪文（おうこうぶん）、江青（こうせい）（毛沢東の妻）の4人で、「四人組」と呼ばれた。文革の参加者は毛沢東の神格化を進めるとともに、政敵を容赦なく地方に追放するか投獄した。処刑されたり獄死した犠牲者は1000～2000万人に及ぶと推定されている。

一方、首相の周恩来（しゅうおんらい）は共産党内の穏健派で、たびたび文革の行きすぎを抑えようと図った。毛沢東も周恩来に妥協し、1975年1月には、かつて走資派（資本主義の復活を図る勢力）と見なされ副首相を解任された鄧小平（とうしょうへい）を復権させる。

こうしたなか、1976年1月に周恩来が死去。中国で故人をしのぶ祭日、清明節である4月4日、北京の天安門広場では、周恩来を追悼する群衆が多数集まった。天安門広場は、中華人民共和国の建国式典をはじめ、多くの政治集会に使われてきた場所だ。警官隊が周恩来の記念碑から花輪を撤去したため集まった群衆は激怒し、翌**4月5日**には大規模な暴動・第1次天安門事件が起こる。その背景には、文革下での四人組と毛沢東に対する民衆の不満があった。この事件は中国で四・五運動と呼ばれる。

暴動の参加者は徹底的に弾圧されて、事件後、鄧小平は群衆をあおった嫌疑をかけられ、ふたたび解任される。そして、毛沢東に忠実だった華国鋒が首相の座に就いた。かくして、毛沢東の支配は盤石となったかに見えたが、その毛沢東も同年9月9日に死去する。

毛沢東に後事を託された華国鋒は、共産党の内部対立を収拾するため、四人組を逮捕して文革の終結を宣言した。ところが、やがて文革時代に失脚していた共産党幹部の発言力が強まり、1978年12月に華国鋒は失脚、鄧小平が実権を握る。

第1次天安門事件は、「毛沢東を直接批判するのは危険なので、亡き周恩来をたたえることで政権に抗議する」という図式だった。その後、1989年には「鄧小平を直接批判するのは危険なので、亡き胡耀邦（こようほう）をたたえることで政権に抗議する」という形で同じ図式が繰り返され、第2次天安門事件が起こる。

**その他の出来事**

1609年・琉球王国、島津藩に降伏　1927年・「大戦成金」鈴木商店が破綻　1945年・ソ連、日ソ中立条約不延長を通告

# 4月/6日 【1896年】

# アテネで第1回オリンピック開催

No.096

近代オリンピックの創立者
クーベルタン男爵

近代のオリンピック大会は、1896年**4月6日**にギリシアの首都アネテで第1回が開催された。12カ国から280人の選手が参加し、4月9日までの開催期間に、短距離離走、マラソン、レスリング、体操、水泳、射撃など43種目が実施された。

これより2600年以上前、古代のギリシアでは紀元前8世紀からオリンピックが開催されていたと伝えられる。古代のオリンピックは、ペロポネソス半島の西北に位置するオリンピアで、ゼウス神に捧げる祭典として行なわれた。アテネやスパルタなどギリシア各地のポリス（都市国家）から選手が集まり、ポリス間で戦争が起こっても、オリンピックの開催期間は休戦する習わしだった。その後、ローマ帝国時代にもオリンピックは続けられたが、古代ギリシアの神々をまつる儀式であったため、キリスト教が普及すると異端の祭事と見なされ、393年を最後に開催されなくなる。

ときは流れ、18～19世紀のヨーロッパでは、キリスト教以前の古代ギリシアの豊かな文化を再評価する動きが広がる。また、オスマン帝国の支配下にあったギリシアでは民族主義が高まり、1832年にギリシア王国が独立を果たした。

こうしたなか、フランスの教育学者クーベルタン男爵は、スポーツの振興による国際協調を掲げ、古代オリンピックの復活を呼びかける。これを受けて欧米各国のスポーツ関係者が結集し、IOC（国際オリンピック委員会）が結成される。第1回大会は、オリンピック発祥の地であるギリシアで開催することが決定された。

第1回アテネ大会の目玉となったのがマラソンだ。もともとマラソンは、紀元前490年にアテネ軍の兵士が、ペルシア軍に対する戦勝を伝えるため戦場のマラトンからアテネまで約40キロの距離を走破した故事に由来する。第1回アテネ大会では、羊飼いの農民だったギリシア人の青年スピリドン＝ルイスが劇的な優勝を飾った。

これ以降、近代オリンピックは2021年に日本の東京で開催された第32回大会まで、4年に1度の開催を続け、1924年からはスキーなどの競技を行なう冬季オリンピック、1948年からは身体障害者の選手によるパラリンピックも開催されている。しかしながら、第一次世界大戦中の1916年、第二次世界大戦中の1940年、1944年は開催が中止になるなど、開催期間中は休戦という古代オリンピックの美徳は再現されていない。

**その他の出来事**

1654年・ウェストミンスター条約締結　　1882年・板垣退助、遭難

4月/7日
【30年】

# ローマ帝国がイエスを十字架に架けて処刑

No.097

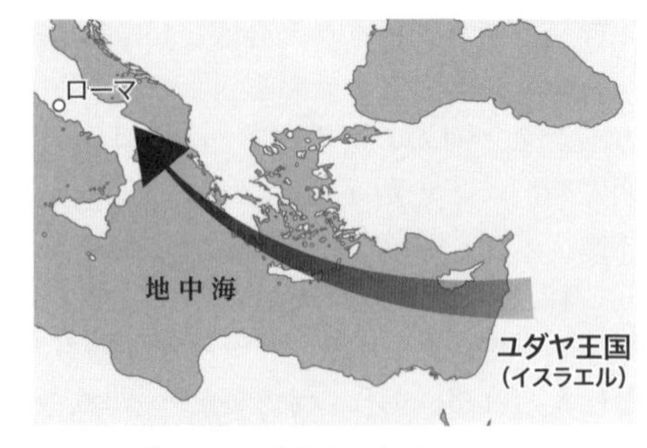

キリスト教はローマ帝国領に広がった

西暦は、キリスト教の創始者であるイエスの生誕年を元年としている。だが、現在ではイエスの正確な生誕年は、紀元前7～4年頃と推定されている。

イエスは、ローマ帝国の支配下にあった中東のユダヤ属州（現在のイスラエル）で生まれた。この地に住むヘブライ人（ユダヤ人）の間で信仰されていたユダヤ教には、厳格な身分制度や多くの戒律があった。イエスは30歳頃、ユダヤ教を改革する教えを説くようになる。その主眼は、それまでのユダヤ教聖職者（律法学者）の権威を否定し、戒律の徹底よりも万人への博愛を重んじることだった。

だが、当時のユダヤの権力者やユダヤ教聖職者は、イエスを危険な異端思想家と見なした。このため、イエスはローマ帝国の総督ピラトに捕縛され、30年**4月7日**、ゴルゴタの丘で十字架に架けられて処刑される。『新約聖書』の「ルカによる福音書」第23章によれば、「父よ、私の霊を御手にゆだねます」がイエス最後の言葉だったという。

墓に葬られたイエスは、ユダヤ教の安息日が終わったのちに復活し、弟子たちの前に姿を見せたと伝えられる。この噂（うわさ）が広まると、「イエスは神の子であった」と考えられるようになり、イエスの教えを語り継ぐキリスト教が始まった。キリストとは「油を注がれた者」を意味し、ユダヤ教での救世主を指す。イエス自身は存命中、キリスト教徒を名乗っておらず、新しいユダヤ教徒として行動していた。

キリスト教の聖典は『旧約聖書』と『新約聖書』からなり、『旧約聖書』はもともとユダヤ教の聖典で、『新約聖書』はイエスと弟子たちの言行が記されている。初期のキリスト教は、イエスの死後にキリスト教徒となったパウロによって広められた。パウロはローマ帝国の市民権をもち、当時の地中海沿岸地域の国際語であるギリシア語を話す教養人。中東からヨーロッパに至るパウロの伝道により、キリスト教はユダヤ教の一派という位置付けを離れ、世界宗教として発展していく。

余談ながら、『新約聖書』にイエスの生まれた日は記載されていない。本来12月25日のクリスマスは、ローマ帝国時代の冬至の祭事だった。それが4世紀頃からキリスト教の行事と融合し、イエスの誕生日と解釈されるようになったといわれる。

**その他の出来事**

1019年・女真族、対馬・隠岐に来襲　1866年・幕府、学問と商業での渡航許可　1945年・戦艦大和、撃沈

# 4月8日【1904年】 帝国主義の大国が手を組んだ英仏協商の調印

No.098

エドワード7世

19世紀の帝国主義時代、イギリスとフランスは、アジア、アフリカ、中東などで競い合うように次々と植民地を獲得した。東南アジアでは、1886年にビルマ（現在のミャンマー）が英領となり、インドシナ半島の東部（現在のベトナム、ラオス、カンボジア）が仏領となる。アフリカ大陸では、イギリスがエジプトから南アフリカまで南北に勢力圏を広げるアフリカ縦断政策を進め、フランスが大西洋岸のモロッコから東に向かって勢力圏を広げるアフリカ横断政策を進めた。

1898年9月、現在の南スーダン北部でイギリス軍とフランス軍が対峙するファショダ事件が起こる。だが、フランスは国内情勢が不安定なため交渉によって開戦を回避し、英仏間にはお互いの勢力圏を認める妥協ムードが生まれた。

当時のイギリスは明確な同盟国をもたない外交政策を続け、「光栄ある孤立」と呼ばれていた。ところが、中央アジアと太平洋沿岸ではロシア帝国が急速に支配地域を広げ、バルカン半島から中東ではドイツ帝国が勢力圏の拡大を図り、ともにイギリスにとって強大な仮想敵となる。加えて、南アフリカで1899年に勃発した南アフリカ（ブール）戦争が予想外に長期化し、イギリスは大いに国力をすり減らすこととなった。

こうした状況下、イギリスは外交政策を大きく転換する。まず、ロシアに対抗するため、1902年1月に日本と日英同盟を締結。さらに、1904年**4月8日**に英仏協商が調印された。英仏両国はイギリスのエジプト支配とフランスのモロッコ支配をお互いに認め、東南アジアではタイのチャオプラヤ川より西をイギリスの勢力圏、東をフランスの勢力圏とすることが定められた。これにより、長きにわたる英仏の対立は解消する。

さらに、1905年の日露戦争で敗れたロシアは、イギリスとの関係改善を図り、1907年8月に英露協商が結ばれた。かくして、イギリス、フランス、ロシアの連携による三国協商体制が成立する。一連の外交の成果により、ときのイギリス国王エドワード7世は「ピースメーカー（平和をもたらす者）」と呼ばれた。

一方、英、仏、露の三国に包囲されたドイツは、バルカン半島でロシアと衝突するオーストリア帝国、エジプトやアラビア半島でイギリスと衝突するオスマン帝国と協調。第一次世界大戦に至る国際的な対立図式が築かれた。

**その他の出来事**

前463年・釈迦、誕生　1457年・太田道灌、江戸城を築城　1820年・エーゲ海の小島でミロのヴィーナス発見

# 4月/9日 【1241年】 ヴァールシュタットの戦いでモンゴル軍圧勝

No.099

現在のリーグニッツ（レグニツァ）の場所

13世紀、チンギス＝ハンが創始したモンゴル帝国は西方遠征を着々と進め、第2代皇帝オゴタイ＝ハンの甥バトゥは、キエフ（現在のウクライナの首都）を制圧後、東ヨーロッパに迫る。当時ヨーロッパでは、神聖ローマ帝国と諸侯への影響力を強めるローマ教皇庁の対立が激化し、強大な外敵が迫ってもなかなか諸侯の足並みがそろわなかった。モンゴル軍は、事前にこうした事情を把握し、ポーランド、ハンガリー、ボヘミア（現在のチェコ西部）の諸侯の軍を次々と各個撃破する。

中世のヨーロッパの軍隊は、貴族階級の騎士の下に傭兵（ようへい）や平民の歩兵がいたが、騎士は重装備で動きが鈍く、末端の兵の練度にはばらつきが大きかった。一方、遊牧民のモンゴル族は全員が熟練の騎兵で、軽装備なので騎馬の速力も優れていた。また、モンゴル軍は弓矢や投石機とともに爆音を発する火薬兵器も装備し、破壊力は小さかったものの、敵兵を恐れさせる心理的な効果は大きかった。

劣勢が続くドイツ・ポーランドの諸侯は、シュレジエン公ハインリヒ2世を中心に連合軍を結成。その総数は3万人ともいわれるが諸説ある。1241年**4月9日**、連合軍は現在のポーランド西部に当たるリーグニッツ（レグニツァ）近郊で、モンゴル軍の迎撃を図った。だが、連合軍は大敗してハインリヒ2世は戦死。モンゴル軍は勝利の証しに殺した敵兵の耳を切り取り、戦場には多くの死体が残されたため「ヴァールシュタット（死体の地）」と呼ばれ、ヴァールシュタットの戦いの名が生まれた。

モンゴル軍はさらに、ブダペストでハンガリー王ベラの軍勢を撃破、ドナウ河畔一帯を支配下に置く。ところが、連戦連勝のモンゴル軍はここで急に引き返してしまう。皇帝オゴタイ＝ハンが急死し、バトゥには帰国命令が下されたためだ。

ヨーロッパ人の間では、その後も長きにわたり、モンゴル人の脅威が強く記憶された。16世紀フランスの占星術師ノストラダムス（ノートルダム）の予言集に出てくるアンゴルモアの大王とは、このモンゴル皇帝のことだといわれる。19世紀のドイツやロシアでは、黄色人種の脅威を唱える黄禍論が広がり、帝国主義的なアジア侵略が正当化された。この黄禍論の背景にも、ヴァールシュタットの恐怖の遠い記憶がある。

**その他の出来事**

752年・東大寺大仏開眼供養　1019年・女真族の刀伊、九州に入寇　1865年・南北戦争終結

# 4月/10日【1302年】フランスで第1回三部会開催

No.100

三部会の会場となったノートルダム大聖堂

中世後期のヨーロッパでは、国王が任命した各身分の代表者を集めて政策の意見調整を行なう身分制議会が生まれる。まず、1295年からイングランド王国で、有力な貴族と聖職者、各州を代表する騎士と各都市を代表する市民による模範議会が開催されるようになった。フランスの三部会もこれと同様の制度で、聖職者（第一身分）、貴族（第二身分）、平民（第三身分）の代表が参加した。

第1回三部会は、1302年**4月10日**、国王フィリップ4世によってパリのノートルダム大聖堂で開催。当時、フィリップ4世はローマ教皇ボニファキウス8世と対立しており、国王への支持を集め、新税の導入を承認させることが目的だった。

14～15世紀のフランスは、まだ中央集権体制が確立されておらず、国王は各地の領主や聖職者に対し、一方的な政策を採ることができなかった。平民の代表も参加が認められた背景には、当時の農業と商工業の発達がある。11～13世紀の西欧では、農地を3分割して1つを休耕地とすることで土地がやせるのを防ぐ三圃制（さんぽせい）が普及し、農業生産が向上した。また、十字軍運動をきっかけに地中海貿易が活発になり、王侯貴族を取引相手とする毛織物商や貴金属商、金融業者などが増えていた。このため、身分上は平民の地主や商人にも、政治的な有力者は少なくなかった。

その後、フランスは1339～1453年までイングランドと百年戦争を続ける。この時期には、国王への協力を求めるため三部会が盛んに開催される。さらに、16世紀に宗教改革が起こると、三部会はカトリック教会とプロテスタント信徒の諸侯や平民との対立を調停する場にもなった。だが、1589年に成立したブルボン朝は中央集権的な絶対王政を築き、1614年以降は三部会が開催されなくなる。

ときは流れ、18世紀後期になるとフランスは数々の対外戦争や凶作のため財政が悪化した。1788年、国王ルイ16世は財務長官ネッケルの勧めを受け入れ、税収問題を話し合うため175年ぶりに三部会を召集する。この頃、平民の代表となる新興の富裕な市民階級（ブルジョワジー）には、王室や教会の権威を否定し、自由や平等を求める啓蒙思想が広がっていた。三部会に参加した平民の代表たちは貴族と激しく衝突し、独自に国民議会を結成。これがフランス革命の発端となった。

**その他の出来事**

593年・聖徳太子が摂政に　1741年・モルヴィッツの戦い　1946年・婦人が初めて選挙権を行使

4月/11日
【1868年】

# 新政府と幕府の交渉でかなった江戸無血開城

No.101

幕末期の1868年1月、幕府軍は鳥羽・伏見の戦いで、薩摩藩と長州藩を中心とする新政府軍に敗れ、大坂にいた第15代将軍の徳川慶喜は江戸に退却した。慶喜は新政府に恭順の意思を示すが、新政府は武力で幕府の討伐を図り、有栖川宮熾仁親王を大総督とする東征軍が、東海道、東山道、北陸道の3つのルートから江戸へと進軍する。

戦前は宮城と呼ばれた江戸城跡の皇居

東征軍による江戸総攻撃は、3月15日に予定されていた。皇室から第14代将軍の徳川家茂に嫁いだ和宮皇女は、東征軍の陣中に攻撃の撤回を嘆願する書状を送る。和宮はかつて有栖川宮熾仁親王の許嫁で、新政府副総裁の岩倉具視とも旧知の間柄だった。薩摩藩から第13代将軍の徳川家定に嫁いだ天璋院（篤姫）も、薩摩藩の重鎮として東征軍の参謀を務める西郷隆盛に、攻撃の撤回を嘆願する。また、駐日イギリス公使のパークスも、新政府に内戦の拡大を避けるように強く要請した。

こうしたなか、幕府陸軍奉行の勝海舟は、幕臣の山岡鉄舟を西郷の下に派遣して交渉に当たらせる。西郷は3月13日と14日の両日、薩摩藩邸で勝と会談し、江戸開城と慶喜の助命を受け入れた。かくして、東征軍の江戸総攻撃は中止され、血みどろの戦乱を経ることなく、**4月11日**に江戸城は東征軍に明け渡される。無血開城の背景には、ビジネスのため日本の混乱を嫌ったイギリスの思惑、新政府内部での岩倉らの公家と薩摩藩、長州藩の主導権争いなど、複雑な要因が絡んでいた。

これより前に慶喜は江戸城を出て上野の寛永寺で謹慎していたが、江戸開城後は水戸に移る。しかし、旧幕府関係者は完全には武装解除せず、海軍副総裁の榎本武揚らは、新政府との間で1869年5月の箱館陥落まで戊辰戦争を続けた。

この間、新政府は1868年9月に遷都を決定し、江戸は東京と改名され、11月に明治天皇が東京城（江戸城）に入城した。これ以降、江戸城の跡地は皇居として使われることになる。江戸城の本丸、二の丸、三の丸があった場所は、現在、皇居付属の庭園となっており、天守台や番所など江戸城時代のいくつかの遺構が残されている。江戸城の敷地で大名の藩邸が並んでいた丸の内は、煉瓦造りの官庁や金融機関の本社が次々と建設され、日本有数のオフィス街へと発展していった。

**その他の出来事**

1713年・ユトレヒト条約調印、スペイン継承戦争・アン女王戦争終了　1951年・トルーマン、マッカーサーを罷免

# 4月/12日【1927年】 蔣介石が上海クーデタで中国共産党を弾圧

No.102

上海クーデタを起こした蔣介石

中華民国では、1920年代を通じて地方軍閥による内戦状態が続いた。1924年1月、中国国民党を率いる孫文は中国共産党との協調関係（第1次国共合作）を結ぶ。

1925年3月に孫文が死去したのち、国民党では軍の指揮権を握る蔣介石（しょうかいせき）が指導者の地位に就いた。蔣介石は辛亥（しんがい）革命の前、日本に留学し陸軍で士官教育を受け、野砲兵第13連隊に勤務した経歴をもつ。また、妻の宋美齢（そうびれい）は、孫文の妻の宋慶齢（そうけいれい）の妹で、孫文とは義理の兄弟という間柄だ。宋姉妹の一族は浙江省きっての富豪で、キリスト教を信仰し、アメリカの財界人と深い関係をもっていた。

当時の国民党は広州を中心に広東省を勢力下に置き、蔣介石はここから華北の軍閥を次々と制圧する「北伐」を進めた。北伐の過程で各地の裕福な地主や企業家を味方に引き入れ、農民や労働者を支持基盤とする共産党との対立が深まる。

このため、蔣介石は1927年**4月12日**に上海で反共クーデタを起こして、共産党員を徹底的に弾圧する。これは中国では「四・一二事件」と呼ばれ、アメリカ、イギリス、日本といった諸外国も上海租界の利権を守るため蔣介石を支援した。このとき国民党は、青幇（ちんぱん）、紅幇（ほんぱん）といった犯罪組織も反共運動に動員している。

かくして第1次国共合作は破綻し、国民党と共産党が争う第1次国共内戦が始まった。これを機に共産党では創設者の陳独秀（ちんどくしゅう）が失脚し、毛沢東と周恩来が中心人物となる。その後、1937年7月に日中戦争が勃発すると、国民党と共産党は抗日のため手を結び、第2次国共合作が成立。共産党は抗日戦争の過程で勢力を広げる。

日本の敗戦後、国民党と共産党の対立はふたたび火を噴き、第2次国共内戦が起こった。戦闘は共産党の勝利に終わり、国民党の支持者は中国大陸の南部に追いつめられた末に台湾に逃れ、大陸では1949年10月に中華人民共和国が成立する。

これ以降も、反共主義を貫く中華民国の蔣介石政権は、アメリカを後ろ盾としながら国連の代表権を維持した。しかし、しだいに国際世論は大陸を実効支配する共産党政権の支持に傾き、1971年10月には中華民国に代わって中華人民共和国が国連に加盟。さらに、日本もアメリカも正式に中華人民共和国と国交を樹立する。蔣介石は大陸奪還を果たせないまま1975年4月に死去した。

**その他の出来事**

1204年・十字軍、コンスタンティノープルを占領　1861年・南北戦争開戦　1961年・ガガーリン、人類初の宇宙飛行

# 4月/13日【1919年】英軍が市民を虐殺したアムリットサール事件

No.103

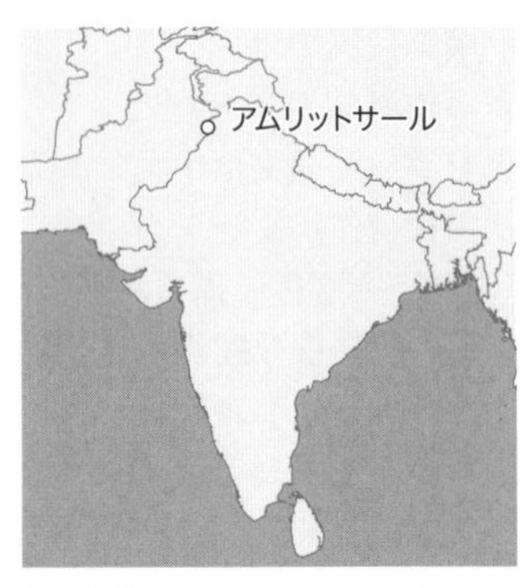

虐殺事件が起きたアムリットサール

1914年7月に第一次世界大戦が勃発すると、イギリスは戦費調達のため統治下にあるインドに増税を課したうえ、多くの物資を供出させ、兵員や戦場での輸送や土木作業の人員として、約150万人ものインド人を徴用した。インド内ではイギリスへの強い反発が広がり、反英運動を進めるインド国民会議は、1915年1月に英領南アフリカから帰国したガンディーを新たな幹部に迎え入れた。

1917年8月、イギリス政府のインド担当大臣モンタギューは、戦争協力の見返りとして、将来的なインド人の政治参加と自治権の拡大を提示する。この翌年に第一次世界大戦は終結したが、自治権の拡大は進まなかった。それればかりか、イギリス側は反英運動を抑えるため、1919年3月に令状なしでの逮捕や裁判なしでの投獄を認めるローラット法を導入。これに抗議するため、ガンディーはインド国民に対し、断食やストライキ、納税拒否などの非暴力・不服従運動を呼びかけた。

とくに西部のパンジャーブ地方に位置するアムリットサールでは、イギリスに対する抗議行動が激化し、大規模な暴動に発展する。1919年**4月13日**、ダイヤー将軍が指揮するイギリス軍は、アムリットサールで開かれていた市民集会を徹底的に弾圧。その場にいた反英運動と無関係な1500人以上の一般市民を射殺した。事件の報は、ほどなくインド全土に伝わる。インド人の間では反英感情がさらに高まり、ガンディーが主導する非暴力・不服従運動は全国に広がっていった。

ガンディーはたびたびイギリス官憲に逮捕されたが、1930年3月、イギリスが塩の製造・販売権を独占していることに抗議するため、みずから歩いて海岸まで行き、自分で製塩する運動の「塩の行進」を開始する。塩という身近な消費物を取りあげたことで、ガンディーの運動はインド各地の幅広い大衆を取り込んだ。

余談ながら、当時のインド独立運動家には、同じくアジアで西洋列強と対峙する日本との協調を図る者もいた。元官吏のビハリ＝ボースは、第一次世界大戦中にインド総督ハーディングの暗殺を図るが失敗し、1915年6月に日本に亡命。アジア各地の革命家を支援していた頭山満（とうやまみつる）の仲介により、ボースは東京の新宿でレストラン・中村屋を経営する相馬愛蔵（そうまあいぞう）の保護を受け、相馬にインドカレーの製法を伝えた。

**その他の出来事**

1519年・カトリーヌ＝ド＝メディシス誕生　1598年・仏アンリ4世、ナントの王令に署名　1941年・日ソ中立条約調印

# 4月/14日【1576年】 織田信長が石山本願寺への総攻撃を開始

No.104

戦国時代、一向宗（浄土真宗）の信徒集団は各地に所領をもち、農民から武家、公家まで幅広いネットワークを築いていた。その最大の拠点が摂津国（大阪府）の石山本願寺で、畿内の平定を進める織田信長にとっては最大の難敵だった。

本願寺法主（ほっす）である顕如（けんにょ）は、将軍の足利義昭、近江国（滋賀県）の浅井氏や越前国（福井県）の朝倉氏との連携を進め、1570年10月に織田軍への攻撃を開始。石山合戦が始まり、各地でも一向宗の信徒が信長に反旗を翻す。とくに伊勢国（三重県）の長島では、一向宗の軍勢が織田氏の小木江城を攻め落とし、信長は1574年9月に長島を制圧すると、約2万人もの一向宗信徒を老若男女問わず虐殺した。

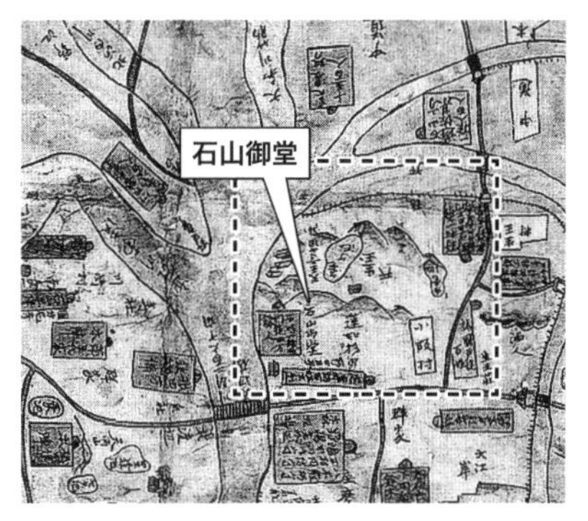

石山本願寺の跡地に大坂城が築かれた

信長は越前の一向一揆を平定したのち、1576年**4月14日**、石山本願寺への総攻撃を開始する。織田軍は三方向から本願寺を包囲したが、本願寺の強力な鉄砲隊の前に苦戦を重ねた。本願寺は中国地方を支配する毛利氏を通じて、瀬戸内海から食料を運び込んでいた。織田軍はその妨害を図り、大坂湾で木津川口の戦いが起きるが、織田水軍は毛利氏に従う村上水軍に敗れ、作戦は失敗に終わる。

だが、長期戦を覚悟した信長は、畿内の一向宗の拠点を次々と潰していった。1577年3月、紀伊国（和歌山県）で織田軍に抵抗していた一向宗信徒の雑賀（さいか）衆が降伏する。翌年には、2度目の木津川口の戦いで毛利水軍が撃破される。

戦闘と並行して信長は和平工作を進めた。1579年12月、正親町（おおぎまち）天皇の勅命によって顕如は和睦に応じ、信徒集団の維持と引き換えに本願寺を明け渡し、大坂を去ることを受け入れる。顕如は本願寺を離れたものの、その後継者の教如（きょうにょ）は籠城戦を続け、ようやく1580年8月に教如も和睦を受け入れた。織田軍への降伏の直後に本願寺は炎上。失火によるものか意図的な放火かは諸説あり、判然としていない。

石山合戦の終結後、約100年にわたり加賀国（石川県）を占拠していた一向宗の信徒集団も織田軍により平定。これに先立って比叡山（ひえいざん）延暦寺も信長に平定され、中世以来の寺社が武装して地方の領主を務めた時代は終わりを迎える。信長の死後、豊臣秀吉は本願寺の再建を許すが、信長と和睦した顕如と徹底抗戦を唱えた教如の対立が法主の後継問題に影響し、西本願寺派と東本願寺派に分裂した。

**その他の出来事**

1867年・高杉晋作、死去　1931年・スペイン王政倒れ、第二共和政成立　1988年・アフガン和平協定調印

4月／15日

【1988年】

# カンボジアの共産党指導者 ポル＝ポト死去

No.105

ポル＝ポトの墓

約4年間で100～200万人を死に追いやったカンボジアの独裁者ポル＝ポトは、政権を追われて20年後の1998年**4月15日**、ジャングルの奥地で病死した。大量虐殺で多くの人々に憎まれたためか、その墓は一国の元指導者としては質素だ。

カンボジアでは、1978年12月にベトナム軍が侵攻してポル＝ポト政権が崩壊したのち、親ベトナム派のヘン＝サムリンによる政権が成立。しかし、カンボジアを完全に掌握する力はなく、シハヌーク派（元王族のシハヌークを支持する勢力）、ポル＝ポト派（旧ポル＝ポト政権の残党）、ソン＝サン派（親米的な政治家ソン＝サンを中心とする穏健派）の3派が政府と敵対し、長期にわたる内戦が続いた。

反ヘン＝サムリン勢力は1982年7月に三派連合政府を結成し、シハヌークが大統領、ソン＝サンが首相に就任。だが、反ヘン＝サムリンという一点のみで結束した関係だけに、足並みはそろわなかった。過去に国民の大量虐殺を断行したポル＝ポトは諸外国からの評判も悪く、連合政府内のほかの2派とも衝突した。

1980年代の末期になると、ソ連でゴルバチョフ書記長が導入した諸改革（ペレストロイカ）をきっかけに冷戦体制の緊張が緩和し、ヘン＝サムリンの後ろ盾となっていたベトナムはカンボジアから手を引く。ヘン＝サムリンは三派連合との妥協に応じ、1991年10月にカンボジア和平協定が調印。内戦はようやく終結する。

その後、1993年5月に行なわれた制憲議会総選挙では、シハヌーク派のフンシンペック党が第1党となる。9月には新憲法が発布されてカンボジアは立憲君主国となり、王政復古を果たしたシハヌークが国王に即位した。ポル＝ポト派は国連監視下の選挙をボイコットしたが、この結果、在野の反政府勢力という立場になる。

ポル＝ポト派はジャングルに身を潜めて政府に抵抗を続けたが、内紛や幹部の脱落が相次いで弱体化していく。ポル＝ポトは猜疑心にとらわれたまま、心臓発作で急死。翌年、残った幹部たちは政府に降伏し、ポル＝ポト派は完全に消滅する。

こうしてポル＝ポトは、大量虐殺の罪を公式に問われないまま生涯を終えた。しかし、2003年6月に国連の支援を受けてカンボジア政府による特別法廷が開かれ、旧ポル＝ポト派の人権弾圧の解明と関与した者たちの裁判が進められている。

**その他の出来事**

802年・アテルイ、坂上田村麻呂に降伏　1452年・レオナルド＝ダ＝ヴィンチ誕生　1865年・リンカン、死去

# 4月/16日 【1917年】 レーニンが封印列車でロシアへ帰国

No.106

ロシア社会民主労働党の指導者レーニン

第一次世界大戦中の1917年3月8日（ロシアで使用されたユリウス暦では2月23日）、戦争の長期化で困窮したロシア国民は、首都ペトログラードで大規模な反政府デモとストライキを起こした。軍もこれに呼応して決起し、ロシア二月革命が勃発する。皇帝ニコライ2世は退位させられて帝政は崩壊し、自由主義者の富裕な市民階級（ブルジョワジー）と穏健派の貴族を中心とした臨時政府が発足した。

臨時政府は大戦を継続したが、ロシア各地では急進的な労働者、農民、兵士らが、独自にソヴィエト（議会）を結成し、即時停戦を訴えて臨時政府と対立。こうした状況下で、**4月16日**にボリシェヴィキ（ロシア社会民主労働党左派）の指導者レーニンが帰国した。

レーニンという名は革命家としてのコードネームで、「なまけ者」を意味する。本名はウラジーミル＝イリイチ＝ウリヤノフといい、父方の先祖はカルムイク人というモンゴルから来たアジア系の民族に属していた。10代で革命運動に身を投じたレーニンは、逮捕されてシベリア流刑となり、出獄後はスイスに亡命する。

スイス滞在中のレーニンは、帝国主義批判の言論活動に専念し、1917年1月には、「われわれ老人たちは、おそらく、生きて来るべきこの革命の決戦を見ることはないであろう」と述べた。ところが、直後に二月革命が勃発したため急遽帰国を図る。

ロシアと交戦中のドイツ帝国政府は、ロシア革命がさらに激化して停戦に至れば自国に有利になると考えた。このため、敵国人であるレーニンがロシアに帰国する途中、鉄道でドイツ領内を通過することを許可する。ただし、列車外にいるドイツ人との接触を厳重に禁止したため、レーニンが乗った車両は封印列車と呼ばれる。

ペトログラードに到着したレーニンは、臨時政府を批判してソヴィエトへの権力集中を唱える四月テーゼを発表。この方針に基づいて11月7日（ユリウス暦で10月25日）に十月革命が起こり、臨時政府に代わってソヴィエト政権が成立した。つまり、レーニンによるロシアの社会主義革命は、ドイツ帝国当局が間接的にアシストしたものだった。じつは、日露戦争中に日本陸軍の明石元二郎大佐も、ロシアでの帝政の弱体化を図り、レーニンらのロシア人革命家を支援していた。

**その他の出来事**

1397年・足利義満、金閣寺を建立　　1922年・独ソ、ラパロ条約調印

# 4月/17日【1895年】 日清戦争が終結し下関条約が調印される

No.107

1894年8月に始まった日清戦争は、日本軍が優位のうちに進展する。翌年、山口県の下関で講和会議が行なわれ、清側は北洋大臣の李鴻章（りこうしょう）を派遣、日本側は首相の伊藤博文と外相の陸奥宗光（むつむねみつ）が出席し、**4月17日**に下関条約が結ばれた。おもな内容は、清から朝鮮を独立させる、遼東半島・台湾・澎湖（ぼうこ）諸島を日本に割譲する、清が日本に2億両の賠償金を支払う、沙市・重慶・蘇州・杭州を開港するというものだった。

ところが、ロシアが日本の遼東半島獲得に異を唱え、ドイツ、フランスとともに明治政府に圧力をかける。かねてよりロシアは、朝鮮半島および隣接する満洲（清の東北部）での権益拡大を図り、ほかの西洋列強も日本の勢力拡大を警戒したためだ。この一件は三国干渉と呼ばれ、日本国内で大きな反発が起こる。明治政府は、ただちにロシアと戦争する余力がなかったので、やむなく遼東半島を放棄した。その後、ロシアは遼東半島の旅順を租借して、強大な軍事要塞を築き上げる。

日本による領有が認められた台湾と澎湖諸島は、日本が手にした最初の植民地（海外領土）となる。台湾では台北に総督府が置かれ、天皇の親任を受けた総督が民政と軍事の両面で全島を支配した。台湾には多くの日本人が入植し、本土への食料供給地として、米、バナナ、サトウキビなどの栽培を進め、鉄道網や道路網が整備された。

また、日清戦争中の1895年1月、閣議決定によって尖閣諸島の領有が宣言され、沖縄県に編入された。尖閣諸島の帰属は下関条約の内容に含まれていなかったが、清からの異論はなかった。ところが、のちに第二次世界大戦後、清の版図を引き継いだ中華人民共和国と、中華民国（台湾）は、尖閣諸島の領有権を主張する。

一方、清が課された賠償金は国庫収入の3倍に及び、清は列強に借金を重ねる代償として各国に租借地を提供する。広州から上海はイギリス、江南の沿岸はフランス、天津・青島はドイツ、満洲はロシアの勢力圏となり、各国がそれぞれ商館を設置したり軍を駐留させたりした。こうして国土が次々と諸外国に侵食される状況下、清では西洋列強や日本の影響力を排除しようとするナショナリズムが高まる。

そして、日清戦争の発端となった朝鮮では、王宮の有力者だった閔妃（みんぴ）が、日本の介入を回避するためロシアと手を結んで政権の奪回を図った。しかし、閔妃は日本公使の三浦梧楼（ごろう）に指揮された日本人の一団の襲撃を受けて殺害される。その後、朝鮮国王の高宗は、1897年10月に国号を大韓帝国と改め、皇帝に即位。国王ではなく皇帝を名乗ったことは、清の皇帝に従属する立場を離れたことを意味する。

**その他の出来事**

723年・三世一身法の制定　　1897年・ギリシア、トルコに宣戦布告　　1971年・バングラデシュ独立

# 4月/18日【1955年】 第1回アジア=アフリカ会議が開催される

No.108

第二次世界大戦後、新たに独立を果たしたアジア、アフリカ諸国は、米ソ冷戦体制の下で東西両陣営のいずれからも距離を置く第三勢力の協調を模索した。まず、1954年4月にインドのネルー首相と中国の周恩来首相が会談し、お互いの領土と主権の尊重や平和共存を盛り込んだ平和五原則に合意する。

インドネシアの首都ジャカルタ南方に位置するバンドン

さらに、ネルーと周恩来に加えて、エジプトのナセル首相、インドネシアのスカルノ大統領が中心となり、1955年**4月18日**にインドネシアのバンドンで、第1回アジア=アフリカ会議（バンドン会議）が開催された。イラン、エチオピア、タイ、トルコほか29カ国が参加し、日本も議決権のないオブザーバーながら代表を派遣している。この会議では、先の平和五原則をさらに拡大した平和十原則を共同声明として発表。その内容は、以下のようなものだ。

(1) 基本的人権と国連憲章の趣旨と原則を尊重する。(2) すべての国の主権と領土保全を尊重する。(3) すべての人類の平等と大小すべての国の平等を承認する。(4) 他国の内政に干渉しない。(5) 国連憲章による単独または集団的な自国防衛権を尊重する。(6) 集団的防衛を大国の特定の利益のために利用せず、他国に圧力を加えない。(7) 侵略行為によって他国の領土や政治的独立をおかさない。(8) 国際紛争は平和的手段によって解決する。(9) 相互の利益と協力を促進する。(10) 正義と国際義務を尊重する。

ところが、ほどなくインドと中国はチベット問題やカシミール国境問題が原因で関係が悪化する。また、ほかのアジア、アフリカ諸国も、内政の混乱や近隣国との国境問題が多発。こうした事情もあり、1965年に北アフリカのアルジェリアで開催予定だった第2回の会議は中止され、以降は1度も開催されていない。

ただし、米ソ両大国のいずれにもくみしない第三勢力の協調は、その後も形を変えて引き継がれた。1961年9月、社会主義国ながらソ連とは距離を置くユーゴスラヴィアが中心となり、第1回非同盟諸国会議が開かれて25カ国が参加。その後も3～5年に1回の周期で開催され、アジア、アフリカ、中東などの国々が参加しているが、必ずしも参加国の足並みはそろっていない。1990年代に冷戦体制が崩壊して以降、この会議がいかなる存在意義をもつかなど、多くの課題を残している。

**その他の出来事**

1949年・エール、英連邦離脱、完全独立のアイルランド共和国を宣言　1954年・エジプト、ナセル政権成立

# 4月/19日【1775年】 独立宣言へとつながるアメリカ独立戦争勃発

No.109

北アメリカ大陸では、18世紀の中頃までにイギリスが13の植民地を形成し、それぞれに現地住民による植民地議会が成立した。1754～63年には、イギリスと、フランスおよび先住民の同盟軍との間でフレンチ＝インディアン戦争が勃発。勝利したイギリスは戦費補填のため、北米住民に砂糖税や印紙税などの増税を課し、茶を東インド会社の専売品に指定したので、北米住民の間で反発が広がった。

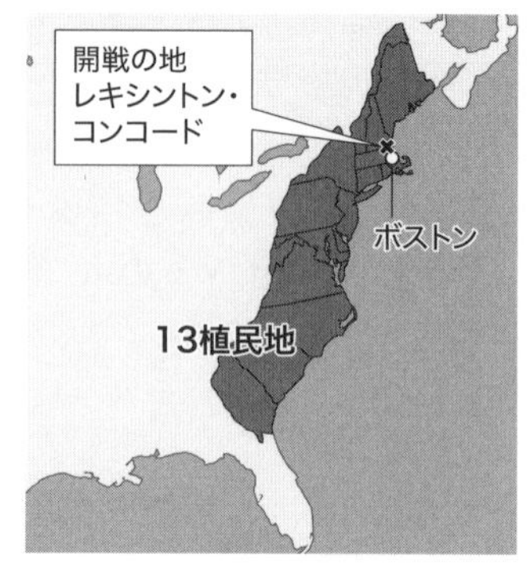

開戦の地はボストン近郊だった

イギリス議会は、北米植民地の代表がいないまま政策を決定していたので、ヴァージニア州の弁護士パトリック＝ヘンリーは「代表なくして課税なし」と主張した。この言葉は、イギリスによる増税に反対する北米住民のスローガンとなる。

1773年12月、マサチューセッツ州のボストンでは、イギリスによる茶税に抗議する住民がイギリス船の茶箱を海中に放り込んだボストン茶会事件が起こる。イギリス軍は現地住民を徹底的に弾圧し、マサチューセッツ州の自治権を奪った。北米住民は危機感を募らせ、翌年9月に各植民地議会の代表がペンシルヴェニア州のフィラデルフィアに集まり、第1回大陸会議を開催してイギリスへの抵抗のため団結した。

こうして緊張が高まるなか、1775年**4月19日**、マサチューセッツ州のレキシントン・コンコードで、イギリス軍とマサチューセッツ民兵が交戦状態に。これ以降、北米住民とイギリスは全面戦争に突入しアメリカ独立戦争が始まった。

開戦後の同年5月、第2回大陸会議が開催され、北米住民によるアメリカ大陸軍の総司令官にワシントンが就任。ワシントンはフレンチ＝インディアン戦争に参戦後、裕福な農場主となり、反英運動に積極的に参加していた。

この段階では、北米住民のなかで、イギリスから独立を唱える者はまだ少数だった。北米植民地の経済力、軍事力はまだ弱く、北米住民の間には自分たちは本国住民と同じくイギリス国王の臣下という意識があったからだ。しかし、政治思想家トマス＝ペインは著書の『コモン＝センス』を刊行して、北米住民に自由で民主的な新国家の建設を強く訴えた。戦闘が長期化するなか独立を求める世論が高まり、大陸会議は1776年7月、ついにアメリカ合衆国の独立宣言を発表し戦争目的が明確化した。

**その他の出来事**

1839年・ベルギー独立　　1928年・第2次山東出兵を決定　　1960年・韓国で李承晩政権崩壊

# 4月/20日【1653年】 クロムウェルが残部議会を解散する

No.110

イングランド王国では、1649年1月に国王チャールズ1世が打倒されてイングランド共和国が成立したのち、実権を握ったクロムウェルがしだいに独裁的な傾向を強める。議会でクロムウェルが属した独立派以外の勢力は次々と弾圧され、残った約50人ほどの議員による議会は残部議会（Rump Parliament）と呼ばれた。

イングランド共和国の国旗

クロムウェルは、王党派の残党やカトリック信徒の多いアイルランドに侵攻し、戦費を調達するため住民から土地を没収する。抵抗したアイルランド住民は大量に虐殺されたが、クロムウェルはカトリックの殲滅（せんめつ）を「神の導き」として正当化。これは、現在まで尾を引くイギリスとアイルランドの根深い対立の発端となる。同じく王党派の残党が潜伏するスコットランドも、続いて制圧された。

だが、クロムウェルに従う軍と残部議会との対立は依然として解消されず、意を決したクロムウェルは、1653年**4月20日**に議会を解散させる。代わって、軍や教会から推薦された議員による指名議会が開かれたが、性急な社会改革を進めようとしたため、短期間で解散に追い込まれた。その後、軍の幹部が中心となり、イングランドでは初の成文憲法となる統治章典を制定。この統治章典に基づいて、同年12月にクロムウェルは護国卿（ごこくきょう）に就任し、名実ともに独裁権力を確立した。

統治章典による新体制では、立法府は定員460人の一院制となり、護国卿と国務会議が行政権を掌握。国内には、なおも王党派やカトリック信徒、議会の長老派や水平派の残党といった敵対勢力がいたため、クロムウェルは実質的な軍事政権を築き、全国を10の軍区に分けて軍政長官が統治した。また、ピューリタンの道徳観が徹底され飲酒や観劇などの娯楽を禁止。1657年3月には、議会から統治章典を修正した「謙虚な請願と勧告」が提出され、クロムウェルに王位を与えることも検討された。クロムウェルは即位を拒否したが、後継者を指名する権利が認められた。

ところが、翌1658年9月、クロムウェルは病に倒れて急死。後継者指名に基づき息子のリチャードが護国卿の地位を継いだが、指導力は乏しく、8カ月で辞任を余儀なくされた。議会は王党派との妥協を図り、1660年4月にはオランダに逃亡していたチャールズ2世（チャールズ1世の遺児）が帰国し、王政復古を果たす。

**その他の出来事**

1556年・斎藤道三、敗死　1729年・天一坊処刑　1792年・仏、オーストリアに宣戦布告

# 4月/21日 【1898年】 米議会がアメリカ=スペイン戦争の開始を宣言する

No.111

映画「市民ケーン」のモデルにもなったハースト

19世紀後半、アメリカのフロリダ州と隣接するスペイン領キューバでは、アメリカ企業による大規模農場の買収が進んだ。同時期、キューバではスペインからの独立運動が激化。1895年7月にキューバは独立を宣言するが、スペインが独立派を徹底的に弾圧した。アメリカでは、「新聞王」と呼ばれたハーストが発行する『ニューヨーク・モーニング・ジャーナル』をはじめ、多くのメディアがスペイン批判を報道。このため、国民の間にはスペインとの開戦を唱える世論が広がる。

1898年2月、キューバのハバナ沖に停泊していたアメリカの戦艦メイン号が突如沈没した。これをきっかけにアメリカ内の反スペイン感情は決定的になる。なお、メイン号沈没事件の詳細は現在も謎が多く、純然たる事故だったがスペインの攻撃だと歪曲報道された説、アメリカ海軍による自作自演説も唱えられている。

4月に入ると、アメリカのマッキンリー大統領はキューバへの派兵を決定。正式にスペインへの宣戦布告が行なわれたのは4月25日だが、アメリカ連邦議会は事後的な形ながら、**4月21日**から戦闘状態に入ったと宣言する。

かくしてアメリカ=スペイン戦争（米西戦争）が始まり、アメリカ軍は短期間のうちに太平洋上でスペイン領のフィリピンやグアムを制圧。キューバに上陸した部隊はスペイン軍の拠点サンティアゴを陥落させ、8月12日に休戦協定が結ばれる。

12月10日にパリで結ばれた講和条約では、スペインによる賠償金の支払い、キューバの放棄、フィリピン、グアム、プエルトリコをアメリカに割譲することが定められた。なお、講和会議はキューバとフィリピンの独立派を除外して行なわれた。

アメリカ=スペイン戦争の敗戦により、帝国主義の先駆となったスペインの没落は名実ともに明らかとなった。キューバは独立国となるが、政治・経済・軍事のあらゆる面で、実質的にアメリカの支配下に置かれ続けた。アメリカ追従の体制に対するキューバ人の反発は、最終的に1959年1月のキューバ革命という形で結実することになる。

一方、フィリピンとグアムは米領となり、独立国だったハワイもアメリカ=スペイン戦争中にアメリカに併合された。こうしてアメリカは太平洋に勢力圏を拡大したが、これは日本との衝突を招き、日米戦争の種がまかれることになった。

**その他の出来事**

1509年・ヘンリ7世、死去　1583年・秀吉、賤ヶ岳の戦いで柴田勝家を破る　1967年・ギリシアで軍事クーデタ

# 4月/22日【1930年】ロンドン海軍軍縮条約が調印される

No.112

統帥権干犯という語句を広めた北一輝

第一次世界大戦後の軍縮ムードを背景に、1922年2月には各国の主力艦の保有量を制限するワシントン海軍軍縮条約が結ばれた。これに続き、1930年**4月22日**、補助艦艇の保有量を制限するロンドン海軍軍縮条約が調印される。

条約会議には、アメリカ、イギリス、フランス、イタリア、日本の5カ国が参加したが、フランスとイタリアは他国との合意に至らず会議から脱落。日本からは、元首相の若槻礼次郎が全権大使として出席した。会議の議題となった補助艦艇には、大型の重巡洋艦、やや小型の軽巡洋艦、さらに小型の駆逐艦などがあり、日本側はワシントン海軍軍縮と同じく、アメリカ、イギリスの保有トン数の7割の比率を希望していた。しかし、意見調整の結果、重巡洋艦の比率は米英が10に対して日本が6.02、軽巡洋艦と駆逐艦は米英が10に対して日本は6.97、潜水艦は米・英・日とも均等とされる。

米英との合意の成立は国際的に高く評価されたが、日本国内では軍や民間人の多くから不満の声が上がった。若槻を条約会議に派遣した浜口雄幸首相は、海軍軍令部の了承を得ずに軍備力を決定したため、天皇を最高責任者とする軍の統帥権(とうすいけん)を干犯(かんぱん)(干渉・侵害)したと非難される。これ以降「統帥権干犯」は、軍部が文民の政治家と衝突した際、相手を黙らせる常套句(じょうとうく)として定着。なお、統帥権干犯という語句を広めたのは、国粋主義思想家の北一輝だったといわれる。北は陸軍の改革的な青年将校に強く支持されたが、のちに二・二六事件への関与を疑われて処刑される。

ワシントン海軍軍縮条約とロンドン海軍軍縮条約の調印に多くの軍人が反発した背景には、1882年に明治天皇の名で発せられた軍人勅諭により、軍人の政治参加が認められていなかったという点がある。このため、文官の政治家に反対意見を通すには直接行動しかないという考え方が広まり、1932年に起こった五・一五事件、1936年に起こった二・二六事件など、軍人によるテロやクーデタが頻発する。

さらに、満洲事変を機に日本は米英をはじめとする諸外国との対立が深まり、1933年3月に国際連盟を脱退、国際協調路線の外交は放棄されることになった。1936年1月、日本はロンドン海軍軍縮会議を脱退。同年11月にはロンドン・ワシントン海軍軍縮条約いずれも失効し、各国の建艦競争はふたたび激化していった。

**その他の出来事**

1451年・イサベル女王、誕生　1900年・義和団が列強公使館を包囲　1925年・治安維持法公布

# 4月/23日【1920年】 ケマル＝アタチュルクがトルコ大国民議会を開催

No.113

トルコ共和国初代大統領のケマル＝アタチュルク

現在のトルコは君主国ではなく共和国だが、建国の父・ケマル＝アタチュルク（ムスタファ＝ケマル）に対する不敬罪が存在する。外国人観光客であっても、公の場でケマルを嘲笑したり、ケマルの銅像や肖像を汚す行為を行なうと逮捕される場合がある。それほどまでに、トルコ国民の間では今もケマルの影響力が強い。

早くから軍人として頭角を現したケマルは、1908年7月の青年トルコ党による革命運動に参加後、軍務に戻る。第一次世界大戦が始まると、1915年4月のガリポリの戦いで、イギリス・オーストラリア・ニュージーランドの連合軍の上陸を見事に退け、国民的英雄としてたたえられた。しかし、結果はトルコの敗北に終わる。

連合国は弱体化したトルコの分割を図り、1919年5月にはギリシア軍がアナトリア半島西部のイズミルに侵攻してきた。トルコ皇帝メフメト6世の政府がほぼ何もできずにいる状況下、ケマルは独自に軍を率いて祖国解放戦争を展開。ケマルとその同志は、連合国によるトルコの分割や占領に反対するアナトリア・ルメリア権利擁護委員会を組織して、国民の支持を集めた。イギリスをはじめとする連合国はメフメト6世と講和の交渉を進めていたので、権利擁護委員会が勢力を拡大する事態を懸念し、1920年3月に首都イスタンブルを占領してしまう。

これに対しケマルは、権利擁護委員会の支持者や、イスタンブルから逃れてきた議員を結集させ、**4月23日**にアナトリア半島のアンカラでトルコ大国民議会を開催。ここからトルコ革命が始まり、イスタンブルにある皇帝の政府とは別個に、アンカラではケマルを首班とする大国民議会政府が発足した。

連合国はメフメト6世の政府にセーヴル条約を結ばせ、イギリス、フランス、イタリアによるアナトリア半島の分割、キプロス島のイギリスへの割譲、治外法権の存続などを一方的に取り決める。大国民議会政府はこれを断固として拒絶し、のちに皇帝の政府から実権を奪うと、連合国にセーヴル条約を撤回させた。

つまり、トルコ革命は西洋列強の連合国に対する闘争と、列強に妥協的な皇帝政府の打倒という2つの側面をもっていた。さらにケマルは、政教分離、イスラーム教の習慣に基づく服装の廃止、西洋式教育の導入といった近代的な改革を進めていく。

**その他の出来事**

1858年・井伊直弼、大老に就任　1895年・三国干渉　1862年・寺田屋事件

# 4月/24日【1877年】 ロシアがトルコに宣戦して ロシア=トルコ戦争が勃発

No.114

ロシア=トルコ戦争はバルカン半島諸国の独立をもたらした

19世紀の帝国主義時代、北方に位置するロシア帝国の課題は、海岸が氷に覆われる冬季でも使用できる不凍港の確保だった。このため、ロシアは南下政策を進め、オスマン帝国衰退に乗じて黒海周辺で領土の拡大を図る。1853年10月、ロシアがオスマン帝国の東方正教徒保護権を要求したことから、クリミア戦争が勃発。

開戦後、東地中海でのロシアの勢力拡大を懸念するイギリスとフランス、さらにはフランスと協調するイタリア半島のサルデーニャ王国が、オスマン帝国側になって参戦する。英仏軍は、ロシア黒海艦隊の拠点であるセヴァストポリを長期間にわたって包囲し、戦力を消耗したロシアは1856年3月に和平に応じる。この敗戦で自国の後進性を痛感したロシアは、近代化改革を導入し、1861年3月に皇帝アレクサンドル2世は農奴解放令を発した。

これ以降も、ロシアとオスマン帝国の対立はくすぶり続ける。1875年にはオスマン帝国領内のバルカン半島でキリスト教徒の反乱が弾圧され、多数の死傷者が発生した。ロシアはふたたび、正教徒の保護を掲げてオスマン帝国に宣戦し、1877年**4月24日**にロシア＝トルコ戦争（露土戦争）が勃発する。西欧各国はトルコによるキリスト教徒の虐殺を非難し、今度はイギリスやフランスも介入を控えた。クリミア戦争後に軍制改革を進めたロシアは堅調に戦闘を進め、オスマン帝国の首都コンスタンティノープル（現在のイスタンブル）にまで迫り、勝利を収める。

1878年3月に結ばれたサン=ステファノ講和条約で、ロシアは黒海に面するベッサラビアを獲得、オスマン帝国の支配下にあったキリスト教国のセルビア、モンテネグロ、ルーマニアは独立を認められた。これを機に、バルカン半島ではロシアを後ろ盾としたスラブ民族主義が拡大する。だが、この動きはゲルマン民族国家のドイツ帝国、オーストリア帝国との対立を招き、第一次世界大戦までもち越される。

また、オスマン帝国は極東地域で同じくロシアと対峙する立場の日本に友好的姿勢を示し、のちに日本が日露戦争で勝利すると、オスマン帝国では明治天皇を絶賛する声が広まった。ちなみにロシア＝トルコ戦争という語句は、17～19世に起こった一連のロシアとトルコの戦争の総称にも使われる。1568～1878年まで11回にわたって繰り返され、クリミア戦争も数あるその1つに位置付けられている。

**その他の出来事**

1856年・ペタン、誕生　1965年・ドミニカ内乱　1916年・ダブリンでシン=フェイン党など反英武装蜂起

# 4月25日 崇禎帝が自害したことにより明王朝が滅亡

【1644年】

No.115

明の第17代皇帝、崇禎帝

中国大陸の歴史では、14～17世紀の明王朝と17～20世紀の清王朝の間に、じつは短期間ながら順という王朝があった。この三者の関係は、明の滅亡後に順が建国され、先に成立していた清が順を滅ぼすというものだった。

17世紀初頭、明の北方に住む女真族は、愛新覚羅氏に属するヌルハチの手で統一され、後金という国名を自称した。この名は、女真族が12世紀に築いた金王朝の後継国家を意味する。ヌルハチの死後、王位を継いだホンタイジはモンゴルに領土を広げる。さらに、モンゴル族の帝位の印である国璽を手に入れ、1636年に国名を清と改めて皇帝に即位した。これに前後し、部族名も女真族ではなく満洲族と名乗るようになる。

ホンタイジは明の征服を図るが、山海関（長城の東端）を守る明軍の呉三桂の抵抗を受け、目的を果たせぬまま急死。続いて即位したフリン（順治帝）は幼く、ホンタイジの皇妃ブムブタイと摂政のドルゴンが明の攻略を引き継いだ。

この頃、明の宮廷は、崇禎帝が政治を左右する宦官の排除を進めたものの、内紛が続いて混乱下にあった。さらに、陝西地方では飢饉が発生し、税の減免を求める農民の反乱が相次ぐ。明軍は清との戦いに動員されていたので、李自成の率いる反乱軍は難なく北京を制圧した。追いつめられた崇禎帝は1644年**4月25日**に自決し、明は滅亡する。そして、李自成は順の建国と皇帝への即位を宣言した。

ここで呉三桂は、敵対していた清軍と手を結び、北京に侵攻する。李自成の天下はわずか40日で終わり、逃亡したものの翌年に捕らえられて殺害された。呉三桂の協力によって清は北京を無血占領し、順に代わって中国大陸の全土を掌握する。

ただし、当時の漢民族の総人口が約1億人に対し、満洲族は約50万人と少数派だった。清は漢民族の支配を円滑にするため、崇禎帝を丁重にとむらい「明を滅ぼしたのは李自成であり、清は明の仇を討った」という解釈を広めた。

一方で、清は満洲族の文化である辮髪（頭頂以外の髪をそり落とすヘアスタイル）を漢民族にも強要する。漢民族は儒教文化の影響で親から授かった身体に手を加えることを嫌うため抵抗したが、辮髪を拒否する者は容赦なく処刑された。このため「頭を残す者は髪を残さず、髪を残す者は頭を残さず」という言葉が生まれた。

**その他の出来事**

前404年・ペロポネソス戦争終結　1868年・近藤勇、処刑　1982年・イスラエル、シナイ半島を返還

# 4月/26日【1915年】
# 英仏露伊の4国がロンドン秘密条約に調印

No.116

第一次世界大戦と第二次世界大戦で、イタリアは2度にわたり戦争中に立ち位置を変えている。この背景には、イタリアと同盟国の利害の不一致があった。

1882年5月、ドイツ帝国、オーストリア帝国、イタリア王国は三国同盟を締結。これ以前から、ドイツとオーストリアはロシアに対抗するため連携していたが、1881年4月にフランスが北アフリカのチュニジアを占領すると、イタリアはフランスを警戒してドイツとオーストリアとの協調を図り、三国同盟が成立する。

原因となった未回収のイタリア

だが、イタリアはオーストリアとの間に領土問題を抱えていた。南チロル地方と、アドリア海に面するトリエステ、イストリアだ。1861年3月にイタリア半島の統一が果たされたのちも、この3地域は未回収のイタリアと呼ばれた。

このため、イタリアは20世紀に入ると、イギリス、フランス、ロシアの三国協商に接近する。1914年7月に第一次世界大戦が勃発すると、イタリアは中立を宣言。英、仏、露の3国は水面下でイタリアを協商国（連合国）に引き込む工作を進め、トリエステ、イストリアの割譲を約束した。かくして、1915年**4月26日**に英、仏、露とイタリアとの間でロンドン秘密条約が結ばれ、5月にイタリアは協商国側で参戦した。

戦後、イタリアはトリエステ、イストリアの大部分を獲得するが、イタリア系住民とクロアティア系、セルビア系住民が混在していたフィウメは、新たに成立したユーゴスラヴィア王国に編入される。これに抗議するイタリアの民族主義者ダヌンツィオは、私兵を率いてフィウメを占領した。結局、1920年11月にイタリアとユーゴスラヴィアはラパロ条約を結び、フィウメを中立の自由市とする。

その後、イタリアではムッソリーニを首班とするファシスト党政権が成立。1939年9月に第二次世界大戦が勃発すると、ドイツ、日本と三国軍事同盟を結んで枢軸国を形成した。だが、独伊の関係は良好ではなかった。地中海・北アフリカ戦線でイタリアの敗戦が続くと、ドイツではイタリア蔑視の感情が広がる。疲弊したイタリア国民も、ドイツに引きずられての戦争継続を喜ばなかった。1943年7月に連合軍がシチリア島に上陸したのち、ムッソリーニは失脚、イタリアは降伏して枢軸国から脱落する。ドイツとの同盟は2度とも中途半端な形に終わった。

**その他の出来事**

1655年・糸割符制度を廃止　1867年・北ドイツ連邦成立　1986年・チェルノブイリ原発事故

# 4月/27日【1959年】 毛沢東が中国の国家主席を辞任

No.117

中国大陸では1949年10月、共産党が国民党に代わって全土を掌握し、中華人民共和国が成立した。国家主席に就任した毛沢東は、1953年からソ連の支援の下で第1次五カ年計画を進め、多くの鉱山や国営工場、集団農場を開発する。

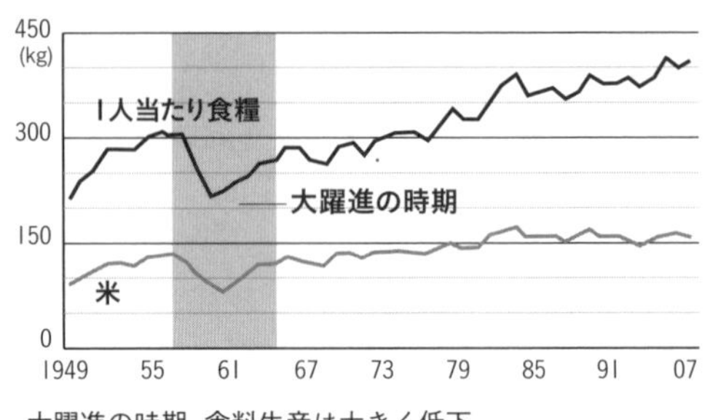

大躍進の時期、食料生産は大きく低下

続いて1958年にスタートした第2次五カ年計画では、「15年間でイギリスの経済力に追いつく」という目標が掲げられる。だが、中ソ関係の悪化でソ連の支援が縮小。このため、毛沢東は専門的な知識や技術をもたない農民を大々的に動員することで、工業生産の拡大を図る。この政策は大躍進と呼ばれた。大躍進の導入とともに、中国各地の農村では地方行政機関と集団農場を一体化した人民公社が組織される。

さらに、毛沢東は農村の各家庭で「土法炉」という簡易な自家製の溶鉱炉による製鉄を行なわせて、鉄鋼生産を飛躍的に増やそうと図った。ところが、品質の低い鉄しかできず、農民が製鉄にかまけて農業生産は大幅に減少してしまった。加えて、毛沢東の発案により、穀物を食べてしまうネズミやスズメの駆除が徹底されたが、かえってスズメが捕食していたイナゴなどの害虫が大量発生。農業生産の低下との相乗効果で大飢饉が広がり、数千万人もの餓死者が発生した。

1959年**4月27日**、毛沢東は大躍進政策の失敗の責任を取って、国家主席の地位を辞任する。国家主席の地位は、副主席などの要職を歴任していた劉少奇(りゅうしょうき)に移り、以降は劉少奇と、周恩来の弟分で総書記の鄧小平(とうしょうへい)が政務の実権を握った。

さらに、1959年7～8月に開かれた中国共産党の中央政治局拡大会議（廬山会議）では、人民解放軍の重鎮だった彭徳懐(ほうとくかい)が毛沢東をきびしく追及する。しかし、毛沢東は猛然と抵抗し、逆に彭徳懐とその支持者を反党分子と見なして党の要職から解任した。

毛沢東は政府のトップである国家主席の地位を失ったのちも、共産党の中央委員会主席と、中央軍事委員会主席の地位は維持。つまり、政府の運営からは降ろされても、共産党の組織と人民解放軍は依然として毛沢東の指揮下にあった。この立場を利用し、毛沢東は1960年代中期から多数の青年党員を動員してプロレタリア文化大革命を繰り広げ、劉少奇や鄧小平から実権の奪回を図った。

**その他の出来事**

1333年・足利尊氏、倒幕を決意　　1960年・韓国李承晩政権が倒れる

# 4月28日【1615年】 戦国時代最後の戦い 大坂夏の陣が始まる

No.118

17～19世紀、アジアでもヨーロッパでもあらゆる国で戦乱は絶えなかったが、戦国時代の終結した日本は、250年以上も大きな戦乱のない時代が続いた。この平和期に突入する前、最後の戦いとなったのが、1615年**4月28日**に起こった大坂夏の陣だ。

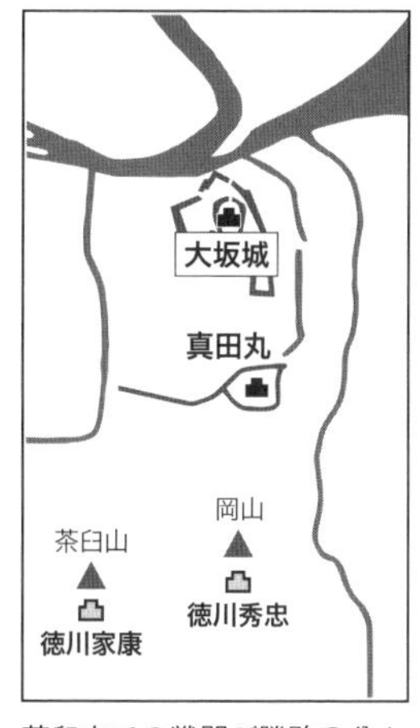


茶臼山での戦闘が勝敗の分かれ目に

1603年に江戸幕府が成立したのち、豊臣氏は一介の大名となるが、なおも大きな財力をもち、幕府に属さない浪人を多く抱えていた。1614年7月、かつて豊臣秀吉が建立した方広寺に「国家安康　君臣豊楽」と記された鐘が寄進される。徳川家康は、自分の名の家と康を分断し、豊臣の天下を楽しむという文意を読み取って激怒し、大坂城にいる豊臣秀頼に母の淀君を人質として差し出すことを要求した。

家康と秀頼の交渉は決裂。同年10月に幕府は諸大名に大坂城の攻撃を命じて大坂冬の陣が始まる。秀頼は各地の豊臣氏出身の大名に助力を求めたが、応じる者はなかった。だが、徳川氏と敵対する真田信繁(のぶしげ)（幸村）、長宗我部盛親(ちょうそかべもりちか)らの武将がはせ参じる。幕府軍は大坂城を絶え間なく砲撃して籠城する兵たちに恐怖とストレスを与え、ついに淀君は和睦に応じた。幕府側は淀君の身柄引き渡しを撤回して、代わりに大坂城の外堀を埋めることを要求し、秀頼と淀君はこれを受け入れる。

ところが、幕府軍は無断で内堀までも埋め立て、危機感を抱いた大坂城内では再戦を唱える声が高まる。年が明けると家康は改めて、大坂城内にいる将兵の解散か、秀頼の退去を要求した。秀頼はこれを拒否し、大坂夏の陣が始まる。

大坂城は外堀も内堀も失い、籠城は困難となったので、豊臣軍は城外への攻勢に出た。秀頼の腹心の木村重成(しげなり)、かつて黒田孝高（官兵衛）に仕えた後藤又兵衛（基次(もとつぐ)）らが奮闘したが、次々と幕府軍に討ち取られる。幕府軍が攻勢にかかると、真田信繁は逆に茶臼山にあった幕府軍本陣を襲撃、家康の首に迫ったものの逆に討ち取られてしまう。豊臣軍は実質的に2日間の戦闘で壊滅し、秀頼と淀君は大坂城に火を放って自決。ただし、城内は損傷が激しく、遺骸は発見されなかったという。

大坂夏の陣の終結による平和時代の到来は、当時の元号から元和偃武(げんなえんぶ)と呼ばれる。以降、江戸時代の日本は穏やかな形で農業生産の向上や文化の発展を果たすが、19世紀の帝国主義時代に入ると世界の趨勢(すうせい)に立ち遅れることになった。

**その他の出来事**

711年・イスラーム教徒、ジブラルタルを占領　　1952年・サンフランシスコ平和条約・日米安保条約発効

# 4月/29日【1859年】 第2次イタリア独立戦争が始まる

No.119

イタリアという国は19世紀まで存在しなかった。イタリア半島では476年に西ローマ帝国が解体されて以降、長らく小国が分立した群雄割拠の時代が続く。15世紀には、フィレンツェ共和国、ミラノ公国、ヴェネツィア共和国、ナポリ王国、ローマ教皇領が5大勢力となり、18世紀に入ると北部にサルデーニャ王国が成立する。

もともとイタリアは小国に分立していた（1815年以降）

フランス革命後、イタリア半島は1801～14年までナポレオン率いるフランスの支配下に置かれる。この時期には、フランス革命の影響を受けた近代的な啓蒙思想が広がる。同時に、フランス支配に対する抵抗を通じ、それまでの各地域の領民が分断された状況を脱して、イタリア人の団結を唱えるナショナリズムが高まった。

フランスによる占領期に前後して、イタリアの統一と外国勢力の排除を唱える秘密結社カルボナリ（炭焼党）が活動を広げる。さらに1831年12月、自由主義者マッツィーニによって、共和政によるイタリア統一を目指す青年イタリア党が結成された。のちにイタリア王国初代首相となるカヴール伯爵は、1847年に自由主義的な新聞『イル・リソルジメント』を刊行。この紙名から「リソルジメント（復興・再興）」という語句が、一連のイタリア統一運動を指す用語として定着していく。

1848年2月、オーストリア帝国の支配下にあったミラノでは大規模な暴動が発生した。サルデーニャはこれを支援してオーストリア軍に宣戦し、第1次イタリア独立戦争が起こるが、戦闘はサルデーニャ軍の敗北に終わった。続いて1849年2月にはローマ市民が蜂起し、教皇ピウス9世がナポリに逃亡、マッツィーニを中心とするローマ共和国が成立。だが、教皇庁の保護に動いたフランスの介入により潰された。その後、イタリア統一運動は一時的に下火となるが、サルデーニャはイタリア半島のほかの国々に先駆けて立憲君主制を取り入れる。国力の増強と近代的な改革を進め、外交上の後ろ盾を得るため秘密裏にフランスと同盟を結んだ。

満を持してサルデーニャがオーストリアに再戦を挑み、1859年**4月29日**に第2次イタリア独立戦争が始まる。サルデーニャとフランスの連合軍は、6月のソルフェリノの戦いでオーストリア軍を撃破し、大勝利を収めた。サルデーニャはオーストリア支配下のロンバルディアを併合し、イタリア統一に大きく踏み出す。

**その他の出来事**

1331年・元弘の乱が始まる　1429年・ジャンヌ＝ダルク、オルレアンに入る　1851年・米で世界最初の電車運行

# 4月/30日【1789年】 ワシントンがアメリカ初代大統領に就任

No.120

アメリカ初代大統領に就任したワシントン

アメリカ独立戦争の終結後、独立軍を率いたワシントンは、公職を辞して農場経営に戻った。しかし、1787年5月に憲法制定会議が開かれると、その議長に推される。

第1回の大統領選挙にワシントンが出馬すると、選挙人の満場一致でワシントンが選出され、1789年**4月30日**に初代大統領に就任。このとき投票権をもっていたのは土地を所有する成人男性のみで、アメリカ国民の約6％しかいなかったという。それでも、独立戦争の英雄たるワシントンが絶大な支持を得ていたのは事実だ。

大統領に就任後のワシントンの課題は、中央政府の権限強化を図る連邦派（フェデラリスト）と、これに抵抗して各州の独立性を訴える反連邦派（アンチ・フェデラリスト）の対立の調停だった。ワシントンは中立の立場を取り、連邦派の中心人物だったハミルトンを財務長官、反連邦派のジェファソンを国務長官に起用した。その後も連邦政府と地方の州（とくに南部）との対立は、現在まで尾を引いている。

外交面では、1789年に起こったフランス革命とこれに対するヨーロッパ諸国の干渉戦争に対して中立の姿勢を取った。これ以降もアメリカでは、1917年に第一次世界大戦に参戦するまで、外国の問題には不干渉の孤立主義が基本方針となる。

1792年の大統領選挙でワシントンは再選。この政権2期目の1794年7月、ペンシルヴェニア州南西部の農民が、数少ない換金商品であるウイスキーへの課税に反対して反乱を起こす。ワシントンはみずから現地で鎮圧を指導し、事態を収めた。

アメリカ国内ではワシントンの3期目就任を期待する声が高かったものの、ワシントンはこれを辞退して引退。これを踏襲し、アメリカでは大統領任期を2期までとすることが通例となる。唯一の例外が第二次世界大戦前後のフランクリン＝ローズヴェルト大統領だが、1951年に憲法で3選の禁止が明文化された。

1799年12月、ワシントンは寒気による急性の喉頭炎と肺炎で死去する。翌年、首都機能が置かれていたコロンビア特別区にはワシントンD. C.の名が冠された。また、ワシントンの誕生日は2月15日であったため、2月の第3月曜日は「Presidents' Day（大統領の日）」として祝日に定められている。

**その他の出来事**

1358年・足利尊氏、死去　1888年・枢密院設置　1975年・ベトナム戦争が終結

# ※ 地図索引 ※

アジア
シベリア 55,121,165,254
千島列島 47,247,273
黒竜江
（アムール川）165,343
樺太 47,
164,247,
270,273
ウラジ
ヴォストーク
165,343
満洲 41,47,67,74,
122,148,164,178,
247,323,355,371,373
奉天（瀋陽）74,178,270
柳条湖 67,74
ハルビン
39,44,52,
74,255,323
沿海州
165,270,343
モンゴル 52,53,142,367
山海関 130
大連 29,270,
355
旅順 29,164,
270,355
高句麗
175,187,
260,286
高麗 100,
142,367,379
サマルカンド 229
北京（燕京、中都、大都）
39,52,55,91,92,97,110,130,
141,142,173,178,180,197,
208,272,275,371,379
天安門広場 110,173
天津
122,141,
272,320
大宛 57
新羅 175,
260,286
山東半島 29
青島 29,122
大月氏国 57
ソウル（漢城）24,
44,69,100,255,285
カラコルム 142
開封 39,46,52,161,170,371
江都（揚州）187
洛陽 51,292,376
カシミール
63,96,123
上海 31,117,
122,141,197,
208,278
西安（長安、咸陽、大興）
21,45,51,64,181,187,269,
373,377
垓下 64
吐蕃
75,181
チベット
55,75,83,123
パキスタン
63,96,372,380,
385,389
杭州（臨安）92,97,
122,161,371,379
南京（建康）12,51,55,97,145,
178,197,208,275,307,373
武漢 97,141 武昌 12,307
デリー 77,147,
330,334,352
赤壁 376
台湾 12,109,
117,122,145,273
重慶 122,208
瑞金 312,373
福州 97,197
広州 31,97,117,122,197,
275,320
マカオ 12,93,94
ボンベイ
（ムンバイ）192,389
ハノイ（交阯郡）57,89,258,380
北ベトナム 38,50,60,237,380
ゴア
93,157,
223,352
バングラ
デシュ 96
インドシナ
半島 60,91,
113,150,174
トンキン湾 50,237
カルカッタ
（コルカタ）
192,264,284,
389
ラオス
113,150,
258,380
フエ（日南郡）
57,258
フィリピン 93,
126,271,363,380
ミャンマー
（ビルマ）
101,113,258
380
サイゴン 38,258
南ベトナム 38,50,89,150,237,380
カリカット
157,352
セイロン島 283
コーチシナ 258
プノンペン 60,91,150,258
カンボジア 60,91,101,113,120,150,258,380
アユタヤ
101,243,392
アンコール 101
マラッカ（マラッカ王国）
93,101,212,223,243
インドネシア 250,392
モルッカ諸島
176,223,243,271

# 5月

May

# 5月/1日【1851年】第1回ロンドン万国博覧会が開催される

No.121

2025年4月に大阪府大阪市で開催予定の日本国際博覧会は、166の国や企業による出展と約2800万人の来場者を見込んでいる。国際博覧会（万国博覧会）は、最新技術と多様な商品の見本市であると同時に、大きなビジネスの場だ。その先鞭（せんべん）を付けたのが、1851年**5月1日**にイギリスで開催された第1回ロンドン万国博覧会だ。

当時、画期的な建築物「水晶宮」

18世紀の後期以降、イギリスは産業革命が始まり、19世紀には蒸気機関や鉄道をはじめ数々の最新テクノロジーが急速に発達する。さらに、アジア、アフリカ、北米、太平洋上などに植民地を広げ、さまざまな物産が流入してくるようになった。それらを展示し、諸外国に国威を示すイベントとして万国博覧会が開かれた。

ときのイギリス君主は大英帝国の最盛期を築いたヴィクトリア女王で、その夫のアルバート公が万国博覧会の総裁を務めた。フランスやアメリカなどの諸外国も出展したが、会場はイギリスを中心とした世界の縮図をイメージし、中央にイギリスの工業製品を展示、その周辺に世界各地の物産が配置された。

展示物のなかで最大の目玉は、建築家ジョセフ＝パクストンが設計した「水晶宮（クリスタル・パレス）」だった。長さ552メートル、幅122メートル、ドーム部分は高さ41メートルの巨大な建築物で、ガラスと鉄骨で構成されていた。装飾を最低限にしたシンプルな構造で、壁面がガラス張りのため屋内は明るく、初期モダニズム建築の代表格といえる。外見だけでなく使われている技術も独特で、大量生産された規格部材を現場で組み立てるプレハブ工法が取り入れられていた。万国博覧会の終了後、ロンドン南方のシデナムに移築したが1936年11月に火災で焼失した。

ロンドン万国博覧会は、内外から610万人もの入場者を集め、18万6000ポンドの利益を上げて大成功に終わる。イギリス国内での集客の背景には、鉄道網の発達と団体割引の普及があり、その後、旅行ビジネスが普及するきっかけにもなった。

これに触発され、アメリカが1853年に第1回ニューヨーク万国博覧会、フランスが1855年5月に第1回パリ万国博覧会を開催する。その後も万博は国威発揚イベントとして各国で開かれるようになり、1867年の第2回パリ万博では幕末期の江戸幕府と薩摩藩も物産を出展した。1889年の第4回パリ万博ではエッフェル塔が目玉の展示物となる。

**その他の出来事**

1218年・神聖ローマ皇帝・ルドルフ1世、誕生　1707年・大ブリテン王国成立　1961年・カストロ、社会主義宣言

# 5月/2日【1808年】 マドリード市民がナポレオンに対し蜂起

No.122

マドリード市民が起こした抵抗運動の戦争画

現在も使われるゲリラという語句は、スペイン語で「小さな戦争」を意味する。19世紀の初頭にヨーロッパの大部分を征服したナポレオンは、スペイン住民のゲリラ活動に苦しめられ、「スペインの潰瘍（かいよう）が私を滅ぼした」と語った。

1807年11月、ナポレオンはフランスに抵抗するポルトガルに軍を派遣して首都リスボンを占領し、さらに隣接するスペインにも占領地を広げた。スペイン王室ではフランスへの対応を巡って内紛が起こり、1808年3月に国王カルロス4世が退位してフェルナンド7世が即位したが、国王の政権はフランスに対し無力だった。

こうした状況下、**5月2日**にマドリード市民は自発的にフランス軍への抵抗運動を開始する。ナポレオンはフェルナンド7世を退位させ、代わりに自分の兄のジョゼフを、スペイン国王ホセ1世として即位させた。スペイン国民はこれを認めず、反フランスのゲリラ闘争が全土に広がる。以降の戦いはスペイン独立戦争と呼ばれ、フランス側では半島戦争と呼称する。ナポレオンはみずから軍を率いて鎮圧に向かい、マドリードを制圧するが、スペイン全土の支配は維持もできなかった。

スペイン人の自主的な祖国解放の闘争は、民主的な改革運動につながった。フランス支配に抵抗する人々は各地で自治組織のフンタ（評議会）を結成し、1810年9月には各フンタの代表が南部のカディスに結集して国会を開催する。さらに1812年3月には、立憲君主制を掲げる自由主義的な1812年憲法を制定した。

また、ナポレオン戦争の時期には、スペイン王室の中南米への支配力が低下したため、ラテンアメリカ諸国の独立運動が激化する。1811年6月にはパラグアイが独立を宣言。さらに、アルゼンチン、チリなどが続いて独立を宣言した。

フランス軍はスペインのゲリラとの戦いでひたすら兵力と物資を消耗し、1814年3月、ついにスペインから撤退した。復位を果たしたフェルナンド7世は、1812年憲法を受け入れるが、のちに態度を翻して絶対王政の復活を図る。しかし、1820年1月にはかつて反フランス闘争に参加した自由主義者の軍人リエゴが反乱を起こし、一時的に憲法を復活させる。この立憲革命はフランス（復古王政）の介入で失敗に終わったが、リエゴの遺志はその後も圧政に抵抗するスペイン人に引き継がれた。

**その他の出来事**

1729年・エカチェリーナ2世、誕生　　1945年・ソ連軍、ベルリンを占領

# 5月/3日【1947年】 占領下で日本国憲法が施行される

No.123

新憲法の維持を唱えた吉田茂

戦後の占領下で1946年11月に公布された日本国憲法は、半年の準備期間を置いたうえで翌年**5月3日**から施行された。さらに翌年7月に国民の祝日に関する法律が成立し、国の成長を期する趣旨で憲法記念日は祝日の1つとなる。ちなみに、憲法記念日を含む4月末～5月頭の連休をゴールデンウィークと呼ぶ慣例は、この期間に観客動員を図った映画業界により1951年から広められたといわれる。

諸外国では国民の生活に直接関係する項目まで憲法で定めている場合もあるが、日本国憲法は条文の総文字量が少なく、「法の下の平等」「基本的人権の尊重」など原則のみを述べ、具体的な細目は刑法や民法によって規定されている。このため、明治期に制定された刑法や民法も新憲法の施行後は一部改正された。

占領下で、政府の主権に制限がある状況下で制定されたため、公布の直後から新憲法の内容に対しては賛否両論があり、改正が国政の議題とされてきた。とくに、戦争と軍備の放棄を記した第9条は論議の対象となる。

日本を占領するアメリカも、新憲法の公布から間もなく、冷戦の激化を背景に日本に対する方針を転換した。1950年6月に朝鮮戦争が勃発すると、日本国内に駐留する米軍の多くが朝鮮半島に動員された。この穴埋めとして、占領軍の指示のもと警察予備隊が創設され、のちの自衛隊に発展してゆく。だが、首相の吉田茂は日本の再軍備に強く反対。戦時中に憲兵隊に逮捕された経験がある吉田は、軍人が政治へ介入することを強く警戒し、再軍備よりも経済復興を優先する方針だった。

1952年4月、サンフランシスコ講和条約が発効して日本は独立を回復する。この直後、陸軍の作戦課長だった服部卓四郎らの旧軍人グループにより、吉田を暗殺し再軍備に同意する鳩山一郎を首相に据えるクーデタが計画された。しかし、服部と同じく旧陸軍参謀の辻政信が中止させたという。この事実は長く伏せられていたが、2007年2月に公開されたCIA（アメリカ中央情報局）の文書によって明らかになっている。

吉田の退陣後も、自民党は憲法改正を国是に掲げつつ、軍備より経済を優先する方針が基本となった。余談ながら、昭和天皇は生前、1986年4月の記者会見で「憲法を守るということについては、戦前も戦後も同じであります」と述べている。

**その他の出来事**

819年・空海が金剛峯寺を建立　1604年・糸割符制度を定める　1960年・英国主導の欧州自由貿易連合が発足

# 5月/4日【1919年】 中華民国で五・四運動が起こる

No.124

中国青年に強い影響を与えた魯迅

第一次世界大戦後、1919年1月にパリ講和会議が開かれる。中華民国の代表団は、アメリカ大統領ウィルソンの唱えた民族自決の原則によって、欧米列強による不平等条約の撤廃、日本が獲得した山東省の旧ドイツ権益の返還、日本の権益拡大を求める二十一カ条の要求の撤回を主張した。だが、4月末にアメリカ、イギリス、フランス、日本の4カ国会議で中華民国の主張は退けられる。

中華民国では猛反発が巻き起こり、**5月4日**に北京大学で約3000人の学生が抗議集会とデモを行なった。この動きは全国に広がり、五・四運動と呼ばれる大規模な暴動へと発展する。上海、武漢、天津ほかの主要都市では、日本製品のボイコットが唱えられ、工場労働者のストライキも多発。大混乱に陥り、かつて政府で二十一カ条の要求を承認した曹汝霖（そうじょりん）の家は焼き討ちされた。

北京政府を掌握する段祺瑞（だんきずい）は日本を含む列強との協調を進めていたので、運動の参加者を大々的に弾圧。このため、五・四運動は日本への抗議だけでなく、反政府暴動としての性格を強める。6月に入ると、北京政府はやむなく曹汝霖ら日本に迎合した政治家の罷免と、講和条約への調印の拒否を発表し、運動は沈静化した。

五・四運動が勃発した背景には、辛亥（しんがい）革命以降の中華民国での、圧政からの解放を求める思想や、諸外国の圧力に反対するナショナリズムの高まりがあった。1915年9月には雑誌『青年雑誌（のちの新青年)』が創刊され、学生や都市部のインテリ層に大きな影響力をもつようになる。同誌では、ジャーナリストの陳独秀（ちんどくしゅう）、アメリカで哲学を学んだ胡適（こてき）、小説家の魯迅（ろじん）、周作人（しゅうさくじん）らが寄稿し、民衆でも読める口語文（白話）で、西洋の最新の思想を広め、軍閥支配や封建的な諸制度の打破などを訴えた。

五・四運動は、その後の中国の政治の動きにさまざまな影響を与える。辛亥革命を主導した孫文は、五・四運動に参加した民衆の力に着目し、1919年10月に大衆的な政治団体として中国国民党を結成。のちに中国共産党の指導者となる毛沢東と周恩来は、五・四運動の余波が残る状況で、革命運動に身を投じた。2019年5月4日には、中国政府によって五・四運動百周年式典が行なわれ、習近平国家主席は、新時代の中国青年に向けて五・四運動の精神を受け継ぐことを語った。

**その他の出来事**

1979年・英保守党、選挙に勝利、サッチャー政権成立　　1980年・チトー、死去

5月/5日
【1260年】

# フビライがモンゴル帝国第5代皇帝に即位

No.125

モンゴル帝国では第4代皇帝モンケ＝ハンの死後、その弟のフビライ（クビライ）が1260年**5月5日**に即位を宣言。ところが、同時期に末弟のアリクブケも即位を宣言し、抗争の末にフビライは1264年にアリクブケを倒して全権を掌握する。

世界皇帝と呼び得る帝王フビライ

この頃、モンゴル帝国はフビライ直轄のモンゴル＝ウルス、中央アジアのチャガタイ＝ウルス（チャガタイ＝ハン国）、ロシア南部のジョチ＝ウルス（キプチャク＝ハン国）、中東のフレグ＝ウルス（イル＝ハン国）の4つの政権の連合体となっていた。モンゴル＝ウルスはすでに中国大陸の北部を制圧しており、フビライは皇帝の本拠地をモンゴル高原の中部にあるカラコルムから中都（現在の北京）に移す。さらに、1271年12月に元という国号を定め、中都を大都と改称した。

フビライは中国大陸の南部を支配する南宋の征服を目指すが、それに先立って朝鮮半島を攻略し、1270年には高麗を朝貢国とした。続いて日本への侵攻を図り、1274年10月に約3万人の兵を九州北部に派遣。この背景には、日本と南宋の連携を断つ意図があった。だが、元軍は鎌倉武士の抵抗により撤退を余儀なくされる。

一転してフビライは、南宋の征服に兵力を集中。1276年2月に南宋の恭帝（きょうてい）は降伏し、一部の残存兵力が抵抗を続けたものの、それらも1279年には壊滅した。

1281年7月、フビライは再度の日本侵攻を図り、南宋と高麗から吸収した兵力を含め14万人もの大軍団を派遣したが、前回以上の強い抵抗と暴風雨により失敗。日本では1度目の蒙古襲来を文永の役、2度目を弘安の役と呼ぶ。

日本侵攻には失敗したが、フビライはユーラシア大陸の大部分を支配下に置き、空前の大帝国を築き上げた。世界的な視野をもっていたフビライは、優秀な人材であれば人種、民族、宗教を問わず厚遇し、南宋の征服では、西方のペルシア人から取り入れた巨大な投石機（回回砲（かいかいほう））や、イスラーム商人による兵糧や武器の補給ルートも活用された。その反面、漢民族固有の文化である儒教を重視せず、科挙制度を縮小。また、遊牧民のネットワークを活用して東西貿易の振興に力を入れ、貨幣よりもち運びやすい紙幣を本格的に普及させた。14世紀中期に起こった黒死病（ペスト）の世界的大流行は、モンゴル帝国がもたらした中世グローバリズムの意図せぬ副産物だった。

**その他の出来事**

1789年・ヴェルサイユで三部会が開かれる　1930年・ガンディーが投獄　1955年・西独、主権を回復

# 5月/6日【1949年】 ドイツ連邦共和国（西ドイツ）臨時政府が成立

No.126

第二次世界大戦後の冷戦体制を象徴するのが、東西ドイツの分断だ。アメリカ、イギリス、フランスの3国によって占領を受けていたドイツ西部では、1949年**5月6日**にドイツ連邦共和国（西ドイツ）の臨時政府が成立。一方、ソ連が占領する東部地域では、10月7日にドイツ民主共和国（東ドイツ）が成立する。

西ドイツの初代連邦首相アデナウアー

西ドイツの首都は、ノルトライン＝ウェストファーレン州のボンとされ、ライン川の西岸沿いに、連邦議会、大統領官邸、首相官邸ほかの政府関連施設が置かれる。ボンはベートーベンの出身地として知られるが、人口が50万人に満たない中規模の都市だ。東西ドイツが統一された際にふたたびベルリンを首都とすることが想定されていたため、ボンはあくまでも臨時首都として位置付けられていた。

また、西ドイツの成立と同時に制定された憲法は、ボン基本法（ドイツ連邦共和国基本法）と呼ばれ、これもドイツ統一までの暫定憲法との位置付けだった。1990年10月にドイツ統一が果たされて以降は、改正されたうえで正式な憲法となっている。ボン基本法では、憲法秩序や国際協調に反する結社、自由と民主主義に反する政治団体は活動を制限することが明文化された。これはナチス政権の再来を防ぐためのものだが、言論や結社の自由を侵害するという不満の声も存在する。

戦前のナチス政権は、民族主義によるドイツ国民の結束を強く唱え、一元的な中央集権を築いた。これに対する反省から、戦後の西ドイツは地方分権の連邦制が取り入れられ、各州の政府は独自の憲法や議会をもち、教育制度や警察組織も州ごとに異なる。こうした体制は、東ドイツとの統一後も引き継がれていった。

政府では大統領の権限が弱く、連邦首相が行政の実権をもつ。西ドイツの成立後、1963年10月まで14年間にわたり、アデナウアーが首相を務めた。アデナウアーは戦前、1917～33年にケルン市長を務め、カトリック教会を支持基盤とする中央党の重鎮となるが、ナチス政権下では政界からの下野を余儀なくされた。戦後はアメリカ軍占領下のケルン市長に復帰し、中央党を母体とするキリスト教民主同盟を創設して党首となり、73歳で首相に就任する。アデナウアー政権は、親米・反共産主義を掲げ、精力的に西ドイツの経済復興を進めた。

**その他の出来事**

1408年・足利義満、死去　1603年・出雲阿国（いずものおくに）が歌舞伎を踊る　1607年・第1回朝鮮通信使、秀忠と会見

# 5月/7日【1582年】 羽柴秀吉が備中高松城の水攻めを実行

No.127

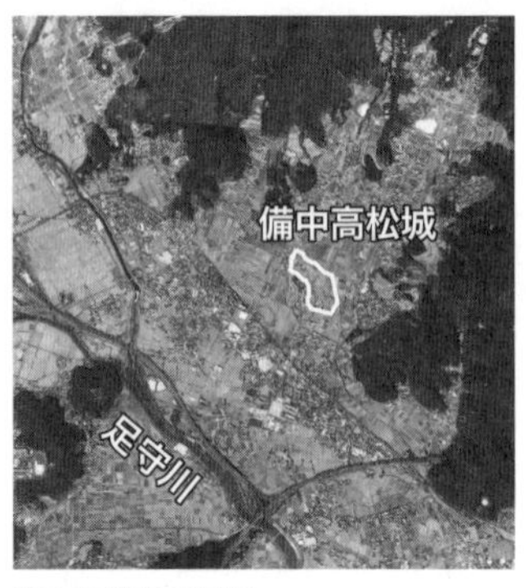

備中高松城の周辺

岡山県岡山市にある高松城跡公園は、蓮や花菖蒲（しょうぶ）の生い茂る湿地帯だ。戦国時代後期の1582年4月、織田信長から毛利攻めを命じられた羽柴秀吉は、約2万人の軍勢を率いて中国地方へ進軍。次々と備中の城を落とし、高松城の攻略にかかる。

清水宗治（むねはる）が城主を務める高松城は、広い水掘と湿地帯に囲まれ、重武装の兵や馬は容易に近付けなかった。そこで、秀吉の片腕たる黒田孝高（よしたか）（官兵衛）は逆に水攻めを具申し、作戦は**5月7日**に着手される。秀吉は高松城の西北より流れている足守川から、城の東南に位置する蛙ケ鼻まで、約3キロメートルもの堤防を築かせた。わずか12日間の突貫工事で、付近の農民に褒賞を与えて大量動員したという。

堤防が築かれたのは、まさに梅雨の時期だ。秀吉の軍が堤を切ると、連日の雨で足守川からあふれた大量の水が、高松城の周囲に流れ込んだ。毛利氏は宗治の救援のため4万の援軍を送ったが、高松城はもはや、大きな湖に浮かぶ小島のような状態。このため城には近付けず、武器や食料の補給も行なえなかった。

やむなく毛利氏は秀吉との講和の交渉を始めるが、6月3日の夜、京都の本能寺で信長が明智光秀に討たれたという報告が秀吉の元に届く。秀吉はその事実を毛利勢に伏せたまま、急いで帰京する方針を決め、宗治が自害すれば家臣と一族の命は助けるともちかけた。宗治は「浮き世をば　今こそ渡れ　武士（もののふ）の　名を高松の　苔に残して」という辞世の歌を詠んで自害し、高松城は落ちた。

毛利氏との講和が成立すると、秀吉は6日未明に撤退を開始し、全速力で京都へ向かう。これが中国大返しだ。秀吉の軍勢は備中から姫路までの約100キロメートルを48時間で走破。山陽道から西国街道を突き進み、その先鋒は6月12日には京都の山崎に到達する。光秀の予想をはるかに超えるスピードだった。

この備中高松城の戦いを早急に終わらせて京都へ帰還したことが、秀吉による光秀の討伐、さらにその後の天下取りにもつながる。毛利勢が信長の死を知ったのは、講和が成立して秀吉が退却した直後のことだった。より早く毛利勢が情報をつかんでいれば、講和に応じず戦闘を引き延ばした可能性は高く、秀吉が信長亡き後の織田家臣団で主導権を握るチャンスは失われていたかもしれない。

**その他の出来事**

1615年・真田信繁（幸村）、死去　1875年・日・露、樺太・千島交換条約に調印　1945年・ドイツ、無条件降伏

5月/8日
【1662年】

# 明の再興を唱えた鄭成功が死去

No.128

台湾には鄭成功をまつる祖廟がある

台湾（中華民国）海軍には、「成功」という名のフリゲート艦（小型の軍艦）がある。この名は、明代の武将で台湾に拠点を置いた鄭成功にちなんだものだ。現在も台湾の、とくに台南地方では、鄭成功は深く敬愛されている。

その父・鄭芝龍は大船団を率いる貿易商人で、日本の長崎平戸を拠点に東シナ海の交易路を仕切り、明の役人からもその力を認められていた。一方、母の田川マツは肥前（現在の佐賀県、長崎県）の武士の娘で、鄭成功は7歳まで平戸で育つ。1644年4月に明が滅亡すると、鄭芝龍は新たに成立した清に服属したが、鄭成功は明の再興のため立ち上がる。

中国大陸南部の各地では、明の皇族の生き残りを盟主に掲げる人々が清への抵抗を続け、その勢力は南明と呼ばれた。鄭成功は、明の皇族の朱聿鍵（唐王）に仕えて、国姓（皇族の姓）の「朱」を名乗ることを許され、国姓爺と呼ばれる。この「爺」は一種の尊称で、老人を意味するわけではない。

明の遺臣の一部は日本に亡命し、日本国内にも明の再興を支援する動きがあった。このため、鄭成功をはじめ南明の支持者は日本の江戸幕府に助力を求めたが、幕府はすでに外国との交渉を断つ方針だったので拒絶される。

それでも、華南地方の沿岸部で鄭成功は一大勢力を築き、東南アジアや琉球との貿易で利益を上げつつ、海賊行為で清に大打撃を与える。1659年、鄭成功は約300隻の大艦隊で南京の攻略を図るが、失敗に終わった。その後、清は華南沿岸の住民を内陸に移住させ、南明勢力を孤立させる。このため、鄭成功は新たな拠点を獲得する必要に迫られ、1661年に約2万5000人の兵を率いて台湾に上陸、同地を支配していたオランダ軍との戦闘の末に台湾を占領した。だが、清への反攻を果たさぬまま翌年**5月8日**に病死する。

日本では、近松門左衛門が鄭成功をモデルに、明の遺臣・和藤内が活躍する『国性爺合戦』を執筆し、人形浄瑠璃と歌舞伎で大ヒットした。この物語は史実をもとにしたフィクションなので、あえて「姓」の字を「性」と変えている。

オランダ軍を震え上がらせた鄭成功は、西洋列強によるアジア侵略に対する抵抗の先駆者でもあった。のちにイギリス人のフィリップ＝ゴスが書いた『海賊の世界史』には、台湾が中国人の土地になったのは鄭成功のおかげだと記されている。

**その他の出来事**

1559年・エリザベス1世、統一法を制定　1615年・大坂夏の陣、終結　1902年・台湾島民を日本国籍に編入

# 5月/9日【1916年】 英仏露がサイクス・ピコ秘密協定に調印

No.129

第一次世界大戦中、ロシア十月革命の後にレーニンが発した平和に関する布告のなかには、「秘密外交の廃止」という項目がある。実際、当時の西洋列強の間では水面下での裏取引が横行していた。その代表格が、1916年**5月9日**にイギリス、フランス、ロシアの3国が秘密裏に結んだサイクス・ピコ協定だ。

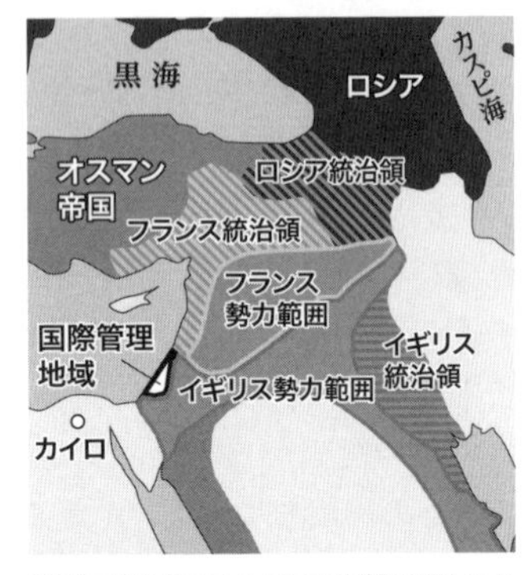


列強の秘密協定で中東の分割が図られた

これは協商国（連合国）によるオスマン帝国領の分割を謀ったもので、イギリスの中東専門家サイクスとフランスの外交官ピコによって原案が作成され、ロシアを加えて締結された。イギリスはイラクとシリア南部、フランスはシリア北部と地中海に接する沿岸地帯、ロシアはカフカス地方に面する黒海沿岸部とイスタンブル周辺を獲得することが取り決められる。また、パレスチナ（現在のイスラエルの場所）は国際共同管理とし、のちに別の協定を結ぶ方針が定められた。

ところが、イギリス政府はサイクス・ピコ協定とは別個に、1915年7月にオスマン帝国支配下のアラブ人の独立を認めるフセイン・マクマホン協定を結び、1917年11月にはパレスチナでのユダヤ人国家建設を支援するバルフォア宣言を発表した。このイギリスによる相互に矛盾した三枚舌外交は、数々の禍根を残す。

結局、サイクス・ピコ協定はレーニンの率いるソビエト政権によって暴露され、完全な形では実現しなかった。だが、イラクはイギリスの委任統治下、シリアはフランスの委任統治下に置かれ、英仏によって一方的に国境線が定められる。そして、パレスチナでは現地に住むアラブ人の了解を得ないまま、ユダヤ人の入植が進められた。これらの諸問題は、のちに数々の戦争を生むことになる。

もともと広大な砂漠地帯で恒常的に移動生活を送る遊牧民のアラブ人には、明確な国境の概念はなく、実際に20世紀中、アラビア半島の地図に国境線はなかった。1990年8月に起こったイラクによるクウェート侵攻の背景にも、第一次世界大戦後のイギリスによるアラブの国境分割に対する長年の不満がある。2014年6月に一時的にイラクの主要部分を掌握したISIS（イラク・シリアのイスラーム国）は、サイクス・ピコ協定による中東分割を否定し、アラブ・イスラーム圏の再統一を掲げた。

**その他の出来事**

1936年・イタリア、エチオピアを併合　　1994年・南ア、マンデラ氏が大統領に就任

# 5月/10日【1857年】 インド初の反英暴動 シパーヒーの大反乱が勃発

No.130

イギリスでは19世紀に産業革命が始まると、衣類をはじめとする工業製品の大量生産が進み、インドはその大きな輸出市場となる。インドではイギリス製品の普及で国内産業が没落する一方、イギリス人が次々と商店や農場の経営権を握り、さらにムガル帝国内の領主の自治権を奪い、地方の統治に介入を深めていった。

インド大反乱（セポイの乱）の様子

こうした状況下、1857年**5月10日**、デリー近郊のメーラトで、東インド会社に雇われていたインド人の兵士（シパーヒー）が反乱を起こす。その発端は、イギリスが支給した新式のエンフィールド小銃だった。インド人兵士たちは、装弾するとき弾丸の包み紙を口でかんで破るよう指示されたが、包み紙には動物性の油脂が塗られていた。これが牛の脂ならば、牛を神聖視するヒンドゥー教徒には許しがたい事態だ。また、豚の脂だったとしても、豚を不浄な動物と見なすイスラーム教徒には耐えがたいことだった。

インドの各地では、ほどなく兵士の反乱に呼応した反英暴動が広がる。この事件はかつてセポイの乱と呼ばれたが、現在はシパーヒーの大反乱、あるいは、最初の独立戦争という呼称が定着している。

デリーを占拠した反乱軍は、ほぼ実権を失っていたムガル皇帝バハードゥル＝シャー2世を最高指導者として立て、ムガル帝国によるインド支配の回復を唱えた。イギリス軍は反乱の鎮圧に全力を注ぎ、9月にデリーを奪還しバハードゥル＝シャー2世を捕らえる。高齢の皇帝は反乱軍への協力に消極的だったが、退位させられて国外に追放された。イギリス軍は続いて地方の反乱軍も各個に撃破していった。

地方の反乱指導者の1人で、北部のジャーンシー王国の王妃ラクシュミー＝バーイーは、みずから戦闘を指揮した。彼女は志を果たせずに戦死したが、のちに「インドのジャンヌ＝ダルク」と呼ばれ、多くのインド人からたたえられる。

反乱軍の敗因の1つは、明確な指揮系統がなく統一的な行動がなかった点だ。反乱軍は数こそ多かったものの、ヒンドゥー教、イスラーム教、シーク教といった宗教や、ベンガル人、タミル人などの多様な民族に分かれ、相互の協力関係は弱かった。結局、この反乱を機にイギリス政府はインドの直接支配を決意し、1858年11月イギリス国王がインド皇帝を兼任する英領インド帝国が成立することになる。

**その他の出来事**

1871年・新貨条例が制定。貨幣単位が円になる　1940年・チェンバレン内閣総辞職。チャーチル挙国内閣成立

# 5月/11日【1939年】 満洲国でノモンハン事件が勃発

No.131

日本の工作によって1932年3月に建国された満洲国は、北部と東部でソ連・モンゴルと国境を接する。当時、中華民国はモンゴルの独立を認めなかったため、モンゴルはソ連を外交上の後ろ盾にし、実質的にソ連の衛星国だった。

満洲国とソ連の国境は未確定の部分が多く、1938年7月には満洲国と朝鮮、ソ連が接する張鼓峰（ちょうこほう）で、日本の関東軍・朝鮮駐留軍とソ連軍が衝突する。2週間にわたる戦闘ののち、この「張鼓峰事件」は外交交渉によって休戦した。

ノモンハンの位置と周辺の地図

翌年、関東軍では満ソ国境紛争処理要綱が作成され、ソ連に対する強硬姿勢が唱えられる。そして**5月11日**、満洲国とモンゴルが接するハルハ河畔のノモンハン近郊で、関東軍とモンゴル軍が衝突し、ノモンハン事件が起こった。

ソ連軍はモンゴル軍の支援に動き、関東軍はソ連軍を迎撃するため、航空機部隊、戦車部隊を大量に投入。しかし、関東軍は7月に4日間で40両以上の戦車を撃破されるなど、多大な損害を受けた。なお、関東軍で細菌兵器の研究を行なっていた防疫給水部（のちに731部隊と改名）は、ソ連軍が水源に使っていたハルハ河の支流にチフス菌などの培養液を放流したとされるが、詳細は明らかになっていない。

日本側は中華民国との戦闘が継続中だったので戦力の大量投入はせず、日ソ全面戦争への発展を恐れ、関東軍に対して事件の不拡大を指示する。折しも、9月1日にはドイツ軍がポーランドに侵攻して第二次世界大戦が勃発し、ソ連はヨーロッパに兵力を集中する必要に迫られた。このため、9月15日に停戦協定が成立する。

日本ではノモンハン事件を機に、満洲国からソ連に侵攻する「北進論」に代わって、東南アジアでの勢力拡大を唱える「南進論」が広まり、1941年4月には日ソ中立条約が結ばれる。一方、ソ連軍も少なくない損害を受けていたが、その事実は1990年代に旧ソ連の情報公開が進むまで、日本では長く知られることがなかった。

ノモンハン事件は、日本とモンゴルの関係にも少なからず影響を残している。第二次世界大戦後、長らくモンゴルにとって日本は旧敵国で、正式な国交が成立したのは、1972年2月のことだった。その後も冷戦体制のため両国の関係はあまり進展せず、ようやく1990年代以降、日本とモンゴルの経済・文化交流が本格化している。

**その他の出来事**

708年・和同開珎が発行される　1473年・細川勝元、陣没　1891年・大津事件、ロシア皇太子を襲撃

# 5月/12日【1707年】 イギリスとスコットランドが合併

No.132

現在のイギリスの正式な国名は、「グレートブリテンおよび北部アイルランド連合王国」となっている。その基本的な形が確立されたのが、1707年**5月12日**に行なわれたイングランド王国とスコットランド王国の合邦だ。

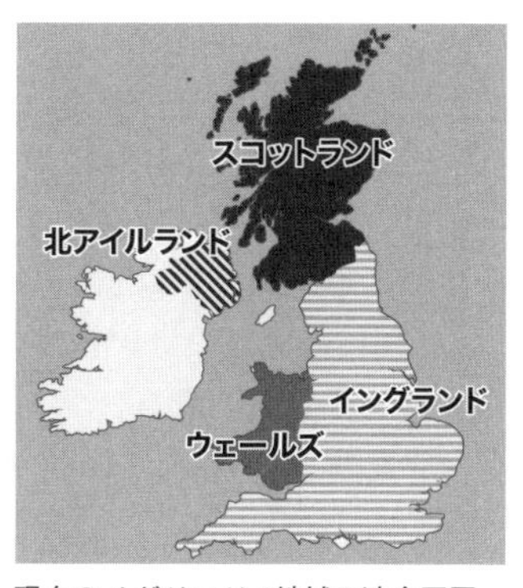

現在のイギリスは4地域の連合王国

1603年、エリザベス1世女王の死後、ステュアート朝イングランド王国とスコットランド王国は、同じ君主によって統治される同君連合となる。ただ、その内実はイングランドによるスコットランドの支配で、イングランドとスコットランドではキリスト教の宗派が異なるため、文化の違いも少なくなかった。こうした事情から、スコットランド住民の多くは反イングランド感情を強く抱いていた。

だが、1702年に即位したアン女王は両国の本格的な合邦を図る。その背景として、イングランド議会はかねてより、スコットランドが敵国フランスと手を組むことを懸念していた。一方、スコットランドにはイングランドと戦う力がなく、合邦による関税の廃止と貿易の自由化で経済的な利益がもたらされることを期待した。

かくして、1707年には両国間で合同法が定められ、5月12日にイングランドとスコットランドは統合されてグレートブリテン王国が成立した。以降、スコットランド議会はイングランド議会に統合され、通貨も共通化されるが、スコットランド独自の司法制度と長老会系の教会は引き続き維持された。

1714年にアン女王が死去するとステュアート朝は断絶。アンの親族でドイツのハノーヴァーから迎えられたジョージ1世が王位を継ぎ、ハノーヴァー朝を創始する。ハノーヴァー朝は1801年にアイルランド王国を統合してグレートブリテンおよびアイルランド連合王国が成立。第一次世界大戦後、アイルランド南部が独立し、1927年4月に現在のグレートブリテンおよび北部アイルランド連合王国となる。

その後、スコットランドでは1960年代に発見された北海油田によって経済が発展し、イングランドからの独立を唱える声が再熱する。1999年5月、約300年ぶりにスコットランド議会が復活、続いて連合王国内のスコットランド行政府（自治政府）が発足した。さらに、2014年9月には連合王国からの独立を問う住民投票が実施されたが、独立賛成は約45％にとどまり、独立は否決された。

**その他の出来事**

1261年・日蓮、伊豆に配流　1787年・天明の打ちこわし起こる　1949年・ソ連、ベルリン封鎖を解除

# 5月/13日【1976年】ポル＝ポトがカンボジアの首相に就任

No.133

カンボジアの独裁者ポル＝ポトは、1970年代の大量虐殺で世界を恐怖させた。その犠牲者数は100～200万人といわれるが、正確な数字は今も不明だ。ポル＝ポト自身も青年期までの経歴は謎が多く、本名は「サロット＝サル」だとされる。

カンボジアは19世紀後半、フランスの支配を受け、現在のベトナム、ラオスとともに仏領インドシナを構成したが、フランス統治の下で王政は存続した。第二次世界大戦後の1953年11月、シハヌーク国王はカンボジア独立を宣言。一方、ポル＝ポトはカンボジア共産党（クメール＝ルージュ）の指導者となり、反政府運動を進める。

カンボジアもベトナム戦争で影響を受けた

1960年代後半になると、インドシナ半島ではベトナム戦争が激化。シハヌークは、共産政権の北ベトナム軍が親米の南ベトナム領内に攻め込むため、隣接するラオスとカンボジア領内を経由することを容認した。これに反発する親米派のロン＝ノル将軍は、1970年3月、クーデタを起こして政権を奪取する。シハヌークはロン＝ノル打倒のため、カンボジア共産党と手を結び、カンボジア内戦が始まった。

カンボジア共産党は1975年4月に首都プノンペンを制圧し、ロン＝ノルは国外に逃亡。シハヌークは復権を期待したが、共産党政権によって監禁されてしまう。

全権を掌握したポル＝ポトは1976年**5月13日**に首相に就任すると、特異な社会改造を強行した。都市住民を農村に強制連行して農業に従事させ、貨幣経済も近代的な教育も廃止。原始的な農村こそが理想社会と考えたのだ。このため、既存の社会の価値観に染まっていない10代の少年らを大々的に動員し、政権に敵対的と見なされた人物は容赦なく強制収容所で拷問されたり処刑された。

独自路線を走るポル＝ポトは、隣国のベトナム共産党とも敵対した。もともとカンボジア共産党は、ベトナム人が主導権を握っていたインドシナ共産党から分裂して成立したもので、同じ共産主義圏で中国とソ連が対立するなか、ベトナムはソ連派、カンボジアは中国派だった。1978年12月、カンボジアによる国境侵犯を理由に、ベトナム軍がカンボジアに侵攻してきた。アメリカ軍を撃退してベトナム戦争に勝利したベトナム軍は、またたく間にプノンペンを占領し、ポル＝ポト政権は崩壊した。

**その他の出来事**

1401年・足利義満、第1回遣明使、派遣　　1787年・オーストラリアに向けた囚人船が英国を出発

# 5月/14日 ユダヤ人国家のイスラエルが建国宣言

【1948年】

No.134

ベン=グリオン

古代の中東でユダヤ人が居住していたカナン地方（パレスチナ）は、135年にローマ帝国軍に征服され、これ以降ユダヤ人は世界各地に離散した。ときは流れ、19世紀になると、迫害を受けるヨーロッパのユダヤ人の間で、ユダヤ国家の再建を唱えるシオニズム運動が広がる。第一次世界大戦中、イギリスはユダヤ人国家建設を支援するバルフォア宣言を発し、ユダヤ人のパレスチナへの入植が進められた。

第二次世界大戦中、ドイツのナチス政権はヨーロッパのユダヤ人を徹底的に弾圧。このため、ロスチャイルド家などのユダヤ系資本家は連合国に積極的に資金提供し、数学者のジョン＝フォン＝ノイマン、核物理学者のレオ＝シラードほか、多くのユダヤ系科学技術者が連合軍の兵器開発に携わった。戦後、旧連合国によって結成された国連は、こうしたユダヤ人の戦争協力を考慮し、パレスチナでのユダヤ人国家の建設を承認したが、パレスチナには多くのイスラーム教徒のアラブ人が居住していた。国連は1947年11月にユダヤ人とアラブ人によるパレスチナ分割案を発表。これに従って、1948年**5月14日**、ユダヤ人国家イスラエルの建国が宣言される。初代首相には、ポーランド出身のシオニズム運動指導者ベン＝グリオンが就任した。しかし、近隣のアラブ諸国はイスラエルの建国を認めず、建国宣言からわずか数時間後には、アラブ諸国は軍を動員。ここに、第1次中東戦争が勃発する。

イスラエル政府は、ユダヤ人の民族宗教であるユダヤ教と、キリスト教、イスラーム教の聖地が同居するイェルサレムを首都と定めるが、日本を含め多くの諸外国はこれを承認していない。なぜなら、1967年6月に起こった第3次中東戦争で、イスラエル軍はヨルダンに属していたイェルサレム東部を支配下に置いたが、国連では不当な占領と見なしているからだ。しかし、2017年12月にアメリカのトランプ大統領は、イスラエルとの友好関係を強化するため、テルアビブにあったアメリカ大使館をイェルサレムに移転。トランプ大統領の退陣後もこの方針は踏襲されている。

ちなみに、ユダヤ教の聖職者でとくに厳格な保守派は、シオニズム運動とイスラエルの建国に反対していた。ユダヤ教では「ダビデの子孫からメシア（救世主）が現れ、神の意志によってイスラエルを再建する」と伝えられ、人為的な政治交渉でイスラエルを再建するのは、むしろ神の意志に反すると考えられていたのだ。

**その他の出来事**

1839年・蛮社の獄で高野長英ら捕縛　1955年・ソ連と東欧7カ国、友好相互援助条約（ワルシャワ条約）に調印

# 5月/15日【756年】スペインのコルドバで後ウマイヤ朝が成立

No.135

7世紀に中東の大部分を制圧したイスラーム教団では、661年に第4代カリフ（ムハンマドの後継者の意）のアリーが死去したのち、メッカ出身のウマイヤ一族がカリフを世襲するウマイヤ朝が成立する。イスラーム教は信徒間の平等を掲げていたが、ウマイヤ朝はアラブ族中心主義を取ったため、ペルシア人ほかの非アラブ族の反発が高まった。さらに、750年にアッバース一族を中心とする反乱が起こり、ウマイヤ朝は打倒されて新たにアッバース朝が成立した。

10世紀頃の後ウマイヤ朝と近隣諸国の勢力圏

これに先立ちウマイヤ朝は、8世紀初頭にイベリア半島に勢力圏を築いていた。中東の主要地域がアッバース朝の支配下になると、ウマイヤ家の残党はイベリア半島に逃れる。ウマイヤ朝第10代カリフの孫であるアブド＝アッラフマーンは、現地の有力者だった総督ユースフを打倒し、756年**5月15日**にコルドバで即位を宣言した。このアッラフマーンが再興したウマイヤ朝を、日本では中国王朝の前漢に対する後漢のように「後ウマイヤ朝」と呼称する。

後ウマイヤ朝は、絶えずイベリア半島やその近隣のキリスト教諸国との戦争を繰り返すことになった。778年には、フランク王国のカール大帝が異教徒の討伐を掲げてイベリア半島に遠征。その戦果は不十分だったが、のちにカールは、後ウマイヤ朝に対する前線基地としてイスパニア辺境領を設置した。11世紀のフランスでは、この時期のフランク王国と後ウマイヤ朝の戦争を題材とした叙事詩『ローランの歌』が成立し、中世の騎士道物語の代表格として読み継がれることになる。

一方、10世紀に入るとアッバース朝の支配地域でも内紛が起こり、909年に北アフリカではファーティマ朝が成立した。この結果、イスラーム圏ではアッバース朝、後ウマイヤ朝とともに、3人のカリフが並び立つ状況となる。

その後、後ウマイヤ朝は内紛で弱体化し、近隣のキリスト教国に領土を侵食され1031年に滅亡した。しかし、その後も1492年にスペイン人による国土回復運動（レコンキスタ）が完遂されるまで、イベリア半島のイスラーム勢力は命脈を保ち続ける。14世紀にグラナダ周辺を支配したナスル朝のアルハンブラ宮殿は、世界遺産に登録されてスペインに残されたイスラーム文化の象徴となっている。

**その他の出来事**

1221年・後鳥羽上皇、北条義時追討の宣旨を下す（承久の乱）　1932年・五・一五事件　1972年・沖縄返還

# 5月/16日 【1884年】 自由党員による群馬事件が発生

No.136

明治時代の前半、政府では長州藩閥と薩摩藩閥が要職を独占したため、国会の開設と国民の政治参加を求める自由民権運動が広がった。運動の中心となった土佐藩出身の板垣退助は、1880年に自由党を結成する。初期の運動参加者は、旧武士階級が多く占め、武力による政府打倒を唱える者も少なくなかった。

1881年に大蔵卿に就任した松方正義は、政府の財政赤字を改善したが、デフレが進行したため、商品作物の売買で収入を得ていた農民の多くが困窮。こうしたなか、各地で政府に不満を抱く農民と自由民権運動が結び付いた。

群馬県の妙義山の一帯では、自由党の急進派である大井憲太郎の影響を受けた湯浅理兵、日比遜らの上毛自由党のメンバーが決起する。湯浅らは当初、高崎線の開通式に参列する政府要人を襲撃する計画を立てていたが、開通式が延期されたため中止。その後、負債を抱えた農民たちを妙義山麓に集め、1884年**5月16日**に地元の金融業者である岡部為作の邸宅を焼き討ちにする。これを「群馬事件」と呼ぶ。その後、富岡警察署と高崎の兵舎を襲撃しようとしたが、参加者の大部分が逮捕されこの事件は終わった。

同年中に、自由党の急進派と困窮した農民による暴動事件が次々と起こる。9月には茨城県の加波山で、自由党員の河野広躰らが茨城県、栃木県、福島県の自由党員とともに決起し、警官隊と交戦する「加波山事件」が発生した。

埼玉県の秩父では、農民のトラブル処理を引き受けていた侠客の田代栄助が、大井憲太郎の秩父訪問を契機に自由党に参加したのち、独自に秩父困民党を結成する。田代らは、減税、負債の返済延期、農民の負担となる学校制度の廃止などを唱えて11月に決起し、金融業者を襲撃、警官隊と交戦した。この「秩父事件」の参加者たちは、自由自治元年という独自の年号も定めている。

秩父事件に連鎖して、長野県と愛知県でも、ロシアの急進的な革命思想に影響を受けた村松愛蔵らが挙兵を企てた。これは「飯田事件」と呼ばれ、名古屋に駐屯する軍の部隊にも同志がいたが、密告によって未遂に終わった。

翌1885年には、大井憲太郎が、清の支配に抵抗する朝鮮の開化派を支援し、日清関係の緊張をあおって日本政府を打倒するという壮大なスケールの計画を立てるが、大井らが朝鮮に渡航する前に当局に発覚。これは大井らの主要なメンバーが大阪で逮捕されたことから、「大阪事件」と呼ばれる。

群馬事件に続く一連の事件は、いずれも鎮圧されるか失敗に終わった。しかし、ある意味では旧武士階級が中心だった自由民権運動を、大衆に広めたともいえる。以降の自由党員たちは、言論による国会開設運動に集中していく。

**その他の出来事**

1620年・ウィリアム＝アダムズ（三浦按針）、死去

# 5月/17日【1204年】 第4回十字軍がラテン帝国を建国

No.137

中世の1096～1270年まで7回にわたり行なわれた十字軍戦争は、ヨーロッパのキリスト教国によるイスラーム教徒からの聖地イェルサレム奪回を掲げていた。だが、回を重ねるうちに、準備不足や参加者の利害の不一致によって迷走。なかでも、第4回十字軍は、同じキリスト教国同士が争う異様な事態となった。

ラテン帝国とニカイア帝国の範囲

第4回十字軍は、1202年にローマ教皇インノケンティウス3世の呼びかけによって開始され、神聖ローマ帝国やフランスの諸侯が参加する。軍の移送を仲介したヴェネツィア商人たちは、十分な旅費が得られないことから、ビザンツ帝国（東ローマ帝国）の首都コンスタンティノープルを攻略することをもちかけた。

かねてよりヴェネツィア商人は、地中海貿易の主導権を握るため、コンスタンティノープルの確保を望んでいた。折しも、ビザンツ帝国では皇帝一族の内紛が起こり、皇子のアレクシウスが父であるイサキウス2世を復権するため十字軍に協力を求める。十字軍に参加する諸侯の間には、疑問の声も少なくなかったが、西欧のカトリック教会とビザンツ帝国の東方正教会の統一という大義名分が掲げられた。

十字軍がコンスタンティノープルを制圧したのち、イサキウス2世とアレクシウスは一時的に復権を果たすが、国民の支持は得られず、さらには反乱を起こされ父子ともに殺される。ビザンツ帝国の反イサキウス勢力は十字軍に抵抗するが、首都の奪回は果たせず、やがて撤退した。

その後、十字軍の有力諸侯であるフランドル伯ボードアンは、1204年**5月17日**に皇帝への即位を宣言し「ラテン帝国」を建国。一方、ビザンツ帝国の皇帝一族は、アナトリア半島のニカイアに逃れた。このときの亡命政権を「ニカイア帝国」と呼ぶ。ニカイア帝国はラテン帝国と和平を結んだのちに力をたくわえ、コンスタンティノープルを奪い返し、1261年にラテン帝国は滅びた。

これ以降も十字軍は繰り返されたが、キリスト教徒によるイェルサレムの継続的な支配という本来の目的は果たせなかった。その反面、十字軍戦争を契機に地中海の交通は活発化。ヴェネツィアほかイタリア半島各地の貿易商人が大きな利益を上げるとともに、イスラーム圏に伝わっていた古代ギリシア・ローマ文化がヨーロッパに逆輸入され、15世紀以降に花開くルネサンス（文芸復興）の下地が築かれた。

**その他の出来事**

1692年・英蘭連合艦隊、ラ＝オーグ岬の海戦で仏艦隊を破る　1890年・府県制・郡制公布

# 5月/18日 箱館の五稜郭が開城し戊辰戦争終結

【1869年】

No.138

北海道の箱館（現在の函館）は、幕末期の1858年6～9月に結ばれたアメリカ、イギリス、フランス、オランダ、ロシアとの修好通商条約（安政五カ国条約）によって開港され、幕府の貿易拠点の1つになる。同地では外国人との武力衝突に備えて、日本初の西洋式城砦である五稜郭が1864年6月に完成した。星形の形状は、稜堡と呼ばれるとがった部分に兵力を集中し、死角なく防衛するためのものだ。

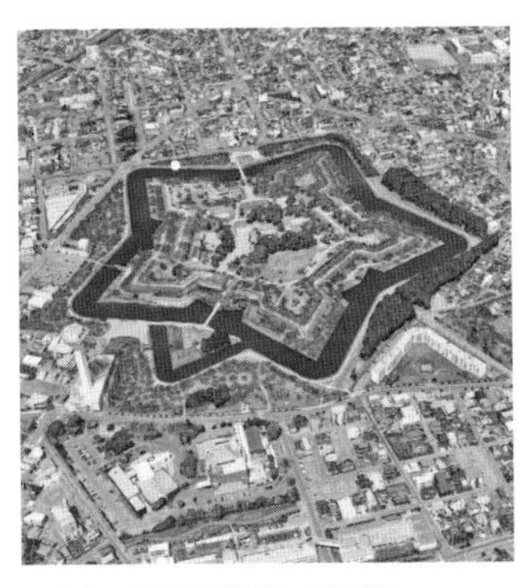

日本初の西洋式要塞・五稜郭

戊辰戦争の勃発後、榎本武揚の率いる旧幕府海軍は1868年8月に品川から出航したのち、仙台に寄港して旧幕府歩兵隊を指導した大鳥圭介や元新選組の土方歳三らの兵力を吸収、10月に蝦夷地（北海道）にたどり着いた。総勢約3000人の旧幕府軍は、同地の新政府軍を撃破して蝦夷地を占領し、箱館に拠点を置く。12月には旧幕府軍の幹部らによる入札（投票）で、榎本武揚を総裁とする蝦夷島政府が発足した。

榎本らは明確な形で天皇が統治する日本からの独立を宣言していないが、蝦夷島政府は「蝦夷共和国」と呼ばれる。戊辰戦争に対して中立の立場を取るイギリスやフランスは、これを新政府とは別の「事実上の政権」と見なしていた。

榎本は新政府に、旧幕臣の地位を保障することを求めるとともに、蝦夷地で旧幕臣が外国に対する防備を担うことを提案。だが、新政府は拒絶し、1869年3月から総勢約8000人の征討軍を送り込んだ。旧幕府軍は新政府艦隊への奇襲を図ったが失敗。蝦夷地に上陸した新政府軍は5月に入ると箱館に到達し、五稜郭の攻略にかかった。5月11日の戦闘で土方歳三は戦死、追いつめられた榎本は**5月18日**に降伏を受け入れ、戊辰戦争が終結した。

旧幕府軍の幹部は逆賊として投獄されたが、彼らは当時の日本において、最新の西洋の科学技術や諸制度を熟知した数少ない人材だった。このため、のちに榎本武揚は復権を果たし、ロシア公使、農商務大臣、外務大臣などを歴任する。大鳥圭介も、工部大学校（東大工学部の前身）の校長、学習院の院長などを務めた。

ちなみに、五稜郭はその後、陸軍の練兵場に転用されたが、大正時代の1914年6月には市民公園となる。西洋人との戦闘を想定した要塞ながら、日本人同士の戦争に1回使われたのみで目的を終えたのは、歴史の皮肉といえるかもしれない。

**その他の出来事**

1933年・テネシー川流域開発公社（TVA）設立　　1980年・韓国、光州事件

5月/19日
【1560年】

# 桶狭間の戦いで今川義元が討たれる

No.139

織田信長

戦国時代の古戦場として知られる桶狭間(おけはざま)は、現在の愛知県名古屋市東南部に位置する。この地で「東海一の弓取り」と通称された今川義元が、新興勢力の織田信長によって討たれたのは、1560年**5月19日**の昼過ぎであった。

今川義元は当時、現在の静岡県から愛知県にまたがる駿河国、遠江国、三河国を支配下に置く有力者。今川氏は、室町幕府を支配する足利氏の傍流・吉良氏の流れをくむ名門で、京都の公家や身分の高い僧侶にも幅広い人脈をもっていた。

一方、信長はもともと、尾張守護代を務める織田氏のなかで、清洲城を本拠とする大和守織田氏の家臣という立場だ。それが織田氏の本家、さらに守護の斯波氏を倒して、1559年の年頭に25歳の若さで尾張国(愛知県)の全権を掌握した。

翌年5月、信長の勢力拡大を警戒した義元は、約2万5000の大軍を率いて尾張に侵攻する。京都への上洛が目的だったともいわれるが、その明確な裏付けはない。

今川軍は着々と占領地を広げ、織田軍内では清洲での籠城戦が論議されるが、信長は5月18日の夜、お気に入りだった能の『敦盛(あつもり)』を舞ったのち、少人数の部下を連れて出陣。折からの豪雨で今川軍が休息していたところに、信長は約2000の兵で強襲を仕掛ける。信長は迂回し側面から奇襲したともいわれるが、『信長公記』の記述では正面から攻めたとされる。今川軍は兵力を広い範囲に分散させていたので本陣は手薄だった。織田軍の服部小平太が今川義元を槍で突き、毛利新介が首を取る。

桶狭間の戦い後、それまで今川氏に従っていた三河国(愛知県東部)の松平元康(のちの徳川家康)は、織田氏と手を結ぶ。桶狭間の勝利は劇的なものだが、あくまで自分の領内での防戦だった。尾張の東に脅威がなくなった信長は美濃国(岐阜県)の斎藤氏攻略に集中し、1567年9月、約8年かけてようやく美濃の平定を果たす。石高の大きい美濃を手中にしたことで、信長は兵力と財力を大いに高める。

その後、信長が「天下布武」の印を使い始め、それを天下統一の野心を示すものだと解釈されることが多い。だが、当時の用法では、天下という語句は必ずしも日本全土をさすものではなかった。現在では、この段階で信長の唱えた天下布武は、あくまでも幕府と朝廷のある畿内の平定だという見方が有力視されている。

**その他の出来事**

1536年・ヘンリ8世、妻アン=ブーリンを斬首　1825年・仏サン=シモン、死去　1890年・ホー=チー=ミン、誕生

# 5月20日【1498年】 ヴァスコ＝ダ＝ガマがインド航路を開拓

No.140

中世のヨーロッパでは11～13世紀の十字軍戦争を契機に東方との貿易が活発化し、アジア産の絹や紙、香辛料、陶磁器といった商品が流入。それらの輸入ルートは、地中海の貿易路を仕切る中東のイスラーム商人に押さえられていたので、西欧の王侯貴族はインド東の地域と直接貿易して利益を上げたいと考えるようになる。

喜望峰を回る航路は画期的だった

ヨーロッパの西端で大西洋に面するポルトガル王国とスペイン王国は、海外物産の獲得に加えてキリスト教文化圏の拡大という目的を掲げ、遠洋航海路の開拓を積極的に進めた。15世紀前半、ポルトガルの王子エンリケはみずから船団を率いてアフリカ沿岸へ遠征し、1445年にアフリカ大陸西端のヴェルデ岬にまで到達。続いて、ポルトガル国王ジョアン2世の命によってアフリカ大陸探索に出航したバルトロメウ＝ディアスは、1488年1月にアフリカ大陸南端の喜望峰に到達した。

一方、スペイン女王イサベルの支援を受けたコロンブスは、1492年10月、大西洋を西へ向かう西回り航路でアメリカ大陸に到達する。この時点では、新大陸ではなくインドの一部と認識され、「西インド」と呼ばれた。

ポルトガルはこれに対抗して東回り航路でのインド到達を目指し、1497年7月にポルトガル国王のマヌエル1世の命によってヴァスコ＝ダ＝ガマが出航した。ガマの船団は喜望峰を回ってアフリカ大陸の東岸に出たのち、現地の水先案内人から情報を得てインド洋を東へ進み、1498年**5月20日**にインド南西のカリカットに到達。ガマは途中の暴風により多くの乗組員を失いつつも、翌年9月に帰国した。

こうしてインド航路が開拓されると、ヨーロッパ人のアジアへの勢力圏拡大が進んでいった。ポルトガルの軍人アルブケルケは、1510年11月にインド西部のゴアを占領し、ポルトガルによるインド洋交易の中心地とした。続いて、ネーデルラント共和国（オランダ）、イングランド王国（イギリス）もインドに進出。ただし、16～18世紀のこの段階では、主要な貿易港の周辺地域を占拠するだけの、点の支配だった。

ポルトガルの船団は東南アジアにも足を伸ばし、同じく東南アジアで活動していた倭寇（わこう）（日本や明の海賊・密貿易商人）とも接触する。これにより、1543年頃には種子島に漂着したポルトガル人から、日本に鉄砲（火縄銃）が伝来した。

**その他の出来事**

1882年・ビスマルクの主導下に、独・墺・伊の三国同盟成立　　1902年・キューバ、スペインから独立

# 5月/21日【1575年】長篠合戦で織田・徳川軍が勝利する

No.141

戦国時代後期、甲斐国（山梨県）と信濃国（長野県）を支配下に置いた武田信玄は、1573年4月に急死した。三河国（愛知県東部）を地盤とする徳川家康は、武田氏の弱体化を察知し、かつて武田軍に占領された長篠城を奪回する。だが、1575年5月、信玄の跡を継いだ武田勝頼（かつより）は、約1万5000人の兵を率いて反攻を図った。徳川氏と同盟関係の織田信長は、約2万の兵を投入し武田氏との決戦に向かう。

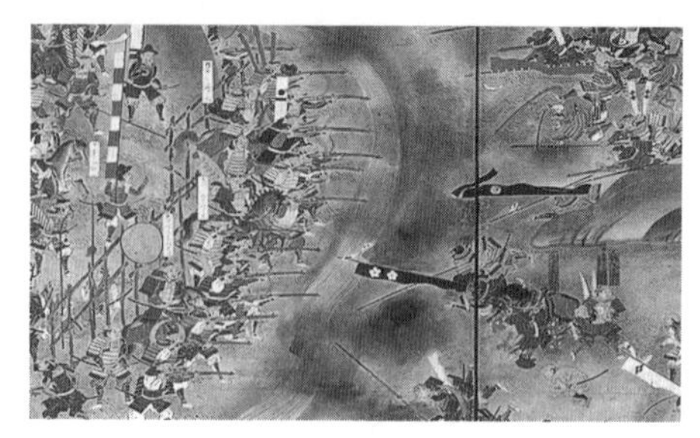

長篠合戦

織田・徳川連合軍は長篠城の西の設楽原（したらがはら）に柵と土塁を築いて布陣。徳川軍の酒井忠次（ただつぐ）は、武田軍を誘い出すため敵陣の背後に回り込み奇襲を仕掛ける。前に出ざるをえなくなった武田軍は、**5月21日**、騎馬隊を突撃させたが、織田軍は柵と土塁の背後に約3000（異説では1000）の鉄砲隊を配置しており、武田軍の騎馬や歩兵は次々と射殺される。約4時間の戦闘で武田軍は大打撃を受け、勝頼は撤退した。

長らく通説では、信長は単発式の火縄銃を連射するため、鉄砲隊を3列に配置し、交代で射撃する「三段撃ち」を行なったとされてきた。しかし『信長公記』にはその記述がなく、現在では江戸時代以降の創作だという説が有力視されている。

かくして長篠合戦を制した信長は、石山本願寺を中心とする一向宗を平定したのち、満を持して1582年に甲斐へ侵攻する。敗れた勝頼は本拠地の新府城に火を放って逃亡したが、織田軍の追撃を受けて妻子ともに自決し、武田氏は滅亡した。

長篠合戦は、よく信長の先進性を示す事例とされるが、火縄銃自体はほかの大名も多用していた。ただ、武将ごとに少数の鉄砲隊があるのみで、3000挺ともいわれる大量の集中使用は例がなかった。また、当時の火縄銃は敵の接近を阻む防戦向けの武器とされていたが、信長は柵や土塁と組み合わせることで効果を高めた。

信長と並んで火縄銃を活用したのが一向宗の信徒集団だ。とくに紀伊国（和歌山県）の雑賀（さいか）衆は有力な鉄砲隊をもっていたが、多くの農民兵も火縄銃で武装した。銃器の特徴は、剣や槍や弓矢と比較して、武芸の訓練を受けていない民衆にも容易に扱える点だ。日本の戦国時代と同じ15～17世紀には、ヨーロッパでも宗教改革に端を発する戦争が相次ぎ、民衆が銃で武装して戦闘に参加する事例が増えた。こうした銃器の普及は、世界の軍事史で、戦争の大衆化ともいうべき事態をもたらすことになる。

**その他の出来事**

前334年・アレキサンダー大王、グラニコス川の戦いでペルシア軍を破る　1871年・仏、血の1週間始まる

# 5月/22日 【1939年】 ドイツとイタリアが独伊軍事同盟を締結

No.142

ムッソリーニ(左)とヒトラー(右)

第二次世界大戦中のドイツ、イタリア、日本は「枢軸国」と総称されるが、その関係は複雑だ。ドイツのヒトラー総統とイタリアのムッソリーニ首相は、1934年6月に初めて会見したが、独伊の間に挟まるオーストリアを巡って対立を抱えていた。

もともと、ゲルマン民族至上主義のナチス党は異民族の国家には敵対的で、国内にカトリックとプロテスタントの対立があるため教会とは距離を置いた。対照的に、ファシスト党は人種・民族差別の傾向が弱く、教皇庁と良好な関係だった。ただ、独伊とも、ソ連を中心とする共産主義勢力を警戒する点は共通する。

ドイツは1935年3月に再軍備を断行し、同年10月にイタリアはアフリカ大陸のエチオピアに侵攻して同地を占領する。両国とも国際連盟の非難を受け、イギリスやフランスを中心とする国際世論に対抗するため、独伊は連携の動きを強めた。

1936年7月、スペインでは社会党、共産党ほかの左翼勢力が結集した人民戦線政府に対して陸軍が反乱を起こし、スペイン内戦が勃発。独伊はともに、フランコ将軍を中心とする反乱軍を支援する部隊を派遣した。一方、政府軍はソ連の軍事顧問団を受け入れ、各国から反ファシズムを唱える義勇兵が集まった。こうした国際的な左翼勢力の動きに対抗して独伊は結束し、同年11月にムッソリーニは「ベルリン・ローマ枢軸」の成立を宣言。この枢軸とは国際社会の中心軸を意味する。もっとも、イタリアではその後もドイツに比較して反ユダヤ主義の傾向は弱かった。

同時期、満洲国の建国を巡って国際社会から孤立していた日本も独伊と協調する。やがて、ヒトラーは英仏との軍事衝突を視野に入れ、1939年**5月22日**に独伊軍事同盟が締結された。翌年9月には日本も加わり、日独伊三国同盟が成立する。

第二次世界大戦の勃発後、1943年7月にイタリアは降伏して枢軸から脱落。ムッソリーニはドイツ軍に救出され、イタリア北部で小規模な政権を築くが、以降は終戦までヒトラーの手駒に成り下がってしまう。だが、戦後のヒトラーとムッソリーニの評価は対照的だ。ドイツではユダヤ人の大量虐殺を指示したヒトラーの再評価がタブー視されているが、イタリアでは明朗な人柄だったムッソリーニを肯定的に見る者が少なくない。

**その他の出来事**

337年・コンスタンティヌス1世、死去　1223年・倭寇誕生、朝鮮の金州を侵す　1333年・鎌倉幕府滅亡

# 5月/23日【1618年】 プラハの反乱から三十年戦争が勃発する

No.143

三十年戦争の発端「プラハ窓外放擲事件」

ヨーロッパでは16世紀から宗教改革が激化し、神聖ローマ帝国（ハプスブルク家）と教皇庁を中心とするカトリック勢力（旧教徒）と、これに反抗するプロテスタント信徒（新教徒）の紛争が多発。1555年にはアウグスブルクの宗教和議で、神聖ローマ帝国領内の諸侯の信教の自由が認められ、宗教紛争は沈静化した。

ところが、1617年にハプスブルク家からボヘミア（現在のチェコ西部）国王に即位したフェルディナントは、領内の新教徒を弾圧する。新教徒たちは反乱を起こし、1618年**5月23日**にプラハ城を襲撃すると、3人の書記官を2階の窓から放り出した。3人は命を取りとめたが、このプラハ窓外放擲事件が30年も続く戦争の発端となる。三十年戦争は神聖ローマ帝国に対する敵の変化によって、以下の4段階に区分される。

（1）反乱を起こしたボヘミアの新教派は、ファルツ選帝侯フリードリヒ5世を新たな王に迎えた。しかし、神聖ローマ帝国皇帝フェルディナント2世は、同じ旧教国のバイエルン、スペインと連合して1623年にはボヘミアを完全制圧する。

（2）フェルディナント2世は新教徒の弾圧を進め、1625年に新教国のデンマーク王クリスティアン4世が、新教徒の保護を掲げて神聖ローマ帝国に宣戦。同じく新教国のイギリスとオランダがデンマークを支援した。帝国軍はデンマークに侵攻し、傭兵（ようへい）指揮官のヴァレンシュタインが大戦果を挙げたが、高慢な態度のため失脚する。

（3）帝国軍はバルト海にまで進出したので、1630年に新教国のスウェーデン王グスタフ＝アドルフが、新教徒支援を唱えて参戦する。帝国軍ではヴァレンシュタインが復権したが、無駄に戦闘を引き伸ばしたため、背任を疑われて暗殺。グスタフ＝アドルフは戦死したが、スウェーデン軍は帝国軍に大打撃を与えた。

（4）戦争の長期化で神聖ローマ帝国が弱体化すると、今度は1635年にフランスが参戦。フランスは旧教国だが、スペインと神聖ローマ皇帝のハプスブルク二大国に挟まれた立場だったので、これまで新教国を支援していた。フランスが優勢となった状態で休戦が成立し、1648年10月にウエストファリア条約が結ばれる。

三十年戦争は、旧教徒と新教徒の対立から始まった。しかし、結果的には、全ヨーロッパの反ハプスブルク勢力が輪番で神聖ローマ帝国を攻撃した形になる。

**その他の出来事**

811年・坂上田村麻呂、死去　1498年・サヴォナローラ、火刑　1587年・大友宗麟、死去

# 5月/24日【1127年】 高宗が宋を再建し南宋が成立する

No.144

10世紀に中国大陸の大部分を掌握した宋は、1126年12月に北方からの金の侵攻（靖康の変）によって都の開封を占領され、一時的に滅亡する。このとき皇帝欽宗は金に拉致されたが、その弟・高宗は南方に逃れ、1127年**5月24日**に宋の再建を果たし、新たな都は臨安（現在の杭州）に置かれた。これ以降の宋を南宋と呼ぶ。

南宋は華南の開発を進めた

南宋の北部では義勇軍による金への抵抗が続けられ、とりわけ農民出身の岳飛は大きな戦果を挙げる。しかし、南宋宮廷の高官たちは、戦闘継続による財政の悪化と、義勇軍が自分たちの地位を脅かすことを恐れた。宰相の秦檜は、裏で金と手を結んでいたともいわれ、岳飛らの徹底抗戦派を捕らえて処刑したのち、1142年に金と和平を結んで淮河を国境に定める。そして、南宋は安全保障のため金に定期的に供物を贈る立場となった。

後世まで、秦檜は憎むべき売国奴、岳飛は愛国者の模範として語り継がれる。宋は建国以来、武力や戦争より内政の充実を重んじる方針だったが、異民族国家に妥協した屈辱への民衆の反発は強く、漢民族こそが中国大陸の全土を支配するべきであるという、強いナショナリズム（中華思想）を生むことになった。

北宋・南宋を通じて宋は常に異民族に脅かされ続け、武力の面では強大な王朝とはいえない。ただし、文化の発展はめざましいものがあった。

宋の初代皇帝である趙匡胤（太祖）は、血筋や家柄にかかわらず学力のみで人材を選別する科挙制度を確立。10～13世紀では、世界で最も進んだ官吏登用制度といえる。科挙の参加者は男性のみだが、漢文を読解できれば異民族でも採用された。さらに、宋代には紙の大量生産と木版印刷が普及し、文学書、歴史書、儒教や道教の解説書、医学書ほか多くの書物が流通する。南宋の前期には朱熹（朱子）が儒教を整理した朱子学を確立させ、のちに王朝を支える思想となる。

また、宋代には白磁や青磁といった陶磁器の生産や、生薬や鍼灸を用いる漢方医学も大きく発展。南宋の成立後は華南の開拓が進んで農業生産が増大し、海外との貿易も拡大した。竜骨を備えた大型帆船や方位磁石が普及し、紙、絹、陶磁器などが盛んに西方に輸出される。後世において中国文化とされるものの多くが大きく花開き、世界に広まったのは、武力では今ひとつの南宋の時代だったのだ。

**その他の出来事**

1543年・コペルニクス、死去　1626年・オランダ、マンハッタン購入　1900年・英、オレンジ自由国併合を宣言

# 5月/25日【1787年】 フィラデルフィア憲法制定会議がアメリカで開催される

No.145

アメリカ合衆国憲法は、成立以来盛んに修正を繰り返してきた。たとえば、1919年には憲法修正第18条、いわゆる禁酒法が成立し、1933年にはこれを廃止する憲法修正第21条が成立した。政治学では改正の手続きが厳格な憲法を硬性憲法、容易なものを軟性憲法と呼び、アメリカは後者の代表格といえる。アメリカでこうした方針を決定付けたのが、1787年**5月25日**に開始されたフィラデルフィア憲法制定会議だ。

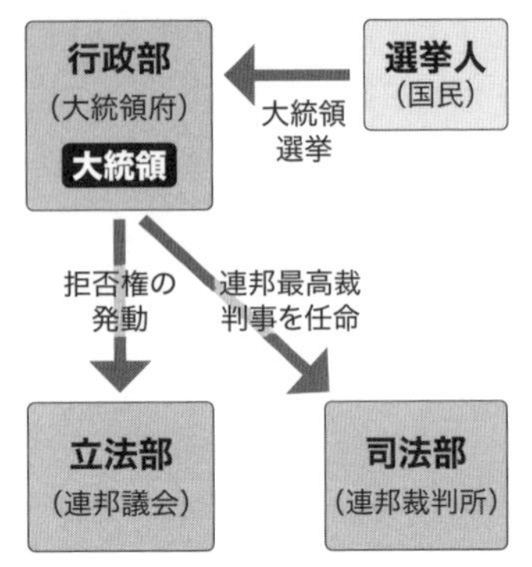

アメリカの三権分立

1783年9月に独立を果たしたアメリカでは、この直後から憲法制定が模索される。過去には、17世紀のイングランド共和国で成立した統治章典のような前例があったものの、アメリカが建国された当時、恒常的に運用される憲法をもつ国はなかった。つまり、手本がない状態でアメリカの憲法制定は進められたのだ。

憲法制定会議は、独立から4年を経てペンシルヴェニア州のフィラデルフィアで開催。13の各州から代表が集まり、独立軍を率いたワシントンが議長に推される。独立宣言で示された人民主権が強調され、人民の選挙による議員の選出、国家権力を行政、司法、立法の3つに分ける三権分立が基本方針となる。だが、明確な中央政府をつくるのか各州の連合体とするのかなど、会議の参加者の間では意見の紛糾が続く。さらには会議からの脱落者も相次いだが、残った者たちによって、9月には憲法草案が完成。このとき議長のワシントンは、草案が現状で同意できる最上の内容だとしたうえで、「これ以上の改定は将来の修正に任せる」と語った。

紆余曲折（うよきょくせつ）を経て成立した憲法は1788年6月に発効したが、さっそく権利章典に関する1～10条が改正される。なかでも、修正第2条は人民が自衛のため武装する権利を認めており、現在まで続くアメリカ国民の銃器保持の論拠となっている。

ちなみに、1946年11月に成立した日本国憲法も同じく三権分立を取り入れているが、アメリカとは制度が異なる。アメリカは行政府の長である大統領を、立法府（上院・下院）の議員と別個に選挙するが、日本では立法府（国会）の多数党の党首が行政府の長である首相を務め、閣僚の多くは与党議員から選ばれる。このため、アメリカと比較すると日本は完全な三権分立とはいえない。逆にいえば、大統領府が議会から完全に独立していることが、アメリカの政治制度の特徴なのだ。

**その他の出来事**

1336年・湊川の戦いで楠木正成、自刃　1915年・日華条約調印　1969年・スーダンでクーデタ、民主共和国に改称

# 5月/26日【1467年】 京都で細川軍と山名軍が衝突し、応仁の乱が起こる

No.146

15世紀の中期、室町幕府は弱体化して関東はすでに戦乱状態にあった。さらに、応仁の乱（応仁・文明の乱）によって、戦国時代の到来が本格化する。

幕府の第8代将軍である足利義政には男児がなく、出家していた弟の義視を後継者に指名し、義視は還俗した。ところが、その直後に義政の妻の日野富子が男児の義尚を出産。義政の側近の伊勢貞親は義尚を次の将軍にしようと図る。このとき、幕府の重鎮である細川勝元と山名持豊（宗全）は、2人とも義視を擁護した。

| 西軍 | | 東軍 |
|---|---|---|
| 山名持豊 | 総大将 ←→ | 細川勝元 |
| 足利義尚 | 将軍家 ←→ | 足利義視 |
| 畠山義就 | 畠山家 ←→ | 畠山政長 |
| 斯波義廉 | 斯波家 ←→ | 斯波義敏 |
| 一色氏・大内氏など | その他有力守護 ←→ | 赤松氏・京極氏など |

東軍と西軍の主要な大名の一覧

一方、細川氏、山名氏と並ぶ有力者の畠山氏では、先代当主の実子の義就と、従弟の政長が家督を争っていた。細川勝元は政長を支持したが、山名持豊の働きかけにより義就が家督を継ぐ。不満を抱いた政長は、1467年（応仁元年）の正月、京都の上御霊神社で義就の軍勢と衝突。山名持豊は義就に加勢し、政長は細川勝元を頼る。これ以降、細川勝元と政長の一派は京都の東、山名持豊と義就の一派は京都の西に陣取り、**5月26日**に両軍は衝突する。こうして応仁の乱が始まった。

細川勝元らの東軍には、中国地方の所領を巡って山名持豊と対立していた武田信賢、赤松政則らが参戦。山名持豊らの西軍には、かつて三河国（愛知県東部）の所領を細川氏に取られた一色義直らが参戦した。このほか、各地でそれぞれ敵対関係にあった大名が、細川側と山名側の人脈に従い次々と両陣営に加わる。

当初は将軍の足利義政も弟の義視も東軍を支援したが、義視は東軍内で伊勢貞親との対立が再燃したため西軍に転じる。西軍は義視を将軍に担ぎ、東西2人の将軍が並び立った。戦乱が長期化するなか、細川勝元と山名持豊は1473年に相次いで急死。さらに、もともと政治にも戦にも関心のなかった義政は将軍職を義尚にゆずる。こうして本来の両軍トップがいなくなったが、各地での戦は止まらなかった。

1478年に義視は義政と和睦を結び、11年間の大乱は明確な勝者がないまま終息する。京都はすっかり治安が悪化したが、多くの公家や僧が各地に脱出し、地方の文化が発達する契機ともなった。そして、幕府の権威は失墜し、従来の名門公家や守護大名の力は衰え、以降は領民の自治が活発化したり、新興の戦国大名が次々と登場する。このため、東洋史学者の内藤湖南は、応仁の乱を日本史全体の一大転機と位置付けている。

**その他の出来事**

1180年・以仁王、宇治川で敗死　1846年・英、穀物法の廃止　1924年・米国で排日移民法が成立

5月/27日
【1905年】

# 日本海海戦で日本がバルチック艦隊を破る

No.147

日本海軍連合艦隊を率いた東郷平八郎

1905年**5月27日**午後1時55分、対馬海峡を望む朝鮮半島の鎮海湾で、東郷平八郎大将の率いる日本海軍連合艦隊は、ロシア海軍のバルチック艦隊と対峙した。

日本とロシアの間に日露戦争が勃発したのは、この約1年前のことだった。19世紀に中国大陸で清朝が弱体化する一方、ロシア帝国は日本の勢力圏と隣接する朝鮮半島、満洲（中国東北部）の近隣で勢力を拡大。日本は同じくロシアを脅威と見なすイギリスと日英同盟を結び、ロシアに満洲からの撤兵を要求。しかしロシアは応じず、1904年2月4日に日本は開戦した。日露戦争は、近代兵器の前に人命が大量に消耗される20世紀型戦争、最初の例となる。日本陸軍は、強固なコンクリート壁と大量の機関銃を備えたロシア軍の旅順要塞の攻略に苦戦し、数万の死傷者を出すことになった。

旅順艦隊は黄海海戦で大打撃を受けるが、ロシアはヨーロッパからバルチック艦隊を派遣。だが、アフリカ大陸からインド洋を回る長大な航路のため船員は疲れ果て、速力の遅い旧式艦を合流させた結果、艦隊の足並みはそろわなかった。こうしたなか、日本海軍の連合艦隊は正確な砲撃で敵艦を次々と撃破して大勝利を収めた。

ロシア側は、バルチック艦隊の壊滅に加え、戦争の長期化で困窮した国民が反対運動を起こしたことから、講和の交渉を受け入れる。9月5日、アメリカの仲介によってポーツマス講和条約が締結され、日露戦争は日本の勝利に終わった。

日本はロシアから樺太の南半分を獲得、満洲での鉄道敷設や商業活動の利権を手に入れた。さらに、清とロシアが朝鮮半島への影響力を弱めるなか、日本は1910年に韓国併合を行なう。西洋列強が圧倒的な軍事力でアジア、アフリカ諸国を植民地にしていた当時、東洋の新興国日本がロシアに勝利を収めたことは、アジア各地の独立運動や革命運動を刺激。だが、その反面で、欧米諸国は日本の帝国主義的な領土拡大に対する警戒心を強める。また、ロシアは日本に敗れて東アジアへの進出を阻まれた。

**その他の出来事**

743年・墾田永年私財法、発布　1703年・ピョートル大帝、ペテルブルク建設　1964年・インド、ネール死去

# 5月28日【1858年】 ロシアと清がアイグン（愛琿）条約を締結

No.148

ロシアは、1533年にモスクワ大公として即位したイヴァン4世の治世から、1682年に即位したピョートル1世の時代、東方へと大幅に領土を拡大した。現在もロシアでシベリア東部から極東にかけての地域の住民は、アジア系の民族が多い。シベリアの先住民はツングース系民族と呼ばれ、清を建国した満洲族もその一派だ。

清朝は満洲の東部をロシアに奪われた

現在の世界地図で、日本の北海道の対岸にある沿海州はロシア領となっているが、17～19世紀中期まで清の領土だった。清が中国大陸を支配してから10年後の1654年には、早くも黒竜江（アムール川）の周辺でロシアとの戦争が起きる。清とロシアは1689年9月にネルチンスク条約を結び、スタノヴォイ山脈と黒竜江上流のアルグン川を国境線と定めた。このときはまだ、清とロシアの立場は対等だった。

ところが清は、1840～42年のアヘン戦争でイギリスに大敗して以降、一方的に西洋列強につけこまれ、1856年には、清と英仏の間でアロー戦争（第2次アヘン戦争）が勃発する。この戦闘が継続中の1858年**5月28日**、極東での領土拡大を図っていたロシアの東シベリア総督ムラヴィヨフは、清にアイグン（愛琿）条約を結ばせた。これにより、黒竜江の左岸はロシア領、ウスリー川以東は両国の共同管理とされる。

一方でロシアは、1864年に清とタルバガタイ条約を結び、続けて1881年にはイリ条約（ペテルブルク条約）を締結。これにより、現在のカザフスタン共和国の東部にあたる中央アジアの広大な地域が、清からロシア領に編入された。

こうして19世紀中に清がロシアに奪われた領土は、150万平方キロメートル（フランスの国土面積の3倍）に及ぶ。清・ロシア間の摩擦は、中国・ソ連時代にもち越され、1969年には中ソ国境紛争が起こった。21世紀の現在、中国・ロシア間に政治的な対立はないが、ロシアに対する失地奪回の意識は決して皆無ではない。

実際に、21世紀に入って以降、ロシアの極東地域では中国人の労働者や企業家が急速に増えている。シベリア東部は人口密度が低いので、中国人に土地を乗っ取られるという危機感を抱く者も少なくない。AFP通信の報道によれば、2012年にロシアのメドベージェフ首相は、隣国住民の過剰な拡張への警戒を漏らしている。

**その他の出来事**

1634年・第2次鎖国令　1635年・第3次鎖国令　1927年・第1次山東出兵を声明

# 5月/29日【1453年】 オスマン帝国がビザンツ（東ローマ）帝国を征服

No.149

中世後期、ビザンツ帝国（東ローマ帝国）は、イスラーム教勢力の伸張によって衰退に向かう。また、公式にはローマ帝国を自称し続けたが、皇帝一族も住民もギリシア系となり、古代ローマ時代のラテン語ではなくギリシア語が公用語となっていた。

アナトリア半島周辺では、1299年にトルコ系のオスマン＝ベイが創始したオスマン朝が強大化。オスマン帝国軍は、優秀なキリスト教徒からの改宗者を積極的に登用し、西欧諸国に先がけて小銃や大砲などの火薬兵器を大量に導入した。

オスマン艦隊は山越えしコンスタンティノープルを攻めた

15世紀に入るとビザンツ帝国の領土は首都コンスタンティノープルを含む一部地域のみとなる。1453年、オスマン帝国の皇帝メフメト2世は、約8万人もの大軍を送り込み、総力を挙げてコンスタンティノープルの攻略を図る。

ビザンツ帝国はカトリック教会のローマ教皇庁に支援を求めるが、助力は得られなかった。それでも、敵艦隊の侵攻を防ぐため、ボスポラス海峡の金角湾に幅800メートルもの太い鎖を張って封鎖。ところが、オスマン帝国軍は72隻の軍艦から兵を降ろし、山の斜面に板を張って大量の人員で船を押して山越えさせ海峡内に入る。この奇策により**5月29日**、コンスタンティノープルは陥落し、ビザンツ帝国は滅亡。最後のビザンツ皇帝コンスタンティノス11世は、戦死したと伝えられる。

コンスタンティノープルは、オスマン帝国の支配が確立されたのち、イスタンブルという呼び名が定着した。この名は、ギリシア語での「イス・ティン・ポリン（町へ）」という語句に由来する。市内で360年に創建されたアヤ・ソフィア寺院は、キリスト教の教会からイスラーム教のモスクに改装され、キリスト像などのモザイク画は漆喰（しっくい）で塗り潰される。ただし、オスマン帝国は、キリスト教徒やユダヤ教徒にも信仰の自由を保障し、東方正教会の総主教座は引き続き市内に置かれた。

一方、ビザンツ帝国の継承国家を自称した国がある。同じ東方正教文化圏でロシア帝国の原形となったモスクワ大公国だ。同国の大公イヴァン3世は、コンスタンティノス11世の姪ゾエを妻に迎え、ビザンツ皇帝の後継者を自認した。以降のイヴァン3世はモスクワを、西ローマ帝国解体までのローマ、ビザンツ帝国の都コンスタンティノープル（第2のローマ）に続く、第3のローマと呼んでいる。

**その他の出来事**

1952年・国際通貨基金（IMF）、国際復興開発銀行（世界銀行）、日独の加盟を承認　1981年・宋慶齢、死去

# 5月/30日【1876年】オスマン帝国でミドハト=パシャによる政変

No.150

18世紀中期まで、イスラーム圏の科学力、軍事力、政治力は、ヨーロッパより優位にあった。一例を挙げれば、18世紀末にイギリスで種痘法が発明される以前、オスマン帝国では天然痘患者の膿液を接種する人痘接種法が行なわれ、その技術がヨーロッパに移入されている。だが、18世紀には西欧で産業革命が起こり、19世紀になると工場で大量生産された兵器と徴兵制による軍隊でヨーロッパ諸国が優位になる。

革新的政治家ミドハト=パシャ

1820年代に入ると、オスマン帝国の領土は次々とロシアに奪われ、ギリシアが西欧諸国の支援で独立し、北アフリカではイギリスとフランスが勢力圏を広げる。さらに、エジプト総督ムハンマド=アリーは、西欧諸国にならった近代化改革を進め、オスマン朝への独立傾向を強めた。こうした状況下、オスマン帝国も改革を模索する。

1839年に即位した皇帝アブデュルメジト1世は、ギュルハネ勅令を発布し、オスマン帝国臣民は、身分や民族や信仰する宗教にかかわらず法的に平等と定める。つまり、近代的な「国民」と「法の支配」の概念が取り入れられた。そして、宰相ムスタファ=レシト=パシャらにより、司法、軍事、教育などの分野で西欧諸国にならった新制度が導入。この政策は「タンジマート（再編成）」と呼ばれる。

タンジマートは、あくまで上からの改革であり、中央集権的な体制の確立が目的だった。しかし、改革の進行と西洋諸国との接触の増加によって、オスマン朝の官僚や政治家の間には、しだいに自由主義や立憲主義が広がる。

1860～70年には、オスマン帝国内でヨーロッパ留学経験をもつ自由主義者が増え、新オスマン人を自称した。この新オスマン人に強く支持されたのが、革新的な志向をもつ政治家のミドハト=パシャだ。ときの皇帝アブデュルアジズは、反政府的な人間を徹底的に弾圧したため、国民の不満が高まっていた。1876年**5月30日**、ミドハト=パシャは支持者とともにクーデタを起こし、アブデュルアジズを退位させてムラト5世を新皇帝に擁立。そして、宰相に就任して憲法の制定を実現させた。ところが、続いて即位したアブデュルハミト2世は皇帝による専制を復活。ミドハト=パシャは失脚し、1884年に追放先のアラビア半島で死去した。その後、オスマン帝国の近代化は「青年トルコ党」と呼ばれた革命運動家たちに引き継がれる。

**その他の出来事**

1431年・ジャンヌ=ダルク、火刑　1778年・ヴォルテール、死去　1925年・上海で五・三〇事件

# 5月/31日【1902年】 南アフリカ戦争がイギリスの勝利で終結

No.151

初の黒人大統領となったネルソン＝マンデラ

南アフリカで1899年10月に始まった南アフリカ戦争は、1902年**5月31日**、ブール人（オランダ系白人植民者）に対するイギリスの勝利という形で終結。ブール人国家のトランスヴァール共和国とオレンジ自由国はイギリスの支配下となる。

南アフリカ戦争は、南アフリカの金とダイヤモンドの利権を巡る大義のない戦争だったが、イギリスはブール人への勝利に強くこだわって戦闘が長期化。このため、イギリスは国力をすり減らし、外交政策にも少なくない影響が出る。

19世紀後半のイギリスは、外交関係で長期的な同盟国をもたず、「光栄ある孤立」と呼ばれる方針を採っていた。しかし、南アフリカ戦争にかまけている間に、中東や東アジアでは、ドイツやロシアが新たに勢力圏を広げる。1900年6月には中国大陸の清で、海外勢力の排除を唱える義和団の乱（北清事変）が勃発。イギリスは南アフリカ戦争のため、鎮圧部隊を大々的に派遣できず、代わりに日本軍が反乱鎮圧に大きな役割を果たす。これは1902年1月に日英同盟が結ばれる一因となった。

イギリスは南アフリカ戦争で獲得した地域と、かねてより領有していたケープ植民地を統合し、1910年5月に南アフリカ連邦を成立。同地の人口比では20％に満たない白人住民が、有色人種の住民（アフリカ在来の黒人のほか、アジアのイギリス植民地から来た労働者）を徹底的に差別するアパルトヘイト政策が採られた。

南アフリカ連邦は1961年5月に共和政を施行し、イギリス連邦の自治領から完全な独立国となる。これ以降もアパルトヘイト政策は継続し、白人と有色人種は居住地をきびしく区分され、両者の結婚は禁止、有色人種は教育の機会や労働条件も制限されたが、1960年代にはアフリカで黒人国家が次々と独立。アメリカ国内でも有色人種の権利向上を唱える公民権運動が激化した。

こうしたなか、アパルトヘイト政策を続ける南アフリカ共和国は世界各国から非難を浴び、国際社会から孤立する。このため、1989年9月に南アフリカ共和国の大統領となったデクラークは、有色人種住民との対話政策を打ち出し、獄中にあった黒人解放運動の指導者ネルソン＝マンデラを釈放した。1991年2月にアパルトヘイト政策は廃止され、1994年4月には初めて全人種が参加した選挙が実施。マンデラが初の黒人大統領に就任した。

**その他の出来事**

1891年・シベリア鉄道建設着工　　1961年・南ア連邦、英連邦を脱退

# 6月

June

# 6月/1日【907年】 朱全忠が後梁を建国し五代十国時代が始まる

No.152

唐では9世紀に入ると宮中の内紛が相次ぐ一方、飢饉で生活に苦しむ農民が増加。こうしたなか、875年に塩の密売商人（塩賊）の黄巣（こうそう）が、「黄巣の乱」を起こして長安に攻め入った。やがて、反乱軍の一員だった朱温は、裏切って官軍の指揮官に投降する。884年に反乱は鎮圧され、朱温は皇帝から「全忠」の名を賜った。

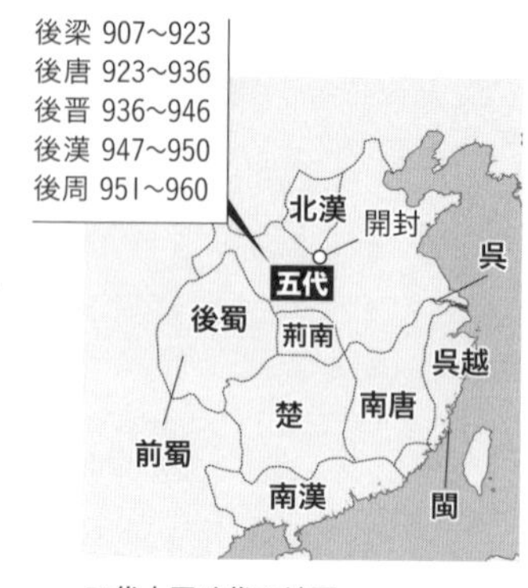


五代十国時代の地図

だが、長期の反乱で皇帝の権威は衰え、各地の節度使（藩鎮）が地方軍閥と化して群雄割拠の時代が到来。宮中の有力者となった朱全忠は、政敵を次々と処刑し、皇帝に禅譲を迫った。907年**6月1日**、朱全忠は皇帝に即位して「後梁」を建国する。

後梁は荒れ果てた長安に代わり、東の開封（かいほう）を都とした、同地は黄河と長江を結ぶ大運河の要衝だ。とはいえ、後梁の政権は安定せず、後継者問題がもつれた結果、朱全忠は912年に息子の朱友珪（ゆうけい）に殺されてしまう。さらに、唐代末期からの有力軍閥だった李存勗（りそんきょく）が後梁を滅ぼし、923年に「後唐」を建国した。

ところが、後唐も政権は弱体で、わずか13年で滅亡。華北では唐の滅亡から60年ほどの間に、後梁、後唐に続いて、「後晋」「後漢」「後周」という短命の王朝が次々と生まれた。華南や内陸部でも各地の有力者がそれぞれに独立国を築き、「呉越」「南唐」「前蜀」「後蜀」「呉」「閩（びん）」「荊南（けいなん）（南平）」「楚」「南漢」「北漢」といった小国を建国。これらのうち華北の後梁から後周は「五代」、ほかの10の王朝は「十国」と呼ばれ、両者は「五代十国（ごだいじっこく）」と総称される。

五代十国の時代は小国が分立して各地で戦乱が続いたが、唐代までの有力貴族が血縁関係によって人事を左右する体制は崩れ去り、官僚や軍人は実力で採用される傾向が強まった。また、纏足（てんそく）が普及したのも五代十国の時代だ。纏足とは幼児期から女性の足の指を折り曲げて小さな靴をはかせ、足が小さくなるように矯正する習慣で、足の小さい女性を尊ぶ価値観から生まれた。十国の南唐で官女が行なっていたものが全国に広がったといわれ、宮中文化が大衆化した一例ともいえる。

こうした多くの点から、中国史の研究者の間では、五代十国時代は中世と近世の節目と解釈されている。一方では五代十国時代以降を封建制が確立された中世と見なす説もあるが、この時代が中国史の大きな区分となるという見解は一致している。

**その他の出来事**

1864年・太平天国の乱で敗れ、洪秀全病死　1927年・立憲民政党結成　1958年・ド＝ゴール内閣成立

# 6月/2日【1582年】 本能寺の変で織田信長が討たれる

No.153

織田信長は、1576年から尾張国（愛知県）と京都の中間にある近江国（滋賀県）の蒲生に安土城を築き、ここに本拠を移した。それまでの日本の城は戦闘時に立て籠もる砦だったが、安土城は地上6階地下1階という前例のない巨大な高層の天守（天主）を備え、居住と政務の拠点となる宮殿だった。

『本能寺焼討之図』

信長はみずから中国地方の毛利氏を討つため出陣。途上で京都に入り、少数の部下を連れ本能寺に宿泊する。このとき柴田勝家は北陸で魚津城を攻略、羽柴秀吉は備中国（岡山県）で高松城を包囲、滝川一益は関東で上杉景勝と対峙し、主要な部下は各地に散らばっていた。秀吉に援軍を頼まれた信長は、畿内に残る明智光秀に出陣を命令。ところが、丹波国（京都府、兵庫県）の亀山城を出た光秀は、掛川まで来ると「敵は本能寺にあり」と京都へ進軍を始める。

1582年**6月2日**、光秀が率いる約1万3000人の軍勢は、本能寺を包囲し建物に火を放った。信長の手勢は100人ほどしかおらず、小姓の森蘭丸から光秀の謀反を聞いた信長は「是非に及ばず（仕方あるまい）」と答えたという。信長は槍を振るって応戦したものの、最後には自決したと伝えられる。ただし、焼け跡で信長の遺体は発見されなかった。

信長の嫡男の信忠も、抵抗を試みたが諦めて自決する。光秀は安土城を占領し、朝廷から暗黙の支持を取り付けた。だが、謀反の大義名分を十分にアピールできず、人心の掌握に失敗。ほどなく秀吉が帰京し、秀吉に従う織田家臣団は京都西南の山崎で光秀を迎え撃った。敗れた光秀は、逃亡中に死亡したといわれる。

この本能寺の変の黒幕は、朝廷、元将軍の足利義昭、イエズス会、さらには秀吉という説もあるが、いずれも裏付けはない。光秀の裏切りの真意も謎が多いが、光秀は信長の意向で四国の長宗我部元親と姻戚関係を結んだにもかかわらず、信長は方針を転換して四国攻めを進めたので、光秀は元親との板挟みで悩んだ末に謀反を決意した可能性が高い、というのが、近年、有力視されている説の1つだ。いずれにせよ、信長がほかの家臣団から離れていた6月2日は千載一遇のチャンスだったといえる。

**その他の出来事**

1180年・福原遷都　　1946年・イタリア、国民投票で王政廃止

# 6月/3日 【1853年】 アメリカから ペリーが浦賀に来航

No.154

浦賀に来航したペリー

1853年**6月3日**、アメリカ海軍の東インド艦隊提督を務めるマシュー＝ペリーは、4隻の軍艦を率いて江戸湾（東京湾）の入口にある浦賀へ来航。ペリーが乗ってきた「黒船」ことサスケハナ号は、排水量2450トンで大砲を15門装備した巨艦だ。ペリーは江戸幕府に、日本との国交樹立を求めるアメリカ大統領フィルモアからの国書を手渡すが、幕府は国内で話し合うため猶予を求めたので帰国した。

従来、以上の経緯は200年以上もの鎖国体制を揺るがす大事件で、ペリー来航をきっかけに、一気に日本国内では西洋列強との対峙が課題となり、尊皇攘夷の思想が広がったという解釈が多かった。しかし、それは必ずしも正しくない。

まず、鎖国体制は、外国との交流を完全に遮断するものではなかった。日本人の海外渡航は禁じられたが、長崎では制限された形で、清やオランダとの貿易が行なわれ、長崎の商人を経由し西洋の書物を入手する者も少なくなかった。また、薩摩藩は支配下の琉球を仲介にし、独自に中国大陸や東南アジアとの密貿易を行なった。

加えて、幕府は定期的に、長崎のオランダ商館長から海外情報の報告である「オランダ風説書」を入手していた。1840年に清とイギリスの間でアヘン戦争が勃発して以降は、西洋人の東洋進出を警戒し、より詳細な「別段風説書」をオランダ商館長に提出させている。じつは、ペリー来航も別段風説書により予告されていた。

そして、ペリーの来航以前にも、多くの西洋船舶が日本近海に現れていた。1792年には蝦夷地（えぞち）の根室にロシアのラスクマンが来航、1808年にはイギリスの軍艦フェートン号が長崎付近に侵入、1824年にはイギリスの捕鯨船が常陸国（茨城県）の大津浜に上陸するなどの事件が起きている。

ペリーの来航は、西洋列強との対峙を避けてきた幕府にとって、とどめの一撃になったといえる。1854年2月にペリーはふたたび来航。幕府は朝廷と十分な交渉をしないまま、やむなく日米和親条約を結ぶ。ところが、かねてより水戸藩（茨城県）などでは「幕府は天皇に忠義を尽くすべき」という儒教の価値観に基づいた勤皇思想が高まっていた。これが外国を敵視する攘夷思想と結び付き、幕末期の動乱を招くことになる。

**その他の出来事**

1098年・第1回十字軍、北シリアのアンティオキオ占領　1896年・李鴻章、ウィッテ、露清条約調印、対日密約

# 6月/4日【1989年】 中国の北京で第2次天安門事件が起こる

No.155

中国では1970年代末、共産党の実権を握った鄧小平が自由主義経済を取り入れた新政策「改革開放」を導入。さらに1980年代後半、ソ連は国内政治の民主化諸改革（ペレストロイカ）を進め、軍事政権が続いていた韓国やミャンマーでも民主化運動が活発化するなど、諸外国の動向が中国に伝わるなか、改革開放で日本や欧米の文化に触れた若い世代には、共産党の独裁を批判する民主化運動が広がる。

人民解放軍の戦車に向き合うデモ参加者

共産党総書記の胡耀邦は、党内の改革派として民主化を唱える学生たちに支持されていたが、鄧小平や党内の保守派の批判を受けて解任され、趙紫陽が後任となる。1989年4月に胡耀邦が死去すると、追悼集会には数万人もの市民や学生が集まり、政府批判のデモが巻き起こる。鄧小平は北京に戒厳令を発して軍を動員し、**6月4日**、天安門広場に集まったデモ隊を攻撃させた。この事件は、「六・四事件」あるいは、1976年4月5日に起こった「第1次天安門事件」に対して「第2次天安門事件」と呼ばれる。

中国内では、第2次天安門事件についての報道はきびしく制限された。このため正確な犠牲者数は不明ながら、数百人から2000人以上と推定されている。趙紫陽は弾圧に消極的だったため失脚し、民主化運動の参加者の多くは国外に亡命した。

鄧小平は第2次天安門事件の後、共産党の要職の大部分を辞し、上海市長などを歴任した江沢民が中央軍事委員会主席として実権を掌握。事件の余波がまだ残る状況下、ハンガリー、ポーランド、ルーマニアほかの東欧諸国では次々と共産党政権が崩壊する。さらに、1991年にはソ連でも共産党が政権から下野した。中国共産党はこの事態に大きなショックを受け、国内の民主化運動をきびしく弾圧する。

一方で中国共産党は、改革開放をより本格的に推進した。国民の不満を避けるため、政治的な自由を制限しつつ、金もうけの自由を解放したのだ。さらに、民主化運動の拡大を防ぐため愛国教育を徹底する。とくに、第二次世界大戦で中国が日本軍から受けた被害と、共産党が組織した八路軍が日本軍を撃退した成果を強調して、共産党政権の正統性のアピールを図った。じつは、毛沢東時代の中国共産党は、「西側諸国の政府と敵対しても、諸外国の民衆や労働者は仲間」という考え方を説いていた。中国で反日が基本方針となったのは、1990年代以降なのだ。

**その他の出来事**

1582年・秀吉、毛利と講和し、中国大返し　1878年・英、トルコよりキプロス島を獲得　1928年・張作霖、爆死

# 6月/5日【1942年】 ミッドウェー海戦で日本海軍が大敗

No.156

日本海軍はこの敗戦で制海権を失った

日本は1941年12月、ハワイ真珠湾のアメリカ海軍基地を奇襲し、対米戦争に突入する。これより4年前から続いていた日華事変（日中戦争）で、アメリカは中華民国の国民党政権を支援したので日米関係は急速に悪化していた。ヨーロッパでフランスがドイツに降伏したのち、日本は1941年7月に仏領インドシナに進駐するが、アメリカはこれに強く反発し、日本への石油輸出を禁止。このため日本は開戦に踏み切る。

開戦後、米軍は早くも1942年4月、日本近海で空母から爆撃機を発進。東京ほかの主要都市への空爆（ドゥーリトル爆撃）を敢行した。日本側は、こうした米機動艦隊の動きを抑えるため、その中継基地があるミッドウェー島の攻略を図る。

かくして、**6月5日**にミッドウェー海戦が行なわれた。日本海軍は、山本五十六（いそろく）大将の下、南雲（なぐも）忠一中将、山口多聞（たもん）中将らが指揮を取り、「赤城」「加賀」「蒼龍（そうりゅう）」「飛龍」の4隻の空母を投入。艦艇の数は日本が上だったが、すでに軍用暗号がアメリカ側に解読されており、日本側の動きは把握されていた。結果的に、日本海軍は4隻の空母が撃沈され、山口は空母「飛龍」と運命をともにして戦死する。

この大敗の要因は、ミッドウェー島の攻略だけでなく米海軍の機動艦隊の殲滅（せんめつ）も図るという、1度に二兎を追おうとした点にあった。南雲が率いる第1航空艦隊はミッドウェー島の基地を爆撃したのち、敵艦隊に備えるため、艦載機の武装を地上攻撃用の爆弾から艦艇攻撃用の魚雷に換える。ところが、最初の爆撃が不十分であったため、2度目が必要となり、ふたたび艦載機の武装を交換した。この直後に敵の機動艦隊が接近し、艦載機の武装を魚雷に戻そうと作業しているところを攻撃されたのだ。

空母4隻と多数の将兵を失った日本側は劣勢に転落し、引き際を見失ったまま戦争を続ける。一方、工業生産力に勝るアメリカは軍艦と航空機を大量に増産し、1944年6月にサイパン島を奪取して以降、日本本土への空爆を激化させた。

しかしながら、1945年の終戦時まで、中国の沿岸部やインドシナ半島の日本の占領地は維持され、降伏すればそれまでの人命と資源の損失が無駄になることを日本側は強く恐れた。加えて1894年の日清戦争以来、不利な状況で講和した経験がなかった。日本は「負け方」がわからなかったばかりに傷を広げたともいえる。

**その他の出来事**

1862年・ベトナム、南部をフランスに割譲　1864年・池田屋事件　1947年・マーシャル＝プラン発表

# 6月6日【660年】 朝鮮半島で百済が滅亡

No.157

古代の東アジアの国境は現在と大きく異なる。4～7世紀、現在の中国東北部（満洲）から朝鮮半島の北部にまたがる地域には高句麗、朝鮮半島の南部で黄海に面する西側には百済、日本海に面する東側には新羅の3国が並び立っていた。

朝鮮半島の三国時代の地図

同時期の中国大陸は五胡十六国時代、魏晋南北朝時代と、強大な統一王朝がない分裂状態が続いた。しかし、581年に隋が中国の大部分を制し、さらに唐がその版図を引き継いで以降、朝鮮半島の3国のパワーバランスも変化していく。

隋も唐も高句麗の征服を図り、かねてより高句麗に圧迫されていた新羅は、7世紀の中期に唐との同盟を結ぶ。当時の外交関係は「遠交近攻」が基本だった。現在の中国と韓国は間に北朝鮮が挟まっているので直接的な武力衝突の機会はない。唐と新羅はこれと同じ状況で、直に国境が接しないため友好的な関係だった。

一方、日本は日本海のすぐ対岸にある新羅とは衝突することが多かったが、逆に少し離れた位置にある百済との関係は深かった。『日本書紀』によれば、奈良県天理市の石上神宮が所蔵する七支刀は、4世紀に百済の王家から日本の皇室に贈られたという。また、6世紀に日本に仏教を伝えたのも百済の僧だった。

唐は新羅と連合して高句麗の攻略を進めるが、高句麗の抵抗は根強く、黄海方面を押さえるため百済に矛先を変える。かくして、660年3月に唐と新羅の連合軍が南北から同時に百済に侵攻してきた。百済の王宮では、新羅軍を先に討つか唐軍を先に討つかの議論がまとまらず、義慈王は決断を下せないまま時間が過ぎていく。

百済の名将として知られた階伯将軍は、敵軍による王都の制圧を覚悟して妻子の命を絶ってから、5000人の兵を率いて出陣し、約10倍もの新羅軍に立ち向かったと伝えられる。階伯は4度にわたり新羅軍を退けたが、最後には最前線で戦死した。**6月6日**に百済は降伏し、義慈王は唐に連行されたのちに死去したという。

その後、百済の遺臣の一部は日本に逃れ、唐と新羅への逆襲を図って663年に白村江の戦いが行なわれるが、失敗に終わった。ただ、日本は多くの百済からの亡命者を受け入れている。8世紀に即位した桓武天皇の母の高野新笠は、百済の王族の血を引いていた。宮崎県美郷町には、百済から亡命した禎嘉王を祭神とする神門神社がある。

**その他の出来事**

1281年・元軍、志賀島に来襲、弘安の役　1944年・ノルマンディー上陸作戦開始　1950年・マッカーサー、公職追放を指令

# 6月/7日【1494年】 トルデシリャス条約が締結される

No.158

15世紀末～16世紀初頭のローマ教皇アレクサンドル6世は、金の力で地位を築き、聖職者ながら複数の愛人を囲い、息子のチェーザレ＝ボルジアを使って権勢を拡大。悪徳教皇とも呼ばれるアレクサンドル6世だが、外交手腕はなかなかのもので、それをよく示すのが1494年**6月7日**に結ばれたトルデシリャス条約だ。

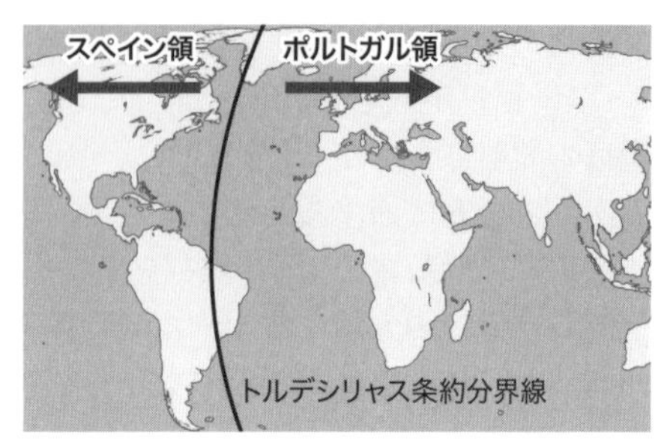

トルデシリャス条約で世界は分割された

当時、スペインとポルトガルは世界各地に船団を派遣して勢力圏を拡大し、1492年10月にはスペインの支援を受けたコロンブスが、アメリカ大陸に到達。同地は西インドと呼ばれ、スペインは近隣地域の領有を宣言するが、ポルトガルはそれに強く抗議した。スペイン王室とポルトガル王室はそれぞれ教皇庁に働きかけ、アレクサンドル6世は両者を調停して1493年5月に植民地分界線（教皇子午線）を定める。これは、大西洋上にあるヴェルデ岬諸島より西へ100レグア（約500キロメートル）の子午線を境界線に、東をポルトガル領、西をスペイン領とするものだ。

だが、スペインとポルトガルの争いは収まらず、翌年6月7日に内容を修正したトルデシリャス条約が結ばれ、境界線は西へ270レグア（約1600キロメートル）移動した。南アメリカ大陸の東岸はポルトガルの勢力圏に含まれるため、のちに南米東部の大部分はポルトガル領となる。この地域が19世紀に独立したものが現在のブラジルだ。

さらに、1529年4月にはアジア地域でのスペインとポルトガルの勢力圏を定めるサラゴサ条約が締結され、東経133度付近のモルッカ諸島から東がスペインの勢力圏、西がポルトガルの勢力圏となる。とはいえ、ほかのヨーロッパ諸国はスペインとポルトガルによる世界分割を受け入れなかった。とくに、プロテスタントが国教のイギリスやデンマークは、教皇の権威による国際条約に強く疑義を唱える。

実際、17世紀に入るとオランダ、イギリス、フランスなども次々とアジアや南北アメリカ大陸に進出。加えて、条約を結んだスペインとポルトガルの間で南米奥地の開拓が進むと、両国の勢力圏が入り組んだ形で混在するようになる。このため、18世紀にはトルデシリャス条約とサラゴサ条約は有名無実と化した。ただ、西洋人が緯度と経度によって一方的に支配地の国境を定めるという習慣は、アフリカのサハラ砂漠、南太平洋のニューギニア島などでその後も踏襲された。

**その他の出来事**

1866年・第2次長州征討、開始　　1905年・ノルウェーがスウェーデンからの分離を宣言

# 6月/8日【632年】ムハンマドの死去をきっかけに、カリフ制が始まる

No.159

イスラーム教を創始した預言者ムハンマドが、632年**6月8日**に死去し、長年にわたりムハンマドの片腕を務めたアブー＝バクルが、教団の指導者であるカリフの地位に就任した。カリフとはアラビア語で「代行者」「後継者」を意味する。

カリフは、教団の合議によって選出されたが、初期にはアラビア人のなかでメッカ周辺の有力な集団だったクライシュ族の出身者が務めることが通例だった。ムハンマド自身も、クライシュ族のハーシム家に属している。

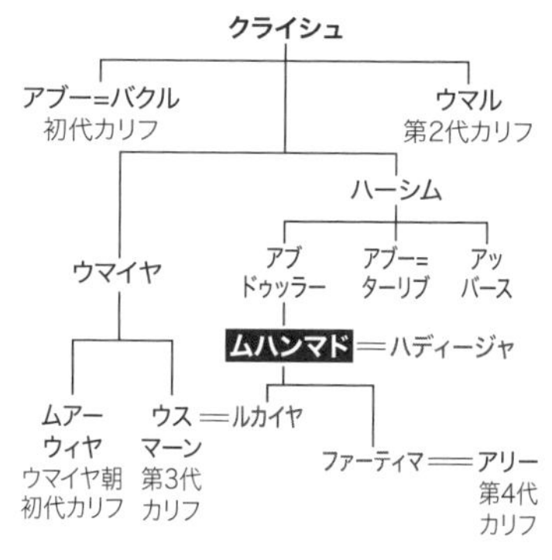

初期カリフはクライシュ族から選ばれた

634年にアブー＝バクルが没して以降、同じクライシュ族のウマル、ウスマーン、アリーが続けてカリフに就任し、イスラーム教団の組織拡大と中東征服を推し進めた。このアリーまでの4代は、「正統カリフ時代」と呼ばれる。

アリーの死後、5代目カリフとなったムアーウィヤの一族はカリフを世襲にし、シリアのダマスカスを首都とするウマイヤ朝を築いた。このウマイヤ朝以降のカリフを正統と認める勢力を、世界のイスラーム教徒で多数派を占めるスンニ（スンナ）派と呼ぶ。これに対し、アリーの一族を支持する勢力はシーア派と呼び、イスラーム教団の主流から分離してスンニ派と対立。のちにはシーア派からも、誰を正統なイマーム（宗教指導者）と見なすかを巡り、いくつかの分派が生まれた。

15世紀のイランでは、シーア派の流れをくむサファヴィー教団が勢力を拡大し、教団指導者のイスマーイール1世が1501年にサファヴィー朝を興した。以来、イランではシーア派が政権を担い続ける。ただし、イランの近隣ではスンニ派とシーア派が長い間共存し、両派の抗争が激化するのは、1979年1月にイランでシーア派指導者のホメイニ師がイスラーム革命を起こしてからだ。イラクやサウジアラビアなど近隣のスンニ派諸国は、シーア派のテロを強く警戒するようになった。

2014年6月、イラクではカリフ制の再興を主張するISIS（イラク・シリアのイスラーム国）が、一時的に国土の主要部分を掌握。ISISの指導者アル＝バグダディは初代カリフと同じアブー＝バクルを名乗り、クライシュ族出身を自称している。だが、イスラーム圏の大多数の国々はこれを正統カリフと認めなかった。ISISは反テロリズムを掲げる各国の軍事介入によって2019年3月に占領地の大部分を失い、10月にバグダディは戦死した。

**その他の出来事**

793年・バイキング、英ノーサンブリア海岸を襲撃　1867年・オーストリア＝ハンガリー二重帝国成立

6月/9日
【1928年】

# 蔣介石が北京を制して北伐が終結する

No.160

中華民国大元帥を自称した張作霖

1928年、南京に拠点を置く国民党の蔣介石は、華北の軍閥を制圧する「北伐」を進めた。当時、華北で最大の勢力だったのが奉天を地盤とする張作霖だ。

張作霖は馬賊と呼ばれるアウトロー出身で、1904～05年の日露戦争では、日本の諜報活動に協力していた。その後、清朝で袁世凱が率いる北洋軍閥の配下となり、辛亥革命後は近隣地域の軍閥との抗争を繰り返して勢力圏を広げていく。

同時期、日本は満洲（現在の中国東北部）で南満洲鉄道（満鉄）の敷設と沿線開拓を行なって勢力拡大を進め、沿線警備の部隊から関東軍が成立した。関東軍は満洲での権益維持のため、張作霖と協力関係を結ぶ。張作霖の率いる奉天派軍閥は、満洲での有力なライバルだった安徽派（安徽省を地盤とする軍閥）、直隷派（直隷省を地盤とする軍閥）を制圧し、1927年6月に北京を占領して華北の大部分を支配下に置く。

ところが、翌年4月に張作霖は蔣介石の北伐軍に大敗し北京から逃亡する。関東軍参謀の河本大作は、北伐と満洲を切り離すため、その接点となっている張作霖が乗った列車を爆破して暗殺。しかし、その直後の**6月9日**、北京は北伐軍に制圧される。

満洲軍閥の残存兵力は、張作霖の息子の張学良に引き継がれた。関東軍は張作霖爆殺事件の真相を隠蔽しようとしたが、同年中には日本国内の軍法会議で河本が主犯と露見する。父を殺された張学良は、日本への敵意から易幟（国民党の青天白日旗を掲げること）を行ない、蔣介石に与することを宣言。つまり、関東軍の謀略は、かえって中華民国の統一を促す結果を招いた。満洲軍閥の全兵力を配下に置く張学良は、27歳の若さで蔣介石に次ぐ中華民国ナンバー2の実力者となる。

中華民国では、それまで北洋軍閥の拠点だった北京と、国民党が掌握する南京の2つに政権がある状態が続いていたが、北伐の達成で名実ともに南京が唯一の首都となる。一方、北京は首都を意味する「京」の字を外され、明代初期の「北平」の名に戻されるが、1949年10月に中華人民共和国が成立すると、また北京と改称された。なお、張作霖爆殺事件は、日本の内政にも影響を与えている。ときの田中義一首相は、国会できびしく責任を追及されたうえ、昭和天皇に事件の真相を報告することを怠ったことを叱責され、事件翌年の1929年7月に内閣総辞職した。

**その他の出来事**

68年・ネロ、死去　1488年・加賀一向一揆、守護大名冨樫政親が自殺　1885年・清、フランスと天津条約締結

# 6月/10日【1940年】 イタリアがドイツに続き英仏に宣戦布告

No.161

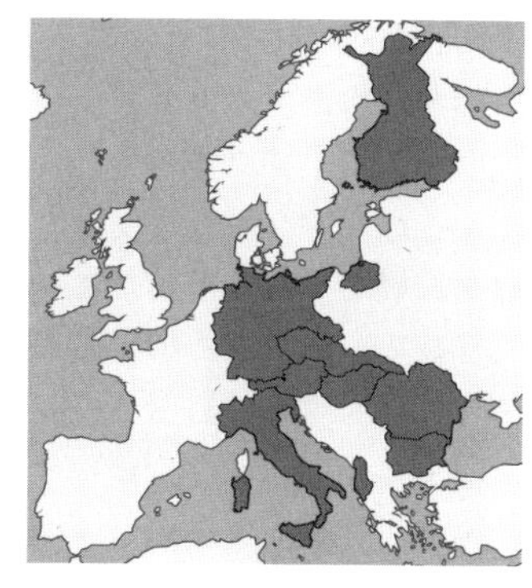
ヨーロッパ各地の枢軸国

ファシスト政権時代のイタリアは、地中海沿岸での勢力拡大を進めた。第一次世界大戦前に獲得した北アフリカのリビアには、イタリア人に抵抗する現地住民の勢力があったが、1930年代には完全に平定される。第二次世界大戦の勃発に先立つ1939年4月、イタリアはアドリア海の対岸にあるアルバニアを軍事占領した。

イタリアは1939年5月にドイツと軍事同盟を結んだが、同年9月にドイツが英仏に宣戦布告して以降、しばらくは戦闘に参加せず静観していた。1940年5月にドイツ軍はフランスへ侵攻し、またたく間に破竹の進撃を続ける。イタリア首相ムッソリーニはこれを見て、パリ陥落が近付いた**6月10日**、英仏に宣戦布告した。

参戦後のイタリアはリビアからイギリスの勢力圏であるエジプトに侵攻、さらにアルバニアからギリシアへ侵攻する。だが、イタリア軍は事前の物資や兵器の調達も不十分で、戦果はあまり上がらず、ドイツ軍の将兵から見下された。イタリア軍が劣勢だった一因に、エジプトに拠点を置くイギリス海軍の地中海艦隊は空母を保有していたが、イタリア海軍には空母がなかった点がある。1940年11月には、イギリス地中海艦隊の空母「イラストリアス」から発進した航空機部隊により、イタリア南部のタラント港に停泊中の戦艦1隻が沈没、2隻が大破させられた。

北アフリカ戦線では、1942年10月のエル・アラメインの戦いでドイツ・イタリア軍は大敗。西方のチュニジアへと撤退した。連合軍は翌年5月にチュニジアを制圧すると、続けて対岸のシチリア島へ上陸、さらにイタリア本土に侵攻する。7月にイタリアは降伏したが、ムッソリーニはドイツ軍に救出された。

ちなみに、ヨーロッパの枢軸国はドイツとイタリアだけではない。ユーゴスラヴィア王国でクロアティア人が結成したファシスト団体のウスタシャ党は、同じカトリック圏のイタリアから支援を受け、東方正教徒が多数を占めるセルビアと敵対した。ブルガリア王国はドイツ、イタリアと連携してギリシア東部とセルビア南部を、ハンガリー王国はセルビア北部を占領した。ルーマニア王国と、ドイツ占領下のチェコから分離独立したスロヴァキア共和国は、1941年6月にドイツがソ連に宣戦して以降、独ソ戦に協力している。とはいえ、いずれもイタリアよりさらに軍事力は弱体だった。

**その他の出来事**

1190年・神聖ローマ皇帝・フリードリヒ1世、第3回十字軍で出征中に死去　1628年・徳川光圀、誕生

# 6月/11日【1898年】 清の光緒帝が「変法自強」を宣布

No.162

思想家・康有為

清は1895年4月に終結した日清戦争で、多くの面で日本に立ち遅れている事実を認識する。その敗因は、単純な軍事力、工業生産力の差だけでなく、近代的な教育を受けた国民による統制の取れた組織をもたなかったという点が大きかった。

加えて、敗戦後の清は賠償金の支払いのため国庫も大きく傾く。イギリス、フランス、ドイツ、ロシアといった西洋列強に多大な借金を背負うことになり、その代償として国内の各地を列強に対して租借地として差し出すことになった。

没落が進む清では、思想家の康有為(こうゆうい)をはじめとする官僚や在野のインテリ層の間で、変法（近代的な改革）の導入を求める声が高まる。改革派の多くは単純に西洋の学問の影響を受けた人々ではなく、むしろ伝統的な儒学に立脚していた。清代には春秋時代の古典『公羊伝(くようでん)』に基づき、初期の儒学がもっていた社会改革的な要素や実学重視の面に着目する「公羊学」という思想が広がる。実学志向の儒学者が率先して西洋の学問を取り入れた点は、日本の幕末期の各藩や幕府も同様だった。

光緒帝(こうしょてい)は、康有為らの意見を受け入れ、1898年**6月11日**から「戊戌(ぼじゅつ)の変法」（変法自強運動）に着手。これは日本の明治維新を意識したもので、憲法の制定や議会の設立、近代的な学校教育制度の普及などが進められた。このとき北京に設立された官吏養成機関の京師大学堂は、のちの北京大学に発展する。

だが、西太后(せいたいこう)を中心とした宮廷の保守派は変法に強く反発した。結局、保守派のクーデタによって改革は約3カ月で終わったため「百日維新」と呼ばれる。ちなみに、光緒帝はこのときまだ17歳だったため、宮廷で大きな政治力がなかったのも無理はない。康有為は失脚して、腹心の梁啓超(りょうけいちょう)とともに日本へ亡命した。

その後、1900年に外国勢力の排除を唱えた義和団の乱（北清事変）が起こるが、日本や西洋列強の軍隊が徹底的に弾圧。清に対する日本や列強の圧迫はますます強まり、西太后も改革の必要を認めざるをえなくなった。このため、1901年1月には戊戌の変法を復活させた「光緒新政」が始まり、科挙を廃止して近代的な官吏登用制度が導入される。とはいえ、ときすでに遅く、宮廷の外では孫文らの革命勢力が育っていた。結局、光緒新政の改革は十分に進まないまま辛亥(しんがい)革命を迎えることになる。

**その他の出来事**

822年・比叡山の戒壇建立、勅許される　1873年・日本初の銀行、第一国立銀行が設立される（初代頭取、渋沢栄一）

# 6月/12日【756年】安史の乱で唐の玄宗が長安から都落ちする

No.163

唐の最盛期と呼ばれるのが、712年に即位した第6代皇帝玄宗(げんそう)の治世だ。この頃、唐では、民に農地を区分する均田制と、皇帝の軍を支える府兵制は十分に機能しなくなっていた。そのため、兵を募集して雇う「募兵制」が普及し、各地に国境警備を担当する軍司令官の「節度使」を配置することで、広大な国土の平和は保たれた。農業、商業、芸術や文化も大いに発展し、玄宗の政治は途中まで「開元の治」とたたえられる。

唐の第6代皇帝玄宗

ところが、玄宗は50歳を過ぎてから、絶世の美女と呼ばれた楊貴妃(ようきひ)に熱を上げる。楊貴妃はもともと玄宗の息子である寿王の妃だったが、皇帝の妃に迎えられ、玄宗は政務も忘れて2人きりで過ごしたという。楊貴妃の外見は「姿質豊艶」と評され、ふっくらとした体型で舞踊や音楽の才も高かった。やがて、宮廷では楊貴妃の親族の楊国忠(ようこくちゅう)らが重用され、楊一族が政治を左右するようになる。

加えて、楊貴妃に取り入った安禄山(あんろくざん)が急速に勢力を拡大。安禄山は唐の西方に住むイラン系のソグド人と、トルコ系の突厥(とっけつ)人の血を引く武将で、6種類もの外国語を話し、3地域の節度使を兼任して約20万もの兵を配下に従えていた。

安禄山は楊国忠と衝突し、盟友の史思明(ししめい)らとともに、755年12月に「安史の乱」を起こす。反乱軍は次々と唐の軍を破り、756年**6月12日**に玄宗は長安から逃亡。ほどなく、政治混乱の元凶と見なされた楊貴妃は処刑、玄宗は退位させられる。

その後も戦乱は763年まで続き、安禄山と史思明は、反乱軍による政権の後継者問題のもつれで殺される。かねてより唐と敵対していたチベット族の吐蕃(とばん)王国も、この反乱に乗じて長安に攻め込んできた。このため、唐は西域のウイグル族を味方に付けて吐蕃を鎮圧し、西域ではウイグル族が勢力を広げることになる。

安史の乱で唐王朝の求心力は落ち、しだいに西域や華北の節度使は、半ば独立した地方軍閥と化していく。それでも、唐の政府は農業生産力の高い華南地方を押さえて国庫収入も安定していたので、9世紀末まで命脈を保った。

玄宗と楊貴妃の悲恋は、漢詩人の白居易(はくきょい)(白楽天)が著した『長恨歌』により後世まで語り継がれる。さらに、後世の多くの詩歌、娯楽小説、舞曲の題材になり、日本でも『長恨歌』の一説が『源氏物語』に引用されるなど多くの影響を残した。

**その他の出来事**

645年・乙巳の変。中大兄皇子、中臣鎌足らと蘇我入鹿を暗殺　1820年・エジプト総督アリーがスーダン征服軍を派遣

# 6月/13日【前323年】アレクサンドロス大王がバビロンで急死

No.164

現在のイラク南部にあるバビロンは、紀元前1900年頃古代バビロニア王国の首都として築かれ、メソポタミア文明を代表する都市として栄えた。紀元前330年、マケドニアのアレクサンドロス3世大王は、東方遠征の往路でバビロンに立ち寄り、破壊されたままになっていたジックラト（塔）の再建を命じたという。

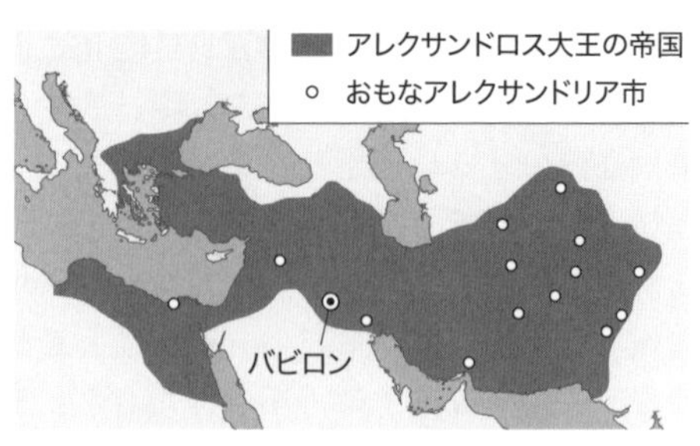

大王は各地にアレクサンドリア市を築かせた

アレクサンドロスの父であるフィリッポス2世は、紀元前338年にギリシア各地のポリスを支配下に置いてヘラス同盟（コリント同盟）を結成し、高等な士官教育を受けた市民階級による強力な軍隊をつくり上げた。フィリッポス2世は、かねてよりギリシアを脅かしていたペルシア帝国との戦争準備中に暗殺される。

父の死によりアレクサンドロスは20歳で王に即位する。哲学者アリストテレスから教育を受けたアレクサンドロスは、ギリシアの豊かな文化を吸収していた。紀元前334年、アレクサンドロスは約4万のマケドニア・ギリシア連合軍を率いて、父の構想どおりにペルシア領へ侵攻。連合軍はアナトリア半島を制圧してシリアへ南下し、紀元前332年にはエジプトを占領する。アレクサンドロスはナイル河口の漁村が良港になると目を付け、自分の名を冠した都市アレクサンドリアの建設を命じた。以降、ペルシア湾岸や中央アジアの内陸部など、征服地に次々と同名の都市を築かせた。紀元前331年10月、アレクサンドロスの軍勢はティグリス河上流のガウガメラでの決戦に大勝し、翌年にはペルシアの首都ペルセポリスを占領。さらに、中央アジアのバクトリアから現在のインド西部に及ぶ地域を支配下に置く。

アレクサンドロスの遠征は、必ずしもギリシア人の優秀さによるものだけでなく、ペルシア帝国が築き上げた「王の道」と呼ばれる交通網と、地方の行政組織を乗っ取ることで達成された。ただ、アレクサンドロスは支配地域の土着宗教や制度を尊重し、ギリシア文化とオリエント文明を融合したヘレニズム文化を広める。日本の寺社にある仏像や狛犬（こまいぬ）も、インド経由で東洋に伝わったこの文化の産物だ。

東方遠征からの帰路で、ふたたびバビロンに立ち寄ったアレクサンドロスは、熱病のため紀元前323年**6月13日**に急死。その広大な征服地は後継者争いの結果、アンティゴノス朝マケドニア、プトレマイオス朝エジプト、セレウコス朝シリアに分裂する。

**その他の出来事**

1582年・山崎の合戦で秀吉勝利　1956年・英軍スエズ運河基地から撤退完了。英国支配終わる

# 6月/14日【1940年】ペタン元帥率いるドイツ軍がパリに無血入城

No.165

ヴィシー政権の主席となったペタン元帥

第二次世界大戦の勃発後、ドイツはまず東部戦線でのポーランド攻略と、戦力の増強に集中した。このため、イギリス、フランスとの間では約8カ月にわたって何も戦闘が起こらない状態が続き、この時期は「奇妙な戦争」と呼ばれる。

1940年5月、ドイツ軍は満を持してフランスへの侵攻を開始する。フランスは1920年代から巨費を投じて、ドイツ軍の侵攻を想定して国境地帯に南北322キロメートルにも及ぶ長大な防御陣地の「マジノ線」を築いていた。ところが、ドイツ軍はマジノ線がある地帯を迂回し、中立国のオランダとベルギーを横断して進撃。高速の戦車隊と航空隊を備えたドイツ軍は、6週間ほどでパリへと迫る。

フランスは第一次世界大戦で多大な被害を受けたので、政府も軍の上層部も戦闘に消極的だった。政府はパリを放棄して南部のボルドーへ移転し、ドイツ軍は**6月14日**に無抵抗のパリに入城する。軍の長老として首相に担ぎ出されたペタン元帥は、6月22日にドイツとの休戦に応じた。だが、徹底抗戦を唱える陸軍次官のシャルル＝ド＝ゴールらフランス軍の残存兵力と、イギリスが派遣した部隊の連合軍の約35万人は、ドーヴァー海峡に面するダンケルクからイギリスに逃れた。

パリを含むフランス北部（国土の5分の3）はドイツ軍の占領下に置かれる。南部ではヴィシーを首都とする「フランス国」（ヴィシー政権）が成立し、ドイツに追従する政策が採られた。ヴィシー政権の主席となったペタンは、国民の選挙による議会と労働組合を廃止し、国民にカトリック教会の保守的な価値観を課した。フランス政界の右派の多くはドイツに協力し、ユダヤ人や共産主義者弾圧を進める。

一方、国外に逃れたド＝ゴールらは「自由フランス政府」を結成し、フランス国内のレジスタンスと連携しつつ、海外のフランス植民地の兵力を吸収。そして、連合軍は1944年6月にフランス北部のノルマンディーに大軍を上陸させ、反攻に転じる。同年8月にパリは解放され、ドイツ軍が撤退するとヴィシー政権は崩壊した。

パリ解放には、米英軍とともに、共産党員や社会党員を含むフランス内のレジスタンスが大きく寄与している。しかし、自由フランス政府は左派勢力が戦後の政治の主導権を握ることを警戒し、ド＝ゴールを首班とする臨時政権を発足させた。

**その他の出来事**

1777年・大陸会議、星条旗を国旗に制定　1807年・ナポレオン、オーストリアを破る　1982年・フォークランド紛争終結

# 6月/15日 【1215年】 イングランド国王ジョンが大憲章に署名

No.166

「欠地王」とも呼ばれたジョン

イギリスは、近代的な議会政治の発祥の地ながら成文憲法がない。それぞれ別個に成立した王位継承法、議会法、司法上の判例などをまとめて憲法の代わりとするが、その濫觴（らんしょう）ともいうべきものが1215年**6月15日**に署名された「大憲章」（マグナ＝カルタ）だ。

当時、イングランド王国のジョン王は、対岸のフランスにある領土を次々と奪われ、それを奪回する戦争のため各地の領主に重税を課した。イングランドの貴族や富裕市民の大部分はフランスでの戦争によって得る利益は乏しく、国王への不満が高まる。このため、多くの貴族が結束して王権の制限を記した大憲章を起草し、フランスでの連敗で権勢が衰えていたジョンはやむなく受け入れた。

大憲章は前文と63の条文から成り、王権からの教会の独立、貴族がもつ特権の尊重、各都市の自治権、不当な徴税の禁止、不当な逮捕の禁止、不当な裁判の禁止などが定められている。これは、国王も法に従って政治を行なうという「法の支配」と、議会政治（制定時は貴族による議会）の基本を示したものだ。

その後、ジョンの次に即位したヘンリ3世は大憲章を無視した専制を行なおうとしたので、多くの有力貴族と対立する。中世の後期まで国王と貴族の衝突が繰り返されたが、17世紀のピューリタン革命以降は大憲章を尊重する価値観が定着した。

さらに19世紀に入ると、ヨーロッパの多くの君主国で、憲法の制定によって国王の権力の範囲を定めることが進められた。近代以降の民主主義は、大憲章の制定に見られるような国王に対する貴族の権利拡大が、さらに富裕な市民階級（ブルジョワジー）や、労働者階級にまで広げられていく過程といえる。

余談だが、大憲章に署名したジョンは、「欠地王」の通称で知られる。これは本来、幼児期に父から領地を継承できなかったことに由来するが、即位後もフランスの領土を大量に失ったため蔑称のように定着した。外征の連敗に加えて内政の失敗の数々もあり後世のジョンの評価が低いことに加え、中世イギリスの義賊ロビン＝フッドの物語では、ジョン王が悪役として登場することもある。こうした事情のためか、ジョンという名は英語圏では多く見られるにもかかわらず、イギリスの歴代国王で「ジョン2世」や「ジョン3世」はいない。

**その他の出来事**

774年・空海、誕生　1381年・ワット＝タイラー、謀殺　1520年・教皇レオ10世、ルターに破門威嚇の勅書を出す

# 6月16日【1958年】 ハンガリー首相ナジ=イムレが処刑される

No.167

ハンガリー首相ナジ=イムレ

ハンガリーは第二次世界大戦後、アメリカとソ連のどちらの勢力にも属さない中立地域とされたが、1948年前後からソ連の後押しで共産党が政権を握り、次々と反対派を粛清する。1953年に首相に就任したナジ=イムレは、急速な共産主義化の修正を試みたが、ソ連のスターリン政権に忠実な勢力と対立して失脚する。

ところが、1956年2月25日にソ連のフルシチョフ首相は、3年前に死去したスターリン書記長の独裁政治を批判する演説を行なった。この影響を受け、東欧の共産圏諸国では長年のソ連に対する不満が噴出。同年6月、ポーランドでは労働者の暴動が発生した。10月に入ると、ハンガリーの首都ブダペストでもポーランドの動きに同調する大規模なデモが広がり、ソ連軍が介入してくる。

ブダペスト市内ではソ連軍と市民の戦闘が起こるなか、国民の支持を受けたナジが首相に復権した。ナジとソ連副首相ミコヤンの話し合いでソ連軍は撤退したが、ナジが11月にワルシャワ条約機構からの脱退、ハンガリーの中立化を宣言すると、ソ連軍がふたたび侵攻してきた。ブダペストはソ連軍に占領され、ナジは一時的にユーゴスラヴィア大使館に逃れたものの、ソ連に捕縛されたのち1958年**6月16日**に処刑された。

その後、ソ連の後押しを受けて首相に就任したカーダールは、ナジを支持した国民や政権内の改革派を大量に弾圧する。ただし、のちにカーダールは、経済政策では部分的にナジと同じ方針を取り入れ、私営企業の活動を自由化した。

アメリカを中心とする西側諸国のインテリ層の間では、ハンガリー動乱の鎮圧をきっかけに、ソ連への幻滅が広がる。このため、共産主義を主張しつつソ連と距離を置き、中国などアジア、アフリカ、中東諸国を支持する新左翼運動が広まった。また、西側諸国でソ連の諜報活動に協力するスパイにも、共産主義への共感を動機とする者はしだいに減り、金で雇われた者や脅されて協力する者が増えていった。

1980年代の後期には、ソ連共産党政権の諸改革（ペレストロイカ）導入を受けて、ハンガリーではナジの名誉回復を求める声が高まる。1989年6月、ブダペスト市内で、ナジをはじめとするハンガリー動乱犠牲者の追悼集会が大々的に行なわれた。これを皮切りに、東欧の共産圏諸国では急速に民主化が進むことになる。

**その他の出来事**

1221年・六波羅探題が置かれる　1897年・米・ハワイ、併合条約に調印　1940年・ペタン元帥、フランスの国家主席に就任

# 6月/17日【1972年】アメリカでウォーターゲート事件が発覚

No.168

アメリカの歴代大統領のなかでも、1969年に就任したリチャード＝ニクソンは、ベトナム戦争からの撤退や中国との国交樹立への道筋を開くなど、少なくない業績を残した。しかし、のちに1つの汚点のため多くの成果を台なしにしてしまう。

アメリカ第37代大統領リチャード＝ニクソン

共和党に所属したニクソンは、1953～61年のアイゼンハワー政権で副大統領を務め、1960年の大統領選挙に出馬したが、民主党のジョン＝F＝ケネディに敗れる。その後、ニクソンは1968年の大統領選挙にふたたび出馬。ケネディの後を継いだジョンソン大統領の出馬取り下げや、国民人気が高かったケネディの弟ロバートの暗殺と、民主党陣営の有力者が不在となったためニクソンが当選を果たす。

大統領就任後のニクソンは、1969年7月に「ニクソン＝ドクトリン」を発表して、アメリカが結んだ国際条約を守り、西側陣営の同盟国を防衛する方針を強調。さらに1971年8月にはベトナム戦争による財政悪化を切り抜けるため、ドルと金の交換を停止した一方で、1972年2月には初めて中国を訪問し、米中関係の改善に着手した。続けてソ連も訪問し、米ソ両国がベトナムから段階的に手を引く方針を進める。

ここまでのニクソンの政策は、おおむね順調だった。ところが、1972年**6月17日**、共和党の関係者がワシントンD.C.で民主党選挙対策本部のあるウォーターゲート・ビルに侵入し、盗聴器を仕かけた容疑で逮捕される。裁判の過程でニクソン政権の有力者が関わっていたことが明らかになり、国民の間にはニクソンの弾劾を求める声が高まる。最終的に、ニクソンは歴代大統領で初めて辞任に追い込まれた。ニクソンの辞任まで含めて、一連の騒動は、盗聴器が仕かけられた建物の名から「ウォーターゲート事件」と呼ばれる。後年のアメリカでは、これと同様に、政府関連のスキャンダルを「××ゲート事件」と呼称する習慣が生まれた。

たとえば、1986年には、中米ニカラグアの親米勢力であるコントラを支援するため、アメリカ政府がイランに武器を密売して資金をつくっていた事実が発覚し、「イランゲート事件（イラン・コントラ事件）」と呼ばれた。2016年には、ワシントンD.C.のピザ店が児童の人身売買に悪用されているという、「ピザゲート疑惑」が拡散された。これは悪質なデマだが、ピザ店の襲撃事件にまで発展している。

**その他の出来事**

656年・第3代カリフ、ウスマーン刺殺　1869年・諸藩主に版籍奉還を命じ、知藩事に任じる　1940年・ド＝ゴール、英に亡命

# 6月/18日【618年】 李淵（高祖）が隋に代わって唐を建国

No.169

6世紀末に中国大陸を再統一した隋では、楊堅（文帝）の晩年、次男の楊広（煬帝）が兄の楊勇を追い落として後継者の地位に就いたのち、604年に即位した。楊広は武勇に優れた人物ながら横暴で、父を暗殺して帝位を奪ったともいわれる。

李淵は煬帝の国家事業を引き継いだ

この頃、日本ではヤマト政権による統一が進んでいた。推古天皇と厩戸王（聖徳太子）は遣隋使を隋に送り、仏教文化や土木技術などを積極的に取り入れる。厩戸王は、煬帝に宛てた国書で「日出づる処の天子」を自称した。ここから転じて7世紀以降、「日本」という国号が定着する。

即位後の楊広は、それまで黄河と長江の流域に築かれていた数々の運河を連結する大工事を進めた。その結果、華北と華南を結び付ける交通網が発達し、多くの人々や商品が行き交うようになる。また、国土の東北部に接する高句麗に対する遠征を繰り返したが、運河建設と兵役は民にとって大きな負担となった。

各地ではしだいに煬帝への反発が高まり、各地で反乱が相次ぐようになる。隋の武将で高句麗遠征にも参戦した李淵は、反乱軍を率いて首都の大興（長安）を占領したのち、煬帝の孫の楊侑を形式的に即位させて実権を握った。

煬帝は南方の江都（揚州）に逃れたが、618年4月、臣下の宇文化及に殺された。後世では、煬帝は父殺しの疑惑や素行の悪さに加え、民に重労働や重税を課したため、暴君の典型のように伝えられている。ただ、これは隋に続いて成立した唐の時代、王朝交替を正当化するため、過度に煬帝の悪政を誇張した面があった。

同年**6月18日**、李淵は楊侑から禅譲を受けて帝位に就き、新王朝の「唐」を建国する。かくして隋は40年足らずで滅亡した。一説によれば、李淵は、息子の李世民にそそのかされて帝位に就いたといわれる。唐という国号は、李淵の一族が治めていた地域（現在の山西省一帯）の名に由来する。

李淵は隋を建国した楊堅と同じく、漢民族の出身ではなく、「関隴集団」と呼ばれる北方から渡来した鮮卑系貴族に属するともいわれる。隋と唐の初期の支配階級の多くは、関隴集団の武人だった。李淵は死後に高祖と呼ばれ、唐代以降の王朝では、皇帝の霊を宗廟にまつるときに「○祖」「○宗」といった廟号で呼ぶことが定着する。

**その他の出来事**

1812年・アメリカ=イギリス戦争、開戦　1815年・ワーテルローの戦い　1887年・独露、再保障条約に調印

6月/19日 【1858年】

# 日米修好通商条約が調印される

No.170

幕末期、アメリカからペリー提督が来航したのち、幕府は1854年3月に日米和親条約を結ぶ。これにより、アメリカ船の寄港の許可、漂流者の救助、領事館を設置することなどが定められた。続いて、イギリス、ロシア、オランダとも同様の和親条約が結ばれたが、いずれも貿易に関する取り決めは含まれていない。

幕府は江戸に近い場所に外国船が寄港することに抵抗し、ひとまず伊豆半島の南部にある下田を開港。同地にはアメリカ領事館が置かれ、1856年7月にアメリカ総領事タウンゼント＝ハリスが来日する。ハリスは大統領の命によって幕府と貿易についての交渉を重ね、1858年**6月19日**に日米修好通商条約が調印された。

この条約では、下田・函館港に代わって神奈川、新潟、兵庫、長崎を新たに開港し、外国人の居留地を築くこと、貿易での関税率はアメリカ側が決めること、日本にいるアメリカ人の裁判権はアメリカ領事がもつ治外法権が定められた。つまり、安価な外国製品が大量に輸入されても関税を自国で決めることはできず、国内でアメリカ人が犯罪を行なっても日本の法律で裁くことはできない。幕府は、イギリス、ロシア、オランダ、フランスの4国ともほぼ同じ内容の条約を結び、「安政の五カ国条約」と総称される。

幕府は朝廷の勅許を得ずに外国と条約を結んだので、日本国内では非難の声が続出し、皇室の尊重と外国人の排斥を唱える尊皇攘夷運動が激化。幕府大老の井伊直弼（いいなおすけ）は、水戸藩（茨城県）、長州藩（山口県）ほかの尊皇攘夷派を徹底弾圧した（安政の大獄）が、その報復として桜田門外の変が起こり1860年3月に殺害される。

幕府が西洋列強に屈して不平等条約を受け入れた背景には、1840年のアヘン戦争で清がイギリスに敗れて以来、アジアでの勢力拡大を進める列強の軍事的な脅威があった。明治維新後、新政府にとって不平等条約の改正が大きな課題となる。1905年の日露戦争で日本がロシアに勝利すると、西洋列強もようやく日本の実力を認め、明治末期の1911年から各国は条約改正に応じた。

なお、開港地に指定されていた神奈川と兵庫では、地元住民の反発や地形的な条件が考慮され、横浜と神戸に港が築かれた。とくに、神戸の開港は他地域より10年も遅れ、1868年1月にまでずれ込む。幕府と敵対する薩摩藩（鹿児島県）の妨害もあり、朝廷がなかなか開港の勅許を下さなかったためだ。

開港地では、直線的に区画整理され、洋館が建ち並んだ外国人居留地が築かれる。居留地は日本の法律が適用されない「日本のなかの外国」だったが、諸外国との条約改正が果たされたのち、1899年に廃止され正式に日本に返還された。その間に生まれた神戸の異人館や横浜の中華街は、現在では大きな観光資源となっている。

**その他の出来事**

645年・初めて元号が制定される　　1587年・キリスト教宣教師追放令を発布

# 6月/20日【1789年】 フランスで国民議会による球戯場の誓いが発表される

No.171

「球戯場の誓い」の絵画

18世紀末のフランスは、イギリスに対抗したアメリカ独立戦争の支援をはじめとする数々の対外戦争と、慢性的な凶作のため深刻な財政赤字に直面していた。凶作の原因は、1783年に起こったラキ火山の大噴火により日照量が低下したためだともいわれる。1789年5月、フランス国王ルイ16世は税収問題を話し合うため、聖職者（第一身分）、貴族（第二身分）、平民（第三身分）の代表から成る三部会を召集した。

三部会の招集は17世紀から175年ぶりとなる。この間にフランスは、アジアや北アメリカに植民地を拡大して海外から多くの富が流入し、商工業が大きく発展。その結果、貴族に劣らぬ力をもつ新興の富裕な市民階級（ブルジョワジー）が増加していた。加えて18世紀には、哲学者のモンテスキューや作家のルソーらの著作を通じて教会や王室の権威を否定し、自由や平等を求める啓蒙思想が広がる。同時期、1783年9月に独立を果たしたアメリカで、国民が主体の民主的な新国家が建設されたことも、啓蒙思想の影響を受けたフランスの市民階級を大いに刺激した。

このような状況下で開かれた三部会で、第三身分の代表者たちは聖職者や貴族と衝突。自分たちに不利な評決方法を認めず、独自に「国民議会」を結成した。貴族たちはルイ16世に進言して、第三身分が議場に使っていた公会堂を閉鎖させる。

**6月20日**、国民議会の参加者は議場の隣にあった屋内球戯（きゅうぎ）場に集まり、「憲法が制定されるまで会議を続ける」という決意表明を行なったのが「球戯場の誓い」だ。テニスの原形となったジュー・ド・ポームという球技に使われていた場所だったので、別名「テニスコートの誓い」とも呼ばれる。その後、国民議会に合流する聖職者や貴族も現れ、ルイ16世は国民議会を正式な話し合いの場と認めざるをえなくなった。

続いて7月、市民階級に支持されていた財務大臣ネッケルが罷免されたことをきっかけに、国民議会を支持する群衆が暴動を起こし、武器を入手するためパリの東部にあるバスティーユ牢獄を襲撃。かねてより凶作による生活苦に陥っていた各地の農民は、パリでの騒ぎを耳にして次々と暴動を起こし、混乱はフランス全土に広がった。8月に入ると、国民議会は封建的制度の廃止、人民主権などを唱えた「人権宣言」を発表し、ここからフランス革命が本格的に進行していく。

**その他の出来事**

1419年・朝鮮兵が対馬に侵攻、応永の外寇　　1590年・天正遣欧使節、8年5カ月ぶりに帰国

# 6月/21日【1791年】 ルイ16世一家がヴァレンヌで捕縛される

No.172

フランスでは17世紀の後半以来、王族はパリから約20キロメートル離れたヴェルサイユ宮殿で暮らし、パリ市民との意識の断絶が進んだ。フランス革命の勃発後、1789年10月には困窮したパリ市民がヴェルサイユ宮殿の前に押しかけ、大規模な抗議行動を行なう。とくに、王妃のマリー＝アントワネットは、浪費生活の噂(うわさ)が広く流布され、しかもオーストリア出身の外国人だったので民衆に憎悪された。

東部国境の近くにあるヴァレンヌ

国王ルイ16世は、市民の圧力に負けてパリのテュイルリー宮殿に移り、革命を進める国民議会の監視下で生活するようになる。さらに、国民議会の要求に従い、憲法の制定、地方領主やカトリック教会がもつ特権の廃止などの諸改革を受け入れた。ちなみに、革命以前から国王に仕える官僚には、先祖代々の貴族ばかりでなく、市民階級から官職に就き、実力で出世した「法服貴族」と呼ばれる人々が増加。法服貴族には、啓蒙思想の影響を受け、国民議会に協力的な者も少なくなかった。

国王一家と保守派の貴族は、密かに王族を国外に脱出させる計画を進める。1791年6月20日の夜、ルイ16世らは、スウェーデン貴族のフェルセン（一説によればマリー＝アントワネットの愛人）らの協力によって、変装してテュイルリー宮殿を脱出した。だが、翌**6月21日**、馬車でフランス北東部のヴァレンヌまで来たところで正体を知られてしまい、捕縛されたうえでパリへと強制送還される。

この「ヴァレンヌ逃亡事件」によって、革命勢力の国王に対する不信の念は決定的になった。国民議会の有力グループだったジャコバン＝クラブは、立憲君主政を唱えるフィヤン派が分離する。憲法制定の作業はフィヤン派が主導権を握り、9月には立憲君主政を定めた憲法（1791年憲法）が成立。これはフランス史上初の成文憲法となる。

しかし、翌年には革命の進行に不安を抱くオーストリアとプロイセンが、フランスに宣戦布告した。フランス国内では革命後の体制を維持しようとする熱気が高まり、初めて徴兵制による国民軍が創設される。政府は国王一家が敵国と内通することを恐れて、王政の廃止に踏み切り、1792年9月に第一共和政が成立。フランス革命の進展は、国王一家の過失と、諸外国との関係悪化によって加速したといえる。

**その他の出来事**

1635年・幕府、参勤交代を制度化　　1788年・スウェーデンのグスタフ３世がフィンランドに侵攻

# 6月/22日【1965年】冷戦下でアメリカの意向をくみ日韓基本条約が調印される

No.173

韓国第5〜9代大統領の朴正熙

朝鮮半島では第二次世界大戦後、アメリカの支援を受けた大韓民国（韓国）と、社会主義政権の朝鮮民主主義人民共和国（北朝鮮）が成立する。だが、すぐ隣の日本は、韓国とは約20年間、北朝鮮とは現在もなお、正式な国交をもたない状態が続いている。

現在の日本の領土は、1951年9月に調印されたサンフランシスコ講和条約で確定。この条約で、島根県に属する竹島（韓国での名は独島（トクト））の放棄は明言されていない。講和会議に招かれなかった韓国は、日本の了解を得ないまま自国の海洋主権が及ぶ範囲として「李承晩（イスンマン）ライン」を設定し、竹島もこの範囲に含まれていた。

竹島の帰属は日韓両国での問題となるが、アメリカは冷戦体制を背景に、日本と韓国の協調を勧めた。北朝鮮との対立を抱える韓国では、1961年5月に陸軍少将の朴正熙（パクチョンヒ）がクーデタを起こし、軍事政権が成立。徹底的な反共主義者だった朴正熙は、アメリカの意向に従って日本と国交を結び、1965年**6月22日**、日韓基本条約を調印する。

朴正熙は日本との経済協力のため賠償の請求権を放棄し、代わりに日本は総額8億ドル（当時の為替レートで2880億円）の資金援助を行なう。朴正熙はこれを原資に「漢江の奇跡」と呼ばれた韓国の経済成長を実現させる。

日韓基本条約は韓国のみを朝鮮半島の正統な政権と認める内容なので、半島の分断を固定化すると見なされ、調印時には韓国内でも日本国内でも反発の声が大きかった。なお、李承晩ラインは実質的に廃止されたが、竹島の帰属についてはこの時点では明確な結論が見つからず、以降も韓国による実効支配が続いている。

朴正熙は国内の反対派を弾圧したが、1979年10月に暗殺される。独裁体制を引き継いだ全斗煥（チョンドファン）大統領は、国民の民主化運動により1988年2月に退陣した。

韓国では現在も「親日派」への批判が根強いが、これは韓国内の世代間対立が影響している。朴正熙をはじめ軍事政権時代の有力者は、戦前に日本の統治下で教育を受り、国民の了解を得ないまま経済発展を優先して日本と協調する政策を進めた。1980年代の民主化運動を進めた1950〜60年代生まれの世代は、軍事政権時代への強い反発心から、過去の日本との関わりにも極度に否定的なのだ。

**その他の出来事**

1633年・ガリレイ、宗教裁判で地動説を放棄　1867年・薩土盟約　1941年・独ソ戦争開始

# 6月/23日【1757年】英軍がインドでプラッシーの戦いに勝利

No.174

インドでは17世紀後半、イギリスとオランダに続いて、フランスも東インド会社を設立し、南部のポンディシェリ、東部のベンガル地方のシャンデルナゴルを中心に交易活動を行なった。一方、イギリスの東インド会社は、南部のマドラス（チェンナイ）、西部のボンベイ（ムンバイ）、ベンガル地方のカルカッタ（コルカタ）の3カ所に拠点を置き、フランスと勢力圏の拡大を争うようになる。

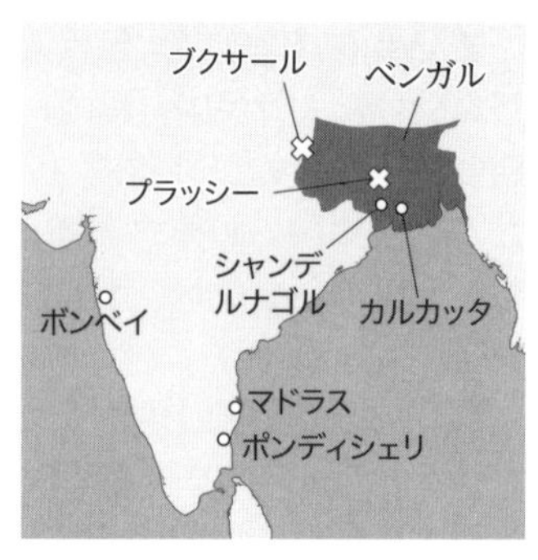

ベンガル州はイギリスのインド支配の拠点になった

1707年、ムガル帝国の最盛期を築いた皇帝アウラングゼーブが死去した。一方、イギリスはスコットランドを併合してグレートブリテン王国となり、イギリスはブリテン島を統一して、この年を節目に、ムガル帝国の衰退とイギリスの伸張が進む。

強大化するイギリスとフランスの対立は激化し、インドのベンガル地方では1744～61年まで、3度にわたって「カーナティック戦争」が起こる。同時期にはヨーロッパで「七年戦争」も起こり、イギリスはプロイセンを、フランスはオーストリアを支援して戦った。これに連鎖して北米でも、英仏間で「フレンチ＝インディアン戦争」が起こり、ヨーロッパ、インド、北米の3地域で英仏両軍が衝突する。

一連の戦争のなかで、かねてよりイギリスと敵対していたムガル帝国のベンガル太守シラージュ＝ウッダーラは、フランス軍と同盟してイギリス軍に挑んだ。両軍とも大量のインド人兵士を動員し、イギリスのクライブ将軍は、1757年**6月23日**の「プラッシーの戦い」でシラージュとフランスの連合軍を撃破する。この結果、フランスはベンガル地方から撤退を余儀なくされ、インドにおけるイギリスの優位が確定した。

やがて、イギリス東インド会社はムガル帝国への政治的な影響力を強め、地方を統治する太守の人事にも深く介入する。新たなベンガル太守となったミール＝カーシムは、イギリスに反発して挙兵し、ムガル皇帝シャー＝アーラム2世もこれを支援した。だが、1764年10月の「ブクサールの戦い」でイギリス軍に大敗する。

翌年、イギリスはムガル帝国に「アラーハーバード条約」を結ばせて、ベンガル州、ビハール州、オリッサ州の徴税と財務に関する権限を奪い、実質的な支配下に置いた。これを機に、イギリス東インド会社の活動は、主要な貿易港の周辺地域を押さえる「点の支配」から、インドの地方を丸ごと管理する「面の支配」に移っていく。

**その他の出来事**

1908年・イランでムハンマド=アリーがクーデタ　1945年・沖縄戦、終結　1956年・エジプト、新憲法を制定

**6月/24日**
【1533年】

# 皇帝アタワルパの死後 インカ帝国が滅亡

No.175

皇帝アタワルパ

南北アメリカ大陸の先住民は、約2万年前、ベーリング海峡を渡ってアジアから渡来したと考えられている。南米では1200年頃にインカ帝国が成立し、アンデス山脈一帯の広大な地域を支配した。しかし、1532年にスペインの軍人ピサロが到来し、皇帝アタワルパを捕らえて、またたく間に首都クスコを征服してしまう。

ピサロはアタワルパに大量の金銀を差し出させたうえ、アタワルパが義兄のワスカルを暗殺した容疑や、キリスト教の価値観に反する偶像崇拝などを一方的に断罪して処刑。刑の方法は火あぶりの予定だったが、インカ人の間では焼死すると魂が死後に復活できないと考えられていたため、アタワルパはキリスト教に改宗することと引き換えに絞首刑を選んだ。かくして、1533年**6月24日**をもってインカ帝国は滅亡し、以降は名目上の皇帝を立てつつスペイン人がクスコの実権を掌握した。

一部のインカ人は、スペイン人から逃げ出した皇帝の一族を迎え入れ、山岳地帯ビルカバンバを拠点に抵抗を続ける。だが、1572年9月にはビルカバンバの皇帝トゥパク＝アマルがスペイン軍に処刑され、インカ皇帝の一族は完全に途絶えた。

インカ帝国と中米のアステカ王国が短期間で征服された背景には、スペイン人がアメリカ先住民のもたない銃器や馬をもっていた点がある。しかし、それ以上に大きな打撃を与えたのが、白人がもち込んだ、天然痘（てんねんとう）、麻疹（はしか）、結核（けっかく）などの伝染病だった。長らく他地域から隔離されていたアメリカ先住民は、これらの病気に免疫をもたなかった。白人が到来した当時、インカの人口は1500万人以上、アステカの人口は1000万人以上と推定されているが、その約90％が17世紀までに死滅する。

ただし、インカ文化を受け継ぎ、圧政に反抗する精神は消えなかった。18世紀後半、ペルー先住民の革命家コンドルカンキは、インカ皇帝トゥパク＝アマル2世を名乗り、貧しい先住民の解放を唱えてスペイン人に戦いを挑んだ。コンドルカンキは敗れて処刑されたが、20世紀にはその名を継いだ反政府組織の「トゥパク＝アマル革命運動」（MRTA）が登場。ちなみに、アメリカのラップミュージシャン2PACの名も、トゥパク＝アマル2世に由来する。こうした一方、現在のペルーではインカ人が残したマチュ＝ピチュ遺跡が観光資源となり、インカ時代の服飾や祭事の復興も進められている。

**その他の出来事**

672年・大海人皇子、吉野を脱出。壬申の乱始まる　1441年・嘉吉の乱　1948年・ソ連、ベルリン・西側管理地区間を遮断

# 6月/25日【1991年】 クロアティアとスロヴェニアが独立を宣言する

No.176

1990年代に消滅した旧ユーゴスラヴィア社会主義連邦共和国は、セルビア、クロアティア、スロヴェニア、ボスニア＝ヘルツェゴヴィナ、モンテネグロ、マケドニアの6カ国で構成されていた。いずれも南スラブ語圏に属するが、複雑な地域対立があった。クロアティアとスロヴェニアはカトリック圏なので、中世以来、オーストリア帝国やイタリアの影響が強い一方、セルビアは東方正教圏なのでロシア帝国を後ろ盾とする。加えて、両者と敵対するイスラーム教徒の住民も混在していた。

社会主義時代は6つの国が共存していた

1945年11月に社会主義政権を成立させたチトー大統領は、共産圏に属しつつソ連と距離を置き、強い指導力で各地域の対立を抑えこんだ。しかし、1980年にチトーが死去して以降、中央政府の権威は弱まり、地域間の対立が再浮上してくる。

ユーゴスラヴィアの首都は、セルビアのベオグラードに置かれていた。先進的な工業地域であるクロアティアとスロヴェニアは、セルビアとの宗派対立に加えて、中央政府に利益を吸い上げられることに反発し、1991年**6月25日**に独立を宣言。なお、スロヴェニアの名は、同じく東欧の旧共産圏で1993年にチェコから分離したスロヴァキアと間違えやすいが、実際にどちらも「スラブ人の国」を意味する。

さらに、1992年にはボスニア＝ヘルツェゴヴィナが独立を宣言するが、同地は深刻な内戦に陥る。ボスニア＝ヘルツェゴヴィナでは、イスラーム教徒が人口の約4割、セルビア人が約3割、クロアティア人が約2割を占め、イスラーム教徒とクロアティア系住民は独立を支持したが、セルビア系住民は独立に反対したためだ。セルビア系、クロアティア系、イスラーム教徒の民兵が入り乱れて相互に虐殺や暴行を繰り返し、約20万人の死者と、250万人もの難民が発生した。一方、1993年4月にマケドニアも独立を果たす。

ボスニア＝ヘルツェゴヴィナの内戦は、アメリカの主導によるデイトン合意で1995年11月に停戦。ところが、1998年以降、今度はセルビア南部のコソヴォ自治州が独立を主張し、新たな紛争が起こる。コソヴォはイスラーム教徒のアルバニア系住民が多数を占める地域だ。2008年2月にコソヴォは独立を宣言し、同年中に国連加盟国の多数に承認される。これに前後して2006年6月にモンテネグロも独立し、冷戦体制崩壊後の世界の民族・宗教対立を象徴するように、旧ユーゴスラヴィアは完全に解体された。

**その他の出来事**

845年・菅原道真、誕生　1941年・日本、南部仏印進駐決定　1950年・朝鮮戦争、勃発

# 6月/26日 オランダでハーグ密使事件が起こる

【1907年】

No.177

19世紀の帝国主義時代、戦争による死傷者は拡大の一途をたどった。こうしたなか、ロシア皇帝ニコライ2世の呼びかけによって、1899年にオランダのハーグで第1回ハーグ平和会議が開催される。欧米列強や日本を含めた26カ国が参加し、非戦闘員への攻撃の禁止、毒ガスや細菌兵器の使用禁止などの戦時国際法が定められた。そして、日露戦争後の1907年、第2回ハーグ平和会議が開催される。

密使として派遣された李儁(左)ら3人

同時期、日本は大韓帝国と2度にわたる日韓協約を結び、韓国政府に日本人顧問を参加させ、韓国の外交権を代行するなど、段階的に政務の実権を握っていった。韓国首相の李完用は、伝統的な科挙制度で選抜された両班（文官の文班と武官の武班）による支配体制を維持することと引き換えに、日本との妥協を図る。しかし、韓国の民衆や皇帝の高宗は事態を憂慮し、日本に対する反発を強めた。

このため、高宗は第2回ハーグ平和会議に政府高官の李儁ら3人を密使として派遣し、国際世論に韓国の主権回復を訴えようとする。この工作には、かねてより韓国で活動していたアメリカ人宣教師ハルバートが協力。ハーグに到着した李儁らは**6月26日**に行動を開始。これをハーグ密使事件と呼ぶ。しかし、すでに列強は韓国の外交権を認めず、交渉は拒否された。日露戦争に前後して、日本はイギリスやアメリカに対し、朝鮮半島の支配を容認するように働きかけていたからだ。李儁は憤慨し、ハーグで自決したと伝えられる。高宗は日本の韓国統監である伊藤博文と李完用から強い圧力を受け、息子の純宗への譲位を余儀なくされる。

事件後の7月に結ばれた第3次日韓協約では、日本が設立した韓国統監府が行政権を掌握することが定められる。これを受け入れた李完用は、韓国の民衆に憎悪され、家を焼き討ちされる。当初、伊藤博文の方針は韓国を日本の保護下に置くだけのものだった。しかし、日本が期待した韓国の行政や経済の改革は、韓国側の官僚や政治家の抵抗もあって進まず、日本政府は韓国を完全に併合する方針に傾いていく。

第2回ハーグ平和会議はいくつかの成果を残している。開戦に先立って必ず宣戦布告を行なうことや、海戦での民間船への攻撃、逆に民間船が武装して敵国に海賊行為を行なう私掠船の禁止などが明文化された。じつは、1904年2月に日露戦争が始まったとき、日本海軍は宣戦布告より先に奇襲攻撃を行なっているが、当時の段階では違法ではなかった。

**その他の出来事**

1833年・木戸孝允、誕生　1843年・英国香港政府発足　1945年・国連憲章採択、国際連合設立

# 6月/27日【1582年】 尾張で清須会議開催 秀吉が織田家の実権を掌握

No.178

成長後の三法師（織田秀信）

戦国時代の後期、織田信長が「本能寺の変」で死去したとき、信長の嫡男だった信忠も明智光秀の軍勢に攻められて自決している。光秀が討たれた後、織田家では誰を後継者にするかの問題が浮上。そこで、織田家の重鎮たちは1582年**6月27日**に尾張国（愛知県西部）の清洲城に集まり、「清須会議」が行なわれた。

会議の席上では、信長の次男である信雄（のぶかつ）と三男の信孝（のぶたか）が争い、家臣団で古参の有力者だった柴田勝家は信雄を支持する。ところが、羽柴秀吉は、信雄でも信孝でもなく、亡き信忠の息子で信長の孫に当たる三法師を推す。

三法師はこのときわずか3歳だったが、光秀討伐の功労者だった秀吉の発言力は大きく、以降は秀吉が三法師の後見人として織田家の主導権を握る。しかも、秀吉は光秀の旧領を吸収したほか新たな所領を得たので、石高と兵力も増強された。

これに不満を抱く柴田勝家は信孝と手を結び、逆に秀吉は信雄を味方に付け翌年4月に両者は「賤ヶ岳（しずがたけ）の戦い」で衝突。柴田勝家は毛利輝元と徳川家康も味方に引き込もうとしたが果たせず、秀吉の軍勢に敗れた勝家と信孝はいずれも自決した。

ところが、柴田勝家と信孝がいなくなると、今度は信雄と秀吉の対立が浮上。信雄は徳川家康と手を組み、1584年3～11月に「小牧・長久手の戦い」が行なわれる。秀吉は不利な戦況に陥るが、信雄の本拠地である戸木城を攻めて講和にもち込み、信雄が脱落すると、戦闘を続ける大義名分がなくなった家康も講和に応じた。

以降の信雄は秀吉に従ったが、後年には関東への転封を拒否して出家する。秀吉の死後は関ヶ原の合戦で家康に味方し、江戸時代まで生き延びた。織田家の本拠で清須会議の舞台になった清洲城は信雄が相続したが、のちに秀吉の甥の秀次が所領とする。一方、三法師は元服後、秀吉の名から一文字取って秀信と称して岐阜城主となり、権中納言の官位を得る。秀吉との関係が比較的によかったためか、信雄とは対照的に関ヶ原の合戦では石田三成の率いた西軍に与し、敗戦後は出家して高野山に入った。

信長死後の秀吉による織田家の実権掌握は、結果的には順当だったが、信雄の思慮の浅さや秀信が幼少であった点に助けられたといえる。また、秀吉が天下統一の過程で進めた検地の実施、寺社の武装解除などは信長の方針を引き継いだものだった。

**その他の出来事**

1905年・露戦艦ポチョムキン号で水兵反乱　1949年・ソ連からの引揚再開第1船高砂丸、2000人を乗せ舞鶴入港

# 6月/28日【1840年】英国と清の間でアヘン戦争が勃発

No.179

優雅に紅茶を飲んでいるイメージがある19世紀のイギリスの上流階級。紅茶販売業者のトワイニングは、1837年にヴィクトリア女王の即位とともに王室御用達ブランドとなった。これは、当時のイギリス帝国主義の産物であった。

18世紀半ばから産業革命が進んだイギリスは、工場で大量生産された繊維製品をインドに輸出して外貨を稼ぐ一方、嗜好品として清から茶葉を輸入した。しかし、しだいに輸入額が増え、インドで生産した麻薬のアヘンを清に輸出して埋め合わせを図る。

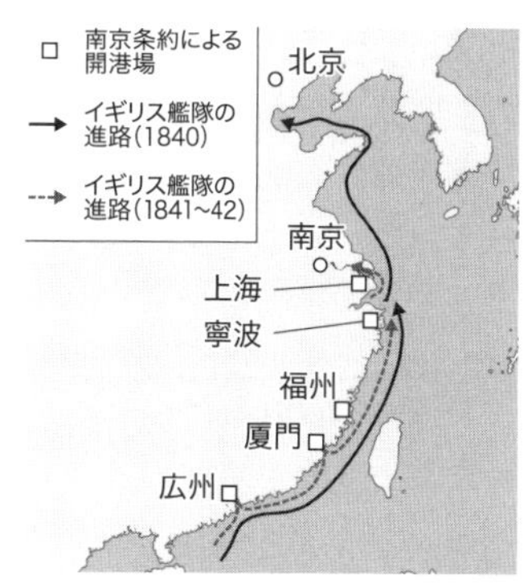

イギリス軍は沿岸部を北上し北京に迫った

清の政府は心身をむしばむアヘンの売買を禁止したが、華南沿岸部の下層民などの間では、アヘン依存症の人間が増えていった。しかも、アヘンの購入によって国内の銀が大量に流出して財政を圧迫するようになる。このため、道光帝からアヘン取り締まりの特命責任者（欽差大臣(きんさ)）に任じられた林則徐(りんそくじょ)は、広州の貿易港でイギリス商人からアヘンを強制的に没収・廃棄した。

イギリス側は激怒し、議会で清への派兵が議論される。麻薬のための戦争を非難する議員も少なくはなかったが、わずか9票差で清への派兵が可決。1840年**6月28日**、軍艦16隻、兵員4000人から成るイギリス軍が広州に到着し、アヘン戦争が始まった。以降、イギリスは累計で約2万人もの兵員を投入する。大型の大砲を備えた蒸気船をもつイギリス軍は、翌年5月までに広州を制圧。さらに長江の要衝を押さえて清側の物資輸送を妨害し、上海、南京にまで迫った。

2年間にわたる戦闘を経て、勝利したイギリスは1842年8月に清と南京条約を結ぶ。そのおもな内容は、香港のイギリスへの割譲(かつじょう)、広州、上海など5港の開港、領事館の設置、関税率の引き下げ、賠償金の支払いなどだ。イギリス優位の典型的な不平等条約だが、イギリスは清から広大な領土を奪って大軍を駐留させるというコストのかかる手法を取らず、香港をはじめとする港湾都市を押さえて貿易利権の拡大を図った。いかにも海洋国家らしい戦略といえる。

東洋の大国である清の大敗は、西洋列強によるアジア植民地化の大きな一歩となった。隣の日本でも、海外に目を向けていた一部の武士の間では西洋への警戒心が高まり、幕府の対応への不満と結び付いて明治維新につながることになる。

**その他の出来事**

1570年・姉川の戦い勃発　1914年・サライェヴォ事件勃発、第一次世界大戦へ　1919年・ヴェルサイユ条約調印

# 6月/29日【1520年】 アステカ王モクテスマ2世が殺害される

No.180

アステカを衰退させたコルテス

メキシコの国名は、同地にあったアステカ王国の主要民族であるメシーカ人に由来する。政治は神官が担い人間を殺して神に捧げる儀式が行なわれていた。領土は広い範囲に及んだが、近隣にはアステカの支配に不満を抱く部族も少なくなかった。

16世紀の初頭、スペイン人はカリブ海の島々に入植を進め、現在のメキシコ東部に足を踏み入れる。1519年3月、スペインの軍人コルテスは約500人の兵を率いて、メキシコ湾に植民都市ベラクルスを築いた。ここを拠点にして、コルテスはテノチティトランへと進撃していく。アステカ人たちは、初めて見る白人を、彼らの信奉するケツァルコアトル神（翼のある白蛇）の化身と思い込み抵抗を控えた。このため、コルテスは少人数の兵でいとも簡単にアステカを制圧してしまう。

アステカ王のモクテスマ2世は、コルテスにおとなしく従った結果、スペイン軍の捕虜にされる。だが、コルテスらの横暴が続くなか、アステカ人はモクテスマ2世の弟クィトラワクを新たな王に選び、スペイン軍への反抗を試みる。1520年**6月29日**、反乱を起こしたアステカ人によってモクテスマ2世は処刑されたが、コルテスらも襲撃されて多大な被害を受け、一時的にテノチティトランから撤退する。

翌年、態勢を立て直したコルテスは、アステカと敵対する先住民を味方に引き込み、ふたたびアステカへと侵攻。この頃、アステカ人は白人がもち込んだ伝染病で弱体化していたので、コルテスは容易にアステカ征服を果たした。

ほぼ同時期、南米では同じくスペイン人によってインカ帝国が征服される。白人にとって一方的な収奪の場となった中南米では、16世紀中頃、先住民を使役して金銀の採掘が大々的に進められ、ヨーロッパにおける資本主義の発達の下地が築かれた。スペイン人は1533年から翌年にかけての1年間だけで、3トンもの黄金を本国に移送した。これは2020年代の貨幣価値で、じつに200億円以上にもなる。

また、アステカとインカ以外に、キューバ島、イスパニョーラ島などカリブ海の島々でも、多くの先住民が白人のもち込んだ伝染病によって死滅した。スペイン人やポルトガル人は、先住民の代わりに労働力としてアフリカ大陸から黒人奴隷を連れてきたので、中南米では人種・民族の混交が進んだ。

**その他の出来事**

941年・藤原純友、獄中で死去　1913年・第2次バルカン戦争　1979年・日本初のサミット、東京サミット閉幕

# 6月/30日 【1934年】 ドイツで「長いナイフの夜」事件が起こる

No.181

ヒトラーの盟友だったエルンスト=レーム

ドイツのナチス党は、もともと大衆的な革命政党だった。初期の構成員は、党首ヒトラーを含めて、第一次世界大戦の最前線で戦った下級の元軍人が多数を占めた。当時の政界ではテロが日常茶飯事で、ナチス党は武装集団の突撃隊（SA）を組織し、共産党などの左翼勢力との抗争を繰り返す。その半面、新興勢力のナチス党は、旧プロイセン王国の貴族や大資本家などの旧来の保守派とも敵対した。

1933年1月、ヒトラーは首相に就任してナチス政権が成立する。しかし、その地位はまだ安泰とはいえなかった。ヒトラーの上には大統領のヒンデンブルク元帥がおり、ナチス党は左翼勢力の脅威をあおって旧来の保守派と手を結んでいたが、その中心的な勢力の国防軍は、成り上がり者のナチス幹部を好まなかったからだ。

一方、ナチス幹部のなかでも突撃隊長のレーム、党内左派のシュトラッサーらは国防軍を敵視し、ヒトラーは両者の板挟みとなる。レームはヒトラーにとって親友ともいえる古参の同志だったが、配下の突撃隊員ともども素行が悪かった。このため、ヒトラーはしだいに、突撃隊から自分に忠実な者を選抜した親衛隊（SS）と、政権獲得後に設立した秘密警察ゲシュタポを頼りにするようになる。

国防軍と突撃隊の衝突が迫る状況下、ヒトラーは1934年**6月30日**、レームが反乱を企てているという容疑をかけ、突撃隊の粛清を断行する。休暇中のレーム、シュトラッサーらは親衛隊の襲撃を受けて処刑された。国防軍のシュライヒャー将軍など、過去にヒトラーと敵対していた一部の人物も、どさくさに紛れ殺害される。この事件は「長いナイフの夜」と呼ばれ、判明している死者数は約100人に及んだ。事件後の8月には高齢だったヒンデンブルク大統領が死去し、ヒトラーは首相と大統領の役職を統合した「総統」に就任して、名実ともにドイツの全権を掌握した。

同時期、ソ連で独裁体制を築いていたスターリンは、長いナイフの夜事件を自国での大粛清の参考にしたともいわれる。1936～38年のソ連では、多くの共産党幹部が、ドイツでのレームのように反逆の容疑をかけられて処刑された。

後年、作家の三島由紀夫はこの事件をモデルに戯曲『わが友ヒットラー』を執筆する。三島はレームに同情を寄せ、親友を裏切ったヒトラーには嫌悪感を示した。

**その他の出来事**

1876年・セルビア、オスマン帝国に宣戦布告　　1898年・初の政党内閣「隈板内閣」成立

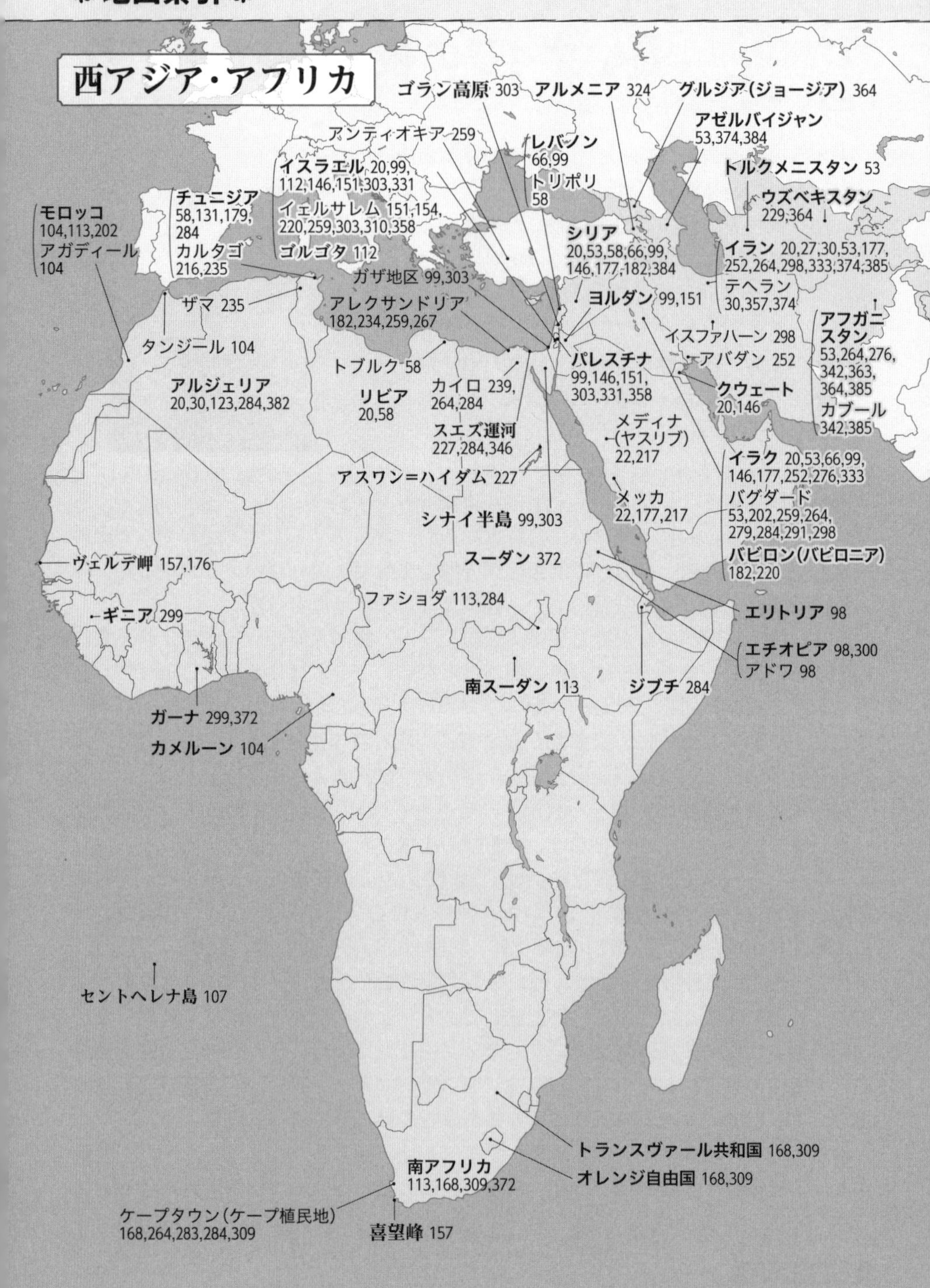

西アジア・アフリカ
ゴラン高原 303
アルメニア 324
グルジア（ジョージア） 364
アゼルバイジャン 53,374,384
アンティオキア 259
レバノン 66,99
トリポリ 58
イスラエル 20,99,112,146,151,303,331
トルクメニスタン 53
ウズベキスタン 229,364
チュニジア 58,131,179,284
カルタゴ 216,235
モロッコ 104,113,202
アガディール 104
イェルサレム 151,154,220,259,303,310,358
ゴルゴタ 112
シリア 20,53,58,66,99,146,177,182,384
イラン 20,27,30,53,177,252,264,298,333,374,385
ガザ地区 99,303
テヘラン 30,357,374
ザマ 235
アレクサンドリア 182,234,259,267
ヨルダン 99,151
アフガニスタン 53,264,276,342,363,364,385
イスファハーン 298
タンジール 104
トブルク 58
アバダン 252
パレスチナ 99,146,151,303,331,358
アルジェリア 20,30,123,284,382
リビア 20,58
カイロ 239,264,284
クウェート 20,146
カブール 342,385
スエズ運河 227,284,346
メディナ（ヤスリブ） 22,217
アスワン＝ハイダム 227
イラク 20,53,66,99,146,177,252,276,333
メッカ 22,177,217
バグダード 53,202,259,264,279,284,291,298
シナイ半島 99,303
スーダン 372
ヴェルデ岬 157,176
バビロン（バビロニア） 182,220
ファショダ 113,284
エリトリア 98
ギニア 299
エチオピア 98,300
アドワ 98
南スーダン 113
ジブチ 284
ガーナ 299,372
カメルーン 104
セントヘレナ島 107
トランスヴァール共和国 168,309
南アフリカ 113,168,309,372
オレンジ自由国 168,309
ケープタウン（ケープ植民地） 168,264,283,284,309
喜望峰 157

# 7月

July

7月/1日 【1911年】

# 反乱鎮圧への抗議を口実に第2次モロッコ事件が勃発

No.182

20世紀初頭、西欧列強による植民地競争が激化していた。とくにアフリカやアジアでのイギリス、フランス、ロシアの対立が目立っていた。そんななか、植民地競争に出遅れていたドイツは、オスマン帝国から鉄道の敷設権を得たことをきっかけに、ドイツ、ビザンティウム（現在のイスタンブル）、バグダードを鉄道によって結ぶ3B政策を推進していく。これに先駆けて中国に租借地を認めさせていたこともあり、イギリスやフランスを警戒させることになった。

フランスの駐英大使として交渉にあたったポール＝カンボン

これがはっきりと表面化したのが、2度のモロッコ事件だ。1904年にフランスは、イギリスにエジプトの支配を認める代わりとして、モロッコの支配を認められていた（英仏協商）。このフランスのモロッコ支配に対し、1905年にドイツ皇帝ヴィルヘルム2世がモロッコを訪問して抵抗への支援を約束。第1次モロッコ事件だ。ドイツもモロッコを狙っていたため、英仏協商を黙って認めるわけにはいかなかったのだ。しかし、ドイツを警戒していたイギリスがフランスの支持に回る。結果、ドイツの思惑は失敗に終わった。

だがドイツは諦めず、モロッコへの資本進出を続けていった。そして11年**7月1日**、モロッコに軍を派遣する。第2次モロッコ事件だ。モロッコで現地のベルベル人らを中心とした反乱が起きたのだが、この鎮圧を名目に、フランスが軍を派遣していた。これに対する抗議という口実で、軍を派遣するに至ったのだ。

このドイツの行動にフランスの世論は反発、本格的な武力衝突も起こりうる状況だったが、イギリスがフランス支持を明確にしたことでドイツは失速した。最終的にドイツはコンゴ植民地を一部受け取ることで、フランスのモロッコ保護国化を認めた。

この二度のモロッコ事件によってドイツは国際的な孤立を深めていくこととなった。地中海への出口を求めていたロシアにとって、3B政策が邪魔だったこともあり、イギリス・フランス・ロシアが接近するという結果をもたらす。これがのちに第一次世界大戦へとつながっていくのだった。

**その他の出来事**

1997年・英、香港を中国に返還

# 7月2日【1644年】 鉄騎隊が王党派に勝利 ピューリタン革命の形勢が逆転

No.183

イギリス国会議事堂の
クロムウェル銅像

1640年からイギリスで始まった政治改革がピューリタン革命だ。最大の原因は、1628年、議会制度を取り戻すために議員らが提出した権利の請願を、チャールズ1世が無視したことにある。チャールズ1世は議会の同意を得ることなく課税や不当な行為を続け、ついには議会を解散した。

さらに1637年、チャールズ1世がスコットランドに対しイギリス国教会制を強制したことにある。住民の反乱を受け、戦費確保のために1640年4月、11年ぶりに議会を召集したが、たったの3週間で終了してしまう。これがピューリタン革命の直接の発端となる。11月には2度目の議会を開催するが、王の権利を守りたい王党派と議会を進めていきたい議会派との対立が深まり、内戦にまで発展した。

議会軍は民兵隊を主力としており、装備や経験の不足に悩まされた。民兵軍がそれぞれの地元の防衛に重点を置いたため広域展開できなかったこともあり、戦況は王党派が優位に進んでいた。しかも、議会派は内部で国王との戦いを徹底しようとする「独立派」と、穏健な立憲王政を目指す「長老派」に分裂してしまう。

そんななか、独立派所属のクロムウェルが結成したのが鉄騎隊だ。敬虔なピューリタンだけを集めたことで、厳しい規律と高い戦闘意欲を備えていた。この軍隊は各地で活躍。とくに1644年**7月2日**マーストンムーアの戦いでは勝利に大きく貢献し、以降、戦況は議会派に傾いていくことになる。

鉄騎隊を原型として議会派はニューモデル軍を組織、その活躍によって1645年6月14日のネイズビーの戦いでも国王軍に圧勝した。ついには1649年1月に国王であるチャールズ1世を処刑し、共和政を宣言した。現在に至るまで、イギリスで共和政がとられたのはこのときだけだ。またこの際、王党派だったアイルランドへ遠征を行い、土地の没収も行っている。これが現在でも火種として残り続けているアイルランド問題の始まりだった。

イギリスの共和政は、1658年にクロムウェルが死亡し、王政復古が成されるまで続いた。王に迎えられたのは、大陸に逃れていたチャールズ1世の子・チャールズ2世だった。

**その他の出来事**

1863年・イギリス艦隊が鹿児島に砲撃(薩英戦争)　　1929年・田中義一首相辞職

7月/3日
【1908年】

# 青年トルコ人の武装蜂起により憲法が復活

No.184

©Mary Evans Picture Library/アフロ
青年トルコ人の活動の様子

オスマン帝国は、アジア、アフリカ、ヨーロッパと広い地域にまたがる支配地域をもった強大な帝国だった。しかし、18世紀後半になると民族独立運動が活発になり、衰退の道をたどることとなる。そうした政治危機を打開するため、皇帝アブデュル＝ハミト2世が1876年に発布したのがミドハト憲法だ。しかし、ロシア＝トルコ戦争（1877～78年）の際に憲法は停止され、議会も停止、宰相ミドハト＝パシャは解任された。

このことに反対運動を起こしたのが、青年トルコ人こと「統一と進歩委員会」という秘密結社だった。官僚、医師など近代化によって生まれた階層に所属している青年たちが集まり、立憲制の回復によって帝国の再建を目指した。

ロシア＝トルコ戦争で敗退したオスマン帝国は、多くの領土を失った。そんななか、日露戦争（1904～05年）で日本がロシアに勝利したことが伝わると、「強い国を築くためにも、日本のような憲法に基づく政治を行なうべきだ！」と奮起した統一と進歩委員会は、1908年**7月3日**、活動の拠点となっていたテッサロニキで青年将校が武装蜂起を起こす。これを受けて、アブデュル＝ハミト2世はミドハト憲法の復活を宣言、翌年の廃位につながっていく。

こうして第二次立憲制が始まった。しかし、反専制主義の思想以外には共通の目的がなかった彼らは、新しい政権を進めることが困難になり、多民族国家であるオスマン帝国の政局は悪化。世論も分裂してしまう。

混乱の最中、1914年に第一次世界大戦が始まると、ロシアと対立関係にあったドイツ・オーストリアとの連携を強め、同盟国側として参戦した。この第一次世界大戦での敗戦が、オスマン帝国を破滅へと導くことになる。青年トルコ人もこのときに事実上壊滅した。

1922年にはトルコ革命が勃発し、翌年には大戦後の動乱で国民的英雄となったムスタファ＝ケマルによってトルコ共和国の成立が宣言される。約600年続いたオスマン帝国はここに滅亡した。皮肉なことに、帝国の再建を目指して復活した議会の決定である第一次世界大戦参戦が、帝国滅亡の最後の決定打となったわけだ。

**その他の出来事**

1863年・ゲティスバーグの戦いが終わる　　1972年・インドとパキスタンがシムラ平和協定に調印

# 7月/4日【1776年】 独立達成への転機となったアメリカ独立宣言

No.185

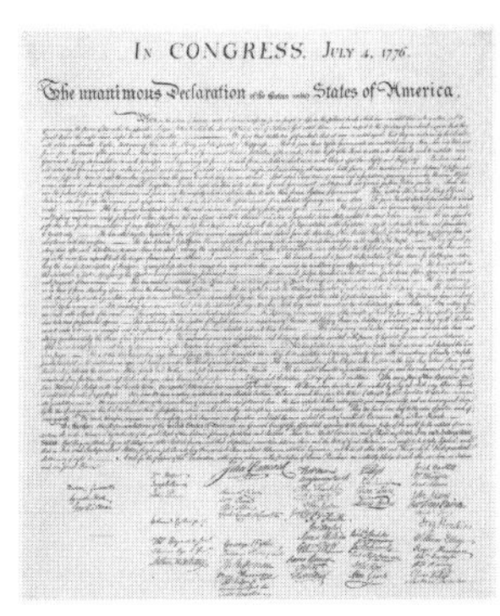
アメリカ独立宣言の複製

1776年**7月4日**、アメリカ独立宣言が公布された。75年に始まった、アメリカ独立戦争の正当性を示す狙いをもっていた。

イギリスの植民地だったアメリカでは、自由な貿易を制限され、砂糖法や印紙税などイギリスからの不義理な課税にも悩まされていた。74年には大陸会議でイギリスへ自治の尊重を要求したが、イギリス政府はこれを軍事力によって押さえつけようとしたため、翌年から独立戦争が始まる。

当初は自治回復を目指していたが、武力衝突が激しくなると独立を願う傾向が強まる。加えて、トマス＝ペインが啓蒙書『コモン＝センス』で独立の正当性を述べ、これがベストセラーになったことで、植民地人たちの戦意は一気に高まった。こうしたなか大陸会議が開かれ、13植民地の代表がフィラデルフィアに集結。先にも述べたとおり、76年7月4日にアメリカ独立宣言が発表されることとなる。

アメリカ独立宣言を起案したのはトマス＝ジェファソンらだった。内容は3部に分かれるが、そのなかでもとくに有名なのが、「すべての人間は生まれながらにして平等であり、その創造主によって、生命、自由、および幸福の追求を含む不可侵の権利を与えられている」と基本的人権について述べた前文だ。これは、イギリスの思想家ジョン＝ロックの『市民政府論』にあった人権論を参考にしていると考えられており、イギリスから独立することの理論的、政策的な正当性を主張するものだった。内向きには、独立への意欲を高めようという狙いもあった。

その後、アメリカ独立宣言は他国の民主化にも大きな影響を与えた。フランス革命とともに、民主政治の基本原理として今でも多くの国に根を張っている。日本国憲法にも基本的人権についての記述があることは、もちろんご存じだろう。

その後、1783年にはアメリカ合衆国の独立が承認された。だが、アメリカ合衆国の独立記念日は、独立が承認された日ではなく、独立宣言が出された7月4日だ。それだけアメリカ国民はもちろん、歴史的にも意義深い日ということだろう。

ただ、ここでいう「men（人間）」は「青年白人男性」という解釈により、女性に参政権は与えられず、奴隷制は解消されないままとなった。そもそも、ジェファソンが奴隷所持者だったこともあり、この問題はその後の南北戦争、ひいては今日の黒人差別まで尾を引くこととなる。

**その他の出来事**

1187年・サラディンがヒッティーンで十字軍を撃破　　1639年・ポルトガル船来日を禁止し鎖国が完成

7月/5日【1811年】

# 南米諸国独立の道を開く ベネズエラ独立宣言

No.186

ベネズエラと大コロンビア

ベネズエラは1498年コロンブスによって「発見」された。国名は「小さなベネチア」を意味し、水上にある家々がイタリアのベネチアに似ていたことが由来となっている。南アメリカ最初のスペイン植民地となったベネズエラは、カカオやコーヒーなどの熱帯農産物の生産と交易によって繁栄。しかしスペイン本国経済の利益を最優先とする重商主義政策が導入され、自由貿易を求めるクリオーリョ（ベネズエラ生まれのスペイン人たち）のなかで不満が高まっていった。

19世紀初頭には、アメリカの独立やフランス革命の影響が加わり、ラテンアメリカ諸国でも独立運動の動きが見え始める。1810年4月にはベネズエラの市民グループが反乱を起こし「ナポレオンにより幽閉されているフェルナンド7世がふたたびスペイン国王になるまで、独自の政府を樹立する」と宣言。みずから最高評議会を立ち上げた。

また、ベネズエラの首都カラカスの名家出身だった独立運動の指導者シモン＝ボリバルが、フランス革命に参加していたミランダとともにベネズエラへ戻り、1811年**7月5日**、議会にて独立を宣言。アメリカ憲法と同じく連邦主義的で、各州が自治権を保持する独自の法をもつ国を目指した。

ところが、翌年3月26日カラカスで大地震が発生し、約2万人の犠牲が出てしまう。独立運動に反対していた王党派や、王党派を支持していた宗教家たちは「神の罰が下った」と独立を非難。この状況にスペイン軍が乗じて攻撃を開始し、ボリバルは一時退却を余儀なくされた。軍制を立て直したボリバルは、1819年にボヤカの戦いでスペイン軍に勝利する。そして、ベネズエラ、コロンビア、エクアドルを合わせた大コロンビアの成立を宣言した。その後、ペルーやボリビアの独立運動も指導したことから「南アメリカ解放の父」とも称されている。

南アメリカのさらなる連帯を目指していたボリバルだったが、1830年12月チフスにかかり死去。そして、同年大コロンビア共和国も分解してしまった。ボリバルの夢は途絶えたが、彼をたたえるため1876年、ベネズエラ通貨単位にボリバルを設定。さらに1999年には国名もベネズエラ・ボリバル共和国に改めた。また、ボリバルが独立を宣言した7月5日は、祝日（独立調印記念日）に制定されている。

**その他の出来事**

1830年・フランスがアルジェ占領　　2009年・新疆ウイグル自治区で騒乱

# 7月/6日【前371年】 ポリス社会の変容を生んだレウクトラの戦い

No.187

アテネと並ぶ古代ギリシア最強のポリス（都市国家）として名高いスパルタは、厳しい軍国主義を採用し、強力な軍事力を維持していた。徹底した鎖国政策を行なうだけでなく、軍人たちに散歩を禁止させたり、法律で肥満を禁じたり、今では考えられないような規制が行なわれていた。さらには子どもたちにも徹底的な英才教育がなされており、男女関係なく戦士として厳しく扱われていたという。スパルタ教育という言葉は、ここからきている。

前4世紀頃の主要ポリスとレウクトラ

しかし、紀元前4世紀半ば頃になると中部ギリシアのテーベが勢力を強めてくる。政治家のペロピダスとエパメイノンダス将軍が率いるテーベ同盟軍は、紀元前371年**7月6日**、レウクトラでスパルタ連合軍との戦いに入った。スパルタ連合軍約1万人に対し、テーベ同盟軍はおよそ7000人。劣勢と思われたテーベだったが、スパルタ軍に見事勝利する。

その背景には、2つの戦術があったといわれている。1つが、上から見ると陣形を斜めに進軍させる斜線陣を用いたこと。自軍の左側に武装兵密集部隊を厚く配置し、戦力が弱い右側にいくほど進軍するスピードを遅らせ、敵との接触を遅らせていくことで敵陣の主力軍を早々に倒し、殲滅に追い込む戦術だ。そしてもう1つが、神聖隊と呼ばれる男性の恋人同士で編成された強力な部隊の存在。同性愛が盛んだったテーベでは、恋人同士でペアを組むことで団結心が生まれ、危険から身を守り合いながら最後の最後までお互いを見捨てず戦い続けることができた。

それまで最強ポリスとして君臨してきたスパルタだったが、このレウクトラの戦いで王であるクレオンプロトス1世が戦死し、衰退の道をたどっていく。また、スパルタ軍を破ったテーベも10年にわたりギリシアの覇権を握ったが、前362年にエパメイノンダスが戦死すると、勢いにかげりが見え始める。ただ、エパメイノンダスの死後も彼の考案した斜線陣はアレクサンドロス大王（3世）にまで継承され、ペルシャからインドまでを侵略する際にも活用された。

また、こうした絶え間ない戦いにより、市民から没落する者が増加、貧富の差が拡大し、傭兵が活躍の場を広げた。ポリス社会の変容は、マケドニアの台頭につながっていく。

**その他の出来事**

1912年・日本がオリンピック初参加　　1917年・アラビアのロレンスらがアカバ占領

7月/7日
【1937年】

# 第二次世界大戦へ至る「日中戦争」幕開けの銃声

No.188

現在の盧溝橋

1901年、義和団事件の講和に関する議定書として北京議定書が結ばれる。このなかで、清（中国）は北京周辺までの列強の駐留を認めていた。日本もこの議定書に調印しており、これを根拠に、北京周辺で軍事演習を行なうこともあった。そんな北京周辺での演習中に起こったのが、盧溝橋（ろこうきょう）事件だ。

1937年**7月7日**、北京郊外の盧溝橋付近で夜間演習中だった日本軍に対して、中国軍が突然発砲するという事件が起こる。以降も中国側からの発砲が続き、武力衝突に発展した。この最初の発砲に関しては、日本側の自作自演を主張する人や中国の誤認発砲とする説もあるが、真相はわかっていない。

もっとも、この衝突は長くは続かず、現地の日本軍と中国軍の間ではほどなく停戦協定が成立した。日本の内閣府も事件を収束させる方向で動く。ただ、陸軍や政府の強硬派が、これを機に華北での勢力拡大を主張し、増兵の方向に動いていった。そんななか、同年8月に上海で中国側による日本海軍将校の殺害事件が起こる。これにより、海軍も強硬姿勢に転じ、中国の首都と目されていた南京への空爆が始まった。日中戦争の幕開けだ。

当初、日本は短期決戦を想定していたのだが、中国軍が粘り強く戦ったことで戦闘は長期化した。南京の攻略が終わったのは12月のことだった。これで戦いは終わるかと思われたが、中国側は首都を重慶へと移して抵抗を続けた。

この南京占領時、敗残兵の掃討を行なうなかで、捕虜や一般市民に被害を出したとして、日本は国際的な避難を浴びることになる。いわゆる南京事件だ。この事件については確かなことはわかっていない。中国側は日本軍が30万人を虐殺したとしているが、一般市民の殺害があったとしてもこの数字は誇張だとするのが、研究者などの間でも一般的だ。ともかく、この事件により中国側の戦意は高まった。

一時はドイツの仲介により、中国側との和平交渉も行なった日本だったが、合意には至らず、本格的に持久戦の様相を呈し始める。その後も、和平実現のために工作を続けた日本だったが、ほかの列強のようにブロック経済圏を築こうとしたことがアメリカなどの反感を買い、ますます国際的に孤立を深めた。そして追い詰められた日本は、第二次世界大戦へと向かっていくのだ。

**その他の出来事**

1807年・ティルジット条約締結　　1944年・サイパン島玉砕

7月/8日
【1755年】

# 交渉決裂により、本格化する フレンチ=インディアン戦争

No.189

イギリスとフランスの植民地(1756年頃)

17世紀末以降、イギリスとフランスの間ではアメリカ大陸での植民地を巡る戦いが繰り返された。そのうち、1754～63年にかけて行なわれたのが、フレンチ=インディアン戦争だ。この戦争は、フランス軍がネイティブアメリカン（インディアン）と組んで戦ったことに由来する。この頃のフランスは、インディアンと毛皮の取引をしていたため関係が良好だったのだ。

戦いのおもな舞台となったのはオハイオ川流域だった。オハイオ川を経てミシシッピ川河口につながる交易路を確保したいフランスと、オハイオ川流域に農地拡大を目指すイギリスの利害がぶつかることになった。1754年からオハイオ川流域では戦いが起こっていたが、1755年**7月8日**、ついにイギリスとフランスの外交関係が破綻、本格的な戦いに突入していく。翌日、イギリスがオハイオ川沿いの要塞を攻撃（モノンガヘーラの戦い）。しかしフランス・インディアン側の待ち伏せにあい、壊滅的な損害を受ける。死者は約1000人にも上ったという。ちなみにこの戦いにはのちのアメリカ大統領ジョージ=ワシントンも同行していた。

この戦いをはじめとし、最初のうちはフランス側が優位に展開していたが、1759年に国をあげて植民地戦争に力を入れだしたイギリスがカナダの都市ケベックを占領すると形勢は逆転。翌年にはイギリスがモントリオールを陥落させ、カナダを制圧。イギリスの勝利を決定付けた。1763年にパリ条約が締結され、フレンチ=インディアン戦争に勝利したイギリスは、カナダとミシシッピ以東の多くの領地を獲得した。これによりイギリス植民地帝国の基盤が据えられた。植民地という市場を得たことで、産業革命も順調に進んでいくこととなる。

またフレンチ=インディアン戦争は、ヨーロッパでプロイセンとオーストリア、およびそれぞれの同盟国だった英仏が争った七年戦争（1756～63年）の一局面とみなされている。一連の戦争で、イギリスはプロイセンに金銭支援をしていたのだが、その莫大な経費によりイギリスは財政難に陥ってしまう。この状況を打開するために、獲得したアメリカ植民地に対してさまざまな関税を課した。結果として大きな反発を招き、1775年に始まるアメリカ独立戦争につながるきっかけとなってしまった。

**その他の出来事**

1588年・秀吉が刀狩りを命じる　　1939年・国民徴用令公布

7月/9日
【1762年】

# ロシアを救う女帝 エカチェリーナ2世が即位

No.190

©アフロ
エカチェリーナ2世肖像画

1729年ドイツに生まれたエカチェリーナ（本名：ゾフィー＝アウグスタ＝フレデリーケ）は、ロシア帝国のピョートル3世と1745年に結婚する。しばらくするとヨーロッパ大陸では七年戦争（1756～63年）が起こり、ロシアはフランス、オーストリアと組んで、プロイセン、イギリスと戦うことになった。

1762年、ピョートル3世がロシア皇帝に即位するが、敵であるプロイセン王フリードリヒ2世に心酔していたため勝利を目前としながら戦線から離脱してしまう。結果プロイセンが勝利し、ロシアは多くの犠牲を出しただけだった。そんなピョートル3世とは対照的に、妻であるエカチェリーナは結婚後、ロシア正教に改宗し、ロシア語や歴史などロシア文化を学び続けるなど治世者としての姿勢を見せていた。「私は結婚で幸福になるため、はるばる旅をしてきたのではない。政治という仕事、ロシア帝国に君臨するために嫁いだのだ」と語っていたといわれている。

七年戦争でのことを受け、1762年**7月9日**、エカチェリーナと近衛部隊や反ピョートル派の貴族らが結束しクーデタを起こす。妻のエカチェリーナは、軍服を身につけそのクーデタの先頭に立ち、ピョートル3世に「自発的退位宣言」を突きつけた。怯んだ彼は呆気なくサインし、無血クーデタが成立。エカチェリーナはエカチェリーナ2世としてロシア皇帝に即位する。

即位してからの彼女はロシア帝国の領土拡大に努め、世界の強国へと仲間入りしていく。フランス人思想家であるヴォルテールやディドロとも交流があったため、啓蒙専制君主としての改革を進めていた。農奴制を強化し、貴族の特権保護など専制政治を強化していく。また、女学校や医学校を設け、アート作品の収集を行なうなど教育、文化の発展にも尽力していた。

外交においても、ロシア帝国領土を拡張するため、1772年には第1回ポーランド分割に加わり、領土を拡張。さらに衰退ぎみだったオスマン帝国支配下のバルカン半島、黒海沿岸を奪う南下政策を実現させるため、2度にわたるロシア＝トルコ戦争に勝利し、クリミア併合を承認させた。ドイツ出身というハンデがあったにもかかわらず、ロシア帝国の発展のために努力を重ねたことで、現在でも大帝と呼ばれるほど国民の支持を得たのだった。

**その他の出来事**

1810年・ナポレオン、オランダを併合　　1926年・蔣介石が国民革命軍総司令になる

# 7月10日【1940年】航空防衛の基本を変えたバトル=オブ=ブリテン勃発

No.191

空襲後のロンドン

ドイツ軍がフランス侵攻したダンケルクの戦い（1940年）以降、ドイツの矛先はイギリスに向けられていた。イギリスの首相であるウィンストン＝チャーチルはドイツに対して徹底抗戦の意思を見せたため、ヒトラー率いるドイツ軍はイギリス本土への上陸に目標を定め、攻撃を開始する。そして1940年**7月10日**、ドイツ軍の航空機70機がイギリス上空へ到着。飛行場や工場を絶え間なく爆撃し、イギリスの命運を賭けた戦いが幕を開けた。約4カ月にわたって続いたこの攻防は「バトル＝オブ＝ブリテン」と称されている。

9月に入るとドイツ軍の攻撃は都市部ロンドンに集中し、57日間連続で激しい夜間空襲を仕掛けるようになる。これにより一般市民約6万人が犠牲となり、イギリスは壊滅寸前に陥った。

劣勢のなかでも奮闘を続けていたイギリス軍は、ドイツに敗れたポーランドやフランス、さらにはニュージーランドやオーストラリアなどのイギリス連邦からもパイロットや兵士を集め、軍の強化を図った。また最新鋭のレーダーなどの先進的な技術を活用したことに加え、ドイツ軍の暗号解読にも成功。当時のドイツ軍からは「イギリス軍はテレパシーを使っているのか」と疑われるほど、情報戦で優位に立った。

この時点でドイツにはイギリス本土上陸作戦を遂行する能力はなかったと思われる。空爆によってイギリス国民を疲弊させ、講和を引き出すことが狙いだった。しかし、ドイツ軍が800機以上の戦闘機を失うに至ってもイギリスから制空権を奪うことはできず、チャーチルは和平には動かなかった。

だが、その後も3年ほどドイツ軍は空爆を続けた。イギリスは武器や物資、食糧不足に苦しみ、アメリカ合衆国の支援を乞うことになった。

本土が戦場となったことでこの戦いはイギリスに深刻なダメージをもたらした。その一方、イギリスが活用した最新鋭のレーダーや空襲警報の整備などといった優れた防空技術は近代防空戦闘の先駆けとなり、他国にも大きな影響を与えた。

**その他の出来事**

1499年・ヴァスコ＝ダ＝ガマがポルトガルに帰る　　1943年・ハスキー作戦

# 7月/11日 【1405年】

# 明の発展と貿易拡大のため南海へ鄭和を派遣

No.192

鄭和が連れ帰ったキリンを描いた『麒麟図』

古代中国の明の時代、7回にわたって南海遠征を行なったのがイスラーム教徒の宦官、鄭和だ。第3代皇帝である永楽帝の時代に全盛期を迎えていた明は、皇帝みずからがモンゴル遠征を行なうなど、積極的な対外遠征を実施していた。朝貢貿易を拡大させるため、1405年**7月11日**、鄭和を南海へと派遣させる。朝貢貿易とは、明時代の対外貿易制度のことで、諸外国が明へ貢物を献上し、その返礼として下賜品を与えるという形式の貿易だ。

約2万人の乗組員とともに航海に出かけた鄭和は、まずベトナム、ジャワ、スマトラ、マラッカ、セイロンへ赴き、明との貿易を勧誘した。その後、30年ほどかけて7回にわたる南海遠征を行なうが、最終的にはアラビア半島から東アフリカまで渡っている。この時代にこれだけの大がかりな航海が成功した背景には、羅針盤の導入や天体観測といった航海術の進歩だけでなく、イスラーム教徒だった鄭和が行く先々で出会うムスリム商人らとコミュニケーションが取れたからだった。

航海を続けていったことでインド洋沿岸の多くの国は明に朝貢使節を送るようになり、南海に対する中国人の知識も増大していく。とくにマラッカ王国（現在のマレー半島とスマトラ半島にまたがる地域）は、この遠征の基地となったことから東南アジア最大の貿易拠点へと繁栄していった。出航する際には立ち寄った港で贈答するための宝石や陶磁器などが積まれており、帰りには行く先々で見つけた珍しいものを積んで戻ってきたという。たとえば第4回目の遠征では、アフリカ大陸へ上陸し、生きたキリンを連れて帰ってきている。

そのような成果は上げたものの、大がかりな南海遠征だったため明の財政負担は次第に膨らんでいく。そんななか、永楽帝が死去。最後の航海を終えた鄭和も帰国後ほどなくして亡くなり、1430年に南海遠征も終わりを迎えた……のだが、600年近くがたった現在、この航路が復活しようとしている。これが中国の「一帯一路」構想で、アジア、ヨーロッパ、アフリカにまたがる経済圏をつくろうというものだ。この根拠として中国は古代から続く海と陸の東西交易ルートの存在を取り上げている。海の交易ルートとはつまり、鄭和が開拓した南海航路だ。その象徴として、鄭和が脚光を浴びている。

**その他の出来事**

1600年・石田三成挙兵　　1987年・世界人口が50億人を超える

# 7月12日【1192年】

# 源頼朝が征夷大将軍に 封建社会が始まる

No.193

1185年の壇ノ浦の戦いで、平氏を滅した源氏。この戦いで活躍した源義経は朝廷から官位を授けられる。ただ、源氏の頭領だった兄・源頼朝に無断で官位を受けたことで、両者は対立するようになる。義経を討つことを朝廷に認めさせた頼朝は、それを機に全国に守護・地頭を設置した。守護は国ごとに置かれた警察や御家人の監督のことで、地頭は荘園ごとに年貢の取り立てなどを行なう役職だった。

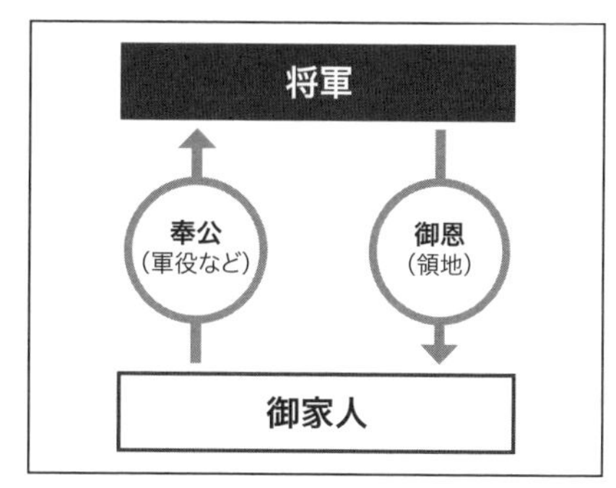

御恩と奉公

1189年には、平泉（現在の岩手県平泉町を中心とする地域）に逃れていた源義経と奥州藤原氏を滅ぼした。これで国内の抵抗勢力は一掃されたことになる。さらに翌年には御家人（武士）を率いて、日本全国の軍事や警察を担当することを朝廷に認めさせた。

そして頼朝は、1192年**7月12日**、ついに征夷大将軍に任命される。そもそも征夷大将軍というのは、奈良・平安時代に蝦夷征伐のために朝廷から命じられた総指揮官のこと。813年に文室綿麻呂（ぶんやのわたまろ）が任命されたのを最後に、蝦夷鎮圧が完了していたため、すでに廃絶している呼び名だった。

その称号が復活したのが、1184年のことだ。頼朝とはライバルのような関係にあった源（木曾）義仲が、権威付けのためにこの征夷大将軍への任命を受けたことによる。その後、源頼朝もこの地位を望んだが、後白河法皇に反対され、任命されることはなかった。後白河法皇の死後、満を持して征夷大将軍に任命されたのだった。これによって、各地に守護・地頭を置き、その任命を将軍が行なうことで、御家人に忠誠を誓わせるという封建的な支配体制（御恩と奉公）が完成した。

征夷大将軍になってから7年後、頼朝は落馬によって命を落としてしまう。だが彼の死後も、妻の北条政子とその父の北条時政が幕府の実権を握り、鎌倉幕府は終わることなく受け継がれていった。また、鎌倉幕府は約140年ほどで終焉を迎えるが、封建的な支配体制はその後も江戸時代まで続く日本の政治の基本となった。

**その他の出来事**

1800年・ライン連邦結成　　1941年・英ソ相互援助協定締結

# 7月/13日 プロイセン=フランス戦争の原因 エムス電報事件

【1870年】

No.194

1870年**7月13日**、プロイセンの政治家ビスマルクが、エムス（ドイツ西部の保養地）で行なわれていたプロイセン王とフランス大使の会談について、プロイセン王から届いた電報を改変して発表するという行動に出る。エムス電報事件だ。

ビスマルク

エムス会談で話し合われていたのは、スペイン王の継承問題だった。この頃のスペインでは革命が勃発し、女王イザベル2世はフランスへ亡命。スペインでは混乱が続いていたため、新国王の選定が急がれていた。その候補に挙がっていたのがプロイセン王家傍系のレオポルト。フランスを挑発して開戦にもち込む好機と考えたビスマルクがレオポルトを国王にさせようと動き、スペイン側もその方向で王位継承を進めていた。

しかし、プロイセンとスペインに挟撃されることを恐れたフランスの世論と政府は、反対の意思を示す。もともと王位を継ぐことに乗り気ではなかったレオポルトも王位を辞退し、プロイセン王ヴィルヘルム1世もこれを承諾してしまう。

エムス会談でフランスの大使は、改めて「プロイセンは今後スペインの王位継承に口出ししない」ことを要求。その内容を電報で受け取ったビスマルクは起死回生のチャンスと考え、単なる状況報告だった電報を意図的に「フランスはヴィルヘルム1世に対して不当な要求を突きつけ、立腹した国王はフランス大使を追い出した」と印象付けるような文章に改変し、公表したのだ。しかも、文章に新しい文字を入れることなく、電報を省略しただけにとどめていたため、越権行為ともいわれないラインを守った周到さだった。新聞の内容が世間に伝わると、フランス側では「プロイセンの王はフランス大使を侮辱している」と開戦を求める声が広がっていく。さらにプロイセンも国王への非礼に民衆の怒りは沸騰する。ナポレオン3世もこの状況を受け、戦争する以外の選択肢はなくなり、7月19日宣戦布告。一本の電報がフランス=プロイセン戦争へとつながったのだ。

その翌年にビスマルクは、プロイセンを統一しドイツ帝国を築き上げている。彼は鉄血宰相の異名をもつほどで、「鉄（銃や軍艦などの武器）と血（兵士）だけが問題を解決する」と演説したことがあったがこのエムス電報事件にも、まさにその性質が現れているといえる。

**その他の出来事**

1221年・後鳥羽上皇配流　　1948年・旧優生保護法が制定される

# 7月/14日【1871年】 廃藩置県が布告され中央集権が完成

No.195

「廃藩置県の詔」が下賜された様子

江戸時代を終わらせた明治の新政府は、日本を近代国家に推し進めるため、さまざまな改革を実施していった。その1つである1869年の版籍奉還では、藩ごとにもっていた土地と人に対する支配権を朝廷に返還させた。鎌倉時代から数百年続いた封建的な支配体制を終わらせ、中央集権を進めることを目指したのだ。

旧藩主は知藩事となり、権限は縮小された。しかし、実質的にはまだ知藩事が藩を支配する体制は変わらなかった。また、庶民の間では大変革を推し進める明治政府への不満が高まり、各地で世直しのための農民一揆も起こっていた。

この状況を受け、「維新の三傑」とも呼ばれた大久保利通、西郷隆盛、木戸孝允らを中心に廃藩置県の計画が進められた。そして1871年**7月14日**、藩をすべて廃止する「廃藩置県の詔」を発行。これまで続いてきた藩制度を廃止し、府県を設置するだけでなく、旧知藩事をすべて華族として東京へ移住させ、代わって政府の官司を派遣して県知事（県令）に任命した。

廃藩したことで、261あった藩は300を超える府県に分けられた。同年11月には大幅な整理・統合が行なわれ、3府72県にまとめられ、本格的に幕藩体制は解体。ここに藩主が藩を支配する体制が名実ともに終わり、天皇を頂点に中央政府が全国の土地と人民を治める中央集権国家の基礎が確立した。

これだけ大規模な廃藩置県が大きな反対もなく実行された背景には、欧米など先進国に対抗するためにも中央集権体制が大切だという考えが浸透していたことと、戊辰戦争（1868～69年）での戦いで多くの藩が債務を負っていたことが影響している。全国の藩の負債を集めると国家予算の2倍以上とかなり高額だったが、国債を発行するなどで新政府が肩代わりすることを決定。負債を抱えていた藩からも、それならばと合意を得やすかったことがある。

当初75府県に統合されていたが、その後も県庁の移転による県名の変更や合併が進み、一時は38府県にまで整理された。1888年末には、8つの県が復活したことで45府県になった。じつは現在私たちが知る形に落ち着いたのは、1947年の地方自治法成立以降のことだ。

**その他の出来事**

1789年・パリ市民がバスティーユ牢獄を襲撃　　1933年・ヒトラー政府が新政党結成を禁止

# 7月/15日【455年】ローマの衰退を決定づけたガイセリックのローマ略奪

No.196

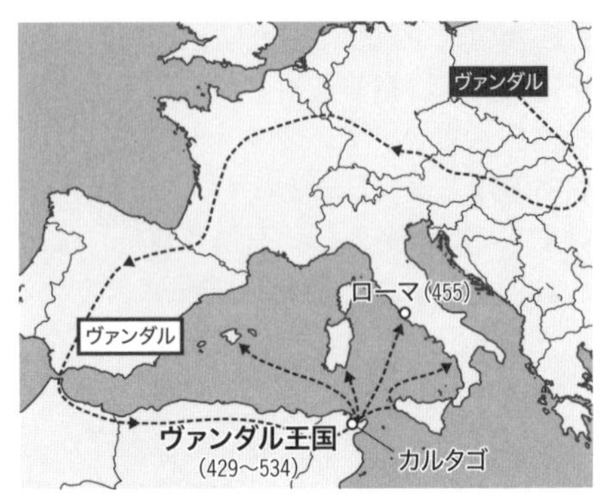

ヴァンダル人の移動

ゲルマン人が大移動をしていくなかで、北アフリカにヴァンダル王国を建国したのがガイセリックだ。彼は「ヴァンダルとアランの王」と名乗り、約8万人のヴァンダル人とアラン族を率いていた。北アフリカへと渡ってからは、進路をさらに東へと向け、カルタゴを包囲。429年に占領したカルタゴの地にヴァンダル王国を建設した。さらには地中海に面していたカルタゴから艦隊を派遣し、海賊として活動しながら、30年ほどかけてシチリア島やサルデーニャ島といった地中海の島々を制圧していった。地中海の制海権を握ったヴァンダル王国は、西ローマ帝国に対しても有利な同盟関係を結ぶまでになる。

その西ローマ帝国で455年に大事件が起こる。皇帝ウァレンティニアヌス3世が暗殺されたのだ。この黒幕は新皇帝だとささやかれたが、ウァレンティニアヌス3世の妻だったリキニア＝エウドクシアが、その新皇帝と結婚させられてしまう。この状況に危機感を感じたエウドクシアは、よりにもよってガイセリックに救援を求めた。

これを口実にガイセリックはローマへと向かい、455年**7月15日**ガイセリック率いるヴァンダル軍は、ローマ略奪へと踏み切る。約2週間にわたって街の建築物やアート作品を次々と破壊。ローマのありとあらゆる財宝を没収し、略奪の限りを尽くした。さらに救援を求めたエウドクシアらを人質にとり、ローマで働いていた多くの職人や住民たちも奴隷として連れ去ってしまう。このことから「ヴァンダリズム」という言葉が生まれ、現在でも文明の破壊者などの意味で用いられている。

ローマ略奪以降もガイセリックの勢いは止まらず、474年にはアフリカとシチリアを含む地中海諸島を領有。ビザンツ帝国（東ローマ帝国）をも圧迫する。こうしたガイセリックの動きは、ローマ帝国が衰退の道を歩んでいく転機となった。そして476年、東ゴート人で西ローマ帝国の傭兵隊長だったオドアケルが西ローマ皇帝ロムルス＝アウグストゥルスに退位を求めたことで、西ローマ帝国は滅亡する。その滅亡の翌年、ガイセリックはみずから立ち上げた国の都であるカルタゴでその生涯を終えた。

**その他の出来事**

1099年・第1回十字軍がイェルサレムを陥落　　1595年・豊臣秀次が切腹させられる

7月/16日 【622年】

# イスラーム暦紀元の日はムハンマド決死の聖遷の日

No.197

メディナのモスク

私たちが普段使っている西暦（グレゴリオ暦）のほかに、現代でも独自の暦を併用する国は少なくない。イスラーム教圏内で使われているイスラーム暦もその1つだが、西暦でいうと622年**7月16日**を紀元元年1月1日としている。この日は、ムハンマドが都市メッカからメディナに聖遷（ヒジュラ）を行なった日だ。そのためイスラーム暦はヒジュラ暦とも呼ばれている。

イスラーム教の始まりは、610年頃に遡る。メッカで、預言者ムハンマドが唯一の神であるアッラーの言葉を伝えながら活動を始めるが、メッカに住む商人からの迫害にあってしまう。そこで、信徒（ムスリム）とともにメディナへと聖遷し、そこでイスラーム教の教団を設立した。信仰の中心はアラブ人だったが、貧富や民族の垣根を越えて急速に西アジア全域へと広がっていった。そして630年にはメッカを征服。唯一の神であるアッラーへの絶対帰依を説き、本格的な布教活動が開始されるのだった。その2年後にムハンマドがこの世を去ると、第2代カリフ（ムハンマドの後継者・イスラーム教の指導者）となったウマルが、聖遷した日こそイスラーム教の元年だと、622年7月16日をイスラーム暦の紀元に制定した。

この暦は、月の満ち欠けの周期を基準として数える太陰暦だ。1年を354日または355日として、ひと月29日と30日のどちらかを12カ月に割り振っていく。西暦より11日少なく1年が終わってしまうので、毎年イスラーム暦の新年は、季節に関係なく移動していく。現代ではこの暦だけで暮らすのは困難だが、現在でもイスラーム教に関わる祭日などは、イスラーム暦によって定められている。たとえばイスラーム教徒において最大のお祭りであるクルバン祭（犠牲祭）は、イスラーム暦での12月10日に開催されている。これはコーランにならった祭事でアッラーに羊を捧げ、朝一番に屠られた羊を家族や親戚が集まって食べる。またイスラーム教で定められている信仰者の義務の1つであるサウム（断食）も、イスラーム暦における9月（ラマダーン）に実施することが定められている。イスラーム教徒は、世界に12億人ほどの信者がいるとされている。12億人が参考にする暦であることを考えれば、現代でも無視できない影響力をもっているといえるだろう。

**その他の出来事**

1894年・日英通商航海条約調印（領事裁判権廃止）　1945年・アメリカが核実験に成功

# 7月/17日【1945年】 米ソ冷戦の静かな始まり ポツダム会談が開催される

No.198

ポツダム会談の様子

第二次世界大戦の末期、イタリアとドイツが降伏するとアメリカ、イギリス、ソ連の三国首脳がドイツのベルリン近郊にあるポツダムへ集結。1945年**7月17日**から8月2日にかけて、第二次世界大戦の戦後処理を定めたポツダム会談が開かれた。

アメリカからはトルーマン大統領が、イギリスからはチャーチル、ソ連からはスターリンが参加した。おもな議題はドイツの戦後処理をどうするか。そして連合国にとって最後の敵国となった日本への対応についてだった。

同年7月26日、アメリカのトルーマン大統領とイギリスの首相アトリーの２カ国首脳に加えて中国の蔣介石が同意する形で、日本への無条件降伏を勧告するポツダム宣言を発表した。また会談の最終日には、連合国三国はドイツの戦後処理に関する協定であるポツダム協定を発表する。そこには、完全な非ナチ化、民主化がなされるまで、アメリカ、イギリス、フランス、ソ連の４カ国によって分割占領によって統治することが明記されていた。

ポツダム宣言について「黙殺する」としていた日本だったが、ポツダム会談の終了から4日後の8月6日、アメリカ軍が広島に原爆を投下。さらに9日には長崎にも原爆が投下され、ソ連も中立条約を破棄して対日参戦する。その後日本はポツダム宣言を受け入れ、8月15日に終戦となった。じつはこのポツダム会談が始まった当初、アメリカが新型爆弾こと原子爆弾の実験に成功したことをトルーマンとチャーチルは知っていた。7月24日にはスターリンにもその事実が伝えられ、ポツダム宣言が出された26日には原爆投下の方針は決まっていたと考えられる。

戦争を終わらせ、平和な世のなかを築くために開催されたポツダム会談だったが、その裏で少しずつ核開発競争の足音が聞こえ始めていた。会談から4年後、ソ連も原爆実験に成功している。また、アメリカとソ連はドイツとポーランドの国境画定や賠償の取り立て方法などでももめていた。のちに始まる米ソ冷戦の鞘当てはすでに始まっていたのだ。

**その他の出来事**

1917年・イギリス王室がウインザー家に　　1936年・スペイン内戦始まる

# 7月/18日【64年】 ローマ大火が起こり キリスト教徒迫害が始まる

No.199

ネロの頭像

ローマ帝国の歴代皇帝のなかでも、最悪の暴君として知られているのが第5代皇帝ネロだ。自分の悪口を言った部下を処刑し、自分の弟や母親までも暗殺。さらに最初の妻であるオクタウィアには自殺を命じ、二番目の妻として迎えられたポッパエアに対しても身ごもっていた腹を蹴り死なせたとされている。

そんな残虐エピソードで知られるネロだが、なかでもとりわけ評価を落とした事件が、64年**7月18日**に起こったローマ大火だ。当時のローマは木造住宅が多かったため火の手が一気に広がり、七晩も燃え続け市街地のほとんどを焼き切った。世界三大大火にも数えられる大事件だ。

出火自体にはネロは関わっていないと思われる。むしろ出火した当時、ローマの南方にあるアンティウムにいたネロはすぐさまローマへ戻り、鎮火に向けて陣頭指揮を取った。さらには、みずからの庭園を解放して現代でいうところの仮設住宅を設けたり、食料を提供したりと必死に事態の沈静化を図っている。しかし、「新しく都をつくるために、放火した」「燃えゆくローマを見てネロが笑っていた」などと市民たちの間であらぬ噂（うわさ）が流れ始める。

このときネロは佞臣の進言を受け入れ、当時のローマであまり評判のよくなかったキリスト教徒を放火犯だと仕立て上げ、「肉体を失うと天国にはいけない」と信じるキリスト教徒に対して、火刑や犬にかみ殺させるなど残虐な処刑を行なった。多くの殉教者が出ており、イエスの弟子であるペテロなどもこのときに殉教したとされている。迫害による殉教者は、イエスの受難を再現しているとみなされ、キリスト教徒からは信仰の対象になった。

その後ネロは、ローマ復興のために属州から搾取を行なうなどしたため人心が離れ、各地で反乱が頻発する。元老院（実質的なローマの統治機関）からは「国家の敵」を宣告され、追い詰められたネロは68年、みずからこの世を去った。

ネロの暴政はあったものの、この前後の時代にローマ帝国は安定し、ローマの平和（パクス＝ロマーナ）と呼ばれる最盛期を迎える。キリスト教はこの後も民衆を中心に迫害を受けることになる。ただ、そんな度重なる迫害にも負けず、キリスト教はローマで順調に信者を増やしていくことになる。

**その他の出来事**

1955年・ジュネーブ会議開催　　1994年・ルワンダ戦争終結宣言、ルワンダ虐殺終息

# 7月/19日 【前587年】 イェルサレム陥落 住民はバビロン捕囚に

No.200

嘆きの壁 ©Minamie's Photo

ネブカドネザル2世は、前605年にカルケミシュの戦いでエジプトに大勝し、新バビロニア王国の王となった。さらに新バビロニア軍は、南のユダ王国に攻め込み、首都イェルサレムを陥落させ、前597年、貴族や軍人などをバビロンへ強制連行した。このときはまだユダ王国は半独立を保つが、新バビロニアは前587年（前586年とも）**7月19日**、再度イェルサレムを陥落させ、住民も大部分が捕囚となり、ユダ王国は滅亡した。これがバビロン捕囚だ。

このバビロン捕囚は前587年前後で何度か繰り返し行なわれ、貴族・軍人・工人など合わせて11万人以上をバビロニアへ連行したとされている。ネブカドネザル2世は連行した人々を、建設事業などに従事させ、壮大な城壁や神殿が造営された。さらに、農業や交易の推進により、バビロニアはオリエント最大の都市へと成長する。連行された人々は当時、「そのうちイェルサレムへは帰還できる」と楽観的に考えていたが、連行されてから1年ほどたったときイェルサレム神殿が破壊され、その夢は幻となった。いつ帰還できるかわからないなか、数十年にわたり、故郷であるイェルサレムを思い過ごすことになる。

前539年、新バビロニア王国がアケメネス朝ペルシアによって滅ぼされ、ユダヤ人たちは無事解放される。捕囚として過ごした歳月によって、彼らの心にあったユダヤ人としての誇りが改めて認識された。さまざまな苦痛に耐える日々のなかで創造神ヤハウェへの信仰は強まり、神と契約しているユダヤ人だけが救済されるという選民思想や、メシアの到来を待つ信仰が育まれていった。バビロニアから解放された大部分は各地へ離散することになり、首都イェルサレムへ自由意志により戻れたのは全体の30％ほどと少なかったが、帰還した人々によって新たな神殿（第二神殿）がつくられた。この神殿の一部は、現在もイェルサレムで「嘆きの壁」として信仰を集めている。

バビロン捕囚という苦境を経験しなければ、今日のユダヤ教は成立していなかった。当然、そのユダヤ教から派生して生まれたキリスト教やイスラーム教も成り立たなかった。また、現在でもユダヤ人の多くは世界中に散らばりながらも連帯感を維持し、各分野で活躍している。この根底にはバビロン捕囚時代に築き上げた共同体意識があるのだろう。

**その他の出来事**

1864年・蛤御門の変　1870年・プロイセン＝フランス戦争始まる

7月/20日
【1969年】

# 人類にとって大きな飛躍 アポロ11号が月面に着陸

No.201

人類初の月面着陸に成功した瞬間、全地球上にその映像が映し出され、人類は歓喜した。月の大地へ最初の1歩を踏みしめたのは、アメリカの宇宙飛行士でアポロ11号の船長ニール＝アームストロングだ。そして、同船していた宇宙飛行士のバズ＝オルドリンも月に上陸している。

月面に立てられた星条旗 ©NASA

1960年アメリカで「アポロ計画」が立ち上がるが、1961年にソ連の宇宙飛行士ユーリイ＝ガガーリンが人類初の有人宇宙飛行に成功。「地球は青かった」という有名な言葉を残し、宇宙開発においてソ連が先手をうった。これを受け、ジョン＝F＝ケネディ大統領も「1960年代の終わりまでに、アメリカ人を月へ送る」と月面着陸を目標とする演説を行ない、アメリカ政府の最優先計画として膨大な予算がつぎ込まれていったのだ。

「アポロ計画」で最初の有人宇宙飛行を試みたアポロ1号は、予行演習中に爆発事故を起こし、乗っていた3名の宇宙飛行士が死亡。悲しすぎるスタートに計画中止の声も上がったが、宇宙への挑戦を諦めることはなかった。1968年10月、アポロ計画初の有人宇宙飛行に成功したアポロ7号は、宇宙からの生中継を行ない、世界中を熱狂させる。その後も、数百枚の月面写真を撮影したアポロ8号、月面着陸の予行演習に成功したアポロ10号と月面着陸に向けて着々と準備が進められた。そして1969年7月16日、マイケル＝コリンズも含めた3名が乗船したアポロ11号が打ち上げられ、**7月20日**月面陸船イーグルで静かの海に着陸する。

人類として初めて月面に降り立ったニール＝アームストロング船長は「1人の人間にとっては小さな1歩だが、人類にとっては大きな飛躍である」という言葉を、38万キロ以上離れた地球へテレビ中継で伝えた。月に降り立った2人は、約2時間半の月面調査を行ない、21キログラムの月の石を採取。採取した石とともに地球へと帰還する。またアポロ11号に乗船した3名は、これまでの宇宙計画のなかで亡くなった宇宙飛行士5名の記念碑を月面に残している。

アポロ11号の帰還以降、アポロ17号までアポロ計画は続けられた。さらにスカイラブ計画、現在の国際宇宙ステーション開発へとそのノウハウは受け継がれ、今日まで続いている。

**その他の出来事**

1887年・イギリスがソマリアを保護領とする　1951年・ヨルダン国王アブドゥッラー暗殺

7月/21日
【1932年】

# 世界恐慌下のイギリスを再建 オタワ会議が開催される

No.202

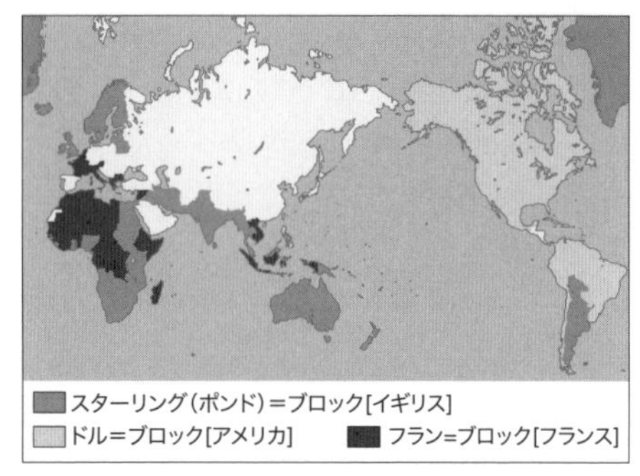

おもなブロック経済圏

1929年に発生したニューヨーク株式市場の株価の大暴落（暗黒の木曜日）により、アメリカ国内の失業者は1500万人にまで膨れ上がった。恐慌の波は世界にまで広がり、世界恐慌と呼ばれるような事態に陥る。影響はヨーロッパの工業国にも及び、ドイツでは3人に1人が失業するほどの大打撃を受けたといわれている。

イギリスにもこの世界恐慌の波及は届いていた。1931年までに280万人が失業し、国内では失業保険の赤字拡大が深刻な問題になっていた。この状況において、首相のマクドナルドは公務員の給与カットや失業保険の削減など緊縮財政案を提案するが、与党はこれを拒否。所属していた労働党からも除名され、内閣は解散。その後、マクドナルドは保守党や自由党の協力を得ながら、挙国一致内閣を組織し、世界恐慌の対策へと取り組んでいく。

対策のなかでイギリスは、他国に先駆けて保護関税法の制定と金本位制を放棄し、金の国外流出を防いでいる。これまで金が国際通貨として使われていたため、各国の通貨と金が固定相場で交換されていたのだ。これにより、世界の貿易は停滞へと向かっていく。

そして1932年**7月21日**、カナダのオタワにてイギリス連邦諸国の経済会議であるオタワ会議が開催される。この会議には、イギリス本国に加え、カナダ、オーストラリアなど6つの自治領と、インド、南ローデシアの直轄植民地が参加していた。会議のなかでイギリス連邦内での関税を引き下げ、共通通貨のポンドを使用するスターリング=ブロック（ポンド=ブロック）の対応策が示された。これにより、外国製品を排除し、自国産業を保護するブロック経済が構築された。

フランスのフラン=ブロック、アメリカを中心としたドル=ブロックと、イギリスに次いで各国がブロック経済を強め自由貿易を破壊していった。これにより、世界貿易は7割が減少。イギリス、フランス、アメリカのように植民地をもちブロック経済で回復をはかった国と、ドイツ、イタリア、日本など植民地をもたず自給自足に頼らざるをえなかった国との間で政治的・経済的対立が深刻化していった。ついには追い詰められたドイツや日本から第二次世界大戦が勃発する。自国経済を守ろうとした結果、他国との対立を深め、戦争へとつながったのだ。

**その他の出来事**

1856年・ハリス来日　　1996年・アトランタオリンピックで南アの選手が金メダル

# 7月22日 フランシスコ＝ザビエルが日本にキリスト教を伝える

【1549年】

No.203

フランシスコ＝ザビエル

スペイン出身のキリスト教宣教師であるフランシスコ＝ザビエルは、イエズス会創立メンバーの1人で1540年ポルトガル国王の要請でリスボンに派遣され、インドで布教活動を続けていた。1545年にはマラッカ（現在のマレーシア辺り）に渡り、モルッカ諸国（現在のインドネシアの一部）へ布教。その際、日本人のアンジローと出会い、日本へのキリスト教布教活動を決心する。アンジローは鹿児島生まれの商人だったが、故郷で殺人を犯し東南アジアに逃亡しているところだった。1548年にアンジローがインドのゴアにある聖パウロ学園に入学し、日本人初のキリスト教徒となると、2人は布教するため日本へと船を向かわせた。

戦乱の最中だった1549年**7月22日**、2人とイエズス会の仲間を乗せた船は鹿児島県に到着する。その後、2年ほど平戸や山口、京都を訪問しながら布教活動を行ない、1551年にはゴアへと向かい、中国での布教を目指した。ザビエルは「東洋の使徒」とも呼ばれ、アジア諸国でのキリスト教布教へ大きく貢献している。インドでは、現地の言葉の祈祷書と教理書を編集し、学校までつくった。日本でも布教活動だけにとどまらず、望遠鏡、時計、メガネ、ワインなど今まで日本に知られていなかった西洋の品々を紹介した。

ザビエルは日本を離れた翌年に中国へ入るが、熱病により亡くなってしまう。ザビエルがこの世を去った後も、日本では布教活動が進められていく。しかし、1587年には豊臣秀吉がキリスト教布教を制限し、宣教師を追放。1612年には、禁教令が出された。これはキリスト教徒がヨーロッパ諸国による植民地占領の尖兵となっていると考えられたからだ。実際にインドが植民地化された際は、現地のキリスト教徒が大きな役割を果たしている。

その後、日本では19世紀後半まで国内で布教活動が再開されることはなかったが、日本が開国し布教活動が再開され、1865年に教会・大浦天主堂が建設されると、潜伏キリシタンが訪れてこれまで信仰を続けていたことを神父に告白した。厳しい禁教政策のなか、250年以上もの間、ひっそりとキリスト教の信仰を続けていた人々がいたことが発覚した。ザビエルが日本に伝えたキリスト教は、絶えることなく継承されていたのだった。

**その他の出来事**

672年・大海人皇子が朝廷軍を撃破（壬申の乱）　1940年・第2次近衛内閣成立

# 7月/23日【1952年】 エジプト「七月革命」勃発 アラブ社会に革命の波

No.204

ナセル

1922年に独立となったエジプトだが、イギリスから形式的に与えられたもので、軍事権や外交権はもっていない形ばかりの独立だった。長らくエジプトとは関係のない王朝による王制が続き、またイギリスの軍事支配に苦しんでいた。

第二次世界大戦の最中、「自由将校団」と呼ばれる革命的政治組織がエジプト軍内部に秘密裏に創設された。この組織を指揮していたのが、ナセルだった。結成当時は10名ほどの小さな組織だったが、ナセルが『自由将校団の声』というパンフレットを制作し、支持者が急増。1952年に行なわれた将校クラブ会長選挙では、パレスチナ戦争で活躍した軍人ナギーブをナセルが擁立。王党派の候補者を破り、会長に当選させた。

そして1952年**7月23日**、自由将校団はエジプトの自由と独立を求め、革命を起こす。それまでエジプトを支配していたムハンマド＝アリー朝のファルーク国王をクーデタによって追放した。その後、ナセルらは農地改革など社会改革事業を進め、王族の土地財産を没収。王制も廃止させ、革命の翌年にはエジプト共和国を成立させる。この国の初代大統領には、ナギーブを就任させた。ナセルは副首相として政治に関わることとなった。

社会改革を主張していったナセルは、しだいにナギーブとの対立が際立ってくる。ナギーブはナセル暗殺まで企てたとして失脚。1956年にはナセルがエジプト共和国の第2代大統領となった。革命以降も次々と社会革命を打ち出していくナセルは、汎アラブ主義を掲げエジプトとシリアから成るアラブ連合共和国を建国。アラブ民族主義を掲げて、アラブの民衆を次々と巻き込んでいったのだ。しかし、1960年代に入るとエジプトの政治的・経済的危機は高まり、1967年の第三次中東戦争で惨敗。ナセルは辞任を宣言するが、国民がこれを認めず、大統領を続任した。1970年に心臓発作でナセルが亡くなると、500万人以上の国民が葬儀に集まるほど、その人気は高かった。2011年にもエジプトでは大規模な反政府デモが発生しているが、このときにもナセルの肖像画を掲げた参加者が多数いたという。

**その他の出来事**

1177年・ヴェネツィアの和解　　1864年・第1次長州征伐始まる

7月24日【1704年】

# 300年続く領土問題 ジブラルタル占領

No.205

名所、ジブラルタルの岩

イベリア半島の南端に、たった6.8平方キロメートルほどの土地に人口約3万人が住む小さな都市、ジブラルタルがある。地図上では、スペイン領土の一部に見えるが、ここはイギリスの領土。観光収入も増えているが、労働人口の約60％はイギリス総監府に雇用されており、スペインとの間にはしっかりと国境線も引かれているのだ。

18世紀はじめ頃、スペイン王位の継承者を巡ってヨーロッパ諸国が争ったスペイン王位継承戦争が起こる。その混乱のなか、イギリスが1704年**7月24日**にジブラルタルを占領。1713年には、スペインが王位継承戦争に敗北し、ユトレヒト条約でイギリスはジブラルタルの統治権を獲得した。これによりイギリスは国際貿易で優位に立てるようになった。それ以降、ジブラルタルには多くのイギリス人が移住し、300年以上イギリスの領土として存在している。現在の公用語は英語だが、ポルトガル、スペイン系の住民もいるため、スペイン語も併用されている。

そもそもなぜ、この場所を占領することになったのかというと、ジブラルタルは海上交通上の要衝でありながら、海峡の北端に位置する半島だったため、比較的攻めやすい地形だったことが挙げられる。陸軍と海軍の挟み撃ちで包囲できたのだ。

18世紀後半以降、スペインはイギリスに対して返還要請を繰り返していたが、イギリスは拒否を続けた。そして1967年に住民投票を実施すると、約95％がイギリス領にとどまることを選択。1969年には、外交・防衛・治安以外の自治権を獲得し、議会が設置された。しかし、これに対しスペインは国境を封鎖。陸続きの場所だったが、徒歩や車での行き来を禁止し、対外交通はモロッコ経由もしくはロンドンからの航空便でしか上陸できなくなってしまい、陸の孤島と化した。1985年までその状況は続いたが、1987年にイギリスはスペインに対してジブラルタル空港の共同使用を認めた。

現在でも返還要請を続けるスペインだが、現地住人のほとんどがイギリスへの帰属を望んでいる。2002年にスペインとイギリスによる共同統治を問う住民選挙が執り行なわれたが、99％の人々がこれに反対。先の見えない領土問題、今でも議論は平行線のままだ。

**その他の出来事**

1908年・青年トルコ人の革命により憲法復活承認　　1973年・日本赤軍がリビアで日航機を爆破

# 7月/25日【1593年】国王アンリ4世が改宗 宗教対立が政治抗争に

No.206

アンリ4世

1517年にマルティン=ルターが始めた宗教改革の影響はヨーロッパ全土に広がっていった。フランス出身のカルヴァンもこの時代に宗教改革の指導者として活動し、フランス国内では彼に影響を受けたユグノー派の勢力が高まっていた。こうしたルターやカルヴァンの活動によってローマカトリック教会から分離成立した教派を総称してプロテスタントと呼ぶ。

カトリックとプロテスタントの対立はヨーロッパ諸国にとって頭の痛い問題となった。とくにフランスではカトリック派と、ユグノー派との対立が深まり、1562年カトリック派の首領ギーズ公によるユグノー虐殺事件をきっかけに、ユグノー戦争へと発展していく。

ユグノー戦争は休戦も挟みつつ断続的に戦闘が繰り返された。そんななか、1572年にナヴァール王国の王だったアンリ（のちのアンリ4世）とヴァロワ朝の王女マルグリットが結婚する。アンリは母の影響でユグノー派、王女はカトリック派だったため、この二人が結婚することにより国内の情勢は安定すると考えられた。しかし、結婚を祝うために集まったユグノー派をカトリック派が攻撃。3000人ものユグノー教徒たちが命を落とす、サンバルテルミの虐殺が起こってしまう。

さらに1589年にはフランス国王だったアンリ3世が暗殺され、ナヴァール王アンリがアンリ4世としてフランス国王を継承する（ブルボン朝）。しかし、ユグノー派であるアンリ4世をカトリック派は国王として認めず、パリへの入城を許さなかった。国内情勢が安定しない状況に、隣国スペインも介入しようとしてきたため、アンリ4世は国家の統一のため、1593年**7月25日**にカトリックへと改宗した。これにより、カトリック派もアンリ4世を国王と認めざるを得なくなり、翌年にはパリへ入城することができるようになった。しかし、アンリ4世の改宗にユグノー派たちは納得がいかず、1598年に、ユグノーの信仰の自由を保障する「ナントの王令」が出るまで戦いは継続された。

宗教上のものだったはずの対立が政治上の抗争に発展した形だ。アンリ4世のブルボン家はそれをうまく利用し、権力拡大に成功したといえる。以降もヨーロッパの歴史、政治には宗教対立が暗い影を落としていくことになる。

**その他の出来事**

1244年・ホラムズ傭兵隊がイェルサレムを陥落させる　　1581年・ユトレヒト同盟が独立を宣言

# 7月26日 【1956年】 財源確保のためエジプトがスエズ運河国有化を宣言

No.207

1956年**7月26日**「インド洋と地中海を結ぶスエズ運河を国有化する」とエジプトのナセル大統領が宣言し、世界を驚かせた。ナセル大統領は、ナイル川の上流にアスワン＝ハイダムの建設を予定していたが、その援助をアメリカが断ったため、建設資金の財源を確保しようと、この宣言に踏み切ったのだ。

スエズ運河から見たエジプト ©Argenberg

そもそもスエズ運河とは、エジプトにつくられた欧州とアジアを結ぶ人工水路で、フランスとエジプトの両国が出資し、1869年に完成させたものだ。その後、財政難だったエジプト政府がスエズ運河会社のもち株を売却、1875年にイギリスが買収していた。

そのため、スエズ運河が国営化されると、イギリスは権益を受けられなくなってしまう。これに反発したイギリスは、フランス、イスラエルと手を組みエジプトへの武力行使を実施。イスラエル軍がシナイ半島への侵攻を開始し、第2次中東戦争（1956年）へと発展していく。

戦争が始まると、当初はフランス・イギリス側が優位に立っていたが、アメリカのアイゼンハワー大統領が「エジプトからの撤退」を求め、冷戦中であったソ連とアメリカが組みエジプト支持へまわった。さらに国連が即時停戦を決議。こうして第2次中東戦争は停戦となり、ナセル大統領はスエズ運河の国有化を実現させた。これにより、エジプトはもちろん、アラブ世界の英雄としてナセル大統領はさらなる人気を得ることとなる。

宣言の翌年には、イスラエルは撤退しスエズ運河はふたたび開通。この事件を経て、エジプトはソ連に接近していくことになる。この時代、アジア・アフリカ・ラテンアメリカは第三世界として連携し、国際政治のなかで重要な立ち位置を得つつあったのだが、エジプトの行動はその連携を断ち切る要因の1つとなった。

その後もスエズ運河の重要性は変わらず、世界の貿易量の約12％がスエズ運河を運航しているといわれるほどになった。またエジプトGDPの2.5％は、スエズ運河の通航料であり、国有化がエジプトにもたらした利益は莫大だ。開通されてから150年以上、世界の物流を支え発展してきたスエズ運河は、これからも貿易の要として使われ続けていくだろう。

**その他の出来事**

1614年・方広寺鐘銘事件　　1847年・リベリアが独立を宣言

# 7月27日【1830年】 フランス七月革命が始まる 自由主義改革の発端に

No.208

七月革命直後に描かれた「民衆を導く自由の女神」

ナポレオンが失脚し、帝政が崩壊すると、フランスはふたたび旧体制の政治へと逆戻りしていく。正統主義を維持強化させるため1814年のウィーン体制がしかれ、ルイ18世が即位し、ブルボン朝が復活する。しかしルイ18世は、旧体制への復帰と近代市民社会の受容に挟まれ大きく揺らいでいたため、絶対王政に戻すことはかなわなかった。

しかし、1824年にルイ18世がこの世を去り、シャルル10世が即位すると、情勢は一変する。市民の選挙権を制限し、貴族を重視した反動政治を推し進めたため、国民の不安と不満は爆発寸前となった。アルジェリア出兵などを行ない国民の不満を逸らそうとしたが、自由主義・ナショナリズムを望む国民の声が収まることはなかった。

1830年6～7月にかけて実施された選挙では、国王反対派が多数の票を集めるが、国王は勝手に議会を解散させ、さらには選挙結果を無視。出版への規制や、これまでよりも厳しい参政権を提示するなど絶対王政への強硬姿勢をとった。これに対して反発した多くの市民とブルジョワジー（中産階級）は、**7月27日**パリに集結。武装蜂起から3日間の戦闘を経て、シャルル10世にイギリスへの亡命を強いた。この一連の動きを七月革命と呼ぶ。

その後、自由主義者や大資本家らに支持されていたオルレアン家のルイ＝フィリップが国王に即位し、七月王政が始まった。このときの政治は自由主義的な立憲君主政だった。彼は「フランスの王」ではなく「フランス人の王」と称され、フランス国内の政治的安定と国内外での経済的繁栄に取り組んでいく。また七月革命の成功は、ヨーロッパ各地へと波及していく。ベルギーはオランダからの独立に成功（1830年）し、スペインで王位継承を巡って勃発したカルリスタ戦争（1833～39年）では自由主義派優位で休戦協定が結ばれた。さらにイタリアでも反乱が起こるが、オーストリア軍に鎮圧されてしまう。しかし、このときの事件がきっかけで「青年イタリア」が結成され、蜂起に向かっていく。このようにフランスの七月革命を皮切りに、各地でウィーン体制への反対運動が起こり、ヨーロッパは自由主義・ナショナリズムに向かって進んでいくのだった。

**その他の出来事**

1777年・ラファイエットがアメリカ到着　　1794年・ロベスピエール逮捕

# 7月/28日 ティムールがアンカラの戦いに勝利

【1402年】

No.209

サマルカンドのレギスタン広場

14世紀半ば以降、モンゴル帝国が衰退を始めると、イランではティムール朝が繁栄し始める。この王朝を建てたのがティムールだ。中央アジアにあったチャガタイ＝ハン国は14世紀に東西へ分裂し争っていたが、この争いのなかで頭角を現したのがティムールだった。チャガタイ＝ハン国はもともとモンゴル帝国の一部であり、この地にあった複数のトルコ系イスラーム国家を征服してできた国だ。ティムールもまた、トルコ文化、イスラーム文化の影響を受けていた。

ティムールはモンゴル帝国の復活を目指していたといわれる。西トルキスタンを統一し、さらには北部草原地帯のキプチャク＝ハン国、インドのデリー＝スルタン朝、西アジアのマムルーク朝などへ遠征を行ない、次々と領土を広げ勢力を拡大していった。そしてついに1402年**7月28日**、アンカラの戦いにおいて強国オスマン帝国の軍隊を破り、オスマン皇帝であるバヤジット1世を捕虜にする。捕虜にされたバヤジット1世はそのまま死亡（病死、自殺など諸説ある）。指導者を失ったオスマン帝国は10年近く空位時代が続き、滅亡の危機に瀕することとなる。一方で勝ったティムール朝は繁栄を確かなものとした。

この戦いでティムールは、インド象軍を含む15万以上の大軍を率いていたとされる。オスマン帝国軍は7～8万とティムール軍の半分ほどだったため、早々に離脱する者も多かった。連戦連勝を繰り返し、当時ヨーロッパを脅かしていたオスマン帝国を倒したという情報に、ヨーロッパ諸国でも関心が高まり、ティムールと連携を強めたいと考える国も出てきていた。さらなる領土拡大を目指したティムールは、中国遠征に出発するが、明の永楽帝との決戦を目指して移動しているなか陣中で没する。

ティムール朝の首都サマルカンド（現在のウズベキスタン・サマルカンド市）は、遠征で蓄えた財力と各地から移住させた職人を使い、栄華を極めた。最盛期には30～40万人が暮らす世界有数の都市だったと考えられる。ティムール朝は16世紀初頭に滅ぶことになるが、その子孫はやがてインドにムガル帝国を開く。また、ティムール期にトルコ＝モンゴル系部族のイスラーム化が大きく進み、現在の中央・西アジアの文化に大きく影響を与えていることにも注目したい。

**その他の出来事**

1868年・アメリカで黒人に市民権が認められる　　1914年・第一次世界大戦勃発

# 7月/29日【1899年】 国際法成立の道を開いた ハーグ国際平和会議が終了

No.210

19世紀半ばになると鉄道や郵便などが登場し、世界的にも情報・コミュニケーション網が発達、国際交流が盛んになってくる。積極的な情報交換が国を超えて行なわれるようになり、1864年にはロンドンでの国際労働者協会（第1インターナショナル）の結成や、1889年にはパリで社会主義政党の緩やかな国際連携組織（第2インターナショナル）が結成されるなど、国際協調の流れが進んだ。ちなみに国際オリンピック大会に向けた組織も1896年に立ち上げられ、スポーツによる各国の交流やスポーツ振興を推進し始めた。

第1回ハーグ国際平和会議

当時、財政破綻に陥っていたロシアは、この世界的な流れをお題目として世界的な軍縮世論をあおり、軍備負担を軽減させようと、国際平和会議の開催を呼びかけた。そして1899年5月に軍縮・国際平和の推進を掲げた世界初の国際平和会議「ハーグ国際平和会議」が開催された。オランダのハーグへヨーロッパ各国に日本やアメリカなどを含めた全26カ国が集まった。

この会議では、毒ガス（窒息性ガス、有毒性ガス）の使用を禁じる宣言、ダムダム弾という通常の弾以上に傷口が拡大する狩猟用ライフル弾の一種の使用を禁止すること、陸軍・海軍に関する規約や捕虜の待遇についてなど、戦争に関する諸条例が結ばれた。第1回のハーグ会議は1899年**7月29日**に閉幕され、1907年には第2回ハーグ会議が開催された。この際には44カ国が参加している。ただ、結果としては当初の目的であった軍縮の合意は得られなかった。

しかし、この国際会議は国際法の発展という成果をもたらしている。代表的なところでは、会議中に採択された「国際紛争の平和的処理に関する条例」により、1901年に常設仲裁裁判所が設立された。世界最初の国際司法機関だ。この機関自体は十分な成果を上げたとはいえないが、のちの国際機関の成立に与えた影響は大きい。後継機関として、1921年には国際連盟規約に基づいて常設国際司法裁判所が、1945年に国際連合が成立した際には国際司法裁判所が成立している。国際司法裁判所は、現在まで続いている。また、ハーグ国際平和会議をはじめとした各国の平和への動きは、民間での国際文化交流も活発にした。そのなかから国際赤十字など、現在に続く活動も生まれてくることになった。

**その他の出来事**

1921年・ヒトラーがナチスの党首に就任　　1946年・パリ平和会議

# 7月/30日 【1419年】

# 宗教戦争の先駆け フス戦争が勃発

No.211

16世紀から幕を開けるローマ教皇に対する批判と宗教改革運動だが、そのきっかけになるのがベーメン（現在のチェコ西部）で起こったフス戦争だ。当時のベーメンはドイツの支配下にあったが、少しずつチェコ人が政治・経済的に力を付け、権利を主張するようになる。そのなかでもプラハ大学神学部教授だったヤン＝フスは、チェコ語やチェコ文化の復権を説きながら、ジョン＝ウィクリフの考えをもとにした宗教運動を始め、聖書を読むだけでも信仰ができるといった平等で自由な信仰を訴えた。

©elPadawan

窓外放擲事件の舞台となったプラハ市庁舎

これまでカトリックでは、ミサの際に一般の聖体拝受にはパンとワインの拝領が認められず、パンのみが与えられていた。パンはキリストの身体とワインはキリストの血を象徴しており、どちらも与えられるべきだとフスは要求する。彼の率いる改革派はウトラキスト派と呼ばれた。

このように宗教運動を進めていたフスだったが、1414年にドイツで行なわれたコンスタンツ会議において、異端として火刑に処されることとなった。さらにフスに影響を与えたイギリスのウィクリフも異端とされ、死後30年以上たっていたにもかかわらず、墓から遺体を掘り起こして著書とともに火刑に処された。これを知ったウトラキスト派とウィクリフの支持者たちは、カトリックとは異なる新しい宗派としてフス派を結成。そして1419年**7月30日**、プラハ市庁でフス派が役人を窓の外に投げ出し、惨殺するという事件が起こる。このプラハ窓外放擲事件をきっかけに、フス戦争が勃発するのだ。

フス派の軍勢は十字軍を破り、ついにはドイツ国内にまで侵入する。争いは長引いたが、1433年にフス派へのパンとワインの拝領が認められたことで和解。1436年に最終的な和約が成立し、フス戦争は終わりを告げた。結果的には、ベーメンの国土は荒廃し、人口も減少する打撃を受けたが、フス派は信仰の自由と、国内でのチェコ語の利用も認められるようになった。カトリック支配からの反発と独立は、民衆の間での意識改革にもなり、次第に宗教改革運動へとつながっていく。そして1517年にルターが免罪符発行を批判する「九十五箇条の意見書」を発表し、時代は大きく動いていく。

**その他の出来事**

1792年・マルセイユ義勇軍がラ＝マルセイエーズを歌いながらパリ入場　　1980年・イスラエル、イェルサレム基本法可決

# 7月/31日【1932年】 ドイツの国会選挙でナチ党が第1党に

No.212

世界恐慌による影響を大きく受けていたドイツ。1930年には失業者が300万人を超え、国内経済も混沌のなかにあった。そんな先の見えない時代、国民たちの希望となっていたのが、国民社会主義ドイツ労働者党（ナチ党）の指導者アドルフ＝ヒトラーだった。1928年に行なわれた国会選挙では12議席と少数党だったナチ党。世界恐慌の影響を受け沈んでいた国民に対し、選挙では「最後の望み、ヒトラー」と題されたポスターを掲示するなど、プロパガンダを積極的に広めていく。こうした宣伝やヒトラーの演説に多くの人々が魅了され、1930年の国会選挙では一気に107議席まで議席数を伸ばし、第2党へと躍り出た。

ヒトラー（左）とヒンデンブルグ大統領

そしてついに1932年**7月31日**ドイツの国会選挙にて、ヒトラー率いるナチ党は230議席を獲得（改選数は608議席）。初めて第1党となった。翌年1月にはヒンデンブルグ大統領がヒトラーを首相に指名し、ナチ党・保守派連立内閣を樹立。34年にヒンデンブルグ大統領が死去する頃には、ほかの党を解散させ一党独裁体制を築いていたため、ヒトラーがドイツ統治を進めていくことになった。この頃から有名な掛け声「ハイル・ヒトラー」も国民に義務付けられたという。

世界恐慌の影響で失業者を600万人以上出したドイツだったが、1936年の夏にベルリンオリンピックを開催。ラジオによる初めての実況中継や、テレビ中継も実験的に行なわれ、過去最多の参加国と観客動員数を記録。オリンピックは大成功に終わり、ドイツ国民の自尊心も高まった。さらに37年頃には失業者は一掃され、いち早く世界恐慌からの景気回復にも成功している。これだけの成果を出したナチスを多くの国民は支持。国際的な評価も高まっていった。

世界恐慌のなかで救世主としてたたえられたヒトラーだったが、その後の彼は、第二次世界大戦を引き起こし、さらにはユダヤ人を強制収容所へ送り大量虐殺を実施するなど、独裁者として世界を敵にまわすような行動をとっていく。そして最期は、みずから命を絶った。そんな彼にとっても、世界にとっても、ナチ党が第1党をとった7月31日が大きなターニングポイントだったことは間違いない。

**その他の出来事**

1918年・米国株大暴落　　1944年・サン・テグジュペリが行方不明に

# 8月

August

# 8月/1日 【前30年】 クレオパトラ自殺の誤報でアントニウスが自刃

No.213

アントニウスとクレオパトラを題材とした絵画

マルクス＝アントニウスは、前44年にカエサルが暗殺されて以降、第2回三頭政治の一頭として、オクタウィアヌス、レピドゥスとともに、ローマの支配権を掌握していた。アントニウスはもともとカエサルの部下だった。暗殺後の葬儀も取り仕切っていたため、後継者は自分だろうと考えていたが、カエサルは養子だったオクタウィアヌスを指名した。

第2回三頭会議は安定せず、オクタウィアヌスと対立したレピドゥスが政界から追い出される。一方のアントニウスはカエサルが残した東方問題の処理のため、東方にとどまっていた。その支援を求めて女王クレオパトラ7世を呼び寄せたが、アントニウスは彼女の虜（とりこ）になってしまう。

クレオパトラとアントニウスは接近し、3人の子どもができた。すっかり惚（ほ）れ込んでしまったアントニウスは、ローマ帝国をかえりみることなくエジプトのアレクサンドリアにとどまるようになる。さらにみずからが開拓していった要地をクレオパトラに寄贈。こうした行動によりアントニウスとオクタウィアヌスの関係は悪化していったが、前32年に、アントニウスが婚姻関係にあったオクタウィアヌスの姉・オクタウィアと離縁する。これはアントニウスからの一方的なものだったため、ローマ国内での非難が高まり、オクタウィアヌスとの関係も決定的に破綻した。そしてついに、前31年9月アクティウムの海戦が勃発。クレオパトラと連合軍を組んだアントニウスは戦線離脱したクレオパトラを追いかけ敗走し、オクタウィアヌスが勝利した。

追い詰められたアントニウスは、前30年**8月1日**、クレオパトラが自殺したとの情報を聞く。これを真に受けたアントニウスは自刃してしまう。しかしこれは誤報だった。彼は、クレオパトラの腕のなかで息絶えたとされている。さらにアントニウスの死から約10日後、クレオパトラも自殺。これにより、プトレマイオス朝エジプトは滅亡し、やがてローマの属州とされた。ちなみにこの2人の物語はイギリスの劇作家シェークスピアの悲劇『アントニーとクレオパトラ』としても一般に広く知られている。

**その他の出来事**

1849年・イギリスの伝道師がボツワナに至る　　1894年・日清戦争始まる

# 8月2日【前216年】 ハンニバルが大活躍! カンネーの戦い

No.214

カルタゴの将軍ハンニバルは、「ローマ史上最大の敵」として、後世へ語り継がれた人物だ。彼の戦術は、これまで多くの国が参考にしており、戦術家として今でも高く評価されている。わずか25歳で最高司令官となったハンニバルは、ローマ軍の守りが手薄なアルプス山脈を越えてイタリアへと進軍。このとき、約5万の兵士と約9000頭の軍馬、さらに30頭ほどの象まで率いていたといわれている。そして前218年11月にティキヌスの戦いでカルタゴ軍がローマ軍に勝利。これにより第2次ポエニ戦争が幕を開ける。そして同年12月、トレビアの戦いでもローマ軍を破り、その勢いはとどまるところを知らなかった。

ハンニバルのアルプス越えを描いた絵画

そしてついに、前216年**8月2日**、カンネーの戦いが始まる。ローマ軍が8万ほどの兵力だったのに対し、ハンニバル率いるカルタゴ軍が約5万という少なさで圧勝、ローマ軍を殲滅(せんめつ)した。

このカンネーの戦いでは、ハンニバルのこれまでにない斬新な戦術が活躍した。ローマ軍は、突破力のある重装歩兵を中心に置いた正面突破の戦術を採用していた。一方のカルタゴ軍は、中央に歩兵を相手に対して逆U字に布陣させる「弓形布陣」を採用。攻撃が集中する中央に厚く兵力を配置し、左右には重装歩兵を配置。さらにその外側には、当時地中海最強と謳われていた遊牧民が中心のヌミディア騎兵と、ヒスパニアとガリアの騎兵を配置した。序盤のうちに騎兵たちがローマ軍の騎兵を一気に仕留め、中盤では少しずつ中央の歩兵を後退させるように配列し直し、無傷で待機していた左右の重装兵たちがローマ軍の側面へ攻撃を仕掛けた。さらに、後半では騎兵たちをローマ軍の後ろへと移動させ、ローマ軍を包み込むように包囲。逃げ場を失ったローマ軍は5時間ほどで押しつぶされるように壊滅した。

この戦いでの戦術は、何世紀にもわたって殲滅戦の手本として語り継がれた。フランス皇帝のナポレオンやプロイセンの軍人クラウゼヴィッツ、さらには日本軍までもが参考にしたといわれている。一方この戦いで追い詰められたローマは、決戦を回避。時間をかけて挽回し、最終的にはザマの戦いで勝利したことで、カルタゴに対して有利な講和を結ぶことに成功する。

**その他の出来事**

1802年・ナポレオンが終身統領となる　　1858年・インド統治法公布

# 8月/3日【1492年】 サンタ=マリア号でコロンブスが航海開始

No.215

コロンブスが乗ったサンタ=マリア号のレプリカ

15世紀から始まった大航海時代を代表する航海者といえば、クリストファー=コロンブスだろう。地球球体説を信じていたコロンブスは、大西洋を西に進んでいくことでインドへと渡れると信じていた。その航路を見つければ、東回りルートよりも早くたどり着けるかもしれないと考える。そこで、ポルトガルの王室に援助を願い出るが、東回りルートを開拓していたこともあり、反応は芳しくなかった。

失意にかられたコロンブスはポルトガルを離れ、スペインへと渡る。スペインでも財政難を理由に援助を断られたためフランスへと向かおうとしたが、イサベル女王に引き止められる。コロンブスの提案に乗り気だった女王は、当時イスラーム勢力の拠点だったグラナダを陥落させ、レコンキスタ（国土回復運動）を完了させた。これにより財政に余裕ができたスペインの援助を受け、1492年**8月3日**インドを目指しサンタ=マリア号ほか2隻の船で大西洋を出発する。

出発後、島が少ない大西洋では天候が安定せず荒波の日々が続いた。なかなか到着できず不安になっていたコロンブスは、航海から69日が経った辺りで「あと3日で陸地が見つからなかったら帰る」と乗組員たちへ伝えた。

そしてその3日後、サンサルバドル島を発見する。喜びに満ちたコロンブスはそこにいた原住民たちの様子から、ここを本当のインドだと勘違いしてしまう。しかし実際には南北アメリカ大陸に挟まれたカリブ海域にある島の1つ。現在でもこの周辺の島々を「西インド諸島」と呼ぶのは、コロンブスの勘違いが由来している。この後、キューバやハイチなどいくつかの島を探検したのち、煙草（たばこ）や原住民の捕虜を連れて、スペインへと戻った。

コロンブスの死後、イタリア出身の探検家により、コロンブスが見つけたのはアジア大陸ではなく別の大陸だったことが証明された。ともかく、新大陸の発見はヨーロッパに多くの富をもたらした。ただ一方で、先住民たちの土地は略奪され、虐殺が起こったこと、奴隷三角貿易などの悲劇が起こったことも忘れてはいけない。また、互いにそれまでもっていなかった疫病を交換することになり、多くの死者が出る。のちに多くの悲劇を生む梅毒なども、コロンブスたちがアメリカ大陸からもち帰ったものだといわれる。

**その他の出来事**

701年・大宝律令が完成　　1914年・ドイツがベルギー侵入

# 8月4日【1964年】 のちに捏造が発覚するトンキン湾事件が勃発

No.216

第二次世界大戦後のベトナムは、独立運動と再植民地化で争いが続いていた。1954年にはインドシナでの休戦を定めたジュネーヴ協定が結ばれ、ベトナムは南北に分断された。またこの協定により、南ベトナムではアメリカの支援のもと、ベトナム共和国が成立する。しかし大統領となったゴ＝ディン＝ジエムは、南北統一選挙への参加を拒否し、アメリカからの資金を横領するなどしたため、南ベトナムでは反ジエム・反米意識が強まっていく。1960年には政権打倒を目的とした南ベトナム解放民族戦線が結成された。

ベトナム戦争の引き金になったトンキン湾周辺の地図

これに対しアメリカは、南ベトナムの軍人であるズオン＝ヴァン＝ミンにクーデタを起こさせ、南ベトナム解放民族戦線を弾圧した。そして1963年、クーデタによってジエム大統領の弟を殺害する。さらにこの事態を知って逃げ出したジエム大統領も、反乱部隊によって殺害された。ここに軍事政権が誕生する。そしてアメリカは、ベトナム民主共和国（北ベトナム）への攻撃を決意するのだった。

1964年8月2日、ベトナム北部にあるトンキン湾の公海上で、巡回中だったアメリカの艦艇が北ベトナムの魚雷艦から攻撃を受けたと発表する。そして**8月4日**にも同じく魚雷艦からの攻撃を受けたため、反撃したと公表した。これを受け、アメリカ議会では大統領に無制限に近い形での戦争遂行権限を付与した「トンキン湾決議」が可決される。ここにアメリカ軍による北ベトナム攻撃が開始された。

しかし北ベトナムの外務省は「領海内で我が国の哨戒艇に出合い、アメリカが哨戒艇を砲撃した」と反論した。だがこの反論が聞き届けられることはなく、アメリカの軍事介入は本格化していった。1965年には北ベトナムを爆撃（北爆）し、8年以上も続くベトナム戦争に発展させてしまうのだった。長期化した戦争は結局南ベトナム、アメリカ側の敗北で終わる。

のちにこのトンキン湾事件は、ペンタゴン秘密文書により捏造（ねつぞう）であったことが判明する。捏造までしてみずから仕掛けた戦争で、初めての敗戦国となったアメリカ。アメリカにとっても大きな打撃を受けた戦争となった。また、この敗戦の影響などもあり、アメリカ経済は悪化、のちにニクソン大統領がドルと金の交換を停止する（ニクソン＝ショック）ことになり、世界の為替相場が大混乱するのだった。

**その他の出来事**

1265年・シモン＝ド＝モンフォールが敗死　　1789年・フランス国民議会が、封建的特権の廃止を決議

# 8月/5日【1772年】 領土の3分の1を失った第1回ポーランド分割

No.217

第1回ポーランド分割が描かれた風刺画

1572年、中世東欧で勢力を強めていたヤギェウォ朝が断絶。16世紀後半からポーランドではシュラフタと呼ばれる貴族たちが国政の実権を握り、選挙で国王を選ぶ選挙王制となった。そのうちシュラフタ間での対立が強まってきたことで、近隣大国の干渉を招き、ポーランドは弱体化してしまう。

18世紀に入るとヨーロッパでは大きな戦争が頻発するようになる。ロシア、イギリス、フランス、オーストリア、プロイセンの5カ国の干渉もあって、ポーランドは安定的な政治が行なえていなかった。1733年、空位となっていた王座を巡り、ロシア、フランス、スペインなどが参加するポーランド継承戦争が起こる。他国の干渉が強まり、軍事・経済力が弱まり国家の維持が困難となったポーランドは、しだいに周辺諸国から狙われるようになるのだった。

プロイセンのフリードリヒ2世は、このポーランドの衰退を見逃していなかった。同じく隣接するオーストリア帝国のヨーゼフ2世を誘い、ロシアのエカチェリーナ2世にポーランド分割をもちかけたのだ。そして1772年**8月5日**、ロシア、プロイセン、オーストリアの三国によって、ポーランドは隣接する領土を奪われ、面積の3分の1、人口の35 %以上を失ってしまった。この三国のなかでもプロイセンは、バルト海に面する部分を得られたため、ポーランドに高い関税をかけ、弱体化に拍車をかけた。

こんな状況でもポーランドは王国再興に向けて、憲法制定など近代化への試みは行なっていた。1791年にはヨーロッパでは初となる近代的な成文憲法も制定されたが、憲法はわずか1年で効力を失ってしまう。そして、再興がかなわぬまま、1793年に第2回の分割は強行された。1794年にはアメリカ独立革命にも参加したコシューシコらによる反乱が起こるが、1795年にも第3回の分割がなされ、ポーランド王国はついに消滅した。その後、ポーランド共和国として独立を回復するのは、第一次世界大戦を終えた1918年。しかし独立以降もドイツやソ連の配下となり、第二次世界大戦の争点になっている。本当の意味でポーランド共和国として再興することができたのは、1989年と日本では平成が始まった年だった。

**その他の出来事**

1864年・四国連合艦隊下関砲撃事件　　1963年・米英ソ、部分的核実験停止条約

# 8月/6日【1805年】 ムハンマド=アリーがエジプト総督となる

No.218

エジプトの父ムハンマド=アリーの肖像

エジプトが自立に向けて動き出したのは、ナポレオンによるエジプト占領（1798～99年）がきっかけだ。フランスによる支配はエジプトの人々に民族意識を芽生えさせ、カイロでは大規模な抗議運動にまで発展した。このときにエジプト先住民たちの独立意識を高めたのが、オスマン帝国のアルバニア人を率いていたムハンマド＝アリーだ。ナポレオン退却後の混乱に乗じて、1805年**8月6日**に民衆からの支持を得る形でエジプトの総督に任命された。エジプトには豊かな農業資源が育まれ、人口およそ400万人のムハンマド＝アリー朝が成立した。

その後、エジプトはオスマン帝国からの事実上の自立を勝ち取り、富国強兵と殖産産業をスローガンに掲げ、さらなる大国へと駆け上がっていく。その第一歩として、旧勢力のマルムーク（トルコ系軍人）たちを1811年にカイロで虐殺している。宴と称して招集したマルムーク500人余りを城砦に閉じ込め、襲撃したのだ。これによりムハンマド＝アリーにとっての邪魔者はいなくなり、エジプトの近代化は一気に進んでいく。ヨーロッパ式の陸海軍を創設し、西欧諸国には積極的に留学生を送るなど、軍事や教育面でも近代化を目指していった。さらには、税制を改革し、検地や農作物の専売、印刷所など近代工場まで建設し、行政や経済の面でも近代エジプトの基礎を築いていく。

エジプトを独立へと導き、近代化を図っただけでなく、国力を拡大していった。この基礎があったからこそ、彼が開いたムハンマド＝アリー朝は100年以上続いたのだろう。一方で急速な国の近代化によって、軍事費用やインフラ整備に費用がかさみ、エジプトは巨額な借金を抱えることになる。そのしわよせによって、農民たちの暮らしは困窮し、政府による無償労働が強制されるような事態を生む。

また、1831年には第1次エジプト＝トルコ戦争、40年には第2次エジプト＝トルコ戦争を経験。ロシアの南進や、イギリス・フランスの植民地政策など、ヨーロッパ諸国の思惑なども絡み合いながら、たびたび紛争に巻き込まれていくことになる。

**その他の出来事**

1806年・ライン同盟結成、神聖ローマ帝国滅亡　1945年・広島に原爆投下

# 8月/7日 【前338年】

# カイロネイアの戦いが勃発 マケドニアが支配を拡大

No.219

ペルシア戦争（前492～前449年）でアテネを中心としたギリシア軍がアケメネス朝ペルシアに勝利すると、ギリシア内ではアテネとスパルタが主導権争いを起こすなど、有力ポリス（都市国家）間での争いが収まらない状況が続いた。ペロポネソス戦争（前431～前404年）によって、主導権はスパルタに移ったが、前371年にレウクトラの戦いでテーベがスパルタを破り、一時的ではあったがギリシア世界の主導権を握った。しかし、絶え間なく続く戦争によって各地では市民戦士が没落し、金で雇われて働く傭兵が増え始める。市民の統制が取れなくなり、市民の団結は失われてしまった。

マケドニア周辺の地図

そんななかで力を見せたのが、ギリシア北部にあるマケドニア王国だ。前4世紀後半、マケドニアはフィリッポス2世によって軍事力が強化されると同時に、中央集権化が推し進められた。ギリシアを南下しながら勢力を拡大してきたマケドニアは、前338年**8月7日**にアテネ・テーベ連合軍とカイロネイアの戦いを開戦する。

フィリッポス2世率いるマケドニア軍のファランクス（重装歩兵）は、サリッサと呼ばれる4メートル以上ある長い槍を用いていた。前方からは隙間なく無数の槍が突き出し、後方も真上に掲げられた槍で壁がつくられている軍隊を構成したのだ。また兵士たちは重さ5キロほどの槍を両手でもち、円形の盾を首から吊り下げ防御していた。攻撃も防御も当時としては画期的な戦術で、その存在感はすさまじいものだった。もちろんカイロネイアの戦いでもこのファランクスは採用されており、先方陣営が崩れた隙を突き、騎兵が突入するという作戦をとった。この戦術によって、マケドニア軍はアテネ・テーベ連合軍に勝利した。

戦いに勝利したフィリッポス2世は、スパルタ以外のポリスを集めコリントス同盟を結成。ポリス世界を支配下に置いた。1つに束ねられてしまった各地のポリスは、独立国としての地位を奪われていった。そして、いよいよこれからというときに、フィリッポス2世は暗殺されてしまう。マケドニアは息子であるアレクサンドロス大王（3世）へと引き継がれ、前330年にはアケメネス朝を滅ぼし、勢力をさらに広げていくのだった。

**その他の出来事**

1588年・スペイン無敵艦隊が敗北　　1884年・ドイツが南西アフリカを併合

# 8月/8日【1974年】

# ニクソン大統領が米史上初となる現役辞任を発表

No.220

ニクソン大統領の弾劾を求めるデモ行進

第37代アメリカ大統領であるリチャード＝ニクソンは、1974年**8月8日**アメリカホワイトハウスの大統領執務室から、アメリカ合衆国史上初となる大統領の現役辞任を発表。アメリカ国民、そして世界中に向けてテレビ演説を行なった。辞任理由は、アメリカ最大の政治スキャンダルともいわれるウォーターゲート事件だ。この事件は、1972年6月の大統領選挙戦のさなか、ニクソンの組織した一味がワシントンD.C.にある民主党本部が置かれたウォーターゲートビルに侵入し、民主党本部の電話に盗聴器を仕掛けようとしたことに始まる。

1968年の大統領選挙において「法と秩序」のキャッチフレーズを掲げ勝利したニクソン大統領は、ベトナム戦争からの早期退却を公約にしたことで多くの票を獲得した。就任してからも4年後の再選を目指し、外交政策や国内政策にも力を入れて取り組んでいた。1972年の大統領選挙を目前に控えた6月、ウォーターゲート事件が起こる。民主党本部への盗聴疑惑が発覚し、その犯行の裏にはホワイトハウスが関与していたことがワシントンポストにより報道されたのだ。しかしニクソン大統領は「この侵入事件と政権は無関係だ」と主張し、同年11月に行なわれた選挙でも再選を果たした。

しかし1973年3月になると、侵入犯として逮捕されたマッコードがニクソン政権の関与を供述し始める。特別委員会を設置し5月から8月にかけて公聴会を実施し、アメリカのテレビ局もこれを大々的に放送した。その後、ニクソン政権は関与を否定するため執務室での会話テープなどを公表したが、故意に消去された部分が発覚するなど、さらに疑惑が深まる結果となった。そして、下院司法委員会は大統領弾劾を可決。これを受け、ニクソン大統領はみずからの意思でアメリカ史上初となる、現役大統領の辞任を決めた。

そして1974年8月8日夜、ホワイトハウスの大統領執務室からテレビ演説にて、翌日の正午に辞任することが発表された。そしてニクソン大統領に代わって、同じく共和党所属のジェラルド＝フォード大統領が誕生した。司法権の独立が確認された事件ともいえるが、アメリカ大統領への内外の信頼は大きく揺らぐことになった。

**その他の出来事**

870年・メルセン条約調印　　1953年・ソ連が水爆保有を宣言

# 8月/9日【前48年】
# 「賽は投げられた」ファルサルスの戦い

No.221

元老院を中心とする共和政ローマが衰退していった背景に、ポンペイウス、クラッススとともに第1回三頭政治を進めたカエサルの存在がある。カエサルは、前58年頃からアルプスの北を征服するガリア遠征を開始する。各地でその勢力を拡大していき、ついにガリア征服を成功させた。これにより国民からの人気と支持を集め、ローマ帝国内でも英雄としてたたえられた。それまで、軍功によって支持を集めていたポンペイウスは、危機感を抱き、元老院と結託してカエサルとの対立を強めていく。

ルビコン川に立つカエサルの銅像

そして前53年パルティア遠征でクラッススが戦死すると、2人の対立は本格化していく。元老院と手を組んだポンペイウスは、カエサルを排除するためガリアにとどまるカエサルに軍隊の解散を迫る元老院最終勧告を発令。しかし、カエサルはこれを拒否した。前49年にガリア遠征を終えてローマへと戻る際、軍隊を解散させず、ローマへと攻め込む姿勢を見せる。この途中、ルビコン川を渡るときに言ったとされるのが、かの有名な『賽(さい)は投げられた』という名言だ。ポンペイウスたちは、一度ギリシアへと戻り兵力を整えたのち、カエサルを迎え撃つこととなった。

前48年**8月9日**、テッサリアの平野にてカエサルとポンペイウスは激突する。ファルサルスの戦いが始まった。当初はカエサル軍の2倍近い軍を擁するポンペイウス軍が有利かに思われたが、最終的に勝利を収めたのはカエサルだった。当時、槍は投げることが主流だったが、カエサルは「騎兵は槍を直接刺せ」と命令。これが功を奏し、ポンペイウス軍の騎兵は早々に撤退、軍の体勢は乱れ始める。これを好機と一気に攻め込んだカエサル軍を前に、ポンペイウスは敗北を悟り、エジプト方面へと敗走した。その後、ポンペイウスは逃亡先のエジプトにて暗殺され、その首はカエサルへと渡されたという。

その後のカエサルは、兵士や民衆に寄り添う政策を出し、絶大な人気を得て終身独裁官に就任する。しかし前44年、共和主義者であるブルートゥスやカッシウスらによって暗殺。この時、「ブルートゥスよ、お前もか」という名言を遺(のこ)したのはよく知られている。ちなみに皇帝を意味するドイツ語のカイザー、ロシア語のツァーリは、カエサルが由来となった言葉だ。

**その他の出来事**

378年・アドリアノープルの戦い　1945年・長崎に原爆投下

# 8月/10日【1511年】 マラッカ王国がポルトガルに占領される

No.222

マラッカ王国周辺の地図

14世紀末にマレー半島で成立したマラッカ王国は、もともとタイのアユタヤ朝に従属していたが、15世紀になると明が派遣した鄭和によって海上ルートが活発化したため、マラッカ王国は補給基地として大きく発展していった。鄭和がイスラーム教徒だったことも影響し、1414年頃にはアラブから到着したイスラーム使節を宮殿へと招き、国王みずからがイスラーム教へ改宗する。これにより、マラッカを中心としてイスラーム教は東南アジア諸国で大きく広がることになった。

交易品としては、インドからは綿織物やアヘンが流通し、中国からは陶磁器や武器がもたらされた。さらにマラッカ王国自体からは香辛料や金、白檀やさんごなど、幅広く貴重な特産品が行き交い、東南アジア最大の貿易拠点となった。そのなかでもモルッカ諸国（現在のインドネシア）産の香辛料は非常に重宝されていた。ちなみに現在のインドネシアは、世界最大のムスリム（イスラーム教徒）人口を有する国になっている。マラッカ王国を中心とした交易が進んでいくなかで、イスラーム教も広がった結果が現代まで続いているのだ。

イスラーム教の特徴であるモスクが木でつくられたり、ヒンドゥー教の影響を受けたりと、現地の文化と融合しながら広がっていった。またこの交易によって、マラッカ王国で使われていたマレー語が近隣の島々にも伝わり、使われるようになっている。

西ヨーロッパで大航海時代が始まると、やがて西欧諸国もアジアへ進出を始める。1510年にインドのゴアを占領していたポルトガルのアルブケルケは、1511年**8月10日**交易の拠点として栄えたマラッカ王国を攻撃、占領した。国王はその後、何度かマラッカ奪還を目指してポルトガルを攻撃するが、すべて失敗している。

マラッカ王国のあったマレー半島は、古くから海上交通の要所だ。かつてから多くの王朝が勃興を繰り返した地でもある。ポルトガルに占領されたのちも、現代に至るまでこの地の重要性は変わらない。現代でもマレー半島とスマトラ島の間の海峡はマラッカ海峡と呼ばれ、インド洋と南シナ海を行き来する船はほとんどがここを通っている。とくに1869年にスエズ運河が開通してからは、より重要性を増した。

**その他の出来事**

1792年・テュイルリー宮殿襲撃　　1905年・日露講和会議が始まる

# 8月/11日 【1338年】

# 南北朝の対立が続くなか足利尊氏が征夷大将軍に

No.223

征夷大将軍に任命された足利尊氏

1333年に鎌倉幕府を滅ぼした後醍醐天皇は、天皇みずからが政治を行なう「建武の新政」を始める。しかし、公家重視の政策を行なったため武士たちからの反発が強く、大規模な変革のため社会の混乱を招き、3年ほどで崩壊してしまった。

その背景にはいくつか要因があるが、そのなかでも武家政治の復活を狙っていた足利尊氏の存在が大きい。もともと尊氏は、鎌倉幕府を倒す際に後醍醐天皇に協力し、建武の新政の実現に多大な貢献をした人物だ。1335年に起こった中先代（なかせんだい）の乱も尊氏が鎮圧している。

しかし、その後尊氏は天皇に反旗を翻し、武士たちとともに京都へと攻め入っている。一度は九州へと落ち延びるが、この九州の地で多くの武士たちを率いることに成功。勢いを取り戻し、改めて京へと進軍、湊川の戦いで京都を制圧した。

後醍醐天皇を吉野（奈良県南部）へと追いやり、みずからが後ろ盾となって光明天皇を擁立した。そして1336年室町幕府が成立する。さらに政治目標を明らかにした建武式目も定められた。

しかし、吉野へと移った後醍醐天皇が「私が正統な天皇位だ」と主張したことで事態は複雑になる。京都の朝廷（北朝）だけでなく、吉野にも朝廷（南朝）が現れ、南朝と北朝が対立する南北朝時代が始まった。この争いは以後60年以上続けられることとなる。そんな天皇が2人もいる状態のなか、足利尊氏は1338年**8月11日**に北朝の光明天皇から征夷大将軍へ任命される。

当初は、尊氏と弟である直義の二頭政治が進められた。軍事の長として全国の武士たちを取りまとめる尊氏と、政事の長として行政・司法の統治を行なう直義とが互いに補い合いながら舵をとった。しかし、軍事と政事のどちらを最優先にするかで兄弟間の対立が目立ち始める。そしてついに1350年、観応の擾乱（じょうらん）で全国的な争乱に発展。1352年に尊氏が鎌倉へと逃げていた直義を毒殺することで、観応の擾乱は幕を閉じた。武士たちによって建てられた室町幕府は、幕府が開いてからも争いが絶えず、政治的に不安定な状態が続いた。それにより地方を治めていた守護などが力を付け始め、後の戦国時代へとつながっていくのだ。

**その他の出来事**

1863年・カンボジアがフランスと保護条約締結　　1919年・ドイツでワイマール憲法制定

# 8月/12日【1898年】 アメリカがハワイを併合 アメリカが今の領土に

No.224

ハワイの歴史は6世紀頃に無人島だったハワイ島にポリネシア人が到達したことに始まる。近隣の島々と交易を行ないながら、独自の言語や宗教などの文化を築いていた。変化が訪れるのは1778年、イギリスの探検家ジェームズ＝クックがハワイ諸島を「発見」する。クックは住民とのトラブルの末に殺害されてしまうが、この上陸がきっかけで先住民たちの価値観が変化。混乱のさなか、ハワイの領主であったカメハメハ1世がハワイ諸島を統一し、1810年にはハワイ王国が建国された。カメハメハ1世は積極的に西洋諸国との交易を進め、友好関係を築いていった。20年頃からプロテスタント宣教師や、貿易・捕鯨産業の白人入植者が増加していった。40年には憲法を制定し、独立した立憲君主国となる。

『明治拾八年に於ける布哇（ハワイ）砂糖耕地の情景』

ハワイ王国が滅亡へ向かい始めるのは75年、砂糖貿易を加速させるためにアメリカと交わした互恵条約からだった。この条約により、アメリカ人の進出が加速、90年代には実質的に支配するに至る。

条約を結んだカラカウア王が病死し、妹のリリウオカラニ女王が即位すると、新憲法の発布やハワイアンの復権を求めて奮闘。しかしサンフォード＝ドールを中心としたアメリカ入植者が新政府をつくり、現地のアメリカ軍協力のもとクーデタ（ハワイ革命）を起こす。そのままハワイのアメリカへの併合を狙うが、当時アメリカ大統領に就任したばかりのクリーブランドが女王の復位を認め、新政府を非難した。ドールらの抵抗は激しく、94年にはハワイ王国の終結と暫定政府であるハワイ共和国の建国を宣言、95年1月にハワイ王朝は滅亡した。このときリリウオカラニ女王が別れの歌として歌ったのが有名な『アロハ・オエ』だ。アメリカ大統領がマッキンレーに代わったこともあり、97年にはハワイ併合のための新条約が調印された。

そして1898年**8月12日**、アメリカがハワイを併合。ハワイ州の国旗が星条旗へと差し替えられ、多くのハワイアンが涙したという。その後、真珠湾がアメリカ海軍の重要拠点となり、1941年に日本軍の攻撃にさらされる。しばらくは準州という扱いだったハワイだが、1959年に正式に50番目の州として定められた。

**その他の出来事**

1941年・大西洋憲章、米英共同宣言　　1978年・日中平和友好条約

# 8月/13日 【1521年】 スペインの征服者によりアステカ王国が滅亡

No.225

中南米で栄えた文明

15世紀にメキシコ高原一帯を支配していたアステカ王国は、テノチティトラン（現在のメキシコ市）を都とし、周辺地域と同盟を基盤とした都市帝国を建設した。マヤ文明やトルテカ文化を継承し、メソアメリカ文明最後の文明としても知られている。生贄(いけにえ)の儀式や数多くの神話も残されているが、ピラミッド状の神殿や象形文字、太陽暦などが使用され、独自の繁栄を遂げていた。

しかしその文明にも終わりがやってくる。1517年エルナンデス＝コルドバがメキシコへ初上陸し、翌年から少しずつ入植者が増え始める。さらにスペインの征服者であるエルナン＝コルテスが、1519年にメキシコへと上陸。コルテスはアステカへと軍を進め、テノチティトランの征服を試みる。しかしアステカ王のモクテスマ2世は初めて見る白人に感激し手厚く歓迎し、宝を献上した。

そんな待遇を受けてもコルテスは、1521年に5万人ほどのスペイン兵と、アステカへの服従を拒んでいたトラスカラ族らと連合軍を組み、アステカ王国に攻撃を開始。そして3カ月ほど戦い続け、**8月13日**にテノチティトランを制圧した。このとき、スペイン軍はアステカ人を3万人以上大虐殺したともいわれている。そして、アステカ王国は滅亡した。アステカ王国最後の王だった第11代君主クアウテモックは捕虜として捕らえられ、1525年に処刑されている。

このアステカ王国滅亡の背景にはもう1つの要因がある。それはスペイン人たちがアステカに上陸した際、スペイン軍人のなかに天然痘を患っている人がいたため、免疫のなかったアステカ王国の人々へ一気に感染が広がってしまったことだ。この感染は、のちにインカ帝国にまで波及し、中南米の人口は10分の1ほどにまで減少したという。スペイン軍がもち込んだ天然痘によって、モクテスマ2世の後に王となったクィトラワクもわずか80日しか在位できなかったという。たくさんの兵士を虐殺しているが、すでに天然痘にかかっていた兵も多くいたことが考えられており、コルテスは天然痘のおかげで征服できたともいえる。大航海時代により多くの冒険家が新大陸へと上陸し、政府の命により征服者が新たな土地を制圧する傍らで、ヨーロッパからもち込まれた伝染病がより多くの先住民の命を奪っていったのだ。人の行き来が盛んになると、新たな伝染病が猛威をふるう、これは古代から現代まで変わらない流れだ。

**その他の出来事**

1521年・コルテスがアステカのテノチティトランを征服　　1961年・ベルリンの壁がつくられる

# 8月14日【1945年】

# 日本がポツダム宣言を受諾 第二次世界大戦終結

No.226

1945年7月、アメリカ、イギリス、ソ連、3カ国の首脳が集まり、ポツダム会談が開催された。この会談のなかで、アメリカが日本の戦後処理方針と日本軍の無条件降伏についてイギリスへ提案した。中国の蒋介石の同意を得たうえで7月26日にはアメリカ、イギリス、中国の共同宣言（のちにソ連も参加）として「ポツダム宣言」が発表された。日本政府ではそれを受諾すべきか否か、議論が行なわれたが、当時の首相である鈴木貫太郎は「黙殺する」という回答を出す。

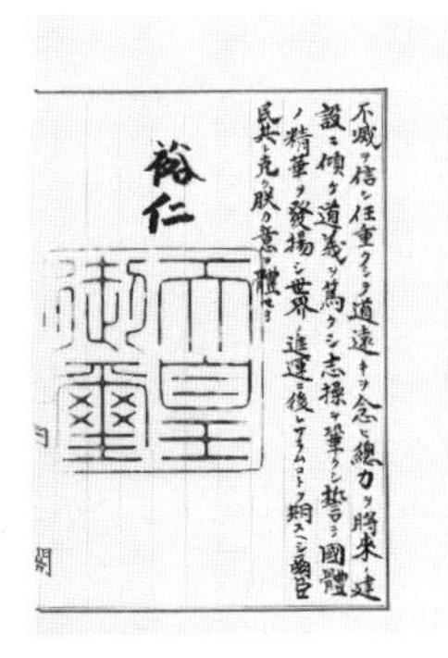

リ信義ヲ世界ニ失フカ如キハ朕最モ之ヲ戒
ム宜シク擧國一家子孫相傳ヘ確ク神州ノ

不滅ヲ信シ任重クシテ道遠キヲ念ヒ總力ヲ將來ノ建
設ニ傾ケ道義ヲ篤クシ志操ヲ鞏クシ誓テ國體
ノ精華ヲ發揚シ世界ノ進運ニ後レサラムコトヲ期スヘシ爾臣
民其レ克ク朕カ意ヲ體セヨ

裕仁

天皇御璽

『終戦の詔書』

そんななか、8月6日に広島市、9日には長崎市へと原子爆弾が投下される。戦争とは直接関係のない一般市民を中心に、広島で20万人以上、長崎でも10万人以上が犠牲となった（5年以内に後遺症などで亡くなった人を含む）。さらに8月8日、ソ連が日ソ中立条約を破り、満洲・南樺太・千島列島に侵攻を開始。5月にドイツが降伏してから、ソ連には和平仲介者として望みをかけていただけに、日本は完全な孤立無援状態となった。

追い詰められた日本政府は、ついに終戦を決意する。政府と軍部の最高首脳からなる最高戦争指導会議にて8月10日、14日と2度にわたって御前会議が開かれた。ここでは、ポツダム宣言を受諾する派と、本土決戦に向けて戦争継続を訴える派とで意見が対立したが、最終的には鈴木首相の要請により、昭和天皇が裁断を下す異例の形でポツダム宣言の受諾が決定された。そして**8月14日**夜、中立国であるスイス政府を通じ連合国へと通知がされたのだった。このポツダム宣言には、無条件降伏の宣言に加え、軍事主義と戦争指導者の永久追放、連合国による日本の占領、領土制限、基本的な人権の確立、占領軍の撤退など、13条が記載されていた。

連合国への降伏を決めた翌日15日正午には、昭和天皇によるラジオ放送（玉音放送）が行なわれ『終戦の詔』が読み上げられた。ここに第二次世界大戦は終わりを告げた。

この戦争による被害の数は測りきれない。戦後75年以上経った今でも日本の軍人や一般市民の死亡・行方不明者の総数は明確にはなっておらず、およそ300万人と推測されている。終戦直後にソ連によって占領された北方領土の問題など、未解決の課題も少なくない。

**その他の出来事**

1791年・カリブ海で黒人奴隷の大反乱が起こる

1941年・ユダヤ人のコルベ神父がアウシュヴィッツで死ぬ

# 8月/15日【1971年】 ドル＝ショックが国際経済体制の転換点に

No.227

第二次世界大戦後のアメリカは、世界の7割におよぶ金を保有していたといわれる。金1オンスを35ドルと設定し、ドルさえあれば金と交換できる……そんな世界経済の中心をアメリカとするブレトン＝ウッズ国際経済体制が築かれたのだ。そのため国際決済でもドルが多用されるようになり、金によってドルの価値は安定し、世界の基軸通貨となっていく。しかし、これらはアメリカが十分な金を保有しているからこそできた体制であり、急激に増やすことのできない金と、経済回復と比例して増えていくドルとが、しだいに釣り合わなくなることは明白だった。

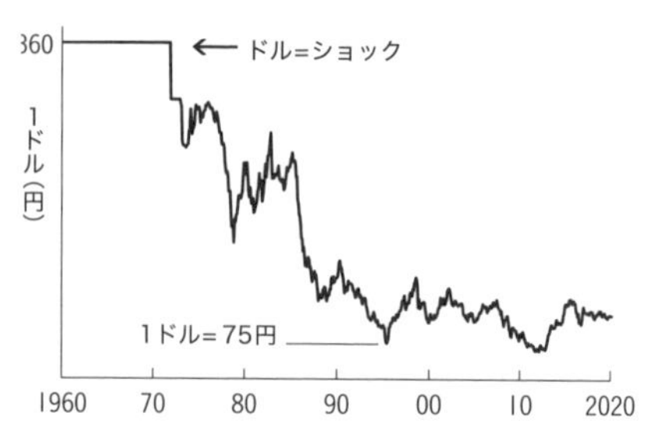

1971年以降ドル・円相場は大きく動くようになる

1960年代に入ると、戦争から復興してきたヨーロッパ諸国の経済発展が進行し、アメリカとの交易においては輸入よりも輸出が増えるようになってきた。そんななか、アメリカはベトナム戦争（1965～1975年）の長期化により、財政赤字に苦しむ。軍事費が膨らみ、1967年にはベトナム戦争だけでも年間200億ドルも費やしていたほどだ。これらの経費増大により、ドル価値は下落、ヨーロッパ諸国や日本との貿易赤字も拡大していった。金の保有額もピーク時の半分以下となり、アメリカ国内から金がなくなってしまうのは時間の問題だった。

そしてこれまで黒字だったアメリカの貿易収支は、ついに合計額でも赤字へと転じた。8月13日にはイギリスがアメリカへ30億ドルの金交換を申し出て、金の保有量は激減する。これ以上、金とドルを交換できる状況ではなくなってしまったのだ。これを受け、アメリカのリチャード＝ニクソン大統領は、1971年**8月15日**、ドルと金の兌換（だかん）停止、10％の輸入課税徴金の導入、物資・賃金の90日間の凍結など、7つの項目からなる新経済政策を発表する。この発表はテレビ・ラジオで中継され、世界中に衝撃を与えた。この騒動をドル＝ショック（ニクソン＝ショック）と呼ぶ。これにより、経済のアメリカ一強の時代は終了し、新しい国際秩序の形成が目指されることとなる。

ちなみに日本では戦後の固定相場制により、1ドル360円とされてきた。そのため日本のショックは大きく、株式相場は大暴落。ドル売り・円買いの動きが殺到し、日本銀行が保有する外貨準備は146億ドルへと膨らんだ。その後もさまざまな協議を経て、1973年より世界経済は変動相場制へと移行するのだった。

**その他の出来事**

1514年・スペインの司祭ラス＝カサスがインディオの救済を訴える　1945年・第二次世界大戦終戦

# 8月/16日【1945年】 日本分割占領計画が完成 ソ連の野心により廃案

No.228

GHQの本部が置かれた第一生命館

昭和天皇が玉音放送によって終戦を伝えた翌日、「日本分割占領計画」と呼ばれる日本と日本領土をイギリス、ソ連、中国そしてアメリカの4カ国で分割管理する計画書の存在が浮かび上がった。これを起案したのは、ペンタゴンの統合戦争計画委員会(JWPC)。この計画書には、すでにアメリカの占領下にあった沖縄以外の日本領土を4つに分割する案が示されていた。ソ連が北海道と東北地方、アメリカが本州中央(関東・信越・東海・北陸・近畿地方)、中国が四国地方、イギリスが西日本（中国・九州地方）をそれぞれの国が統治し、首都東京については4カ国が共同統治される内容だった。ポツダム会談よりも以前に計画されていたこの分割案は、そもそもは米軍負担を減らす目的のためだったと考えられている。連合国による共同占領案がうまくいけば、米軍の負担は少なくなり稼働する米軍も半分まで減らせるだろうと目論んでいたのだ。こうして計画されていた「日本分割占領計画」は、あとはトルーマン大統領の承認を待つのみという状態だった。

しかし1945年**8月16日**、ソ連の首相スターリンがアメリカ大統領であるトルーマンに対し、北方領土だけでなく北海道北部をソ連の領土として認めるよう要請した書簡を送る。これに対しトルーマン大統領は、不信感があったソ連と共同で日本を統治することはないとの考えから「日本はすべてマッカーサー将軍に任せるようにと進めている」と答え、要求を拒否。これによりペンタゴンにて計画されていた「日本分割占領計画」は、トルーマン大統領へと渡ることもなく廃案となってしまった。またトルーマン大統領がマッカーサー将軍へ一任できると振り切った理由は、原子爆弾の投下によって大きな自信が付いていたことも影響する。

また、イギリスや中国も分割統治への参加を辞退したこともあり、結局はアメリカ1国での占領統治となったのだった。そして、8月30日、マッカーサー将軍が厚木へ上陸。ここから講和条約が発効されるまでの7年間、GHQ（連合国軍最高司令官総司令部）の間接統治下に置かれることになった。

さまざまな要因が絡み合い、分割統治を逃れることができた日本は、GHQの統治下で民主化を強めていく。その後、アメリカとの密な関係が現代に至るまで続いていることは多くの人が知るとおりだ。

**その他の出来事**

1819年・ピータールーの虐殺　　1960年・キプロスが独立

# 8月/17日 【1945年】

# インドネシア独立宣言<br>東南アジア諸国独立へ

No.229

スカルノ大統領

大航海時代から数えて300年近くオランダの支配がおよんでいたインドネシアは、第二次世界大戦中の1942年、日本の占領下に入っていた。1942年頃、東南アジアを次々と占領していた日本がオランダを無条件降伏させ、以降日本による統治が行なわれるようになっていた。オランダ植民地下で独立運動を主導していたスカルノは、インドネシア独立のため、このときに日本軍に協力して連合軍と戦った。戦時下においても日本に訪問するなど、協力関係を築きながら独立に向けて奮闘した。1944年には日本の指導下において独立計画も立案され、独立準備委員会も設置されていたという。

しかし、日本による東南アジア占領はそう長く続かなかった。第二次世界大戦における日本の戦況はしだいに悪化し、1945年8月14日にポツダム宣言を受諾。翌日には終戦宣言がされ、日本の降伏が決まった。これにより、インドネシアで企てられていた独立計画も白紙となってしまった。このまま独立も遠のいてしまうかと思いきや、日本軍の前田少将の支援や民衆の声の後押しもあり、**8月17日**スカルノはともに独立運動を主導してきたモハンマッド＝ハッタとインドネシア独立宣言書を読み上げる。このときの署名には、“17/8/05”と記されており、この05は皇紀（日本紀元）2605年に由来しているという。日本が侵攻した際、インドネシアでは西暦ではなく皇紀の暦を使うように布告されていたためと考えられるが、あえて西暦を使わずオランダへの抵抗を示したのかもしれない。

オランダ植民地政府はオーストラリアに逃亡していたが、このインドネシア独立宣言を認めず、イギリス軍とともに武力介入を開始する。インドネシアも日本軍が放置していった武器などを使い抵抗し、独立戦争へと発展した。しかしオランダの武力介入に対して国際世論の反発が強まり、1949年12月ハーグ協定を締結。これによりオランダはインドネシアを放棄し、ようやくインドネシア連邦共和国が誕生する。この連邦共和国は、スカルノを指導者とした反オランダのインドネシア共和国とそれ以外の地域で分割されていたが、1950年に連邦共和国を解散させ、インドネシア共和国として再発足させた。宣言から約5年、ようやく1つの国として独立することができたのだった。

**その他の出来事**

1062年・前九年の役　　1180年・源頼朝が挙兵

8月/18日
【1863年】

# 幕末の転換点となったクーデタ 八月十八日の政変

No.230

追放された尊王攘夷派の中心人物・三条実美

1863年**8月18日**の午前4時頃、尊王攘夷派であった三条実美らと長州藩（山口県）に対し、政治の主導権を取り戻そうとする天皇と会津（福島県西部）・薩摩藩（鹿児島県）が協力し、朝廷内でクーデタを決行する。これが八月十八日の政変だ。

黒船に乗ったペリーが1853年に来航し、やむなく開国した日本は、列強との交易を開始する。初めは輸出が多かったが徐々に物価は高騰し、下流武士や庶民の生活は苦しくなっていった。しだいに幕府への不満が高まり庶民たちの間では、天皇を政治の中心にする「尊王」と、外国人を追い払う意味の「攘夷（じょうい）」を組み合わせた尊王攘夷思想が浸透していた。一方、幕府では公家（朝廷）と武家（江戸幕府）が協力し、政局を治めていく「公武合体」の考えが広がっていた。

この尊王攘夷と公武合体の思想は対立を深めていくが、尊王攘夷派の勢いは激しさを増し、そのなかでも長州藩が存在感を強めていった。しだいにエスカレートした長州藩は、幕府が攘夷を認めていないにもかかわらず1863年5月関門海峡を通る外国船に対し、突如砲撃を開始。下関事件が起こってしまった。

同年8月13日には、尊王攘夷派の公家であった三条実美の目論みにより孝明天皇の大和行幸を発表する。この尊王攘夷派による暴走をなんとかして止めたいと考えていた孝明天皇は、信頼関係が強固だった会津藩の松平容保（かたもり）と薩摩藩の島津久光らに相談し、八月十八日の政変を決行する。これにより、大和行幸の中止と、三条らの追放と長州藩の警備任務を解き、たった1日で尊王攘夷派を京都から追放することに成功する。ちなみに、このときに会津藩の壬生（みぶ）浪士組として守備を固めていたのが、のちに新撰組として活躍する人々である。

また、このクーデタにより公武合体派が政権を握り始めるが、これで幕府が落ち着くわけではなかった。のちに、長州藩の木戸孝允や高杉晋作らは、攘夷するのではなく、幕府を倒し列強にも対抗できるような統一国家をつくるべきとの考えに変わり、倒幕へと加速していく。そして、対立関係のあった薩摩藩の西郷隆盛、大久保利通らは、土佐藩（高知県）出身の坂本龍馬の仲介によって1866年には薩長同盟を結び明治時代の基礎がつくられるのだった。

**その他の出来事**

1812年・ナポレオンがロシアのスモレンスクを無血占領　　2009年・韓国の元大統領、金大中死去

# 8月/19日【1953年】イランでクーデタが発生 モサデグ政権が失脚

No.231

第二次世界大戦後のイランではイギリス系のアングロ＝イラニアン石油会社への批判が高まっていた。イランでは1908年に石油が発見されているが、このアングロ＝イラニアン石油会社は、イラン西南部にあるアバダンの石油を独占。イラン国内には利益をもたらさず、独占状態を続けていた。そんななか、民族主義者として活動していたイランのモサデグは、石油国有化を掲げていた。1951年には国民の支持を受け民主的選挙で首相となり、石油国有化を可決。アングロ＝イラニアン石油会社から石油利権を取り戻したのだった。

クーデタ成功を喜ぶ、国王派の支持者たち

ところが、アメリカやイギリスをはじめとした国際石油資本がこの対応に反発。イラン産の石油を買わないボイコットを始める。さらに1953年**8月19日**には、イランで軍事クーデタが発生。1941年からイランの第2代皇帝で、親英・親米思考だったパフレヴィー2世が中心となり、反政府運動を起こしたのだ。モサデグの家は軍の戦車によって破壊され、モサデグ政権に関わっていた重要人物たちは逮捕されてしまった。近代化を求めて立ち上がったモサデグ内閣は失脚してしまう。

クーデタに勝利したパフレヴィー2世は、親米・独裁体制を築き石油国営化を白紙に戻す。さらにイギリスやアメリカと石油の利権を共有。モサデグ政権に代わってファズロラ＝ザヘディ将軍が首相に任命されると、パフレヴィー2世はアメリカとの結び付きを強めながら、白色革命（1963年）などを進めていく。

しかしこのクーデタは、裏でアメリカとイギリスが大きく関与していたのだ。2009年にバラク＝オバマ大統領が中東を訪問した際に、このクーデタにアメリカ政府が関わっていたと正式に認め、2013年にはその証拠となる公文書も公開された。

クーデタによって親米政権が築き上げられ良好な関係を保っていたが、1979年のイラン革命によってその形勢は逆転する。国民の不満が高まり、反米国家への道を進んでいくことになる。加えてイランはイスラーム宗教国家へと生まれ変わり、アメリカ側とは決定的な溝が生まれた。1980年のイラン＝イラク戦争では、アメリカはイラク側を支援。21世紀に入っても核武装を巡り経済制裁を行なうなど、その対立関係は現在でも続いている。

**その他の出来事**

866年・藤原良房が摂政となる　　1934年・ヒトラーが首相と大統領を兼任

# 8月/20日【1968年】東欧民主化への一歩 プラハの春が始まる

No.232

1968年1月、チェコスロヴァキアで共産党ドプチェク政権が成立した。それまでのノヴォトニー政権では、ソ連のスターリン体制が維持されていた。そのため経済停滞と言論の抑圧などにより、民衆の不満が高まっていた。そんな時代、後任となったドプチェクは、民主化に向けて大きく動き出す。「人間の顔をした社会主義」を掲げたプラハの春（改革運動）を進めていったのだ。検閲の廃止や経済改革、政治的自由の回復など、民主化に向けてさまざまな改革を打ち出していった。

プラハ占領下のソ連軍戦車

しかし、この急速な民主化の動きに危機感を抱いたのが、ソ連のブレジネフ政権だ。社会主義体制の改革を目指すことは、社会主義体制そのものを批判することにつながるとして、ドプチェク政権を警戒。また1961年にはアルバニアの国交断絶表明や、ルーマニアの対ソ独自外交など、東欧諸国がソ連から離れていく流れもあったため、チェコスロヴァキアの民主化が加速、波及していくことを恐れていたのだ。

そして1968年**8月20日**の夜、ソ連軍を主体とするワルシャワ条約機構5カ国（ソ連、ブルガリア、ハンガリー、東ドイツ、ポーランド）の20万もの軍が侵攻し、首都プラハを占領。指導者であったドプチェクは逮捕され、モスクワへと連行された。これにより、ドプチェク政権と改革の動きは抑え込まれてしまったのだ。このとき、ブレジネフは社会主義陣営全体の利益のためには一国の主権は制限されるという制限主義論をとなえ、この軍事介入を正当化している。

逮捕されたドプチェクとその幹部たちは、8月27日にはプラハへと戻されたが、改革政策が再開されることはなかった。しかしチェコスロヴァキアの人々の民主化への望みは消えることはなく、燃え続けていく。1980年代後半には、生活困窮により民衆たちの不満が爆発し、反体制運動が起こるようになった。そして1989年11月25日プラハのレトナーに100万人近い人々が集まり、チェコスロヴァキアはビロード革命により自由を手に入れる。プラハの春から約20年、民主政権と本当の自由を手にし、平和的にチェコ共和国とスロバキア共和国へとそれぞれ独立されたのだった。プラハの春、そしてチェコ事件をきっかけに長年自由を求め続けた民衆たちが勝利した瞬間だった。

**その他の出来事**

636年・ヤルムーク川の戦い（シリアを奪う）　1993年・オスロ合意

# 8月/21日 【1957年】 大陸間弾道ミサイル開発成功を発表

No.233

1957年**8月21日**、ソ連が世界初の大陸間弾道ミサイル（ICBM）の開発に成功したことを発表した。大陸間弾道ミサイルとは、数千キロメートル以上の弾道飛行が可能で、標的箇所半径1キロメートル前後に落下させることができるミサイルのことだ。それまでは、爆撃機に爆弾を搭載し、目的地まで空輸する必要があったが、大陸間弾道ミサイルなら遠隔操作によって、直接目標へ核攻撃が可能になる。この発表によりアメリカとソ連の核開発競争は激しさを増すことになった。

ボストーク宇宙船を搭載したR-7ロケットの展示

大陸間弾道ミサイルを開発したのは、セルゲイ＝コロリョフ。彼は、第一次世界大戦後、飛行機の機体設計について学び、1931年にはジェット水力研究グループ（GIRD）に参加、33年にはソ連で初となる燃料ロケットの打ち上げに成功していた。しかし、38年にロケット開発仲間であるグルシュコらによって無実の罪で告発され、逮捕。シベリアへの流刑にあい、10年近く地獄のような投獄生活を送っていた人物だ。その後、恩師であるツポレフらの嘆願によりなんとか脱出できたものの、モスクワ強制収容所内にある研究室では告発されたグルシュコとともに爆撃機などの開発に従事しなければならなかった。

ロケット開発に参画したコロリョフは、次々と世界初の偉業を達成していく。1947年にはドイツのV-2ロケットを改良したR-1多弾頭型ロケットの打ち上げに成功。その後も、R-2、R-3と開発を進め、ついに1957年8月21日「R-7」となる大陸間弾道ミサイル（ICBM）が発表された。その射程距離は7000キロメートルにおよび、ロシアからアメリカ本土への攻撃も可能な代物だ。ソ連政府は世界に先駆けた成功に歓喜していたが、コロリョフは満足していなかった。

1957年10月にはR-7の技術力を活かし人類史上初の無人人工衛星「スプートニク1号」が打ち上げられた。さらに宇宙船に犬を乗せて打ち上げる計画や、有人宇宙船ボストークの開発にも関わり、1961年にはガガーリンを乗せた世界初の有人宇宙飛行を成功させる。月への到達を目標に次なる開発を進めていたが、1966年手術中に心臓が停止。志半ばでこの世を去ってしまった。しかし彼が設計したR-7の系譜は現在でも受け継がれ、ソユーズやソユーズを改造したプログレス補給船などが国際宇宙ステーション（ISS）への物資輸送などで活躍している。

**その他の出来事**

1415年・ポルトガルの航海王子エンリケ、モロッコのセウタから上陸　1911年・警視庁に特別高等課を設置

8月/22日
【1910年】

# 韓国併合ニ関スル条約調印 朝鮮が日本の植民地に

No.234

統監府に向かう伊藤博文

1904～07年までの3度の日韓協約によって、日本は韓国支配を着々と進めていた。04年に第1次日韓協約で日本が推薦する財政外交顧問を置くことを認めさせ、日露戦争後のポーツマス条約で朝鮮における優先権が認められ、アメリカなどの了解も取り付けると、05年に第2次日韓協約（保護条約）を結び韓国統監府の設置を認めさせた。統監が外交権を掌握し、朝鮮の外交能力を奪った。07年にハーグ密使事件の責を取らせる形となった第3次日韓協約では、内政の権限を統監に渡させたうえ、軍の解散と司法権の委任などを認めさせる。これに対して韓国は反日武装闘争を起こし、義兵運動が活発になっていった。日本軍は徹底的な鎮圧を行なったとされる。韓国併合は時間の問題だった。

じつはこの当時、韓国統監だった伊藤博文は、保護国継続を主張していた。だが日本政府内では義兵運動に対応するためにも併合は必要だとの訴えが多くなり、日本政府内では極秘裏に併合案の策定が進められた。09年6月、そうした動きに押された伊藤博文は、統監を辞任し、韓国併合の準備に入る。ところが、ここで伊藤博文が暗殺されてしまう。日露交渉のために訪れていた満洲のハルビンで、安重根により射殺されたのだ。この暗殺により、日本政府はかえって韓国への態度を強めることとなった。

1910年**8月22日**、第3代韓国統監である寺内正毅（まさたけ）は、韓国の李完用（りかんよう／イワンヨン）首相と「韓国併合ニ関スル条約」に調印する。この条約は、韓国皇帝がいっさいの統治を完全かつ永久に日本に譲与することと、日本と韓国が併合することを承認するという内容だった。この条約は8月29日に公布され、即日実施されている。そして名称を朝鮮に、漢城（現在のソウル）を京城と改めて天皇直属の朝鮮総督府が置かれた。こうして朝鮮は名実ともに日本の植民地となった。

朝鮮総督府では、地税の整理と土地の調査を実施した。これにより、日本人が自由に朝鮮の土地を取得できるようになったため、日本人地主の土地所有が増加。朝鮮で土地を失った人々が仕事を求めて日本へと移住したとされている。日本による朝鮮支配は、結局45年まで続くことになる。植民地支配による確執は、併合解消から70年以上たった今も両国の間に横たわっている。

**その他の出来事**

1485年・バラ戦争の最終決戦、ボズワースの戦い　1944年・対馬丸がアメリカの潜水艦により撃沈される

# 8月/23日 【1939年】 不倶戴天の敵が同盟 独ソ不可侵条約が締結

No.235

1939年**8月23日**、世界中を震撼させる軍事同盟が結ばれた。当時、犬猿の仲とされていたアドルフ＝ヒトラー率いるナチス＝ドイツと、ヨシフ＝スターリンの独裁政権下にあったソ連が「独ソ不可侵条約」を締結したのだ。この条約は、お互いを攻撃しないこと、第三国から攻撃を受けた場合その第三国を援助せずに中立を守ることなど全7条で構成され、その有効期限は10年と定められていた。

WONDER HOW LONG THE HONEYMOON WILL LAST?
アメリカの新聞による風刺画

この背景には、両国の間にあるポーランドが大きく関係している。ドイツは領土拡張のため、オーストリアとチェコスロヴァキアに続き、ポーランドへの侵攻作戦を考えていた。1939年3月にドイツはポーランド内でも比較的多くのドイツ人が住んでいるダンツィヒ（現在のグダンスク）の返還とポーランドとドイツを繋ぐポーランド回廊への道路の設置と治外法権などを要求。これを拒否したポーランドに対して、侵攻作戦を開始する。ドイツ国内には、このポーランド侵攻によってイギリス・フランスとの戦闘に発展すると考える層が少なからずいた。そのため、ソ連との二正面作戦になることを避けるため、この条約の打診が行なわれた。

一方のソ連では、将来的にドイツが侵攻してくることを想定していたが、軍事体制を整えるまでには時間が足りないと考えていた。時間を稼いで、その間に工業力を高め、防衛体制を整える必要があった。西欧に不信感を抱いていたこともあり、一時的ではあったが軍事同盟を結ぶ価値があると判断したのだ。

条約を締結したドイツは、満を持してポーランドへと侵攻を始める。そして同年9月3日にはポーランドの独立を支援していたイギリスとフランスがドイツへ宣戦布告し、第二次世界大戦が始まる。

ドイツはさらなる領土拡大を目指し、1941年バルバロッサ作戦を決行。ドイツはソ連へ奇襲攻撃を開始し、独ソ戦へと発展していく。この時、ソ連のスターリンはドイツ侵攻の噂（うわさ）も耳にしていたが、アメリカなど敵国の策略で惑わそうとしていると考えており、「条約によってドイツは攻撃してこないだろう」と軽視していた。これにより独ソ不可侵条約はたったの2年で破棄されてしまった。この独ソ戦による犠牲者は3000万人を超える。

**その他の出来事**

1541年・ジェック＝カルティエがケベックに入植を試みる　1866年・プロイセン＝オーストリア戦争が終結

# 8月/24日【410年】 西ゴート族のアラリック1世がローマを陥落

No.236

395年、古代ローマ帝国最後の皇帝テオドシウス1世が死去すると、帝国は東西に分割され、2人の子どもに引き継がれることとなる。東ローマ帝国を長男で18歳のアルカディウスが、西ローマ帝国を次男で11歳のホノリウスが治めることとなった。

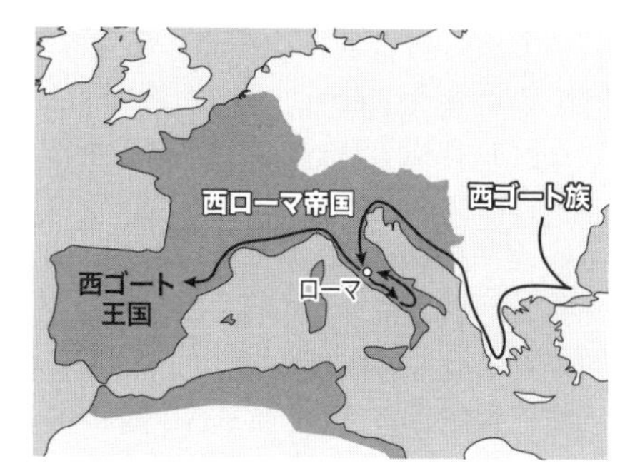

西ゴート族の民族大移動

しかし、375年頃からゲルマン人の大移動が始まっていた影響もあり、西ローマ帝国は異民族の侵入を抑えることができなくなっていた。そんな情勢のなかで11歳という幼い皇帝が政権を進めていくことは困難だった。西ローマ帝国では大幅に経済が悪化、西ローマの都市からは富裕層が逃げ出してしまう。西ローマ帝国の国力は急速に衰退していくのだった。一方の東ローマ帝国はコンスタンティノープルを首都とし、軍事的にも経済的にも安定していた。首都以外でも複数の都市が繁栄し、15世紀にオスマン帝国によって滅ぼされるまで専制国家体制が続けられた。

その頃、西ゴート族の王であるアラリック1世は、コリントやスパルタなどを攻略し、アテネから多額の賠償金を得ていた。もともとローマとは同盟関係にあった西ゴート族だったが、テオドシウス1世の死によって、東ローマ帝国からの給金がなくなり、反ローマ活動を展開する。395年、アラリックは西ゴートの王アラリック1世と名乗り、ローマへと略奪に向かった。彼を慕うゴート族たちは多く、定住の国はなくとも彼を囲むゴート族で結束を強め、大きな集団となっていった。

アラリック1世は、401年に一度イタリアへと侵入したが失敗。しかし再起をはかり、410年**8月24日**、再度イタリアへと侵入する。アラリック1世はローマの占領に成功するのだが、そこから3日間におよぶ略奪を行ない、西ローマ帝国に甚大な被害を与えた。皇帝の力はより弱体化し、ついには476年ゲルマン人傭兵であるオドアケルによって、皇帝を退位させられてしまう。ここに西ローマ帝国は滅亡した。

西ローマ帝国滅亡のきっかけをつくったアラリック1世だが、アフリカを目指し航海した際に水難事故にあって、この世を去っている。しかし彼の遺志を受け継ぐ西ゴート族たちは、412年に南ガリアへ進出、さらに415年には西ゴート王国を建てイベリア半島へと侵入した。711年にウマイヤ朝のイスラーム軍に滅ぼされるまで続いた。

**その他の出来事**

79年・ヴェスビアス火山大爆発　　1572年・聖バーソロミューの大虐殺

# 8月25日 フエ条約が調印 ベトナムはフランスの保護国に

【1883年】

No.237

ベトナム初の世界遺産でもあるフエはかつて、ベトナム最後の王朝があった場所として知られている。1802年、阮福瑛（グエン＝フォック＝アイン）はフエを都として阮王朝を建てた。やがてヨーロッパ諸国によるアジア植民地化が盛んに進められている最中、1858年にフランスが開国を迫りダナンへの攻撃を開始。カトリックの迫害を口実に艦隊を派遣し、サイゴンを占領してしまう。

ベトナム周辺の植民地化

阮王朝がフランスに屈服すると、1862年の第1次サイゴン条約により、宗教・通商の自由を認めさせられたうえメコンデルタ3省がフランスに割譲された。さらに翌年、フランスはカンボジアを保護国とし、1867年にはメコンデルタ西部3省にも進撃。これにより全メコンデルタとビエンホア（中部ベトナム）がフランス領となった。

侵攻を進めながらメコン川から中国へと渡るルートを模索していたフランスは、さらに北へと進み1874年には第2次サイゴン条約の締結を迫り、ベトナムから紅河の航行権と、主要都市への駐兵権を得る。しかし、阮朝は条約締結後も清朝や劉永福率いる黒旗軍とともに抵抗し、ハノイにいたフランス軍を撃破する。

しかしフランスは紅河デルタへと派兵。フエを砲撃し、占領してしまう。そして1883年**8月25日**、フエ（ユエ）条約（アルマン条約とも呼ばれる）を半ば強制的に締結させる。この条約により、ベトナムはフランスの保護国となってしまった。しかし、このフエ条約が締結されてもなお、ベトナムはフランスへの抵抗をやめることがなかったため、翌年に第2次フエ条約を締結させ、支配権を確実なものにした。

1884年、フランス軍の北部出兵に抵抗するため、中国とともに連合軍をつくり、清仏戦争で衝突する。しかしこの戦いに勝利したのはフランスだった。清朝は天津条約により、ベトナムに対するフランスの保護権を認めることとなった。

勢いの止まらないフランスは、直轄地コーチシナ（ベトナム南部）と、保護国としたトンキン・アンナン・カンボジアをフランス領インドシナ連邦に併合。1899年にはラオスも加入する。

その後、太平洋戦争によって一時日本の支配下となるが、1945年9月2日、ホーチミンによって独立宣言が発表された。このときフランスは独立を認めず、フランス軍とのインドシナ戦争へとつながってしまう。

**その他の出来事**

1227年・チンギス＝ハンが死去　1758年・ツォルンドルフの戦い（七年戦争）　1944年・ド＝ゴールがパリに凱旋

# 8月/26日【1071年】

# マラズギルトの戦いで トルコ人がビザンツ帝国に勝利

No.238

中央アジアで遊牧生活を続けていたトルコ人たちは、騎馬戦士として優れていたため、イスラーム王朝であるアッバース朝は奴隷として彼らを購入していた。奴隷出身のトルコ系軍人はマムルークと呼ばれた。10世紀を過ぎると、マムルークたちが独自の王国を建国し、それとともにイスラーム教も広がっていく。

11世紀後半の西アジア

族長セルジュークの孫トゥグリル＝ベクを中心とした集団が、ニーシャープールの戦いでガズナ朝に大勝。その土地を獲得し、1038年にセルジューク朝を建国する。中央アジアから西アジアへと勢力を伸ばし、1055年にはバグダードを陥落させ、アッバース朝のカリフ（イスラーム国家の最高指導者）からスルタン（王）の称号を得る。これにより、トルコ人がイスラーム世界の主導権を握ることとなったのだ。

さらに勢いを付けたセルジューク朝は、イランを中心にイラクやシリアを支配し、ついにキリスト教圏への聖戦を開始していく。そして1071年**8月26日**マラズギルト（マンジケルト）の戦いでビザンツ帝国を破り、アナトリアへと侵入。

勝利した2代目スルタンのアルプ＝アルスランは、ビザンツ帝国の皇帝ロマノス4世を1週間捕虜とした。さらには、釈放にあたっての多額な身代金要求や、アルスランの息子とロマノス4世の娘を政略結婚させるなど徹底的に追い込んでいく。これにより、アナトリアのトルコ・イスラーム化の流れが決定的となった。

やっとの思いで釈放された皇帝は、ビザンツ帝国の人々から目をつぶされ、島流しされ死んでしまったという。マラズギルトの戦いをきっかけにセルジューク朝は次々と領土を広げ、アレクサンドリア、イェルサレム、アンティオキアを支配下としながら、イスラーム文化を広げていくのだった。

一方のビザンツ帝国は、西へと援軍を求めた。これに対しローマ教皇は、西ヨーロッパ諸国のキリスト教徒に対して、ビザンツ帝国を救援し、聖地であるイェルサレムを奪い返そうと奮起する。そして大規模な十字軍遠征が始まっていくのだった。十字軍は1096年から200年間で7回遠征を行なったが、結局セルジューク朝からイェルサレムを奪い返すことはできなかった。

**その他の出来事**

1346年・クレシーの戦い（百年戦争）　1789年・人権宣言　1936年・イギリス＝エジプト同盟条約調印

# 8月/27日 【663年】

# 白村江の戦いに日本が惨敗 国防上の危機感が高まる

No.239

7世紀における朝鮮半島は、北に高句麗、東に新羅、南に百済の三国が鼎立していた。しかし660年、新羅と唐の同盟軍により都の扶余（ふよ）は陥落し、王である義慈王は降伏。百済は滅ぼされてしまった。そこで、密かに百済と同盟を結んでいた高句麗が立ち上がり、新羅を相手に侵攻を始める。また滅亡した百済の王子である余豊璋が倭（日本）に滞在していたことから、復興に向けた援軍を要請してきたのだった。

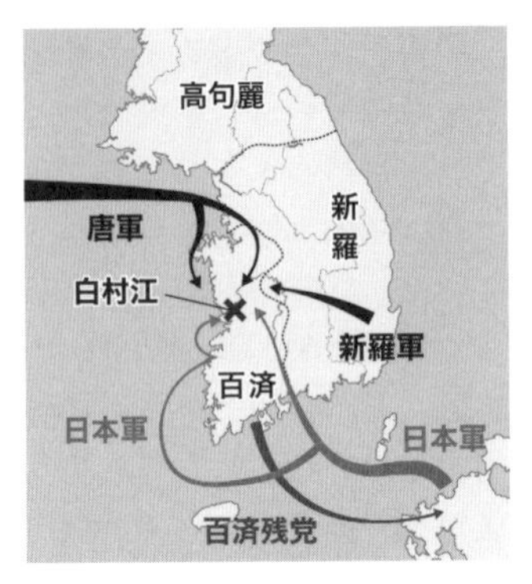

660〜670年頃の朝鮮半島

これに対して斉明天皇は、この要請に加担することで、新羅さらには唐までも敵に回すことを恐れていた。だが、この戦いに勝利すれば、朝鮮半島に新たな拠点を見出せると気持ちは揺れ動いていた。そして斉明天皇と中大兄皇子（のちの天智天皇）は、百済復興に向けた援軍を送ることを決断。662年から3万人近い兵を送り、新羅と唐の同盟軍と戦った。

しかし663年**8月27日**、白村江の戦いにて日本は大敗する。戦場となった白村江は、兵士たちの血で真っ赤に染まったともいわれているが、目的としていた百済の救済はかなわなかった。そして668年には高句麗も滅亡した。

倭へと戻った中大兄皇子は「甲子（かっし）の宣」と呼ばれる内政改革を打ち出した。これは、大陸からの侵略の危機に対応できるよう、諸国の豪族たちを再編成するものだった。また国土の防衛にも力を入れ、北九州には防人（さきもり）の配置、外敵の侵入を防ぐ高さ9メートル、長さ1.2キロメートルにも及ぶ水城を大宰府付近に築き上げた。さらに、瀬戸内海沿いを中心に各地へ山城をつくり、侵攻に備えて都を飛鳥からより内陸部の近江（滋賀県）大津宮へと遷（うつ）した。

668年に中大兄皇子が正式に即位し天智天皇となったが、結局、唐や新羅は倭に攻めてくることはなかった。高句麗が滅んだのち、唐と新羅の対立が起こり、倭への侵攻は後回しにされていたのだ。そして676年には、唐の勢力を抑えた新羅が朝鮮半島の統一に成功。朝鮮半島の三国時代にも終止符が打たれたのだった。

しかし倭の朝廷では、引き続き国防政策を打ち出していく。670年には日本で最初の戸籍である庚午年籍（こうごねんじゃく）が作成され、681年には律令の制定が行なわれた。大敗が律令国家の形成に向けて動き出す1つのきっかけとなったのだ。

**その他の出来事**

1689年・ネルチンスク条約　　1928年・パリ不戦条約

# 8月/28日【1833年】 イギリス奴隷廃止法が成立 帝国内の全奴隷が解放される

No.240

ウィリアム＝ウィルバーフォース ©アフロ

17～18世紀にかけてアフリカは、アメリカやヨーロッパへと奴隷を供給する大西洋三角貿易の一環だった。一説によれば、2000万人以上の奴隷たちがアフリカからアメリカへと渡ったといわれている。三角貿易では、イギリスから出港した船がアフリカへと武器を運び、アフリカから奴隷を乗せた船がアメリカ大陸に到着すると、タバコやコーヒー、綿花などを船に乗せヨーロッパへと帰ってくるルートができ上がっていたのだ。

この三角貿易で利益を得ていたイギリスは、産業革命に拍車をかけていくが、19世紀に入ると国内でのナショナリズム、自由主義思想が広がるようになる。在庫を抱えるようになっていた産業革命商品をラテンアメリカ諸国に売りつけるためナショナリズムをお題目にウィーン体制から退き、ラテンアメリカ諸地域の独立運動を支持する姿勢を取っていた。また、自由主義においてもカトリック教徒の平等、選挙制度の改正、工場法など社会政策改革が続けられていった。

またアメリカ独立革命やフランス革命に感化され、イギリス国内でも奴隷制度反対運動が起こるようになった。奴隷廃止主義者だったイギリスの政治家ウィリアム＝ウィルバーフォースらを中心に運動は強まり、1807年に奴隷貿易禁止法を提案し、これを可決。奴隷禁止への一歩を踏み出した。しかし、奴隷に子どもを産ませてその子どもを奴隷にする者や、科料を逃れるために奴隷を船から海に突き落とす者が出てきてしまうなど、状況は大きく変えることができなかった。また、1802年にナポレオンが奴隷制度を復活させた時期とも重なっていたため、どこまで奴隷廃止への罰則を厳しくしていくのかイギリスの立場が問われる時期でもあった。

この状況に満足することなく、奴隷解放に向けてウィルバーフォースは運動を続けた。そして、1823年には反奴隷協会を設立。これから本格的に動き出そう、と思っていた矢先、翌年にウィルバーフォースは病気になってしまう。1833年には奴隷制度廃止法案が議院を通過していることに喜びながらも、7月にこの世を去った。それから1カ月後となる**8月28日**、彼の奴隷廃止への思いは受け継がれ、奴隷制廃止法が成立した。これにより、イギリスの植民地における奴隷制度が違法となり、1834年8月にはイギリス帝国内にいるすべての奴隷が解放された。

**その他の出来事**

1859年・世界初の石油機械掘りに成功　1920年・米議会が婦人参政権を可決　1971年・円が変動相場に移行

# 8月/29日 【1833年】 イギリスで工場法が制定 労働者の権利が保護される

No.241

オーウェン

18世紀後半に起こったイギリス産業革命は、国内の生産体制を農業から工業へと転換させ、世界経済をリードしていった。一方で、労働問題が深刻化し、さまざまな社会問題を引き起こした。農村部から都市へと人口が集中し、労働環境は悪化。工場で働く労働者たちは、困窮していく。

労働者のなかでも、劣悪な労働環境に置かれた児童に関して、家庭生活や教育面、精神的にも悪影響を与えるとして社会問題にもなっていく。そこで、世界で初めて労働者を保護するための法律がつくられた。1802年に制定された工場法だ。

しかし、このような法律が制定されても、子どもたちが20時間以上働かされている状況は変わらず、形だけの法律となっていた。実業家で「イギリス社会主義の父」とも称されたオーウェンは、9歳未満の子どもの労働を禁止させるため、1819年に工場法の改正（紡績工場法）に協力する。それでもすぐに状況が改善されるわけではなかったため、オーウェンはみずからがもつ工場内に、アパートや児童教育の場を設置、労働時間を10時間に短縮するなど、労働者にとって理想的な社会づくりに奮闘した。

1930年代になると、労働組合運動が始まり、各地で労働条件の改善を求めて交渉が進められた。政府としてもこのまま放っておくわけにはいかず、最小限の国家介入を認める方向へと転換していく。

そして1833年**8月29日**、工場法（一般労働法）の制定が実現する。ここには、労働時間制限（18歳未満は1日12時間、13歳未満は1日8時間）、9歳未満の雇用禁止、18歳未満の夜間労働禁止、児童労働者の教育の義務化、工場監督官制度の設置が規定されていた。

この法律は、8時間労働の始まりともいわれており、1833年の工場法をベースとして、当時の低賃金労働者（児童や女性）に加えて、成人男性やほかの産業にも通じる改正が行なわれていく。さらには救貧法や公衆衛生法なども制定された。

現在、イギリスで使われている労働基準法の基礎となるのが1833年に制定された一般労働法だ。労働組合運動が政治を動かし、働きやすい環境を労働者みずからが手に入れたのだ。

**その他の出来事**

1825年・ブラジルがポルトガルから分離　1842年・南京条約が締結　1910年・韓国併合が実行

## 8月30日【1813年】 アメリカ=イギリス戦争の最中ミムズ砦の虐殺が起こる

No.242

レッド・スティックスを率いた族長（右）と対面するジャクソン

1812年6月に起こったアメリカ=イギリス戦争は、ナポレオン戦争の最中に起こった。あくまで中立の立場を取っていたアメリカだったが、イギリスへの入港を禁止され、さらにはフランス植民地へも入港できなくなってしまったため、対英宣戦へと踏み切った。これは第2次アメリカ独立戦争とも呼ばれ、この戦争によりナショナリズムが高まり、アメリカ人としての自覚が強まった戦争でもあった。

1813年、アメリカ南部先住民であるクリーク族の内戦にアメリカ軍が介入したクリーク戦争が勃発。この戦争は、クリーク族のなかでも「レッド・スティックス」と呼ばれた強力な戦士たちをイギリス軍が支援していたため、アメリカ=イギリス戦争の一部として考えられている。

クリーク族の間では、白人の追放を願うレッド・スティックス（アッパータウン在住）と、白人の生活様式を取り入れていたクリーク族（ローワータウン在住）がアメリカ軍と手を組み対立が起こっていた。そして1813年7月アメリカとレッド・スティックスは衝突する。これはのちにバーント・コーンの戦いとして知られるようになるが、この戦いに敗れたレッド・スティックスは次なる反撃のチャンスをうかがっていた。

そして同年8月29日、白人とローワータウンのクリーク族たちが避難地としていたミムズ砦で、奴隷たちから「顔を塗った戦士がいる」と報告を受ける。しかしそこにはレッド・スティックスがいたような痕跡がなかったため、奴隷たちは罰を受けることとなった。しかし翌**8月30日**の正午頃、昼食中を狙ってレッド・スティックスらが奇襲してきた。砦を占領し、民兵、白人開拓者、アメリカ側に付いていたクリーク族をはじめ、子どもや女性を含む多くの人々が殺害されてしまった。

このミムズ砦虐殺は、アメリカ国民を驚かせ、アンドリュー=ジャクソンを指揮官に迎え反撃の準備を進めていった。そして1814年3月にはホースシューベンドの戦いでレッド・スティックスを破り、クリーク戦争は終幕した。

アメリカ=イギリス戦争に至っては、勝敗が付かず、ヨーロッパでナポレオンが陥落したことを受け、1814年に停戦協定が結ばれた。その後のアメリカは、領土拡大を勢力的に行ない、インディアンとの戦いに突入していく。

**その他の出来事**

1721年・ニスタット条約締結　1914年・タンネンベルクの戦い　1945年・マッカーサーが厚木に到着

8月/31日
【1907年】

# 英露協商成立を契機に西欧列強が二極化していく

No.243

ドイツがプロイセン=フランス戦争に勝利し、帝国として出発した1870年からの約20年間は、ビスマルクがヨーロッパの国際関係を動かしていた。とはいえ、彼の基本方針は国内での産業育成や軍事力強化であり、外交に関しては「現状維持」がモットーだった。実際、他の列強国が海外進出を加速させていくなか、ドイツは目立った動きをしていない。

ビスマルクはフランスの報復を警戒していた。そのためフランスの国際的な孤立を狙って、1882年、ドイツ・オーストリア・イタリアで三国同盟が結ばれる。さらに1887年にはロシアとの秘密条約である再保障条約を結んでいたため、フランスの外交孤立を成功させることができた。他方、その頃のイギリスは、どの国とも同盟を結んでおらず「光栄ある孤立」とも呼ばれる中立を貫いていた。

1888年にヴィルヘレム2世がドイツ皇帝に即位したが、彼はビスマルクの「現状維持」方針にはいたく不満だった。とくに海外進出に関して野心的だった皇帝は、ビスマルクを辞任させ、ロシアとの再保証条約の更新を拒否した。これを受けて、ロシアはフランスへ接近し、1891年には露仏同盟が締結される。こうして、ドイツのビスマルクが築いたヨーロッパの勢力図も少しずつ変化していくのだった。

この頃、イギリスは、エジプトのカイロ、南アフリカのケープタウンとインドのカルカッタを結びつける3C政策を進めていた。ドイツはこれに対抗すべく、ベルリン・ビザンティウム(イスタンブル)・バグダードの3カ国を結ぶ3B政策を掲げ、バグダード鉄道計画を基幹事業に据えて多方面に勢力を拡大していた。イギリスはこの3B政策が、みずからの3C政策を妨害する危険があると感じ、フランスとの英仏協商(1904年)へと踏み切った。この協約でそれぞれの植民地支配権を認め、ドイツに対抗する体制をつくっていくことを目的としたのだ。

さらに1907年**8月31日**、イギリスはロシアと英露協商を締結する。ドイツのバルカン半島進出を警戒してのことだった。またこの協商で、西アジアにおける勢力圏を画定させることになり、イランを両国で二分化(北部をロシア、東部をイギリス、中部は中立地帯)し、イギリスがアフガニスタンを支配することとした。

こうしてヨーロッパの列強は二極化されていく。イギリス・フランス・ロシアとの三国協商とドイツ・オーストリア・イタリアの三国同盟だが、イタリアとオーストリアが対立し、実質的にはドイツとオーストリアの二国同盟へと変質していく。そして1914年のサライェヴォ事件をきっかけに、第一次世界大戦へと展開されていく。

**その他の出来事**

1871年・仏ティエールが大統領に就任　　1997年・ダイアナ妃死去

# 9月

September

9月/1日
【1939年】

# 第二次世界大戦の嚆矢 ポーランド侵攻が始まる

No.244

ポーランド侵攻時の様子(10月頃)　©AP/アフロ

ドイツで独裁体制を築いたアドルフ＝ヒトラーは、オーストリアとチェコスロバキアも併合し、ドイツ民族統合に向けて動き出していた。そして、次の標的とされたのがポーランドだった。ヒトラーはポーランドに対し、ドイツ人が多く住むダンツィヒ（ポーランド読みはグダンスク）の返還と、ポーランド回廊への道路と鉄道の建設、ポーランド回廊での治外法権を要求した。ポーランド回廊とは、第一次世界大戦後にドイツからポーランドへ割譲された、ドイツ内を抜けるようにしてポーランドから海へ続く道のことだ。

これに対し、イギリスとフランスはポーランドの独立と領土保全を保証する宣言を掲げ、ポーランドもドイツからの要求を拒否。ドイツはポーランドへの侵攻作戦を決定する。

しかしここで問題となったのが、スターリンを最高指導者としていたソ連だ。ポーランドに攻め入ることで、隣国であるソ連を刺激してしまうと考えたヒトラーは、1939年8月に、ドイツとソ連がお互いに攻撃しないことを約束する「独ソ不可侵条約」を締結した。一方のソ連も、イギリスとフランスへの不信感を強めていた時期だったため、この条約へ同意。ヒトラーとスターリンが手を結んだこの条約は世界を震撼(しんかん)させた。

そして1939年**9月1日**、ダンツィヒを親善訪問中だったドイツ船が、突如ポーランドの守備隊へ砲撃を開始する。この戦いから第二次世界大戦が始まっていくのだ。ヒトラーは開戦の理由を「ポーランド国内でドイツ系住民が虐待されている」と語ったが、実際にその事実はなかったともいわれている。9月3日にはイギリスとフランスがドイツへ宣戦布告し参戦するが、ポーランドを攻めるドイツ軍の勢いは止まらず、1週間でワルシャワを包囲。さらに、9月半ばにはソ連もポーランドへの侵攻を開始し、9月末にはワルシャワが陥落。わずか1カ月の出来事だった。そしてポーランドはドイツとソ連に分割されることとなる。

ヒトラーはドイツの支配下に置いたポーランドからポーランド人やユダヤ人を追放し、ポーランドの指導者たちを次々と殺害していく。そして1940年にはポーランドの南部にアウシュヴィッツ＝ビルケナウ強制収容所を創設するのだった。

**その他の出来事**

1923年・関東大震災　1965年・インドとパキスタンがカシミールで衝突

# 9月/2日【前31年】
# アクティウムの海戦で内乱の1世紀が終幕

No.245

紀元前133年頃からローマ帝国では内乱が繰り返された。なかなか安定しない情勢が続くなか、前60～前53年頃に反乱の鎮圧で功のあったポンペイウスが、大富豪のクラッスス、平民派の将軍カエサルの2人と私的な政治同盟を結び、第1回三頭政治を始める。しかし、やがて対立が浮き彫りとなり、最終的にはカエサルが独裁権力を確立した。カエサルは前44年には全軍の指揮権と国庫管理権をもった独裁官の地位に就くが、同年、暗殺されてしまう。

オクタウィアヌス（アウグストゥス）

まもなくして、カエサルの部下だったアントニウス、同じく部下だったレピドゥス、カエサルの養子とされたオクタウィアヌスの3人が、国家再建の名目で政治同盟を結び、第2回三頭政治が開始された。しかしこれでも政治が安定することはなく、オクタウィアヌスとレピドゥスはしだいに対立関係となり、レピドゥスは早々に政界から離脱。アントニウスはエジプトへ赴き、プトレマイオス朝エジプト女王であるクレオパトラに協力を仰ぐ。当時のエジプトは、地中海での貿易で栄えた湾口都市アレクサンドリアを首都とし、大穀倉地も抱える豊かな国であり、強国だった。紀元前32年、アントニウス・クレオパトラの連合軍とオクタウィアヌスの間で、ついに戦端が開かれた。アントニウスらは現在のギリシア南端、ペロポネソス半島に進軍。対するオクタウィアヌスは陸と海からアントニウスらを包囲するように動いた。

そして前31年**9月2日**、アクティウム沖でローマの将来を決定付ける決戦、アクティウムの海戦が始まった。両軍の力は拮抗しており、戦況は膠着。しかし、ここで何故かクレオパトラの指揮していた艦隊が戦列を離れてしまい、エジプト軍全体が混乱に陥った。アントニウスもクレオパトラを追ってエジプトに退却する。こうして、戦いはオクタウィアヌスの勝利に終わったのだ。アントニウスはその後もアレクサンドリアで籠城戦を続けるが、最後には自決。エジプトはローマの属州となった。これにより、約100年続いてきた内乱の1世紀も終幕を迎えた。

この戦いに勝利したオクタウィアヌスは、軍隊を解散し、前27年にはアウグストゥス（尊厳者）の称号を得る。カエサルの失敗を生かし、政治の基盤を築き上げ、パクス＝ロマーナ（ローマの平和）と呼ばれる繁栄の時代をつくるのだった。

**その他の出来事**

1666年・ロンドンの大火　1870年・ナポレオン3世が捕虜となる

# 9月/3日【1783年】 パリ条約でアメリカの独立が承認される

No.246

1775年に始まったイギリスからの植民地独立を求めたアメリカ独立戦争。翌年には独立宣言を発表するが、植民地軍の苦戦は続いていた。しかし、1777年のサラトガの戦いで植民地軍がイギリス本国軍に勝利すると、ヨーロッパ諸国が植民地軍の支援へと動き始める。ここで参戦を決めたのが、フランス、スペイン、オランダだ。そして1781年に行なわれたヨークタウンの戦いでは、植民地軍とともにフランス連合軍も参戦し、イギリス軍を包囲。これにより、事実上、植民地側の勝利が確定した。

独立時のアメリカ国旗(13星)

またこの勝利の背景には、1780年にロシア皇帝エカチェリーナ2世によって提唱された武装中立同盟も大きく関わっている。これまで植民地側を支援してきたフランス、スペイン、オランダに次いで、ロシアやプロイセンが中立の立場を表明。中立の立場をとることで、イギリス軍に味方しないということになると同時に実質的にイギリスは海上封鎖されることになり、武装中立同盟によって、間接的に独立を目指すアメリカを支援したのだ。

そしてようやくパリで和平交渉を行なうことが決まり、1783年**9月3日**アメリカとイギリスでパリ条約が結ばれる。これにより、イギリスからの政治的独立が承認され、アメリカは自由を手に入れたのだ。さらにアメリカの領土として、カナダとフロリダを除くミシシッピ川以東の土地も割譲された。

独立してからのアメリカは、強力な中央政府の樹立を望む声が高まったため、1789年にはフィラデルフィアで合衆国憲法を制定。初代大統領には、独立戦争を指揮してきたワシントンが就任した。さらに、立法権・行政権・司法権の3つの権力を分立させた三権分立の原則も定めた。この憲法法案を巡っては、賛成の姿勢をとる連邦派(現・共和党)と、反対の意思を見せる反連邦派(現・民主党)に分かれ、その後の政党対立へと発展する。

一連のアメリカ独立の経緯は、これまで絶対王政だったヨーロッパ諸国にも衝撃を与え、大西洋革命にも影響を与えている。世界が自由と独立を求めていくきっかけになったのだ。

**その他の出来事**

1900年・イギリスがトランスヴァール共和国併合を宣言　1939年・イギリス・フランスがドイツに宣戦布告

9月/4日
【626年】

# 李世民が太宗となる 貞観の治で唐は全盛期へ

No.247

唐太宗（李世民）

隋が滅亡すると、李淵によって都が引き継がれ、618年から唐の時代が始まる。隋の政治方針を引き継ぎながら、律令の施行や税制度を整えて繁栄した時代だ。唐朝が立ち上げられた頃は、都である長安（現在の西安付近）周辺のみの支配だったが、李淵の息子である李世民が最大の敵である洛陽に勝利し、領土を広げる足がかりをつくった。

626年には、対立関係にあった兄で皇太子の李建成と弟の李元吉を殺害した（玄武門の変）。同年**9月4日**に李世民は父からの譲位を受け、唐朝の第2代皇帝に即位する（太宗）。翌年から元号を貞観と改め本格的な治世を開始した。

即位後すぐに東突厥の100万の兵に迫られるが耐えきり、630年には弱体化していた東突厥へ逆に攻め込み、滅ぼしている。さらに640年には西域の高昌国を滅ぼし、この地を西域交易の重要拠点とした。太宗は、こうした戦での強さだけでなく、政治や文化においても優れた才能を発揮し、数多くの名相、良将らとともに政治の理想を追求したことが評価されている。

とくに太宗の功績として重要なのが、律令国家体制を築いたことだ。この体制をのちに日本や朝鮮もお手本としている。また、賦役や刑罰を軽減して人々に安心した暮らしを与え、行政面でも三省六部制を定めて中央・地方の官僚たちの役割を階層化、効率的な政治運用ができるように整えた。加えて細やかな税制の整備や積極的な外交を行なったことで、唐朝は全盛期を迎える。太宗治世の時代は「貞観の治」と称され、善政のお手本として扱われた。

また数多くの歴史書を編纂させ、みずからも筆をとるなど積極的に文化の発展に貢献。玄奘がインドからもち帰ったとされる仏典も漢訳させている。

優れた政治力を発揮し、中国史上でも屈指の明君と称えられている太宗。クーデタにより即位することになったが、即位後の彼の活躍は現代にも語り継がれるほどの功績を残した。彼の生み出したシステムや文化は周辺国にも伝わり、日本をはじめ多くの国が国家整備の見本とした。唐の時代の文化の発展や、300年という長い月日を統治できたのも、太宗の善政があったからこそだろう。

**その他の出来事**

1951年・サンフランシスコ講和会議　1821年・伊能忠敬が大日本沿海輿地全図を完成

9月/5日
【1905年】

# 日露戦争の講和条約 ポーツマス条約が調印

No.248

1904年、朝鮮支配を巡る対立から、日本軍がロシアへ奇襲攻撃をしかけ、日露戦争が始まる。圧倒的な武力と戦力を備えたロシアに対して、日本は苦戦するだろうと誰もが予想していた。しかし、ロシア太平洋艦隊を壊滅させ、旅順(りょじゅん)攻略に成功、奉天(ほうてん)会戦に勝利するなど日本が一歩リードするような状況だった。ただし日本はその勝利のために多くの戦死者を出し、軍資金や物資の不足に苦しめられた。そのため以降の戦況は膠着(こうちゃく)していった。

ポーツマス会議の様子

一方ロシア国内では、予想に反して苦戦を強いられている日露戦争に反対するデモが発生。1905年1月には2000人以上の死者を出した「血の日曜日」が起こり、ロシア全土にストライキが拡大した。これをきっかけに第１次ロシア革命へと進展していく。国内外での情勢が危ぶまれ、ロシアも戦争の続行が困難になってきたのだ。

そこで、アメリカのセオドア＝ローズヴェルト大統領が仲介役となり、両国に停戦をもちかける。アメリカのポーツマスにて講和交渉が行なわれ、日本からは外相の小村寿太郎、ロシアからは元蔵相のウィッテが参加し、1905年**9月5日**（日本時間）ポーツマス条約が調印された。これにより日本はロシアから樺太の南半分を譲り受け、沿海州の漁業権、韓国における政治・経済・軍事上の優位的地位、遼東半島南部（旅順・大連）の租借権と南満洲鉄道の利権を獲得する。

またこの戦争での日本の勝利は、インドをはじめヨーロッパ諸国の支配を受けていたアジア諸国へ独立心を強める結果となり、のちの民族運動、革命運動へつながっていく。アジア諸国の近代化を促した戦争だったといえる。

しかし日本は、ロシアからの賠償金を獲得することはできなかった。多くの戦死者を出し、すでに国力も限界を迎えていた日本において、この条約内容は国民に不満を抱かせた。8月末には講和条約の内容が報道されていたため、9月5日には調印に反対する民衆のデモ隊が日比谷公園に集結。その数は数万人といわれる。そして集まった民衆と警察官が衝突し、交番や教会、新聞社や官邸などを次々と焼き討ちしていく。この日比谷焼き討ち事件は翌日まで続き、東京では戒厳令が敷かれ軍隊まで出動する事態となった。

**その他の出来事**

1774年・第１回大陸会議　　1914年・マルヌの会戦

# 9月/6日【1522年】

# マゼラン船団が世界一周に成功

No.249

15世紀に始まった大航海時代には、コロンブスやヴァスコ＝ダ＝ガマらが次々と新しい航路を開き、ヨーロッパ人による航海と探検が進められた。香辛料貿易でポルトガルに遅れをとっていたスペインも、新たな航路を築くことを狙っていた。そんなとき、ポルトガルから逃れたポルトガル人貴族マゼランが、スペイン王のカルロス1世に「香辛料の産地であるモルッカ諸島を西回りで目指すルート」があると提案する。これに援助をする形となったスペインは、1519年マゼランを船長に5隻の船と280名のスペイン人船員を与え、大航海へと向かわせた。

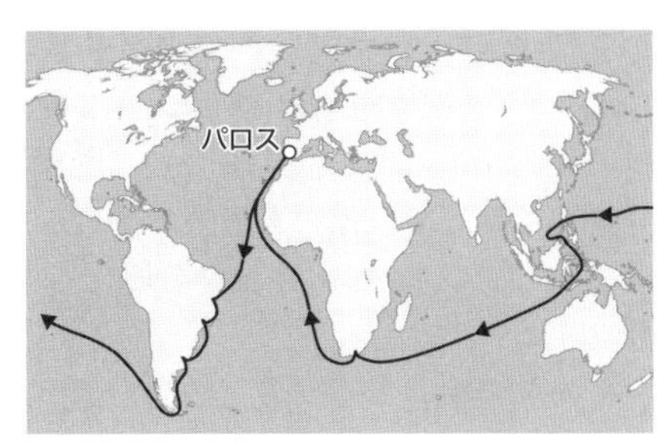

マゼラン船団の航海ルート

スペインのセビリアを出港すると、南西へと進み、南米大陸の東岸にそって南下していく。1520年には、サン＝フリアン湾に到着するが、厳しい寒さのためここで冬を越えることとなる。しかし、このとき船内ではマゼランに対する船員たちの不満が爆発。反乱へと発展するが、なんとかこれを抑え、10月には太平洋へとつながるマゼラン海峡を奇跡的に発見。そこから100日ほど穏やかな海と呼ばれた太平洋を渡り、現在のフィリピン近くに上陸した。

フィリピン周辺には多くのイスラーム系先住民が暮らしていた。立ち寄ったセブ島で、多くの島民をキリスト教へ改宗させることに成功したことから、マゼランたちはさらなるキリスト教の布教を試みる。しかしモルッカ諸島を目前にマゼランは殺されてしまう。

船長であるマゼランが亡くなり、反乱や太平洋横断中にも多くの犠牲者が出てしまったマゼラン船団。最初5隻だった船は、2隻になっていた。フィリピンを出港し、1521年11月ようやくモルッカ諸島へと到達する。そこで国王へ贈り物を行ない、大量の香辛料を手に入れた船団はスペインへ向かう。

そして、出発から約3年たった1522年**9月6日**、幽霊船のような船がセビリア港に戻ってきた。出港当時280人いた乗組員は、このときにはたったの18人になっていた。多くの犠牲と長い年月を要する航海だった。マゼランは当初、モルッカ諸島で香辛料を調達したのち、もと来たルートを戻ることを考えていたという。しかし、代わりに指揮をとったエルカーノが、そのまま西へ進むことを選択。結果として史上初の世界周航という大偉業を達成し、「地球が丸い」ということも証明した。

**その他の出来事**

1899年・アメリカのヘイ国務長官が中国の門戸開放覚書を通告　1905年・桂内閣が厳戒令を公布

9月/7日
【1901年】

# 義和団事件終結へ 北京議定書が調印

No.250

北京議定書調印時の様子　©アフロ

19世紀後半、中国国内でのキリスト教宣教師による布教活動が活性化する。社会的弱者は宣教師の保護を求めて入信する一方、既存の秩序維持をはかる地域の官僚たちと宣教師との対立は深まっていった。反キリスト教を掲げる仇教(きゅうきょう)運動が頻発する。

そんななか、ドイツ人宣教師の進出が強まってきた山東省において、伝統的な民間信仰を背景に武術を習得することで自衛をはかる武術組織が出現。各地で活動していた武術組織が統合され、「義和団」を結成する。彼らは、排外運動の中心団体へと成長していくことになる。

彼らは「扶清滅洋(ふしんめつよう)（清をたすけて、外国を滅ぼす）」をスローガンに、キリスト教会の破壊や信者の殺害を繰り返した。さらには、西欧文明を排斥するという名目で、鉄道や電信までも破壊。1900年には、20万人の義和団が北京および天津へと進出し、日本領事館員やドイツ公使を殺害。清国の西太后も一時は鎮圧へと踏み出すが、反乱軍が「扶清滅洋」を主唱していると知るや、列強諸国に対して宣戦布告するという方向転換に出る。これが義和団事件だ。

この動きに対してイギリス、アメリカ、日本などの8カ国は、中国へ共同で軍隊を送り込んだ（八カ国共同出兵）。このとき、イギリスは南アフリア戦争、アメリカはフィリピン独立戦争に直面していたため、日本軍とロシア軍が主力になった。連合軍は早々に天津を占領し、たった2カ月で義和団を鎮圧、北京を占領した。この際、ロシアがドサクサに紛れて満洲を不法占拠したことが、のちの日露戦争へとつながっていく。

そして1901年**9月7日**、出兵した8カ国に加えて、ベルギー、オランダ、スペインを合わせた11カ国と清朝の間で講和に関する最終議定書「北京議定書」が調印される。ここには、39年間かけて4億5000万両という高額な賠償金を支払うこと、謝罪し関係者を処刑すること、防衛のために列強の軍隊駐留権を承認することが定められていた。これにより中国は半植民地化されてしまったのだ。

清を助けるために立ち上がった義和団だったが、結果として植民地化の脅威から中国を守るために中央集権化が急がれ、辛亥革命につながっていく。結果として清朝の滅亡、ひいては2000年以上続いた皇帝政治の終幕を引き起こすのだ。

**その他の出来事**

1822年・ブラジルが独立を宣言　　1858年・安政の大獄が始まる

# 9月/8日【1951年】 48カ国との間でサンフランシスコ平和条約調印

No.251

第二次世界大戦の敗戦による日本の占領状態を解消するため、日本と48カ国との間で1951年**9月8日**サンフランシスコ平和条約が調印された。それにさきがけ、アメリカ・サンフランシスコにあるオペラハウスでは、9月4日より第二次世界大戦の連合国による対日講和会議が開かれていた。日本の代表として、当時首相だった吉田茂が参加し、日本以外に51カ国が参加した。しかし旧ソ連、ポーランド、チェコスロバキアの共産圏3カ国は会議に参加するも条約内容に反対し、署名を拒否。さらに中国やインドなど会議に招待されていない国もあったため、これらの国との平和条約締結は先送りとなった。

サンフランシスコ平和条約に調印する吉田茂

この講和会議では、戦後の領土問題や日本への賠償請求について議論された。また条約のなかには朝鮮の独立承認と、台湾・千島列島・南樺太などの権利放棄、さらに琉球・小笠原諸島をアメリカの信託統治地域にすることが明記された。翌年4月には、この条約が発効され、日本は正式に独立を果たす。

なぜ日本は、GHQに統治されていた状態から、比較的早期に独立を回復することができたのだろう。その背景には、1950年から始まった朝鮮戦争がある。第二次世界大戦以降、冷戦によってアメリカなど西側諸国と、ソ連をはじめとする東側諸国の対立が深まっていた。この頃、朝鮮戦争では社会主義陣営の北朝鮮が優位に立っていたこともあり、アジア全域が社会主義化することをアメリカが恐れたのだ。そこで資本主義国の砦として日本を少しでもはやく独立させようとした。

このサンフランシスコ条約の調印と同日、日米安全保障条約も締結された。これによりアメリカは日本への駐留権を得て、在日米軍基地を引き続き使用することとなる。アメリカはのちに日本に兵力増強を求めたが、吉田内閣はあくまで憲法改正、再軍備を避け、自衛隊の設立など「防衛戦力」の増強にとどめた。軍事に割く予算を避け、経済復興を優先した結果だった。

独立を果たした日本は、朝鮮戦争の特需を得られたことなどもあり、奇跡的な経済復興を実現する。1964年の東京オリンピック開催を契機に高度経済成長を迎えるのだった。サンフランシスコ平和条約を機に日本は名実ともに国際社会に復帰したが、一方で米ソ冷戦に否応なく巻き込まれていくことになった。

**その他の出来事**

1760年・モントリオール開城(フレンチ=インディアン戦争)　1943年・イタリアが無条件降伏

# 9月/9日【1303年】 アナーニ事件が発生 教皇権衰退の始まり

No.252

キリスト教会が国家と並ぶ、あるいは上回るほどの影響力をもった中世ヨーロッパ。キリスト教会のトップに君臨したローマ教皇は絶対的な権力をもっていた。各国の君主は、たびたびその権力に挑戦してきたが、教皇の権力を脅かすには至らなかった。とくに争点となったのが、司教や修道院長を任命する権利（叙任権）の所在だったため、この一連の対立は叙任権闘争と呼ばれる。

ボニファティウス8世像

1294年、第193代ローマ教皇の座に就いたのがボニファティウス8世だ。1300年を聖年と定め、盛大な聖年祭を挙行するなど、ローマの繁栄にも貢献した。

この頃、フランス国王となったのがフィリップ4世。彼は戦費を調達するため、聖職者にも課税しようとした。これに対し、ボニファティウス8世は課税を禁じ、さらに教皇令『ウナム＝サンクタム』を出して、すべての人間が教皇に服従すべきだと主張を始めた。フィリップ4世もローマ教皇庁への献金を停止し対抗。またフランスの身分制議会である三部会を招集すると、フランスの国益を訴え、世論を味方につけた。お互いにゆずる気配はなく、両者の主張は平行線をたどる。

対立が激しくなっていた1303年**9月9日**、フィリップ4世は自分の生まれ故郷であるアナーニに滞在中のボニファティウス8世を襲撃。軟禁し、退位を迫った。3日後これを聞きつけた市民によってボニファティウス8世は解放される。ふたたび両者の主張が始まるかと思っていたが、1カ月後の10月11日、ボニファティウス8世が急死してしまうのだった。死因については、高齢だったこともあり持病が悪化したと考えられているが、アナーニでの屈辱がショックで憤激していたことから、「憤死した」とも伝えられている。

この対立は結果としてフィリップ4世が勝利したため、ローマ教皇庁への圧力はますます強まった。フィリップ4世はなんと教皇庁をフランスのアヴィニョンへと移転。そこから70年にわたって、教皇権はフランス王の権力下に置かれ、教皇もアヴィニョンに遷(うつ)された。教皇がローマから遠く離れた場所に定着する事態を、イタリアの詩人たちは旧約聖書の挿話『バビロン捕囚』になぞらえ、『教皇のバビロン捕囚』だと伝えた。この一連の事件により、教皇権力の衰退が明らかになり、王権の優位が確立されてしまったのだ。

**その他の出来事**

686年・天武天皇崩御　　1948年・朝鮮民主主義人民共和国が成立

# 9月/10日 【1917年】

# 「護法」をスローガンに 孫文が広東軍政府を樹立

No.253

広東軍司令部跡

革命の父とも称される中国の孫文は、清朝打倒を訴え、1912年には中華民国の建国を宣言、南京に臨時政府を開いた。清朝側は、北洋軍という軍事組織の中心人物だった袁世凱(えんせいがい)を登用し、事態の鎮圧に当たらせた。この革命は最終的に、清朝の実権を握った袁世凱が大総統となり、清朝皇帝である溥儀(ふぎ)を退任させることで両者妥協。2000年以上続いた中国の皇帝制度は終焉を迎えたのだった。

1912年2月に大総統となった袁世凱は、北京に政府を置いた。南京に政府を置くことを条件に大総統の位をゆずり受けていたのだが、それを無視した形だ。続いて3月に、暫定的な基本法である中華民国臨時約法が公布される。袁世凱の名で公布されはしたが、辛亥革命中に臨時の議会で起草されたもので、袁世凱の権力を拘束するようなものだった。

革命派の国民党が議会選挙で躍進すると、袁世凱は弾圧を加えた。このときに孫文は日本へと逃れ、国民党も解散させられている。袁世凱は13年に正式な大総統となると、大総統の権限を強化して中央集権体制の確立に努め、一時帝政への移行も試みるが、列強などの反発もあり失敗。16年に急死した。

日本に逃れていた孫文だったが、袁世凱に代わり北京軍を指揮していた段祺瑞(だんきずい)が、軍閥勢力を強めて外国との結び付きを深めようとしていることを知り、これを打倒するために1917年7月広州へと戻った。そして**9月10日**、広東軍政府をまとめ、広東軍政府（中華民国広東軍政府）を樹立。大元帥となる。

これにより、北京政府と広東軍政府との対立関係が明らかとなり、ここから広東軍政府による「護法運動」が始まる。袁世凱が国民党を解散させた際、臨時約法も廃止させたのだが、中国で民主主義政治を実現させるためにはこの約法を守る必要がある、というスローガンのもと始まった争いだ。

広東軍は奮闘を続けていたが、広東軍政府内部に軍閥に加わっている者が出てくるなど小さな対立も相次ぐ。最終的に孫文は大元帥を辞職。護法運動は失敗に終わる。ただ、孫文の反帝国主義・反封建主義への思いは、蒋介石へと受け継がれ、中国統一への足がかりとなった。

**その他の出来事**

1919年・サンジェルマン講和条約　　1955年・日本が関税および貿易に関する一般協定に加盟

**9月/11日**
【2001年】

# アメリカ同時多発テロが発生 泥沼の対テロ戦争が始まる

No.254

アメリカ時間2001年**9月11日**午前8時46分、乗客を乗せたままの旅客機がニューヨークの世界貿易センター・ノースタワーに衝突する。9時3分には隣のサウスタワーへもう1つの旅客機が衝突。2つのビルには炎が上がり、通勤時間だったニューヨーク市内は混乱の渦に巻き込まれた。さらに9時38分には、アメリカ国防総省（ペンタゴン）に旅客機が激突。そして、10時3分、国会議事堂を狙っていたと思われる機体がシャンクスヴィルに墜落。史上最悪のテロ事件として世界中へ報道された。

黒煙の上がる貿易センタービル

アメリカ政府は、このテロ事件の主犯を国際テロ組織「アル＝カーイダ」と認定し、その首謀者はウサマ＝ビン＝ラーディンだと断定した。皮肉にも、アル＝カーイダは、もともとアフガニスタンへのソ連侵攻時、アメリカが後援し抵抗運動を繰り広げた集団だった。当時のアメリカ大統領のジョージ＝W＝ブッシュは「対テロ戦争」を開始する。10月には、ビン＝ラーディンの引き渡しを拒否したアフガニスタンのターリバーン政権を攻撃。2カ月でターリバーン政権は崩壊したが、ビン＝ラーディンの捕縛はかなわず、戦いは泥沼化していく。2003年には「イラクが大量破壊兵器を抱えている」との理由でイラクへと戦場を広げていく。アメリカ軍は、イラクのフセイン政権を攻撃し、日本も2003年12月自衛隊をイラクへと派遣した。世界中でテロへの緊張感が高まるなか、2010年、イラクに駐留していたアメリカ軍は撤退を決めたが、一方でアフガニスタンには3万人の増派を実施。対テロ戦争は延長され、終わりの見えない戦闘は続いた。

そして2011年5月、アメリカ軍の作戦によりビン＝ラーディンの殺害が明らかになり、ここで歴史的な区切りは迎えられた。しかし、これらの戦いにより現地の統治機能が衰えたこともあり、アフガニスタンやイラクではアル＝カーイダやタリバンの流れをくむ新たなテロ組織が複数誕生することになった。イスラーム国の過激派組織ISILらが代表的なところだ。対テロ戦争の本当の終わりは見えず、アメリカにも厭戦の気運が見える。ドナルド＝トランプ大統領の時代には明確に海外の争いへの介入を避けた。同時多発テロから20年という節目を迎える2021年、アメリカ大統領のジョー＝バイデンがアフガニスタンにいる駐留米軍の完全撤退を表明している。

**その他の出来事**

1971年・フルシチョフが死去　　1973年・チリでクーデタ

# 9月/12日 【1571年】

# 比叡山延暦寺を焼き討ち 寺社勢力の権力低下

No.255

比叡山

戦国時代、全国統一を目指していた尾張（愛知県西部）の織田信長。1570年に越前（福井県）を治めていた朝倉義景を討伐すべく攻め込んだ際、同盟国で妹婿である北近江（滋賀県）を治めていた浅井長政の裏切りにあい、撤退を余儀なくされる。命からがら京都へと逃げ延びた信長だったが、このままでは終わらない。続く姉川の戦いでは、徳川家康と共に連合軍を組み、浅井長政と朝倉義景の連合軍に勝利した。戦いの後、追い詰められた浅井・朝倉軍は比叡山延暦寺（滋賀県大津市）へと逃げ込んだのだった。

この頃、延暦寺と信長は対立関係にあった。1569年に寺社の力を削ぐためと、信長が寺領を横領していたのだ。当時の寺社勢力は非常に強く、延暦寺はたくさんの僧兵を抱え、軍事・行政・経済すべてにおいて権力を握っていた。浅井・朝倉軍が逃げ込んでいると知った信長は、対立していた相手に対し「織田側に味方するのであれば、横領した土地は返還する」と朱印状まで手渡す。しかし「浅井氏や朝倉氏に加担した場合は容赦なく焼き払う」と伝え、延暦寺の判断を仰いだ。

しかしいつまでたっても延暦寺の反応は返ってこなかった。そして1571年**9月12日**、信長は3万の兵を率いて、勧告どおり延暦寺の焼き討ちを始めた。「そうは言っても実行はしないだろう」と考えていた延暦寺は、織田軍の進軍を目の当たりにし、なんとか攻撃を止めるよう嘆願したが、信長はこれを拒否。織田軍は、延暦寺だけでなくその周辺にも火を放ち、すべてを焼き払った。さらに僧侶、学僧、子どもは見つけしだい首をはね、3000人以上の死者を出したとも伝えられている。この焼き討ちの様子は、『信長公記』にも「哀れにも数千の死体がごろごろところがり、目も当てられぬ有様だった」と書かれてあり、日本史上にも残る凄惨な戦い、信長の残虐さを代表する事件として今日まで語り継がれている。この後の信長は、浅井長政と朝倉義景を討ち、1573年には室町幕府を滅ぼした。

この比叡山の焼き討ちは、確かに寺社勢力の権力を削ぐことにつながった。その後、豊臣政権下の太閤検地などによって寺社の財源となっていた寺社領は徐々に武家勢力の統治下に置かれていき、経済力も奪われていく。武家と宗教勢力という権力の分散は、こうして解消されていくことになった。

**その他の出来事**

1919年・フィウメ共和国樹立　　1940年・フランスでラスコー洞窟画見つかる

# 9月/13日【1971年】 毛沢東暗殺を企てた林彪が謎の墜落死

No.256

毛沢東と林彪

©picture alliance/アフロ

中華人民共和国を立ち上げた毛沢東を、支え続けてきた林彪(りんぴょう)は、軍事的天才と呼ばれていた。毛沢東の軍師として活躍し、1964年には軍人向けに『毛沢東語録』を発刊。その翌年には林彪みずからが序文を記載した改訂版を一般向けにも販売する。これらの発行部数は7億冊以上といわれており、1966年から始まった中国での文化大革命においても重要な一冊となっている。林彪は、国内での毛沢東思想を絶対化させ、優秀な軍師として人民解放軍を率いてきた。1969年に行なわれた第9回目となる全国党大会でも「毛沢東の後継者」として指名されるほどで、ナンバー2として毛沢東からの信頼も厚かった。

しかし1970年、国家主席の地位を巡り、2人は対立してしまう。林彪が「国家主席のポストを狙っている」と考えた毛沢東は、あえてそのポストの廃止を提案したのだ。これをきっかけに、林彪はいつしか仲間らとともに、毛沢東暗殺を企てるようになっていった。そしてその計画は、実行へと移される。上海を訪問中だった毛沢東を狙い、移動に使う専用列車を爆破しようとしたのだ。だが、この暗殺計画がなぜか漏れていたため、毛沢東らは乗車ルートを急遽変更。爆破することができず、計画は失敗に終わってしまう。

この状況を危機と感じた林彪は逃亡を企て、結果、命を失うことになる。1971年9月13日未明、林彪らを乗せてソ連へと向かっていた飛行機がモンゴル付近で墜落。これにより乗っていた全員が墜落死してしまった。逃亡の報告を受けた毛沢東は「天要下雨、娘要嫁人（雨は降るもの、娘は嫁にいくもの）」という中国語のことわざを呟いたともいわれている。またこの事件は、正式な報道がほぼ皆無で、中国内では国営通信社が10カ月後に事件の概要を短く報道するにとどまった。

そもそもなぜ毛沢東は暗殺計画を知ることができたのか、林彪はなぜソ連に向かったのか、墜落の理由はエンジンの故障なのか攻撃されたのか、事件の詳細は闇のなかだ。1973年に行なわれた第10回目の全国党大会では、「林彪は**9月13日**、飛行機に乗って、ソ連に身を投じ、党を裏切り、国に背き、モンゴルのウンデルハンで墜死した」と周恩来が語った記録が残されている。しかしこの言葉のどこまでが事実なのか、その真実は明らかではない。

**その他の出来事**

1587年・聚楽第完成　1942年・スターリングラード攻防戦始まる

# 9月/14日 【786年】
# ハールーン=アッラシード カリフに就任

No.257

786年**9月14日**、イスラーム帝国アッバース朝の第5代カリフにハールーン＝アッラシードが選ばれた。兄であるハーディーが即位からわずか1年で急死したためだ。カリフとは、632年にイスラーム教の創始者であるムハンマドが病死した後から使われるようになった称号で、ムハンマドの代理人といったような意味だ。アッラーの啓示を受けられるのはムハンマドだけであるため、代理人であるカリフは宗教的な決定権はもっておらず、政治的な指導者だとされる。またアッバース朝は、ウマイヤ朝のアラブ至上主義に対してクーデタを起こしたことで成立した王朝だったため、税制改革によってアラブ人と非アラブ人の平等化も図られていた。

『千一夜物語』に登場する<br>ハールーン＝アッラシード

そんなアッバース朝の全盛期を統治したのが、ハールーン＝アッラシードだ。彼は、文芸や芸術を好み宮廷には多くの学者や文化人を集めていた。バグダードに「知恵の宝庫」という現代における図書館のような施設を建設し、アレクサンドリアに伝えられていたギリシア語の文献をアラビア語に翻訳するなど、学術を奨励していく。こうした活動の結果なのか、ハールーン＝アッラシードは、9～10世紀頃にまとめられた『千一夜物語（アラビアンナイト）』にも、毎晩のようにバグダードに繰り出す君主役として登場している。

即位してからすぐ、3度（797年、803年、806年）にわたってビザンティン（東ローマ）帝国に親征しているがすべて勝利を収めている。このとき、バグダードの人口は100万にも達していた。外交も積極的に進めており、フランク王国のカール大帝との交流もヨーロッパ側の史料に記録されている。カール大帝がアッバース朝へ使節を送り、贈り物を交換したそうだ。この2カ国は、ビザンティン帝国や後ウマイヤ朝という共通の敵をもっていたことから、友好関係が築かれたとも考えられている。

しかし、華やかな文化を築いたハールーン＝アッラシードが亡くなると帝国内のエジプトやイランで独立王朝が建てられるようになり、分裂傾向が強まる。カリフの実質権威は次第に縮小してしまうのだった。

**その他の出来事**

1829年・アドリアノープル条約成立　　1960年・OPEC結成

# 9月/15日 関ヶ原の戦いが勃発 徳川家が天下を握る

【1600年】

No.258

小早川秀秋

1600年**9月15日**午前8時、美濃国（岐阜県）で、「関ヶ原の戦い」の火ぶたが切って落とされた。豊臣秀吉の死後、誰が政治の実権を握るのか……。江戸を本拠地とし権力を拡大してきた徳川家康率いる東軍と、秀吉の遺志を継ぐ石田三成を中心とした西軍が激突した。

東軍の兵が10万4000人、西軍は8万5000人。総勢19万人ほどの兵が参戦する大規模な戦いだった。全国の大名が真っ二つに割れた天下分け目の戦いは、家康率いる東軍が勝利する。しかもたったの6時間で決着してしまったのだ。その背景にはいったい何があったのだろうか。

家康はこの戦いが始まる前に150通以上の手紙を西軍側の大名たちへ送っていたといわれている。そこには、「自分に味方すれば、領地を与える」という内容が記されていた。この家康からの手紙をきっかけに東軍へ寝返る予定となったのが、秀吉の養子で当時18歳だった小早川秀秋（こばやかわひであき）。さらに西軍の総大将・毛利家の家臣だった吉川広家（きっかわひろいえ）も、毛利家存続のために参戦を拒否することになる。

合戦が始まると、戦況は西軍が優位に進んでいった。しかし、8000人（1.5万人という説もある）もの兵とともに松尾山に陣取っていた小早川が、予定どおり東軍へと寝返り、西軍の要であった大谷吉継（おおたによしつぐ）の部隊に襲いかかり、壊滅させたのだ。

さらに東軍の背後、南宮山に布陣していた毛利軍の吉川広家も、西軍からの出陣の催促を何度もはぐらかす。結局、戦いが終わるまで傍観を続けたため、後ろに控えていた軍も出陣しないままに合戦は終了。東軍へ攻撃をすることはなかった。一説によれば、東軍の黒田長政（くろだながまさ）を通じて西軍の総大将である毛利輝元の身の安全と、毛利家の領土を引き換えに参戦しなかったともいわれている。

戦いに負けた三成は、京都で処刑される。しかし西軍の総大将だった輝元は戦いに負けたにもかかわらず領土である周坊・長門（山口県）の国は守られ、命も奪われることはなかったという。吉川の傍観が命を助けたのだ。

この戦いに勝利した家康は、豊臣秀吉の息子である豊臣秀頼を一大名の地位に落とし、天下の実権を手にする。そして1603年、征夷大将軍に命じられ江戸に幕府を開く。戦乱の世はこの関ヶ原の戦いによって終幕し、家康により開かれた江戸時代は260年ほど続いた。

**その他の出来事**

1935年・ニュルンベルク法公布　　1938年・ヒトラー、ズデーテン地方の割譲を要求

# 9月/16日 【1620年】 ピルグリム=ファーザーズがアメリカに到着

No.259

メイフラワー号の記念切手

1620年**9月16日**、信仰の自由を求めたイギリスのピルグリム＝ファーザーズは、プリマス港からメイフラワー号で新大陸を目指した。16世紀頃からイギリスでは、教会の改革を求める清教徒（ピューリタン）が勢力をもつようになっていたが、イギリス国王ジェームズ1世がこれらを弾圧。清教徒たちは追い込まれ、しだいに信仰の自由は奪われていった。そこで、清教徒41人を含めた100名ほどがメイフラワー号に乗り、本国からの脱出を計画。すでにイギリスの植民地だったアメリカのヴァージニアを目指した。

しかし出航してからも困難は続く。嵐の多い季節だったため、乗組員たちは疲弊し、病気にかかる者も出てきた。また到着予定だったヴァージニアからのルートも外れ、予定よりもはるか北への上陸に変更された。彼らは船中で「メイフラワー誓約」を結び、アメリカにたどり着いたら政治的・宗教的にも自立した社会を目指すことを誓った。そして出航から65日ほどでメイフラワー号はなんとかケープコッドへと上陸を果たし、そこで生活を始めた。

しかし、ここでの暮らしは想像以上に過酷だった。到着した時期の厳しい寒さと、春を迎えてもうまく食物を栽培できなかったことによる食糧不足で、最初の1年で乗員の約半数以上が餓死してしまう。この地の先住民だったワンパノアグ族のなかには、英語を話せるスクアントもいたため、彼らとは平和条約を結んだうえで、トウモロコシの育て方や、魚の釣り方、森での狩猟などを教えてもらい、なんとか生き延びていくことができた。

こうしてなんとか生き抜くことができたピルグリム＝ファーザーズはたくさんの食物の収穫を祝うとともに、ワンパノアグ族を招き感謝を伝える祝宴を行なった。これがアメリカで現在でも行なわれている「感謝祭」の起源となった。彼らの協力なしでは、ピルグリム＝ファーザーズは生き残ることすら難しかっただろう。

彼らが上陸した場所にも植民地が形成されていき、やがてニューイングランド植民地へと発展していく。白人と先住民との対立は激しさを増し、平和条約を結んでいたワンパノアグ族との関係も悪化。ついには、先住民たちの立退きを要求するようになりフィリップ王戦争（インディアン戦争）へとつながってしまうのだった。

**その他の出来事**

1810年・イダルゴがスペインに対し、独立戦争開始　　1982年・パレスチナ難民キャンプで大虐殺

# 9月/17日【1894年】黄海海戦にて日本が制海権を得る

No.260

黄海海戦当時のイラスト ©New Picture Library/アフロ

朝鮮を巡る日本と清国の軍事的抗争をきっかけに、1894年7月、日清戦争が始まった。この戦争にあたり、日本国内では十分な準備を整え、よく訓練された軍隊を用意していたが、清国では国内の改革が立ち遅れ、政治的対立が起こったままの開戦となった。そのため日本軍優位で戦況は進み、9月15日には平壌を占領。一方、平壌周辺の海域である黄海は、清国の北洋艦隊の勢力下にある状態だった。

そんななか日本連合艦隊は、平壌に駐留する部隊増援のための輸送船を援護しながら物資を運び終えると、平壌への増派の兵を輸送した帰りの北洋艦隊を発見。**9月17日**の正午過ぎ、日本連合艦隊の旗艦「松島」が北洋艦隊の巨大軍艦「定遠」へ向けて発砲を開始した。黄海海戦の勃発だった。

巨大軍艦を多く所有していた北洋艦隊の18隻に対し、日本連合艦隊は14隻で挑んだ。これまでの船は風力で動く帆船が主流だったが、この戦いでは蒸気船が使われていた。蒸気船になったことで、これまでにないスピードで戦えるようになり、速射砲を主体とした砲撃戦術が使われるようになった。またこの海戦で北洋艦隊は4隻が沈没し、ほか多数の船も大破・中破している。対する日本の連合艦隊は、4隻が被害を出すだけにとどまり、1隻も失うことはなかった。

合戦は4時間ほど続いた。日本の連合艦隊で先陣をきった松島の船員たちを含め多くの戦死者を出したが、北洋艦隊を沈め勝利。これにより、日本は黄海の制海権を得て、戦況をますます優位にした。この戦いが日清戦争における日本の勝利を決定づけたといってもいいだろう。ちなみにこの戦いで使われた高速移動と速射砲を主体とした戦術は、世界へと有効性が広まっていき、その後の海戦の基本として定着している。

そして日本は約2億円（当時の国家予算で約2年半分）の戦費と10万人の兵力を動員し、8カ月で清国に勝利。日清戦争によって1万7000人ほどの死者が出たが、その7割は戦病死だったと伝えられている。1895年4月には、日清間の講和条約である下関条約が結ばれた。

**その他の出来事**

1787年・アメリカ合衆国憲法草案に各州代表が調印　2002年・日朝首脳会談

# 9月/18日【1814年】今後のヨーロッパの方向性を定めるウィーン会議が幕開け

No.261

1814年**9月18日**、ナポレオン失脚後のヨーロッパのあり方を決定させるべく、オスマン帝国を除くヨーロッパ各国の代表がオーストリアのウィーンに集結した。会議を主導したのは、オーストリアのメッテルニヒ。ナポレオン戦争の教訓をもとに、各国の勢力均衡をどのようにはかっていくかが協議された。

ドイツ連邦の範囲

このなかでフランスのタレーランは、フランス革命前の国際情勢に戻す「正統主義」を提唱する。しかし、領土問題や各国の利害関係が複雑に絡み合い、話し合いは難航した。そんななか、主催国であるオーストリアは、参加国の親睦を深めようと舞踏会や宴会を開催。舞踏会は盛り上がったが、肝心の話し合いは進められず、半年以上かかってようやく最終議定書が制定された。この様子は『会議は踊る、されど進まず』と揶揄(やゆ)された。

最終議定書によって、タレーランが提唱した正統主義が採用され「ウィーン体制」が敷かれる。これにより、フランス、スペイン、ナポリにてブルボン家が王位に復帰し、ローマ教皇領が復活。ポーランドでは、ロシア皇帝を王とするポーランド王国が成立した。神聖ローマ帝国は復活しなかったが、35の君主国と4つの自由市からなるドイツ連邦を構成、スイスは永世中立国となることなどが取り決められた。イギリスは、オランダからセイロン島（現在のスリランカ）とケープ植民地（現在の南アフリカ）を取得し、さらにフランスからマルタ島まで得ることとなり、国際的な植民地網を構築できるようになった。

また各国の代表たちは、ウエストファリア体制があっけなく壊された反省から、「神聖同盟」と「四国同盟」の組織を結成し、正統主義に基づく国際秩序を維持しようとした。「神聖同盟」はロシア皇帝が提唱し、ヨーロッパの君主たち（イギリス、オスマン帝国、ローマ皇帝を除く）とともにキリスト教国が助け合うことを名目とした。「四国同盟」には、イギリス、ロシア、オーストリア、プロイセンが参加し、ヨーロッパの平和維持を名目とし結成。のちにフランスが加わり、五国同盟に改称している。しかし、しだいに市民たちから国民国家の思想が湧き上がり、19世紀前半のヨーロッパは両者がせめぎ合う時代へと入っていくのだった。

**その他の出来事**

1838年・反穀物法同盟が結成される　1931年・満洲事変始まる

# 9月/19日【1898年】 対立から譲歩へ アフリカのファショダ事件

No.262

アフリカでの権益を巡り、ヨーロッパ各国の争いは激しくなっていった。1884年に開かれたベルリン=コンゴ会議では、列強14カ国によるアフリカ植民地支配を協議した。領土を巡ってヨーロッパ諸国での対立が浮き彫りとなり、とくにイギリスとフランスの対立は激しさを増していく。

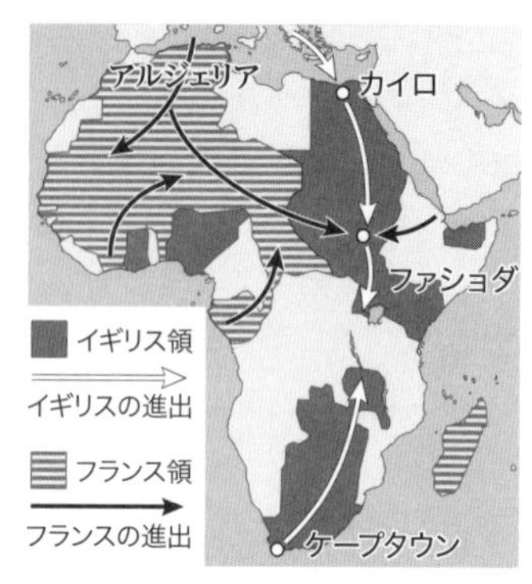

イギリスとフランスのアフリカ進出

ウィーン体制によりオランダからケープタウンを獲得していたイギリスは、アジアと地中海を結ぶ海路であるエジプトのスエズ運河株式会社の株を買収。さらに1882年には「エジプト人のためのエジプト」というスローガンのもとエジプトで起こったイギリス排除運動（ウラービー運動）を武力によって抑え込み、エジプトとケープタウンを結ぶ大陸縦断政策を展開していく。この政策は、インドのカルカッタとカイロ、ケープタウンとを結ぶ3C政策の一環となり、ドイツの3B（ベルリン・ビザンティウム・バグダード）政策と対立した。

一方のフランスは、1830年から植民地としていたアルジェリアを拠点に、東西へと勢力を拡大していく。隣接するチュニジアを1881年に保護国化し、ゴール地点をジブチに定めて、さらにサハラ砂漠地域、紅海、マダガスカル方面へと展開する大陸横断政策を進めていた。

そんなイギリスとフランスは、1898年**9月19日**にスーダン南部のナイル上流地域であるファショダで衝突。両国に緊張が走り、戦争の危機が迫ったが、この件に関してはフランスが譲歩し、イギリスのキッチナーとフランスのマルシャンが握手を交わし、対立が避けられた。翌年には、英仏共同宣言が発せられ、ファショダはイギリス、西スーダンはフランスの勢力下と決まり、それ以上争われることはなかった。この背景には、勢力を拡大していたドイツを警戒し、両国の関係を悪化させたくなかったという意図も垣間見える。

ファショダ事件以前まで対立していたイギリスとフランスだったが、この事件以降、融和へと向かっていく。1904年には英仏協商が結ばれ、イギリスはエジプトにおける優越権を、フランスはモロッコにおける優越権を相互に承認する。これによりアフリカの勢力分野が決定された。また、両国の関係改善の転機ともなり、のちの対ドイツ軍事同盟にも影響する。

**その他の出来事**

1870年・プロイセン軍がパリを包囲　　1955年・アルゼンチンで政変

# 9月/20日 【1875年】 測量のつもりが交戦に！江華島事件

No.263

江華島事件を描いた木版画　©国立国会図書館デジタルアーカイブ

1868年に明治政府が成立し、開国した日本は本格的に外交政策をスタートさせた。1871年には、国情視察と幕末に結ばれた不平等条約改正の打診を行なうため、岩倉具視を中心とした岩倉使節団を欧米へと派遣した。彼らは、約1年10カ月かけてアメリカからロンドン、ローマ、シンガポールなど12カ国を訪問している。

一方、国内では朝鮮との国交問題で対応が問われていた。鎖国を続ける朝鮮は、日本人商人との貿易を停止させるだけでなく、日本の国交要求に対しても何度も拒否を続けていた。これに対し、日本政府内では武力を使ってでも朝鮮を開国させるべきだという「征韓論」が浸透していく。西郷隆盛や板垣退助、江藤新平らもこの方針を進めようとしていた。板垣が即時出兵を提案するも、西郷は対話による交渉が必要だと訴え、1873年8月にまずは派遣交渉から始める方針で内定した。

しかしその内定が出た2カ月後、明治六年の政変が起こる。この政変は、帰国した岩倉使節団が朝鮮派遣に対して強い反対姿勢を示したことに始まる。岩倉らは、欧米諸国に比べ、日本の議会、官庁、学校などが大きく遅れていることを痛感していた。そのため、他国に干渉するよりも、国内の近代化政策を進めることのほうが重要だと考えていたのだ。そして、計画されていた西郷の朝鮮派遣は中止となり、征韓論を唱えていた議員らが怒りとともに一斉に辞職。さらに影響力のあった西郷が辞職したことを受け、官僚や軍人を含む600名が明治政府を辞職してしまった。

その後も韓国問題がまとまることはなかった。なにかきっかけをつかみたかった日本政府は、「測量や航路研究」という名目で朝鮮へと向かった。

そして1875年**9月20日**、首都漢城（現在のソウル）に近い江華島（こうかとう／カンフワド）へ接近すると、朝鮮軍から砲撃されてしまう。これに対し日本は砲台を撃破し、応戦。江華島事件となった。この事件をきっかけとし、日本はさらなる強硬姿勢をとる。朝鮮へと圧力をかけ続け、1876年には日本に優位な条件のもとで日朝修好条規（江華条約）を締結。これにより、数多くの日本人商人が朝鮮へと進出し、日朝間での貿易は盛んに行なわれるようになった。結果的にこれが日韓併合までつながる契機となったのだ。

**その他の出来事**

1792年・ヴァルミーの戦い　　1857年・ムガル皇帝が捕虜となる

# 9月/21日【668年】 唐と新羅の侵攻によって高句麗が滅亡

No.264

古代朝鮮半島に栄えた3国

4～7世紀の朝鮮半島では、北部に高句麗、南部に百済と新羅の3国が並び立っていた。なかでも高句麗は現在の北朝鮮から中国東北部（満洲）に及ぶ版図をもっていたが、6世紀末に中国大陸を統一した隋と、続いて成立した唐は高句麗の征服を図る。半島の南端にあった新羅は唐と同盟を結び、南北から高句麗を脅かした。

高句麗の栄留王は、新羅に対する連敗から慎重な姿勢を取っていたが、642年に強硬派の武将である淵蓋蘇文（ヨンゲソムン）がクーデターを起こす。淵蓋蘇文は、自分に敵対する100人以上もの有力貴族とともに英留王を殺害し、新たに宝蔵王を擁立した。

実権を握った淵蓋蘇文は横暴で、衣服や冠を黄金で飾り、刀を5本も下げ、いつも地面にひれ伏せさせた部下の背中を踏んで馬に乗ったという。だが、軍事的な指導力は高く、644年の唐の侵攻を退けた。

唐と新羅は矛先を変え、朝鮮半島西部から高句麗に攻め込むため、先に百済を狙う方針をとる。百済は660年6月に滅ぼされ、一部の王族は日本と手を結んで再起をはかったものの、663年8月の「白村江の戦い」で唐と新羅の連合軍に大敗した。

一方、高句麗も666年に淵蓋蘇文が死去すると一気に弱体化する。淵蓋蘇文の3人の息子の間で後継者争いが起こり、長男の淵男生（ヨンナムセン）が唐に逃れると、これを支援するという口実で唐が侵攻し、668年**9月21日**に高句麗は滅亡する。

かくして、朝鮮半島の大部分は新羅が統一したが、皮肉にも今度は唐と新羅の対立が浮上する。また、高句麗の生き残りは、698年に新羅の北に渤海（ぼっかい）を建国して唐と敵対し続けたが、モンゴル系の契丹（きったん）に攻められて926年に滅亡した。

日本には滅亡した高句麗から多くの人々が渡来した。先に渡来した百済人との衝突を避けるため関東に住みついた者が多く、埼玉県日高市の西部はかつて「高麗郡」と呼ばれ、同地にある高麗神社は高句麗の王族を祭神としている。

ときは流れ、2002年に中国社会科学院は「高句麗は隋・唐の地方政権であった」という見解を公表する。韓国は猛反発し、高句麗は朝鮮民族の国だとする歴史ドラマが数多く製作された。これは単なる古代史の解釈にとどまらず、現在の北朝鮮に当たる地域を支配する正当性が、中国と韓国のどちらにあるかという問題を反映している。

**その他の出来事**

1792年・フランス国民公会が王政廃止を決議　　1863年・土佐勤王党が捕まる

# 9月/22日【1539年】 インドでシク教の創始者ナーナクが死去

No.265

シク教の総本山である黄金寺院

日本ではかつて、インド人の男性といえば、頭にターバンを巻いているイメージが流布されてきた。しかし、これはインドの人口では約1.7％を占めるシク教徒の制帽で、多数派のヒンドゥー教徒には見られない特徴だ。

シク教は16世紀に導師ナーナクによって創始され、インド西部のパンジャブ地方を中心に広がった。ナーナクはヒンドゥー教とイスラーム教の統合をはかった宗教家カビールの強い影響を受け、独自の教義を築き上げる。その内容は、ヒンドゥー教と仏教に共通する輪廻転生(りんねてんしょう)からの解脱(げだつ)（生の苦悩から解放されること）を目的としつつ、カースト制度と身体を痛めつける苦行を否定し、イスラーム教と同じく偶像崇拝を禁じ、唯一神ハリのみを信仰する。

ナーナクが生きていた時代、インド土着のヒンドゥー教徒の多くはイスラーム教を敵視したが、ヒンドゥー教の伝統的なカースト制度による身分差別に反発を抱く人々は少なくなかった。こうした状況下、カビールやナーナクは、信徒間の平等を説くイスラーム教徒の共同体に触れ、イスラーム教の教義を取り入れたのだ。

シク教の教義は詩歌の形で語り継がれ、1539年**9月22日**にナーナクが死去したのち、聖典『グラント・サーヒブ』にまとめられた。シク教徒の特徴であるターバンは、精神の高貴さを示すもので、男性のシク教徒にはひげを伸ばす習慣がある。

インドの大部分を支配するムガル皇帝の一族はイスラーム教徒で、シク教を異端と見なして攻撃した。18世紀にムガル帝国が衰退すると、パンジャーブ地方ではシク教徒がシク王国を築く。シク王国はインドに進出してきたイギリス人にも強く抵抗し、1845～1849年にはイギリスとの間にシク戦争が勃発。イギリス軍は総力を挙げてシク王国を征服し、イギリス人によるインドの支配がほぼ確立された。

1947年8月にインドは独立を果たすが、ヒンドゥー教徒が政権の主導権を握り、少数派のイスラーム教徒、シク教徒との根深い対立が続いた。1984年には軍がパンジャブ州の黄金寺院に集まっていた反政府的なシク教徒を弾圧し、報復としてシク教徒がインディラ＝ガンディー首相を暗殺する事件も起きている。だが、その後はシク教徒の地位向上も進み、2004～2014年にはマンモハン＝シンがシク教徒で初めて首相を務めた。

**その他の出来事**

前479年・ミュカレ岬の戦い　1862年・奴隷解放予備宣言

# 9月/23日【1122年】 ローマ皇帝と教皇庁がヴォルムス協約を結ぶ

No.266

中世の西ヨーロッパで、カトリック教会は絶大な力をもっていた。ローマ教皇や司教は諸侯や民衆を精神的に指導するばかりでなく、全欧に点在する教会領をも支配し、たびたび世俗の君主とも衝突した。

神聖ローマ帝国の皇帝や各国の王は、自分に都合のよい人物を司教や修道院長にしたかったが、教皇庁は許さなかった。このため、11世紀には聖職者の任命権を巡る「叙任(じょにん)権闘争」が激化する。これを象徴するのが、1077年1月に起こった「カノッサの屈辱」事件だ。教皇グレゴリウス7世と対立した皇帝ハインリヒ4世は破門され、雪のなかで教皇に許しを乞う羽目になった。

13世紀の神聖ローマ帝国と教皇領

1096年にはイスラーム教圏に対する十字軍戦争が始まり、教会の力はますます増大する。教会領の領主たちは、皇帝による人事介入を嫌う傾向を強めた。

皇帝ハインリヒ5世はやむなく譲歩し、1122年**9月23日**、教皇カリクストゥス2世との間に「ヴォルムス協約」を結ぶ。叙任権は皇帝と教皇によって二分され、皇帝は教会領の領主としての任命（叙任）のみを行ない、聖職者としての任命（叙品(じょほん)）は教皇が行なうことになった。また、ドイツ内では皇帝の叙任を優先するが、ブルグンド（フランス）とイタリアでは教皇による叙品が優先された。皇帝の叙任と教皇の叙品がそろわなければ完全な叙任とはならず、教皇優位の内容といえる。

ヴォルムス協約の締結から、1215年に開催された第4回ラテラノ公会議の時期には、世俗の君主に対する教皇の権力は頂点に達し、教会に敵対する者は容赦なく破門された。だが、各国の君主や封建領主もしだいに力を付けていった。

10世紀にオットー1世が教皇からローマ皇帝に戴冠(たいかん)されて以来、国名は単に「ローマ帝国」と名乗っていたが、皇帝の位は教皇ではなく神の恩寵(おんちょう)と諸侯の選挙によって決定されるという主張から、13世紀以降は「神聖ローマ帝国」と称するようになる。フランス国王も教皇と対立し、1309～1377年には「教皇のバビロン補囚」と呼ばれる事件が起こっている。各国の君主と教皇の対立は中世末期まで続き、数々の戦争を招く。しかし、15～16世紀に起こった宗教改革が、カトリック教会の権威を解体することになった。

**その他の出来事**

1760年・葛飾北斎が生まれる　　1862年・ビスマルクがプロイセンの首相に

# 9月/24日【1877年】西南戦争に敗れた西郷隆盛が自刃

No.267

西郷隆盛として制作された版画

明治維新を主導したの西郷隆盛は、政府との西南戦争に敗れ、1877年**9月24日**に鹿児島の城山で自決したと伝えられる。ただし、政府軍が手に入れた遺骸は胴体のみで、死後に首が埋められた具体的な場所は判明していない。なお、正確な肖像写真も残っていない。西郷は1827年に鹿児島城下で生まれた。1868年（明治元年）の年齢は42歳だった。

薩摩藩（鹿児島県）の武士のなかで西郷は下級の身分だったが、開明的な藩主の島津斉彬(なりあきら)に抜擢されて頭角を現す。1858年に斉彬が急死すると一時的に不遇の時期を送るが、1864年に本格的に藩政に復帰した。西郷は長州藩（山口県）と連携して討幕を進め、江戸の無血開城を果たし、戊辰戦争に勝利すると一度は引退して郷里に戻る。

その後、明治天皇や大久保の呼びかけを受けて西郷は政府の参議に就任し、大久保や岩倉具視(ともみ)が欧米視察に向かうと、留守政府の実質的な首班を務めた。だが、帰国後の大久保らに対して、朝鮮を半ば強制的に開国させようとはかる「征韓論」を唱えて衝突し、この「明治六年の政変」で政府から下野してしまう。

ほどなく、各地では薩摩・長州藩閥の権力独占と急速な西洋化政策に対する士族の不満が高まる。西郷は同郷の桐野利秋(きりのとしあき)、村田新八らに担がれて、1877年2月に西南戦争を起こした。これが西郷の本意であったかはわからない。西郷軍は九州を北上して熊本城に攻め入ろうとし、城の北西にある田原坂では死闘が繰り広げられた。開戦から7カ月あまりの戦闘を経て、敗走した西郷は城山で最期を迎える。

西南戦争は結果的に、政府軍を鍛える最初の機会となった。薩摩藩や長州藩と敵対した旧幕臣も将兵として迎え入れられ、初めて観測気球が実戦に使われたほか、最新の武装が投入された。ただ、田原坂の戦闘があまりにも英雄的に語られた影響もあり、日本陸軍では後年まで、機関銃が相手でも日本刀で突撃する価値観が定着する。死後の西郷は逆賊として官位を剝奪されたが、無欲な人物像と武士らしい最期によって、政府関係者からも敬愛された。1889年に大日本帝国憲法が発布されたおり、明治天皇は西郷に恩赦(おんしゃ)を下し、名誉回復を行なっている。

**その他の出来事**

1932年・スウェーデンでハンソン内閣成立　　1960年・世界初の原子力空母エンタープライズが進水

# 9月/25日【1396年】ニコポリスの戦いでオスマン帝国軍が勝利

No.268

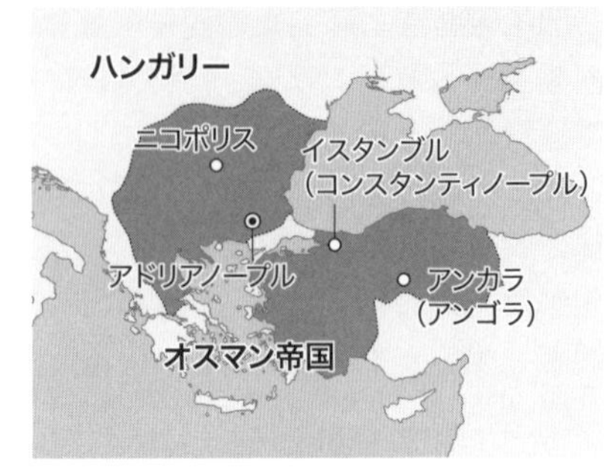


1451年のオスマン帝国領

バルカン半島に位置するアルバニアは、ヨーロッパにありつつも、イスラーム教徒が人口の約60％を占める。また、近隣のギリシア、ブルガリア、ボスニア＝ヘルツェゴビナなどにも、ドームや尖塔を備えたイスラーム建築が少なくない。これらは、15世紀から19世紀初頭までバルカン半島を支配したオスマン帝国の影響だ。

オスマン帝国を築いたトルコ人は中央アジア出身で、同じ中東の遊牧民ながらも、トルコ人はアラビア半島出身のアラブ人とは言語がまったく異なる。本来の人種的ルーツは東アジア系に近く、中国の内陸に住むウイグル人もトルコ系の民族だ。

アナトリア地方では、11世紀にトルコ人のトゥグリル＝ベクがセルジューク朝を築き、ビザンツ帝国（東ローマ帝国）と敵対しつつ、その文化を吸収していった。13世紀末になるとセルジューク朝は衰退し、臣下のオスマン＝ベイが新たにオスマン朝を創始する。オスマン帝国は着々とバルカン半島に勢力圏を広げ、第4代皇帝のバヤジット1世は、ビザンツ帝国の首都コンスタンティノープルを包囲した。

西欧のキリスト教諸国は危機感を覚え、神聖ローマ皇帝でハンガリー王のジギスムントを中心とする連合軍（十字軍）を結成する。1396年**9月25日**、ブルガリア北部のニコポリスで、オスマン帝国軍とヨーロッパ連合軍が対決した。連合軍には、神聖ローマ帝国に属する諸侯のほか、フランス、ポーランド、イングランド、スペインなどから約10万の兵力が結集した。だが、オスマン帝国軍の騎兵隊は集団戦に長けていたのに対し、連合軍は足並みがそろわず、戦闘はオスマン帝国軍の勝利に終わる。この戦いで、バヤジット1世はバルカン半島の覇権を手にする。

ところが、ほどなく東方からモンゴル系のティムール帝国が侵攻してきた。1402年のアンカラの戦いでオスマン帝国は大敗し、バヤジット1世は捕虜となったのちに自決（あるいは病死）した。オスマン帝国のコンスタンティノープル制圧は、15世紀中期にもち越される。

このように、13～15世紀の東欧からアジア西部では、キリスト教国、イスラーム教国、モンゴル系国家の三つどもえの争いが繰り広げられた。ヨーロッパの君主がモンゴル系国家との同盟を模索したことも何度かあり、フランス王シャルル6世、ビザンツ皇帝マヌエル2世らは、ティムールと文書を交換している。

**その他の出来事**

325年・三位一体説のアタナシウス派が正統となる　　1555年・アウグスブルクの和議成立

# 9月26日【1529年】 スレイマン1世がウィーンを包囲

No.269

16世紀にオスマン帝国の最盛期を築いたのが、第10代皇帝のスレイマン1世だ。その名を冠したイスタンブルのスレイマニエ＝モスクは、近世イスラーム建築の傑作として知られ、世界遺産に登録されている。

スレイマニエ＝モスク

スレイマン1世は、西アジア、アラビア半島、北アフリカなどの各地で、生涯に13回の親征を行なった。とりわけ、同時期に即位した神聖ローマ帝国の皇帝カール5世とは、バルカン半島と東地中海の覇権を争う。ハプスブルク家のカール5世はスペイン国王を兼ねていたので、スペインと神聖ローマ帝国に東西から脅かされていたフランス国王フランソワ1世は、異教徒のスレイマン1世に協力した。

1529年**9月26日**、オスマン帝国軍は12万の大軍でハプスブルク家の本拠たるウィーンに迫る。だが、大型の大砲をもってこられなかったので、市壁を完全に破壊できず、長期戦を避けて冬が来る前に撤退した。これは第1次ウィーン包囲だ。

ウィーン制圧には失敗したが、スレイマン1世はペルシアのサファヴィー朝を退け、イラク遠征でバグダードを占領するなど、東方では次々と領土を拡大した。広大な版図では一律な民法や商法が整備され、地方の役人や商人が勝手にルールをつくって私腹を肥やすことは禁じられた。首都イスタンブルは、イスラーム教徒のトルコ人のほか、アラブ人、ユダヤ人、バルカン半島出身のキリスト教徒など、さまざまな宗教や民族の人々が共存し、優秀な人材は異教徒でも登用された。

スレイマン1世の没後、17世紀になると三十年戦争によって神聖ローマ帝国は衰退し、オスマン帝国は、1683年7月に第2次ウィーン包囲を仕掛けた。今度は20万もの兵力が投入されたが、ローマ教皇の呼びかけで結集したポーランド、スペイン、ポルトガルなどカトリック諸国の連合軍の前に敗れる。なお、撤退したオスマン軍が残した物資には大量のコーヒー豆があり、ウィーンでカフェが繁栄するきっかけとなった。

2度に及ぶウィーン包囲の失敗は、キリスト教圏がイスラーム教圏より優位に転じる節目になったといえる。一連の戦争で神聖ローマ帝国は大いに国力をすり減らしたが、ウィーン市民には外敵に脅かされなくなったという安心感が広がった。以降のウィーンは人口も増え、ヨーロッパ屈指の文化都市として発展していく。

**その他の出来事**

70年・ローマ軍の攻撃でイェルサレムが荒廃　　1959年・伊勢湾台風

9月/27日
【189年】

# 後漢で董卓が献帝を擁立 乱世の幕が開ける

No.270

董卓の肖像

中国大陸で後漢最後の皇帝となった献帝(劉協)は、189年**9月27日**に9歳で即位した。その治世は、後年に『三国志』で広く知られる動乱の時代だ。

後漢では、皇妃の血縁者である外戚(がいせき)と、宮中で働く宦官(かんがん)(去勢された男性の官僚)の政争が続いた。第11代皇帝の桓帝(かんてい)は、宦官の力を借りて外戚を排除したが、力を付けた宦官勢力は私腹を肥やして宮中を思いのままに動かすようになる。これに対し、儒学の教養を身に付けた「清流派」を自称する官僚たちが政治を正そうとしたが、宦官勢力は2度にわたり、清流派の弾圧(党錮(とうこ)の禁)を行なった。

宦官による政治腐敗が進むなか、天候不順による凶作が相次ぎ、困窮した農民たちは次々と反乱を起こす。その代表例が、184年に起こった「黄巾(こうきん)の乱」だ。2世紀には、春秋戦国時代に成立した老荘思想をベースに、民間信仰の道教が確立されつつあった。黄巾の乱は、道教の流れをくむ太平道という宗教結社によるもので、参加者は黄色い布を身につけていた。反乱の鎮圧には多くの各地の武将が動員され、乱の平定を通じて強大な地方軍閥を築く者たちが現れる。その筆頭が董卓(とうたく)だ。

董卓は西部の涼州(現在の武威県周辺の地域)を地盤とする武将で、チベット系の遊牧民である羌(きょう)族を配下にしていた。都の洛陽では189年5月に第12代皇帝の霊帝が死去し、宮中での後継者争いを経て、有力者の何進(かしん)が少帝(劉弁)を即位させる。何進は宦官勢力を一掃するため董卓を洛陽に招くが、ほどなく敵対勢力に暗殺された。董卓はまたたく間に強大な武力で宮中を支配し、少帝を退位させて献帝を擁立したうえで実権を握る。

董卓は独裁者として横暴の限りを尽くし、やがて、各地で反董卓軍が決起した。董卓は献帝を連れて洛陽から長安へと遷都するが、臣下の呂布(りょふ)に裏切られて192年に死んだ。呂布は武人としては勇猛果敢ながらも政治には向かず、ほどなく都を追われてしまう。以降の後漢は群雄割拠の争乱へと突入する。なかでも、反董卓軍のなかで頭角を現した曹操(そうそう)は、献帝を保護して後漢の有力者となっていった。

後世には董卓は暴君の典型とされたが、有力な宦官を祖父にもつ曹操やほかの名家出身の武将に比べると、西方の辺境出身ゆえ、中央政界では見下されたとも解釈できる。その明快な暴力性ゆえ『三国志』では名悪役として存在感を示した。

**その他の出来事**

1940年・日独伊三国同盟が成立　　1066年・ノルマン人がブリテンに上陸

# 9月/28日【前551年】儒教の祖となる孔子が生まれる

No.271

孔子像

紀元前8～5世紀は、人類史における「知の爆発」の時代といわれる。インド北部ではブッダ（釈迦）が仏教を創始し、ギリシアではソクラテス、プラトンらの哲学者が現れ、中国大陸では道教の祖となった老子、荘子、儒教の祖となった孔子らの諸子百家が登場した。

孔子は、紀元前551年**9月28日**、春秋時代の魯(ろ)国に生まれたと伝えられる。当時、中国大陸は周王朝が衰え、諸国が争う乱世となっていた。こうした状況下で孔子は、思いやりの心である「仁」を重視した政治（徳治主義）を説き、仁の実践としての儀礼の重要性、伝統的な先祖崇拝などを理論立て、社会秩序の安定を目指した。

魯国は一時、孔子を司法大臣に迎えたが、政争のため失脚して下野する。以降は多くの弟子たちとともに各国を放浪しながら学究を続けた。弟子のなかには、各国の諸侯に官吏として仕えた者もいる。ただし存命中の孔子は、当時の権力者から危険視される革命家だった。

後世、孔子の教えは儒教（儒学）と呼ばれ、後代の孟子(もうし)、荀子(じゅんし)らに継がれて発展する。「教」と付くが、孔子自身は神や霊魂や死後の世界について語ることを避けており、宗教というより社会思想としての側面が強い。紀元前3世紀の前漢代には、孔子の言行録である『論語』が成立し、儒教は官僚の基礎教養となる。

7世紀の唐代に入ると、官吏の採用試験で儒教の知識を問う科挙が定着した。12世紀の南宋では儒教の潮流から国家論・道徳論を整理した朱子学が成立し、続いて15世紀の明代には知識と行動の一致を重視する陽明学が生まれる。

日本では5世紀頃に朝鮮半島から儒教が伝わり、朝廷を支える官僚の間に広まった。近世には儒教が武士階級の基礎教養となり、とくに水戸藩（茨城県）では、朱子学の視点から日本の国史を整理し、忠君思想を唱える水戸学が発達する。幕末の尊皇攘夷運動は、「幕府が天皇の権力を奪っているのは忠義に反するから正すべき」という水戸学の思想に影響を受けている。明治維新後の新政府は、西洋の学術を積極的に取り入れたが、倒幕までの運動は、むしろ東洋古来の儒教の精神に基づいていたのだ。

**その他の出来事**

前480年・サラミスの海戦　　1864年・第1インターナショナル

# 9月/29日【1938年】 ドイツと英仏がミュンヘン会談を開催

No.272

ヨーロッパの民族や文化、言語の分布は、必ずしも国境線と一致しない。ドイツとオーストリアは同じくドイツ語圏だが、ドイツ北部はプロテスタント住民が多いのに対し、オーストリアはカトリック住民が多く、文化的な違いが大きい。1918年まで存続したオーストリア＝ハンガリー帝国では、ドイツ系とスラブ系の諸民族が混在していた。

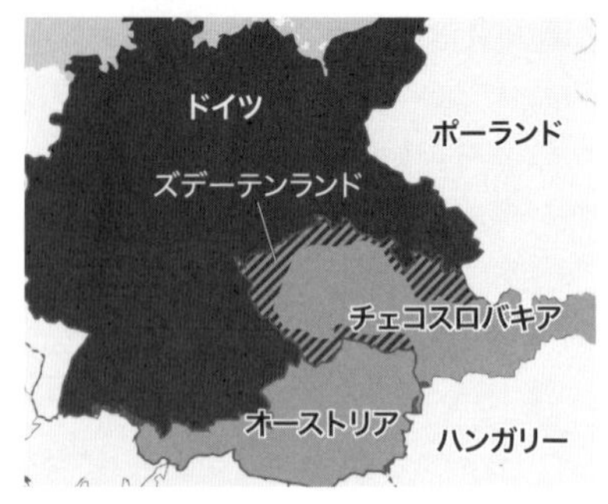

ナチス＝ドイツが併合した地域

第一次世界大戦後、オーストリア＝ハンガリー帝国は解体され、文化的な共通性が多いチェコ人とスロヴァキア人の居住地は、まとめてチェコスロヴァキアとして独立する。ただし、チェコ北部のズデーテン地方はドイツ人が多く居住していた。

1933年1月にドイツでナチス政権が成立して以降、総統ヒトラーはドイツ人居住地の統合を図るが、オーストリアはイタリアを後ろ盾にして独立を維持しようとした。しかし、親独派のオーストリア・ナチス党は、ドイツに抵抗するドルフス首相を暗殺して政府を脅かし、イタリアのムッソリーニ首相もヒトラーに同調して手を引いた。この結果、1938年3月にドイツによるオーストリア併合が断行される。英仏は、ドイツの動きを警戒しつつも黙認する方針（宥和（ゆうわ）政策）をとった。

チェコ内でもドイツ系住民がドイツとの統合を主張し、ヒトラーはこの動きを利用する。1938年**9月29日**、ヒトラーは、ムッソリーニ、フランスのダラディエ首相、イギリスのチェンバレン首相と「ミュンヘン会談」を行ない、ズデーテン地方の併合を認めさせた。なお、チェコスロヴァキアの代表は参加を認められなかった。

ヒトラーは増長し、翌年3月にチェコの残った地域であるボヘミア（ベーメン）とモラヴィアもドイツの支配下に置く。一方、かねてよりチェコ人が政治の主導権を握ることに反発していたスロヴァキアは、親独政権の独立国とされた。

当時の英仏首脳は、第一次世界大戦の悲惨な記憶からドイツへの妥協によって戦争を避けようと考えていたが、この期待は裏切られる。同年9月にドイツはポーランドに侵攻すると、英仏も事態を無視できなくなり、第二次世界大戦に突入した。

ドイツの敗戦後、チェコスロヴァキアは独立を取り戻したが、工業地帯のチェコが農村地帯のスロヴァキアを支配する図式が続き、スロヴァキア人の不満がつのる。1993年1月に平和的にチェコとスロヴァキアは分離独立した。

**その他の出来事**

1911年・トリポリ戦争　　1918年・原敬の政友会内閣成立

# 9月30日【894年】 遣唐使の停止が決定 国風文化が発展

No.273

菅原道真の錦絵
国立国会図書館デジタルアーカイブ所蔵

奈良時代・平安時代の朝廷は、唐の先端文化を取り入れるため、630年から遣唐使の派遣を行なった。この時期、唐から日本に伝わった制度や習慣は多い。律令制のほか、仏教、土木技術、医学、宮中儀式、端午の節句や中秋の月見、七夕といった季節行事もそうだ。元号や印鑑は、のちに中国大陸ですたれても日本に残った。

遣唐使は、約20年に1回のペースで13回実施された。717年に唐に渡った阿倍仲麻呂は、科挙の試験に合格して唐の官吏となり、唐代きっての漢詩人だった李白とも交流した。唐の僧である鑑真は、帰国する遣唐使に同行して753年に来日し、仏教の戒律を伝え、唐招提寺の建設を指導した。804年には僧の最澄と空海が遣唐使に参加し、帰国後に最澄は天台宗、空海は真言宗を広めた。とくに、朝廷は真言宗に深く帰依し、真言宗の泉涌寺は江戸時代まで長らく皇室の菩提寺とされた。

実質的に最後の遣唐使が派遣されたのが838年だ。このとき唐に渡った僧の円仁は、ときの皇帝武宗による「会昌の廃仏」（仏教など外来文化の弾圧）に見舞われた。円仁は9年も唐の各地を転々として帰国を果たし、その間の記録である『入唐求法巡礼行記』は貴重な歴史資料となる。唐はシルクロード貿易によって栄えたコスモポリタン国家だったが、会昌の廃仏を機に西域諸国との関係は急速に悪化した。さらに、875年に起こった「黄巣の乱」からいよいよ国が傾きだす。

この頃、日本では遣唐使ばかりでなく、民間人による唐との交易や僧の留学も活発になっていた。律令制は形骸化し、唐の商品や文化は商人や留学僧を通じても入手できた。こうした状況下、894年に菅原道真が遣唐大使に任命されるが、唐の情勢を考慮し、**9月30日**に派遣中止を決定した。その後、907年に唐は滅亡し、結果的に遣唐使は廃止。以降日本では国風文化が花開くこととなる。

道真は、朝廷が唐の科挙をまねて実施した貢挙で官吏となり、血筋や家柄によらず漢学の知識によって右大臣にまで出世した。唐に続く宋代には科挙が本格的に普及するが、日本では定着せず、藤原氏による外戚政治が幅を利かせた。道真による唐の情勢判断は的確だったが、宮中では藤原氏にうとまれ、太宰府に左遷されて不遇な最期を遂げる。それが「学問の神様」とあがめられるようになったのは、室町時代頃からだ。

**その他の出来事**

1399年・ヘンリ4世がランカスター朝を開く　1862年・ビスマルクが宰相に就任

南北アメリカ
アラスカ 363
ペンシルヴェニア州 124,135,162
ケベック 102,209
ゲティスバーグ 348
ニューブランズウィック 102
ノバスコシア 102
カナダ 102,372
オタワ 222
オンタリオ 102
サラトガ 268
シャンクスヴィル 276
ポーツマス 270
ボストン 124
モノンガヘーラ 209
サンフランシスコ
35,273
ケープコッド 281
アイオワ州 381
ニューヨーク 82,222,276
ヴァージニア州 102,108,281
リッチモンド 108
フィラデルフィア 124,162,205,268
アパラチア山脈 209
ワシントン 103,127,135,186,241,341,390
ペンタゴン 249,276
ミシシッピ
40,209
ミムズ砦
263
カリフォルニア州 35
ヨークタウン 268
テキサス州 48
ダラス 351
ノースカロライナ州 378
ルイジアナ 381
ニューオーリンズ 381
サンサルバドル島 236
メキシコ 48,59
キューバ 59,126,236,319
アステカ 193,198,246
テノチティトラン 198,246
ハバナ 59,126
プエルトリコ 126,363
ベラクルス 198
ハイチ 236
ベネズエラ
20,206,363
パナマ 345,347
エクアドル 206,345
ペルー 193,
206,345,363
ビルカバンバ 193
クスコ 193,345
チリ 363
サンティアゴ 126
サン=フリアン湾 271

# 10月

October

# 10月/1日【1588年】 アッバース1世が即位 サファヴィー朝再建へ

No.274

イランのエスファハーンにあるイマーム広場

イラン、シーア派の王朝「サファヴィー朝」。1588年**10月1日**、アッバース１世が第5代王として即位した。王は「シャー」と呼ばれたことから「シャー＝アッバース」ともいう。また、弱体化していた王朝を立て直し、最盛期を築いた中興の祖であるため「アッバース大帝」とも呼ばれる。

サファヴィー朝の建国は1501年。イスマーイール1世によって始まったとされる。その後、しだいに王朝は弱体化。アッバース1世の父の代には軍事を担うトルコ系遊牧民に実権を握られ、オスマン帝国ら東西の列強からの攻撃を受けるなど王国は崩壊の危機にあった。状況を打破するため、アッバース1世はクーデタを起こして父を退位させ、17歳の若さでシャーの座に就いたのだ。

アッバース1世はまず国内の統治を強化。奴隷兵などで編成した王の直属常備軍を創設し、親衛隊を育成するなど権力を強めて中央集権体制を回復させた。

軍備を整えたアッバース1世は周辺諸国との戦闘を本格化。イラン北西部のタブリーズやバグダードなど、各地で失地を回復した。また1622年にはペルシア湾入口のホルムズ島に進出していたポルトガルの勢力をイギリス東インド会社の協力も得て駆逐。ペルシア湾貿易の勢力を得ることに成功し、オランダ、イギリス、フランスといった西ヨーロッパ諸国との外交・通商を盛んに行なうなど、産業、商業の振興に力を注いだ。

1597年には新都イスファハーンを建設。壮麗な宮殿、モスク、庭園など大規模な建築事業を行なった。このときにつくられた「イマーム広場」や「イマーム＝モスク」は現在も残っており、ユネスコの世界遺産にも登録されている。貿易で潤い、荘厳な建物で彩られた首都はイスラーム文化圏の中心となり、「イスファハーンには世界の半分」といわれるほど繁栄したという。

1629年にアッバース1世が死去した後は、サファヴィー朝は没落してしまう。オスマン帝国の再侵攻を許し、緩やかに滅亡の途を歩むこととなった。その後、一時的にスンニ派の国家や政権が誕生することもあったが、現在に至るまでイランではイスラーム教徒の少数派であるシーア派が多数派を占めている。この流れは宗派対立の中心地ともいえる現在のイランを知るうえで、重要な要素といえるだろう。

**その他の出来事**

前331年・アルベラ（ガウガメラ）の戦い　　1928年・ソ連が第1次五カ年計画を開始

# 10月/2日【1958年】

# アフリカの年の端緒 フランス領からギニア独立

No.275

ギニア周辺の地図

1958年**10月2日**、ギニアがフランスからの独立を果たした。アフリカの独立運動がピークを迎えた1960年を「アフリカの年」と呼ぶが、1957年にイギリスから独立したガーナ（完全独立は60年）に続き、それに先駆けた動きとなる。

19～20世紀前半、欧州列強によるアフリカの植民地支配が進んだ。とくに第二次世界大戦後の1960年代、世界各地で民族自決の機運が高まり、アフリカでもフランス領植民地を中心に17カ国が一気に独立し、国際連合に加盟した。国連総会は同年、アジア・アフリカ43カ国の共同提案による「植民地解放宣言」を採択。植民地主義のすみやかな終結を宣言するなど、植民地支配からの脱却を象徴する年となった。

1958年、フランスは各植民地に対して「フランス共同体への残留を希望するかどうか」の住民投票を認めた。投票の結果、ギニアでは95％が独立を支持。ここに完全独立国「ギニア共和国」が誕生した。これを受け、フランスはフランス人職員や技術者、設備を即座に引き上げただけでなく、道路、電線、食料、電話などインフラ施設の破棄を行なったことから、ギニアの行政機能は麻痺。国家運営は困難を極めたという。ギニア・フランス両国間の関係は悪化の一途をたどり、1965年には国交断絶にまで発展した。現在も関係性は完全には回復しておらず、フランスに対して複雑な感情を抱く人々もいるという。一方で、現在も公用語が仏語であるなど、フランス支配時代の影響もさまざまな形で残る。

アフリカの年で後に続いた国々も程度の差こそあれ、同様の混乱に直面した。民族対立や独裁政治、内戦や紛争、難民などの問題に振り回され、内政の充実に注ぐ力が足りず、経済発展もままならない状況が続いた。これは植民地化された際に欧州列強が引いた国境線をそのままに独立国家が誕生したことにも原因がある。民族が複数の国に分断されたり、1つの国に異なる民族が同居することになるなど、民族対立・民族紛争という火種を抱えることとなったためだ。21世紀に入って少しずつではあるが独裁体制や内戦状態、列強の介入から抜け出し、民主化を進める国も増え始めた。同時に経済が好転する国や地域も増えており、長きにわたった列強の影響からようやく真の意味での独立を果たしつつある。

**その他の出来事**

1187年・サラディンがイェルサレムに無血入城　　1855年・安政の大地震

# 10月/3日【1935年】 イタリアの侵攻によりエチオピア戦争勃発

No.276

ベニート=ムッソリーニ

国家ファシスト党を結党し、1922年にイタリア首相となったムッソリーニは1935年**10月3日**、エチオピアへの侵攻を開始。19世紀末にもエチオピア支配を目指したイタリアの侵攻があったことから、第2次エチオピア戦争とも呼ばれる。

1929年頃から始まった世界大恐慌にあえぐイタリアは、経済力増強と資源確保の必要性から資源豊かなエチオピアを支配下に収めるべく、再度侵略目標に選んだ。エチオピアはただちに国際連盟に提訴したが、国連の力が弱く容易に解決の道を示せずにいた。当時はナチス=ドイツの台頭が懸念されており、列強の関心はヨーロッパに集中。イタリアとドイツの接近を阻むために、イタリアへの融和姿勢を示した国もあったことからムッソリーニはエチオピア侵略の好機と判断した。宣戦布告もないままに約80万人ともいえる兵力を投入して戦争を始めたのだ。

イタリア軍は戦車や航空機などの近代兵器を整えていたのに対し、エチオピア軍の軍備は貧弱で、一部に旧式の銃器がある程度。誰の目にもエチオピアの劣勢は明らかだった。しかしエチオピア軍の抵抗は予想外に激しく、さらにエチオピア特有の険しい地形にも苦しみ、思わぬ苦戦を強いられた。戦況を打破するため、イタリアは毒など非人道的な兵器の使用を禁じるハーグ陸戦条約を批准しているにもかかわらず、毒ガスなどの化学兵器を使用。国際世論の反発を招いた。

国連はイタリアへの制裁を決議。武器の禁輸、信用供与の停止、軍需物資の禁輸などが決定された。これは国連が集団安全保障の原則に基づいて、違反国へ行なった初めての経済制裁だったが、石油の禁輸が除外されたことや、親イタリア国が積極的・消極的に支援したこともあり、イタリアの進軍を止めるには至らなかった。

1936年5月9日、ムッソリーニは「エチオピア併合」を宣言。皇帝ハイレ=セラシエはイギリスに亡命し、1941年にイギリスによって独立を回復するまでイタリアの支配が続くことになる。

第2次エチオピア戦争は、国際連盟規約違反を国際連盟自身が阻止できないなど、国連の無力さを世界に知らしめる結果を生んだ。先んじて行なわれた、日本軍の満洲事変以降の侵略行為と並んで第二次世界大戦の前哨戦とも考えられている。第二次世界大戦へと向かう各国の動きを加速させる出来事になった。

**その他の出来事**

686年・大津皇子が死去　　1910年・リスボンで共和主義者の革命蜂起が起こる

# 10月/4日 【1830年】

# 音楽革命を成就させベルギーが独立を宣言

No.277

1830年**10月4日**、オランダ併合下のベルギーが、ベルギー王国として独立を宣言した。1839年からは永世中立国として、周辺諸国の緩衝地帯という重要な役割を担う。人口1000万人余りの小国ながらヨーロッパ連合の中心国でもある。

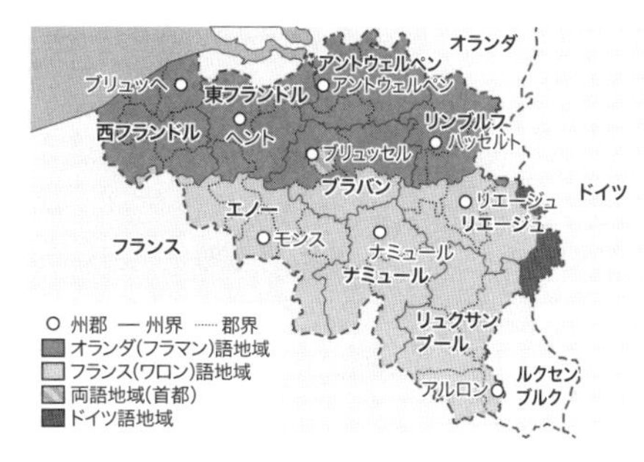


言語問題が残るベルギーの言語圏

ベルギーはオランダとフランスに挟まれ、スペイン、フランス、オーストリアなど、列強諸国からの支配を受けた。1815年のウィーン会議の結果、ベルギーはオランダに併合されることが決定。しかしオランダ支配への不満は強く、1830年10月4日、フランスの七月革命の影響を受けて独立運動が起こる。オペラの劇中で独立を求める歌が歌われた際に、観客たちが突如立ち上がってこの歌を唱和した。これが民衆蜂起のきっかけになったことから「音楽革命」とも呼ばれる。

独立に際し、国民は共和政を望んだが、列強によるロンドン会議では、独立の承認と引き換えに君主政を取るようにとの条件が提示された。ベルギーはこれを受け入れ、現在まで立憲君主政を取っているが、憲法では国民主権や国王大権の制限が細やかに制定されており、国民の望む共和政と、列強の求めた君主政のバランスを取った国づくりがなされたといえる。

ベルギーは位置的にイギリスとも近く、古くからの商業都市を抱えており、さらには石炭などの資源も豊富だったことから、イギリスに次いで産業革命を達成。1840年代には鉄道を普及させるなど、一気に資本主義化が進んだ。ベルギーは経済的に豊かになった反面、フランデレン問題と呼ばれる言語問題に悩まされることになる。

列強の支配下が長かったベルギーでは、もともと北部がオランダ語系、南部ではフランス語系の言語を使用しており、国内で言語の断絶が起こっていた。オランダ語系は人口こそ多いものの、工業地帯となった南部が経済的・政治的に優位性を得、フランス語が実質的に公用語化していったのだ。オランダ語系からの反発がしだいに過激化し、現在はオランダ語系、フランス語系、一部にドイツ語系と、3つの公用語をもち、言語別の連邦制を取ることで、国家の安定をはかっている。過去の歴史に由来するフランデレン問題は今もベルギーを悩ませている。

**その他の出来事**

1543年・完全英訳の聖書が出版　　1853年・クリミア戦争始まる

# 10月/5日 【1795年】

# ナポレオン台頭の契機 ヴァンデミエールの反乱

No.278

フランス革命期の1795年**10月５日**、王党派を中心に民主勢力の蜂起が起こる。これを「ヴァンデミエールの反乱」、または「ヴァンデミエール13日のクーデタ」と呼ぶ。ヴァンデミエールとは革命暦のぶどう月のこと。暴動の鎮圧に若きナポレオンが動いたことから、ナポレオン台頭の契機にもなった。

国民公会の襲撃

市民らが立ち上がり、ブルボン絶対王政を倒したことに始まるフランス革命。しかし伐立した革命政府内で対立が起こり、ジャコバン派による恐怖政治が敷かれるなどフランス国内は混乱を極めた。1794年のテルミドールの反乱で、ジャコバン派に代わってテルミドール派が実権を握った。

しかしここからフランス経済は悪化の一途をたどる。物価は上がり続け、民衆は困窮。一方で新興成金は放蕩し風紀は乱れた。支持を失い、10月20日に行なわれる次回選挙での大敗が予想されるテルミドール派は、「議席の内３分の２は現在の議員が再選されなければならない」とする三分の二法といわれる法案を通過させた。憤ったのは次回選挙での躍進を確実視していた王党派だった。

王党派は共和政反対を掲げてパリで武装蜂起する。これがヴァンデミエールの反乱だ。この鎮圧にあたったのが国民公会軍司令官のポール＝バラス。副官にはまだ26歳だったナポレオン＝ボナパルトが任命された。この時期は、ナポレオンにとっては不遇の時代だった。軍事的才能を見出されて昇格を重ねていたものの、ジャコバン派と関係性があったことから逮捕、短期間の収監を経て、軍務から外されていたのだ。ナポレオンにとっては大抜擢であり、再度世に出るチャンスだった。

乱の鎮圧をほぼ一任されたナポレオンは、砲兵を指揮して首都の市街地へと進み、一般市民に被害が出ることもいとわず大砲を撃ち込んだ。大規模に被害が及ぶ「ぶどう弾」という散弾を使った大胆かつ容赦のない戦法により、王党派ら暴徒を一気に撃退。わずか2時間で鎮圧に成功した。

この功を認められ、ナポレオンは国内軍の総司令官に着任。この成功からナポレオンは「ヴァンデミエール将軍」の二つ名を得て、社交界で一目置かれるようになる。権力の座への足がかりをつかんだのだ。

**その他の出来事**

1789年・ヴェルサイユ行進　　1958年・ド＝ゴール憲法公布

# 10月6日【1973年】 石油危機の原因 第4次中東戦争勃発

No.279

エジプトとシリアがイスラエル軍を奇襲攻撃したことに端を発し、1973年**10月6日**、アラブ諸国とイスラエルとの間で「第4次中東戦争」が勃発する。アラブ側はこの戦争を「十月戦争」「ラマダン戦争」と呼び、イスラエルでは開戦の日がユダヤ暦新年の最も神聖な贖罪の日「ヨム＝キプール」にあたることから「ヨム＝キプール戦争」と呼ぶ。イスラエルの独立宣言以降続いてきたパレスチナを巡るアラブ諸国とイスラエルの対立は、この第4次中東戦争によって一応の終結を迎えたが、軍事的緊張と両地域の抱える領土や難民などの問題は依然続いている。

第３次中東戦争までのイスラエル占領地

第4次中東戦争の中心となったのは、エジプトの大統領となったサダト。第3次中東戦争で奪われたシナイ半島などの奪還を目指した。エジプト軍はシナイ半島、シリア軍はゴラン高原へと同時に奇襲を仕掛け、不意打ちを食らったイスラエルは一時後退を余儀なくされた。アラブ側優勢かに思われたが、態勢を整えたイスラエルが反撃に転じると戦況は一変。シリア戦線では第3次中東戦争で得た占領地をさらに拡大するほどに盛り返した。エジプトとの戦線ではエジプトがシナイの一部を奪還。両軍ともに明確な勝利を得られないまま、10月23日に停戦を迎えた。

これまでの3度の中東戦争ではイスラエルが連戦連勝。イスラエル軍不敗の神話とさえ噂（うわさ）され、アラブ側は紛争の政治的解決について対等のテーブルに着くことさえ困難だった。サダト大統領にはこの不敗神話をくつがえし、紛争解決の糸口をつかむ狙いがあったと考えられる。第4次中東戦争で少なくともイスラエルが勝たなかったことで、ようやく一歩前に進むことに成功したのだ。

戦局を有利にするため、サウジアラビアらアラブ石油輸出国機構（OAPEC）は、石油戦略を実施。イスラエルを支援する国々に対し、原油の販売停止、もしくは制限を行なった。さらに石油輸出国機構（OPEC）が原油価格を4倍に引き上げたため、第1次石油危機（オイルショック）が起こり、世界の関心が注がれた。

第1次石油危機は欧米や日本らイスラエルに同情的な国々への大打撃となった。とくに高度経済成長を続けていた日本への影響は甚大で、ガソリンの値上げ、物価上昇、急激なインフレ、トイレットペーパーの買いだめと国内は大混乱。日本経済は戦後初のマイナス成長を記録した。

**その他の出来事**

1908年・ボスニア危機が始まる　　1981年・エジプト大統領サダトが暗殺される

# 10月/7日【1571年】 スペイン海軍が飛躍 レパント海戦

No.280

レパント(ナフパクトス)周辺地図

1571年**10月7日**、スペイン、ローマ教皇、ヴェネツィアの連合艦隊が、ギリシアの西海岸、コリント湾内に位置するレパント（現在のナフパクトス）沖でオスマン帝国の艦隊を破った。この海戦を「レパントの海戦」と呼ぶ。

当時のオスマン帝国は地中海での制海権を手にし、地中海を通る船舶を脅かしたり、西方への進出を求めて他国の領地を侵略したりと西ヨーロッパを震撼させていた。地中海の脅威となったオスマン帝国の排除を願うスペインとヴェネツィアはローマ教皇に働きかけて300隻ほどにも及ぶ連合艦隊を編成。アリ＝パシャ率いる224隻のオスマン海軍と激突した。

大規模な海戦の結果、オスマン海軍は大敗。200隻以上の船が撃沈、もしくは捕縛され、アリ＝パシャも戦死するなど、ほぼ全滅といえるほどの大敗を喫した。この海戦はオスマン帝国に敗北し続けてきた西ヨーロッパが初めて収めた勝利となり、地中海の覇権はスペインに移った。一方でオスマン帝国は地中海の制海権を失ったが、これは一時的なものにすぎなかった。翌年にはオスマン帝国は海軍を再建。1574年には地中海の制海権を回復し、17世紀までその影響力を維持し続けた。

歴史上類を見ないほどの大規模で行なわれた艦隊決戦。常勝だったオスマン帝国はごく短時間で完膚なきまでに敗北し、連合艦隊が大勝利を収めた。これは最新鋭の軍備とそれらを生かした戦略による部分が大きいと考えられている。ちょうどこの時期は奴隷漕手が中心となったガレー船から、漕手と帆を併用する大型のガレアス船、大型帆走軍艦のガレオン船へと変遷していた転換期だ。造船技術や大砲の改良も進んでいた。オスマン帝国の海軍が制海権を握ったのは、高性能の大砲を使用していたためだともいう。連合艦隊は大型の船を仕立て、火力の強い大砲を多数搭載して挑み、オスマン帝国を撃破したのだ。

この大規模艦隊決戦によるオスマン帝国の完敗は、制海権に対する考え方を変え、高速で防御力の強い船に破壊力の大きな巨砲を積んだ巨艦が勝利の鍵となるという大艦巨砲主義を意識させるなど、海軍戦略を大きく変化させる契機にもなった。

**その他の出来事**

1585年・千利休の禁裏茶会　　1949年・東ドイツ独立

# 10月/8日【392年】 キリスト教がローマ帝国「唯一」の国教に

No.281

392年**10月8日**、ローマ皇帝テオドシウス1世がアタナシウス派キリスト教以外の異教の祭礼と供犠を法的に禁止した。この勅令によってアタナシウス派キリスト教がローマの唯一の宗教となった。

テオドシウス1世を描いたレリーフ

国教化に先駆けた313年、ローマ皇帝のコンスタンティヌス1世は「ミラノ勅令」を発布し、キリスト教を公認した。晩年には洗礼を受けてキリスト教に改宗もしており、キリスト教の国教化に向けた大きな一歩となった。コンスタンティヌス1世の前の時代、キリスト教は弾圧の対象であり、迫害されていた。キリスト教が重んじるのは唯一神であり、神の前での平等だ。つまり皇帝も一般市民も平等ということになる。皇帝崇拝をも拒否しかねないキリスト教は、ローマ帝国にとっては認められるものではなかった。キリスト教徒には厳しく改宗を迫り、従わない者には罰を与える。追い詰められたキリスト教徒は地下墓所「カタコンベ」で密かに信仰を守ったという。

4世紀のこの時期、ローマ帝国は内乱が頻発するなど混乱しており、人々はキリスト教に救いを求め、まずは貧しい層に、しだいに上層市民にも信仰が広がっていった。キリスト教が現世よりも天の国を重視した点も、ローマ帝国に影響を与えた。彼らはどれだけ弾圧されてもそれを試練として耐え、迫害によって命を落とした者を殉教者としてあがめる。迫害するほど信仰は強固になり、民衆にも支持者が広がっていった。ローマ帝国はキリスト教の勢いや影響力に抗いきれず、受け入れざるをえなくなったのだ。その結果が「ミラノ勅令」だった。

ローマ帝国公認となったキリスト教はさらに信者を増やし、勢力を拡大していく。380年、熱心なキリスト教徒だったテオドシウス1世がキリスト教を国教と定めた。しかしこの時点ではギリシアの神々を信仰する伝統的な宗教や、太陽神を信仰するミトラ教など、ほかの宗教の信仰・布教も許されていた。他教が禁止されたのがこの392年10月8日だった。これは信仰の歴史のなかで大きな転換点にもなった。キリスト教はさらに発展し、国との結び付きを強めていく。ギリシアの神々に捧げられていたオリンピア競技会も異教の行事として中止され、1896年に近代オリンピックとして再開されるまで、歴史から消えた。

**その他の出来事**

392年・ローマ帝国がキリスト教を国教化する　　1895年・乙未事変

# 10月/9日【1651年】自国貿易を保護する航海法が英国で発布

No.282

イギリスが自国船による貿易独占を狙って制定した法律を総称し、「航海法」または「航海条例」と呼ぶ。14世紀末から数回にわたって発布された伝統的貿易政策だが、ピューリタン革命で国王を処刑し、権力を握ったのオリバー＝クロムウェル政権時の共和国政府が1651年**10月9日**に制定したものが有名だ。「クロムウェル航海法」とも呼ばれるが、クロムウェル自身は直接的に関与しておらず、制定に賛成したわけでもない。

航海法は自国の利益保護のための貿易統制法だ。「アジア、アフリカ、アメリカなどヨーロッパ以外の地から、イギリスとその植民地に輸入される商品は船主・船長・船員の全部がイギリス人である船舶によって輸送されること」「ヨーロッパからの輸入はイギリス船かその物品生産国、または最初の積み出し国の船で輸送すること」が規定された。

1651年の航海法の目的は、オランダへの牽制と妨害。独立を達成し、海外貿易に進出したオランダは中継貿易を盛んに行なって、イギリスにとって無視できない競争相手となっていた。中継貿易とは、他国から輸入した物品を国内で販売するのではなく、他国に再輸出することで利益を得ようというものだ。航海法によりイギリスへの輸出には中継貿易が関与できなくなり、オランダは排除され、経済的に大打撃を受けた。

16世紀末から18世紀頃にヨーロッパの絶対王政国家では重商主義が主流の経済思想だった。自国の輸出産業を保護育成し、貿易差額によって富を蓄積しようとするものだ。王家や貴族、軍隊や官僚を養うためには多大な費用が必要だったため、財政確立のために商工業者に特権を与えていた。植民地を広げ、法整備を行なうなどして、貿易収支の黒字、輸出の助成・国内産業の保護育成を目指した。航海法は重商主義政策によって生まれたものだ。イギリスの貿易商からオランダ勢力を抑えるようにと議会に要望が出され、それを受ける形で法整備がなされた。

イギリスの航海法に当然ながらオランダは反発。翌1652年にはイギリス＝オランダ戦争へと発展する。この戦争は、ヨーロッパでの海上貿易の覇権を巡る争いだけではなく、アメリカ新大陸やアジアでの貿易上の対立も影響し、3次まで続く長い対立となった。

航海法は当時の経済思想に基づくもので、イギリス海運の発展にも寄与した。しかし18世紀後半頃から自由貿易の主張が強まると、批判の対象になる。1849年航海法は廃止。以降は自由貿易が主流となる。

**その他の出来事**

1934年・ユーゴ国王がクロアチア人に暗殺される　1967年・チェ＝ゲバラが死去

# 10月/10日【1911年】 辛亥革命が勃発 中華民国の誕生

No.283

中国革命の父・孫文

1911年**10月10日**、中国で「辛亥革命」が始まった。10月10日には湖北省の武昌(ウーチャン)で軍隊が反乱を起こす。この武昌蜂起をきっかけに各地で革命派が立ち上がり、革命運動は全国に広がった。多くの省が清からの独立を宣言した結果、300年ほど続いた清は倒れ、1912年にはアジア最初の共和国・中華民国が誕生する。2000年来の専制政治が終わりを迎え、民主共和政治の基礎がつくられたのだ。この革命は民国革命、第一革命とも呼ばれる。

日清戦争以降、清は列強諸国からの蹂躙を防げず、他国からの侵略に屈し、欧州の傀儡と化していた。現状を憂いた革命派は、民族の独立を守る近代的な国家を成立させようと画策。華中華南を中心に14省が独立を宣言した。帰国した孫文(そんぶん)がそれらをまとめた。

孫文が掲げた政治理論は三民主義。民族主義、民権主義、民生主義の三原則からなる。アメリカ第16代大統領リンカンの「人民の人民による人民のための政治」にヒントを得たものだが、亡国の危機にある中国をいかに救うかという救国に重きを置いた内容だった。民族主義は国内諸民族の平等と、外国からの圧迫や不平等条約に対抗し、半植民地状態からの開放を説くもの。民主政の実現と主権在民を説く民権主義、そして経済的不平等の是正を目的とした社会主義の採用により、国民生活の安定を図る民生主義。孫文らはこの三民主義を旗印に革命を推し進めた。

1912年1月1日、南京を首都とし、孫文を臨時大総統とする中華民国臨時政府が樹立する。清朝は革命軍を抑え込もうと軍閥の袁世凱(えんせいがい)を討伐に差し向けたが、袁世凱はイギリスの後押しも得て密かに離反。新政権と結んで2月には自身の臨時大総統就任と引き換えに清帝を退位に追い込んだ。清朝は滅亡。中華民国が成立した。

孫文に代わって臨時大総統となった袁世凱は、孫文らが夢見た三民主義とはまったく異なる路線を歩み始める。諸外国の影響を強く受けながら、専制的な独裁政治を敷いたのだ。納得できない孫文らは1913年、南京などで武装蜂起するも失敗。この蜂起は第二革命と呼ばれる。

孫文らは亡命し、袁世凱が正式に大総統に就任。革命の理想は破れ、その功績は袁世凱に奪われてしまったが、孫文の三民主義は、毛沢東の新民主主義論にも新三民主義として受け継がれ、理想はのちの中国につながっていく。

**その他の出来事**

680年・カルバラーの虐殺　1964年・東京オリンピック開催

# 10月/11日【732年】 トゥール・ポワティエ間の戦いでイスラーム軍が撤退

No.284

8世紀前半のフランク王国

スペインとフランスの間に連なるピレネー山脈。この山脈を越え、イベリア半島より侵攻してきたウマイヤ朝のイスラーム軍を、フランク王国で宮宰を務めるカロリング家のカール＝マルテルが、南フランスのロアール川中流のトゥールとポワティエ間の平原で撃退した。732年**10月11日**に始まったこの戦いを「トゥール・ポワティエ間の戦い」と呼ぶ。拡大を続けるイスラーム勢力からヨーロッパを守った歴史的勝利と考えられ、カール＝マルテルの活躍がなければヨーロッパは今の形にはならなかったかもしれない、というほどに神聖視されてきた。実際はイスラーム側の原因不明の撤退があったからこその勝利だ。

8世紀の初め、イベリア半島には西ゴート王国があった。西方征服を続けるウマイヤ朝のイスラーム勢力は、北アフリカを越えてイベリア半島にまで侵攻し、西ゴート王国を滅ぼした。イスラームのヨーロッパ侵攻はキリスト教世界にとっては大きな脅威であり、その阻止がキリスト教世界全体の課題となっていた。

720年までにイスラーム軍はイベリア半島を制圧。6万の勢力を率いてピレネーを越え、フランク王国の領内へと侵攻した。当時圧倒的だったイスラーム勢力と対峙したのは、宮宰のカール＝マルテルだった。宮宰とはフランク王国メロヴィング朝の国家行政の最高官職。もとは執事のような役職だったが、従士団の指揮権をもつようになって地位が高まり、王権の衰退とともに権力が増した。当時のフランク王国は非常に不安定で、王家自体にはイスラームと対抗する力がなかったため、カール＝マルテルが対処にあたることとなった。

神の金槌という意味のマルテルをあだ名にもつカール＝マルテルは、立派な体軀で、武勇に優れた人物だった。カール＝マルテルは早速フランクの騎士を動員。7日にわたる激闘の末にイスラーム軍の騎馬隊を潰走させた。軍を率いるアブドゥル＝ラフマンもこの戦いで戦死している。

トゥール・ポワティエ間の戦い以降、メロヴィング朝は力を失い、カロリング家が実質的な王国の指導者となった。カロリング家は南フランスへと勢力を広げ、フランク王国での地盤を固めていく。息子の代には国王の地位を乗っ取り、フランク王国はカロリング朝として続いていくことになる。

**その他の出来事**

1531年・スイスの宗教改革者ツヴィングリが処刑される　　1881年・明治14年の政変

# 10月/12日【1899年】

# 南アフリカ戦争が始まる イギリスが北上開始

No.285

19世紀、南アフリカのイギリス領ケープ植民地の北方にはトランスヴァール共和国とオレンジ自由国があった。この支配を目論んでイギリスが起こした植民地戦争が南アフリカ戦争だ。ボーア戦争、ブール戦争とも呼ばれるこの戦争は1899年**10月12日**に始まり、1902年まで続いた。

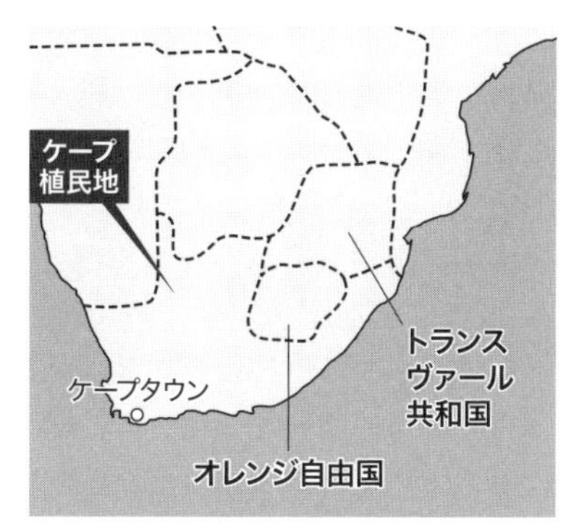

ケープ植民地と南アフリカ戦争を戦った2国

イギリスが狙った2国はともにボーア人の国だ。ボーア人とは、アフリカーナーとも呼ばれるオランダ系入植者の子孫のこと。17世紀半ばには南アフリカに入植していた彼らを、イギリスではボーア人、彼ら自身はブール人と呼んだ。ボーア戦争、ブール戦争と呼び名が揺れることがあるのはこのためだ。

この戦争に先立つ19世紀初め、イギリスはケープ植民地を占領。ケープ植民地のボーア人は北方に移住した。この際、ボーア人がアフリカ人の土地を奪って建国したのが、トランスヴァール共和国とオレンジ自由国だった。

オレンジ自由国でダイアモンドが発掘され、トランスヴァール共和国で金鉱が発見されると、イギリスは両国のケープ植民地併合を狙った。1877年、トランスヴァール共和国の併合を強行。反発したボーア人は武力蜂起し、1880年にはイギリス軍と激突した。これを第1次南アフリカ戦争と呼ぶこともある。ボーア人は一歩も引かずに戦い、1881年2月にはイギリス軍が大敗。講和にもち込まれた結果、トランスヴァール共和国に一定の自治を認めることで同意。主権を回復した。

しかしイギリスは諦めなかった。イギリス本国の植民地相であるジョゼフ=チェンバレンを中心に、再度ボーア人との戦争を主眼に置いて挑発を始めたのだ。イギリスはトランスヴァール共和国に大量の移民を送り込み、市民権と選挙権を要求。先の戦争で自治を認めたにもかかわらず、宗主権を主張した。さらにチェンバレンは兵を動員、オーストラリアやニュージーランド、カナダから義勇兵を募集するなどして開戦に備えた。トランスヴァール共和国ももはや戦争は避けられないと判断。オレンジ自由国と軍事同盟を結んでイギリス軍の再撃退を目指した。

そして1899年10月12日、ついに南アフリカ戦争が始まる。イギリスはクリスマスまでには終わると考えていたが、ボーア人の激しい抵抗にあい長期化した。戦いに勝ったイギリスは、ここから北進を始め、3C政策につながっていく。

**その他の出来事**

538年・仏教公伝　　1942年・コロンブスがアメリカ大陸を発見

# 10月/13日 【1307年】 テンプル騎士団の悲劇的な最期と神格化

No.286

騎士団長ジャック=ド=モレーの肖像

ヨハネ騎士団、ドイツ騎士団と並び、西欧中世の三大宗教騎士団の1つに数えられるテンプル騎士団。13世紀には最盛期を迎え、加入騎士数2万という規模にまで拡大。ヨーロッパ各地に多くの領域と莫大な富を得た。1307年**10月13日**、そんなテンプル騎士団員がフランス王フィリップ4世によって逮捕される。以降、弾圧、解体、処刑と、栄誉ある騎士団は悲劇的な末路をたどることになる。

テンプル騎士団が誕生したのは1120年前後。第1回十字軍の後、聖地巡礼者の保護を目的としてイェルサレムに設立された。設立時はフランスの騎士ユーグ＝ド＝ペイヤンら8～9人で組織された戦闘的宗教騎士団だったが、急速に発展。聖地に城塞を築いて十字軍の主戦力として活躍し、教敵に対する軍事行動にも従事するようになった。歴代の王を助けて功を成した騎士団は莫大な資産と権力を得て、金融業を行ない、フランス王家にも資金援助をするほどになっていく。

13世紀末、フィリップ4世はこのテンプル騎士団に目をつけた。中央集権化を進める国王にとって邪魔だったとも、騎士団のもつ財産が目的だったともいう。フィリップ4世はテンプル騎士団に悪魔崇拝、ソドミー（男色）など、当時のキリスト教では禁忌とされていた罪を100以上も不当に着せて逮捕。1万5000人が捕縛された。彼らは罪を「自白」するまで拷問され、異端審問にかけられた。

異端審問には教皇庁の許可が必要だったが、当時の教皇クレメンス5世にはフィリップ4世の息がかかっており、手を組んで騎士団を追い詰めた。さらに異端審問官も王の手の者だったため、異端の汚名がそそがれることもなかった。

1312年3月22日、教皇クレメンス5世は正式にテンプル騎士団の解散を宣言。活動を全面禁止とした。団員らは処刑され、資産も没収。1314年、ジャック＝ド＝モレーを含む4人の指導者が無罪を叫びつつ火あぶりに処され、フランス国内でのテンプル騎士団は完全に壊滅させられた。ただし国外では弾圧をまぬがれ、騎士団が存続した地域もあったという。悲劇的な最期を迎えたテンプル騎士団は、埋蔵金伝説がささやかれたり、さまざまな秘密結社が出自をテンプル騎士団と結び付けたりと、伝説のなかに存在し続けている。

**その他の出来事**

1860年・イギリス・フランス連合軍が北京占領　　1884年・グリニッジ天文台が本初子午線になる

# 10月/14日【702年】大宝律令が頒布 日本は中央集権国家へ

No.287

藤原不比等の肖像

飛鳥時代の701年、律令政治の基本法・大宝律令が制定された。全国一斉に施行するために朝廷は各地に官吏を派遣して内容を講義させ、702年**10月14日**に諸国に頒布した。飛鳥時代の飛鳥浄御原令に変わって頒布されたこの法律は、757年に養老律令が施行されるまで半世紀近く使用された。

大宝律令は、刑法にあたる「律」6巻、行政法や税法、民法などにあたる「令」11巻からなる。唐（中国）の法である永徽律令や永徽律疏を参考にしているが、「令」は大幅な改変が加えられ、日本の実情に合うように編集されている。

作成を命じたのは持統天皇と文武天皇。文武天皇が即位した697年頃から本格的に編纂が始まっている。発端は天武天皇で681年に律令制定を命ずる詔を発令しており、その意志を妻の持統天皇、孫の文武天皇が受け継いだともいえる。編纂の中心となったのは文武天皇の叔父で天武天皇の第9皇子の刑部親王と、中臣（藤原）鎌足の次男で、藤原氏の実質的な祖となる藤原不比等。粟田真人、下毛野古麻呂をはじめとし、多くの学者や渡来人が参加した国家事業だった。

律令作成は確固とした中央集権国家の成立を目的としていた。乙巳の変や壬申の乱などの内乱が繰り返され、国が乱れ、揺らいでいた時代。国を立て直すには、律と令という法律を基本に、天皇を中心にとした国家体制である律令国家を目指すことが、当時の政権にとっては重要課題だった。律令国家にとって最も大切なのは、当たり前だが律令だ。日本に合致した律令の作成は必須だった。

大宝律令は平安時代中期にはすでに散逸していたようで、全文は残っていない。ただ、内容は養老律令と大差ないと考えられており、おおよその内容が把握されている。また、養老律令の注釈解説書である『令集解』が全50巻中35巻現存しており、『令集解』に見られる引用などから、一部の原文が復元されている。

サブリーダー的な立ち位置で大宝律令の編纂に携わった藤原不比等は、鎌足の息子ではあるが、鎌足の死後は後ろ盾を失い危うい立場にあった。そんな状態から実績を積み上げ、大宝律令に関わったほか、娘を文武天皇と結婚させるなど権力を築いていった。のちの聖武天皇は孫にあたるが、以降、藤原氏は天皇の外戚として権力を握り、国政の中心人物として律令体制の確立を推し進めることになる。

**その他の出来事**

1066年・ヘイスティングスの戦い　　1933年・ドイツが国際連盟から脱退

# 10月/15日【1934年】 のちの毛沢東政権を形づくる長征の開始

No.288

中国国民党軍に包囲された紅軍（中国共産党軍）は、敵の攻撃を避けて江西省瑞金の根拠地を放棄した。1934年**10月15日**から1936年にかけて約1万2500キロメートルもの距離を行軍し、陝西省延安に新たな拠点を築く。この大移動を「長征」と呼ぶ。

長征のルート

当時、中国には力をもつ2つの政党があり、それぞれに指導者がいた。1つは1925年に孫文の後を継いで指導者となった蔣介石率いる中国国民党。もう1つは1921年につくられ、現在も中国を治める中国共産党だ。この長征の途上、遵義にて毛沢東が指導者に就任した。2つの党はときに協力し、ときには対立していたが、しだいに中国共産党が優勢になりつつあった。

1931年、中国共産党は江西省瑞金に首都を置き、中華ソビエト共和国を設立する。各地に成立していたソビエト政権の代表を招集して成立した統一政権で、毛沢東を主席とした。国民党はこれを阻止しようと4回にわたって包囲討伐を行なうがすべて敗退。共産党と中華ソビエト共和国の勢いを止めることはできなかった。しかし1933年頃からの5度目の攻撃では、共産党内に反毛沢東勢力がいたこともあって国民党を押し返すことができず、共産党は首都を捨てることとなった。中華ソビエト共和国は1937年の第2次国共合作まで存在したことになっているが、実質はこの時点で消滅したといえる。

共産党は各地を転戦し、最終的に陝西省延安へとたどり着いた。しかしこの行軍は目的地に向けてのものではない。中国国民党軍に追われた中国共産党軍が戦略的退却を繰り返した逃避行だった。過酷な長征の結果、多くの人々が命を落とし、最終地点までたどり着いたのは10分の1ほどの人数にすぎなかったという。

二万五千里の長征とも呼ばれるこの行軍は、中国共産党内では偉大な歴史の1つとして扱われ、組織をより強固にした契機として語り継がれている。長征を率いた毛沢東は、この長征の途中に指導者の地位を確立した。また長征によって11の省と多くの少数民族居住地を通過したことで、辺境にまで共産主義を広げることにもなり、のちの支配体制へとつながっていく。

**その他の出来事**

1582年・グレゴリオ暦使用開始　　1894年・ドレフュス事件

# 10月/16日【1813年】 ナポレオン失脚の起因 ライプツィヒの戦い

No.289

ライプツィヒの戦いの記念碑

1813年**10月16日**から19日までの4日間。ナポレオン軍と反ナポレオン連合軍（プロイセン、オーストリア、ロシア、スウェーデン）がザクセン州に属するドイツの都市ライプツィヒで激突した。この戦争をライプツィヒの戦いと呼ぶ。この戦いで敗れたことで、ナポレオンの失脚は決定的となり、ナポレオンによるヨーロッパ支配は終焉を迎えた。ヨーロッパのその後を決める転換点となった。

ライプツィヒの戦いは、1796年から1815年までナポレオンによって起こされた一連のナポレオン戦争のなかでも最大の戦いだった。当初は革命の真っ只中にあるフランスを外国の干渉から守る革命防衛戦争だったが、しだいにその目的は変わっていく。革命という理想を周辺にも広げる理念拡大闘争を経て、最終的には侵略戦争へと変遷していったのだ。

連戦連勝を重ねているうちは、周辺諸国はナポレオンに対抗することはできなかった。しかし1812年、ナポレオンはモスクワ遠征に失敗。ナポレオン軍も致命的ともいえるほどのダメージを追った。今なら弱体化したナポレオン軍を一気に倒せると考えた軍事支配下にあった諸国民が、プロイセンを先頭に一斉に蜂起した。多数の国が参加したことから、諸国民の戦いとも称される。

まずは3月にプロイセンとロシアが同盟してフランスに宣戦。次いでスウェーデン、イギリス、オーストリアが参戦した。総勢は25万とも30万ともいう。対するナポレオン軍は、ナポレオンの保護下で結ばれた南西ドイツ諸国のライン同盟の軍勢も加えた約20万。

ナポレオン軍の数的劣勢で始まったこの戦い、ナポレオンは連合軍の各個撃破を狙って仕掛けるが、あえなく押し返された。休戦を申し入れたが拒否されたともいう。さらにライン同盟からの離反や寝返りもあってナポレオン軍はあえなく敗走。ヨーロッパを2分した戦いでもあり、第一次世界大戦以前の戦争としても最大級の規模の戦いだった。ライプツィヒの戦いは両軍合わせて10万もの損害を出して終結した。

敗れたナポレオンはフランスに撤退、ライン同盟は解散した。翌年に行なわれた同盟軍のパリ攻撃により、ナポレオンは退位を宣言。帝政は崩壊した。

**その他の出来事**

690年・則天武后が即位　　1793年・マリー＝アントワネットが処刑される

# 10月/17日 【1912年】

# 第1次バルカン戦争勃発 世界大戦への火種

No.290

バルカン半島でのオスマン帝国領（19世紀末）

1912～13年、ヨーロッパの火薬庫とも呼ばれるバルカン半島を舞台に2度のバルカン戦争は行なわれた。そのうち第1次バルカン戦争は、オスマン帝国にバルカンの小国セルビア、モンテネグロ、ブルガリア、ギリシアが挑んだ。この戦いでオスマン帝国は敗北、イスタンブル周辺を除くヨーロッパ全土とクレタ島を失い、オスマン帝国の弱体化が決定的なものとなった。

戦争のきっかけとなったのは1911年のイタリア=トルコ戦争だ。ロシア=トルコ戦争や青年トルコ人革命などによる混乱からオスマン帝国がバルカン半島での影響力を弱めると、オスマン帝国にイタリアが戦争を仕掛け、北アフリカのキンレンカなどを得たのだ。イタリア=トルコ戦争はその後膠着状態となり、好機と見たセルビア、モンテネグロ、ブルガリア、ギリシアが同盟を結んだ（バルカン同盟）。そして1912年10月8日にまずはモンテネグロが、次いで**10月17日**にブルガリア、セルビア、ギリシアが宣戦し、第1次バルカン戦争が勃発したのだ。それからおよそ2カ月という短期間で、バルカン同盟は70万以上という軍隊を使ってオスマン帝国を包囲。イタリアに対抗するために北アフリカに大量の軍隊を派遣していたオスマン帝国は30万ほどしか動員できず、倍以上の戦力差の前にわずか2カ月ほどで敗北した。

講和条約は1913年1月にいったん交渉がまとまったが、青年トルコ人がクーデタを起こし、講和をはねつけて戦争を再開。しかし再度敗北し、5月には改めてロンドンで講和条約が締結された。講和条約によってオスマン帝国はバルカン半島、エーゲ海、地中海の領土の大半を同盟側に譲渡。イスタンブル周辺を除くヨーロッパ全土を失い、アルバニアの独立が承認された。

オスマン帝国領の分配を巡り、また失地回復を目指すオスマンも参加して、1913年には第2次バルカン戦争が勃発。2度にわたる戦争で問題はさらに複雑に絡むことになり、第一次世界大戦へと突入していく。

**その他の出来事**

1777年・サラトガの戦い　　1973年・OAPECが石油戦略を決定する

# 10月/18日 ナントの王令廃止 フランス凋落の兆し

【1685年】

No.291

フランス西部の都市ナントで、1598年4月13日にフランス国王アンリ4世が公布した宗教的和解の勅令「ナントの王令」。「永続的かつ取り消しのできないもの」として発布されたため、長きにわたって守られたが1685年**10月18日**フランス国王ルイ14世によって廃止された。

ナントの王令はフランス宗教戦争時代のカトリック（旧教）とプロテスタント（新教）を合法的に共存させ、平和回復を求めたもの。当時は旧教と新教の対立が激しく、16世紀末には貴族の政治闘争やそれを支援するスペイン、イギリスら各国勢力とも結び付いて、大規模な内乱に発展し、長期にわたって戦争を繰り返していた。旧教徒が新教を「ユグノー」と蔑称したことから、一連の戦争は「ユグノー戦争」と呼ばれる。

ナントの王令では、制限付きだが新教に信仰と礼拝の自由を認め、ユグノー戦争に一応の終止符を打ち、フランスの国家的統一を守ることに成功した。王令は迫害されてきた新教徒にとっては福音となった。

ナントの王令の発布から年月がたち、しだいに新教徒に対する風当たりは強くなっていった。信者数も減少し、新教徒はフランスを脅かす存在ではなくなっていた。そんななか、1685年にはルイ14世がフォンテーヌブローの勅令を発布。ナントの王令の全条項を廃止して、新教徒の信仰を禁止、市民的自由まで剝奪した。王令廃止の真意は定かではないが、熱心なカトリック信者だったルイ14世が、宗教的な統一により国としての一体感を高め、ヨーロッパ全体にその力を見せつける意図があったのではないかと考えられる。

王の勅令という後押しもあり、新教徒に対する宗教弾圧の嵐が吹き荒れた。教会は破壊され、牧師は国外追放、厳しく改宗を迫られ、財産は没収、奴隷的な扱いを強要された市民もいたという。新教徒はフランスを捨てて新教徒に寛容な他国、イギリス、オランダ、プロイセン、スイスなどへ亡命。その数は40万人におよんだ。

新教徒には職人や商人が多く、亡命を受け入れた国々では産業の発達に貢献した。世界に遅れをとっていたドイツの手工業が大きく発展したほか、時計を含むスイスの精緻な技術産業も亡命者がもたらしたものだという。

一方で新教徒を弾圧したフランスでは産業が停滞。宗教的弾圧には新教徒擁護国だけでなく、旧教中心の国からも反発が生まれ、ルイ14世は凋落した。各国でカトリックやフランスへの風当たりが強くなるなど、のちのちにまで禍根を残した。

**その他の出来事**

1748年・アーヘンの和約　1867年・アメリカがアラスカを購入

# 10月/19日 【439年】

# 北魏が華北を統一 南北朝時代が始まる

No.292

中国を統一していた晋が弱体化し、304年には漢（のちの前趙）が建国。その後、中国の北部地域華北は、多くの小国が勃興する五胡十六国(ごこじゅうろっこく)時代を迎えた。分裂統治されていた華北を、439年**10月19日**に北魏の太武帝(たいぶてい)が統一。中国は北魏の支配する華北の北朝と、華南の南朝とに分かれて南北朝時代に突入した。589年に隋が中国を再統一するまで、中国の南北に2つの王朝が並立する時代が続いた。

5世紀中頃、華北統一後の中国

五胡十六国時代は華北を五胡と呼ばれる5つの異民族、匈奴(きょうど)、羯(けつ)、鮮卑(せんぴ)、氐(てい)、羌(きょう)が統治していた時代を指す。前3者が北方遊牧民族、後2者がチベット系民族だとされる。各民族は中国王朝の傭兵として華北に進出。混乱に乗じて勢力を伸ばし、五胡十六国と呼ばれる小国を築くまでになった。

華北を統一した北魏は五胡の1つ、鮮卑の拓跋(たくばつ)氏が386年に建てた国だ。397年には黄河以北をほぼ平定し、398年には平城に都を移した。北魏の初代皇帝・道武帝(どうぶてい)となり、着々と国力を高めていった。

華北統一を成したのは第3代太武帝の時代。太武帝は強力な鮮卑系武力に加え、漢人官僚も積極的に取り入れてより強力な国家をつくり上げた。五胡十六国時代は小国が中心だったため、力を増す「北魏」に対抗できる国は匈奴の国家である大夏(か)のみ。その夏も425年に始祖の赫連勃勃(かくれんぼつぼつ)が死去すると急速に衰退し、431年頃までには北魏によって滅亡した。

その頃の華北には、北魏のほかには後仇池(きゅうち)、北燕(ほくえん)、北涼(ほくりょう)の3カ国を残すのみとなり、太武帝は残った3国を追い詰めていった。436年には内紛で弱体化していた北燕が滅亡。439年には太武帝みずからが出征して、以前から北魏に従属し、姻族関係にもあった北涼へと攻め込んだ。北涼王は籠城し、北魏と対抗していた遊牧国家の柔然に援軍を頼んだが、助けは差し伸べられず投降した。

北涼の滅亡をもって敵対勢力を一掃し、華北統一がなされたとされる。実際にはまだ後仇池が存在していたが、442年には後仇池も滅亡させ統一政権が完成する。華北統一により、五胡十六国の動乱で衰えていたシルクロードの東西貿易が再開。仏教などの西方文化が華北にもたらされた。太武帝自身は仏教を弾圧したが、北魏皇帝によって仏教はおおいに栄え、のちの中国仏教に寄与することになる。

**その他の出来事**

1781年・ヨークタウンの戦い　　1926年・イギリス帝国会議が開催

# 10月/20日 【768年】 道鏡が法王となる 皇位すら目前に

No.293

孝謙上皇の寵を受け、トントン拍子ともいえるスピード出世を成し遂げた僧・道鏡。763年に少僧都、764年に大臣禅師、765年に太政大臣禅師になり、さらに766年**10月20日**には「法王」の地位にまで上り詰めた。太政大臣禅師と法王は当時の制度にはなかった僧位・僧階で、道鏡の地位を上げるために創設されたものだ。道鏡がどれほどまでに特別扱いされていたかがわかる。

道鏡が葬られたとされる道鏡塚

道鏡は河内国（大阪府）若江郡の出身で姓は弓削連。弓削道鏡とも呼ばれる。出自は明らかではないが、物部守屋の子孫か物部氏に近い出身と伝わる。761年、孝謙上皇が病に倒れた際、看病にあたったのが道鏡だった。平癒の貢献により寵幸を得た道鏡は、常に女帝の側に付き従うようになる。突然、僧を重用するようになった孝謙上皇を淳仁天皇が非難したことで上皇と天皇の関係が悪化。怒った上皇は淳仁天皇を廃して、自身が称徳天皇として再度天皇の地位に返り咲く（重祚）。重祚後、称徳天皇は仏教重視の政治を行なった。奈良の西大寺をはじめ、各地に寺院をつくり、手厚く遇した。貴族・豪族はこの政治姿勢に反発。その原因と考えられる道鏡への反感も強まった。

重祚以降、さらに道鏡への寵愛を深めた称徳天皇は、道鏡に次々と高い地位を与えた。766年に与えた法王は天皇に準ずるものであり、臣下としては最高位だ。当時は官職によって衣服や飲食に規定があったが、法王は天皇と同じものを用いたという。新たな役職「法王」は、天皇に非常に近い特別な役職だったのだ。称徳天皇はさらに767年に道鏡のための特別な官庁「法王宮職」まで新設している。

道鏡の権力欲はとどまることを知らず、769年には豊後国（大分県）の宇佐八幡神が道鏡の皇位継承を進める託宣を出したという宇佐八幡宮神託事件にまで発展。さすがにこれは阻止され、称徳天皇が詔を発し、道鏡には皇位は継がせないと宣言するまでの事態となった。

770年には皇太子を決めないまま称徳天皇が崩御。道鏡は左遷され、2年後死亡した際は一般人として葬られたという。道鏡と皇位にまつわる混乱の再現を阻止すべく、天皇が即位したら皇太子を定める、臣下が皇位に就くことはない、という原則が定められた。

**その他の出来事**

1274年・文永の役が起こる　　1818年・イギリス・アメリカ1818年の協定

10月/21日
【1878年】

# 社会主義者鎮圧法ビスマルクによって公布

No.294

幾多の戦争の結果、統一という偉業を成し遂げたドイツの宰相ビスマルク。鉄血宰相の名でも知られる彼はドイツ帝国を維持するため社会主義の排除を画策。1878年**10月21日**、社会主義運動の弾圧を目的とした法律、社会主義者鎮圧法が公布された。

1871年、度重なる戦争の末、ようやく市民が長年待ち望んでいたドイツ帝国が誕生した。ドイツ統一の立役者であり、さらにドイツをヨーロッパ大陸の最強帝国へと押し上げげたのが、宰相ビスマルクだ。1862年、プロイセン王ヴィルヘルム1世のもとで首相となったビスマルクは鉄血政策を敷き、軍国主義にドイツ帝国を導いた。

ビスマルクは、帝国を維持するためには何よりも国民の団結を重視すべしと考えた。あらゆる手段で国民の団結維持をはかり、団結を妨げるもの、対立の材料になるものを徹底的に排除・弾圧している。この際に槍玉に上がったのが、プロテスタント国家だったプロイセンと対立するカトリックや、資本家と労働者の対立を生む社会主義だった。

第2次産業革命が進展するドイツでは、労働者や失業者が増加。彼らを救済しようとする社会主義勢力が生まれた。1875年には社会主義政党、ドイツ社会主義労働者党が結成。1877年の帝国議会選挙では9％の得票率を得るまでに躍進した。

社会主義勢力を危険視したビスマルクは、2度にわたって起こった皇帝ヴィルヘルム1世暗殺未遂事件を口実に、議会を通じて社会主義者鎮圧法、正式には「社会民主主義の公安を害するおそれのある行動に対する法律」を制定。この法律は、社会主義もしくは共産主義的な活動を規制するもので、結社、集会、印刷・出版、寄付金の徴集などを禁止した。これにより、ドイツ社会主義労働者党は非合法になった。ビスマルクはこの法律を「ムチ」とし、同時に労働者に対しての「アメ」として災害保険や疾病保険などの社会保険制度を整備した。労働者を社会主義運動から切り離そうとしたのだ。

この政策はかえって社会主義者たちの団結を高めてしまう。また社会主義者から被選挙権を奪うことはできなかったため、1890年の選挙では逆にドイツ社会主義労働者党が躍進。19.7％を得て第1党になるという結果を生んだ。

ビスマルクは失脚。社会主義者鎮圧法も1890年には廃止された。

**その他の出来事**

1805年・トラファルガーの戦い　　1943年・明治神宮外苑で出陣学徒壮行会

# 10月/22日【1962年】 核戦争の危機から軍縮へ キューバ危機が発生

No.295

1962年、ソ連がキューバに建設した攻撃用ミサイル発射基地を巡って米ソが激しく対立する。**10月22日**にはアメリカのケネディ大統領がテレビ演説でキューバの海上封鎖を通知するなど、核戦争一歩手前の状況にまで発展した。この事件を「キューバ危機」と呼ぶ。

フルシチョフ首相とケネディ大統領

事件の発端は10月14日。アメリカ空軍の偵察機によってキューバでミサイル基地が建設中だと判明したことに始まる。当時はアメリカとキューバの関係がとくに悪化していた時期だった。キューバはアメリカに対抗するために攻撃用ミサイルを欲し、キューバとの関係性を深めていたソ連のフルシチョフ首相は、ソ連周辺諸国に設置された対ソミサイルに対抗して対米ミサイルの設置を願った。2国は手を組んで、対米ミサイル基地の建設、ミサイル配備を進めたのだ。

キューバへのミサイル配備は、核兵器によるアメリカ本土攻撃を可能にするものだ。アメリカはミサイルの搬入阻止とソ連への抗議の意味を込めて、キューバの海上を封鎖した。同時にソ連にはミサイルの撤去を要請した。ソ連は当初これを拒否、キューバもアメリカを非難するなど対立はさらに深まった。

ソ連からはすでに機材と武器を積んだ艦船がキューバを目指して出港しており、海上封鎖を突破しようとすれば武力衝突は免れない。アメリカは空軍に核兵器搭載を命じ、ソ連は潜水艦に護衛された艦船を封鎖ラインに接近させる。東西冷戦下最大ともいえる危機が訪れ、核戦争の気配に全世界が恐怖を抱いた。

両国首脳は核戦争回避のために裏で直接交渉を行ない、フルシチョフが「アメリカがキューバへ侵攻しないことを条件に、ソ連はミサイルを撤去する」と提案。10月27日に合意が成立し、世界は危機を回避した。

両国首脳の決定は世界を救った英断だったが、ソ連の態度は弱腰と判断された。キューバや中国などはソ連に不信感を抱き、フルシチョフ失脚へとつながっていく。米ソは緊張緩和を模索することになり、両首脳が直接通話できるホットラインが採用された。また核開発競争に歯止めが必要だと考えられるようになり、米ソはイギリスにも働きかけ、大気圏内外水中核実験停止条約を締結。核軍縮へ向けた第一歩ともなった。

**その他の出来事**

794年・平安京に遷都　1873年・三帝協商成立

# 10月/23日【1856年】 英仏の中国侵略 第2次アヘン戦争勃発

No.296

©近現代PL/アフロ
ハリー＝パークス領事

1856年から60年にかけて、イギリス・フランスが清（中国）に仕掛けた侵略戦争を「第2次アヘン戦争」という。開戦は1856年**10月23日**。イギリスが広州を攻撃したことに始まり、フランスとも連合して翌年には広州を占領した。

1842年、アヘン戦争の結果として清とイギリスの間で南京条約が結ばれ、2国間の一応の自由貿易が始まる。しかしイギリスは、取引港の制限など自由貿易には程遠い状態を不満に感じており、権利拡大に向けた交渉の口実を求めていた。

1856年10月8日、広州港に停泊中だったアヘン密輸船アロー号の中国人船員を、清の官憲が逮捕した。罪状は海賊の疑い。イギリス領事パークスは、イギリス領香港船籍の船の船員をイギリス当局に無断で逮捕したこと、加えて掲げていたイギリス国旗を勝手に下ろしたこと（戦争口実のための捏造とされる）がイギリスへの侮辱だとして、清に抗議。賠償金や謝罪、責任者の処罰を要求した。この要求は拒否されたが、これを口実に戦争を仕掛けた。アロー号を契機としたこの戦争はアロー戦争やアロー号事件とも呼ばれる。

当時の清は国内で起こっていた太平天国の乱に悩まされており、イギリスはこれも好機と捉えて開戦に踏み切ったのだ。清への侵出を狙っていたナポレオン3世のフランスも連合して広州を占領、さらに広東を占拠し、天津にも迫った。

1858年、清はついに屈服し、イギリス、フランスに加え、仲介役となったロシア、アメリカの4カ国との間で天津条約を締結した。これは完全な不平等条約だった。条約の批准書交換を北京で行なおうとした際、イギリスに対して発砲事件が起こり、60年にはさらなる武力衝突が起こる。同年中には英仏両軍が北京を占領し、天津条約よりさらに条件の悪い北京条約も締結された。この条約により開港場は拡大、北京への領事の常駐が認められたほか、アヘン貿易が公認させられるなど、清の半植民地化がさらに進行した。

中国の飲んだ不平等条約は、日本に対する脅迫文言ともなった。1858年に井伊直弼が調印した日米修好通商条約にも、中国を反面教師にする意図があったという。またイギリス領事パークスは、のちに駐日公使なり、薩長と結んで幕府の終焉をはかるなど、日本にも多大な影響を与えることになる。

**その他の出来事**

1582年・グレゴリオ暦施行　　1954年・パリ協定調印（西ドイツの主権回復）

# 10月24日【1648年】 ウエストファリア条約締結 ヨーロッパは近代へ

No.297

ウエストファリア条約締結　©Ullstein bild/アフロ

1618年から30年にわたって続いた、最大にして最後ともいわれる宗教戦争「三十年戦争」。ウエストファリア地方に多数の国が集まり開催された講和会議によって、長きにわたった争乱が終焉を迎えた。講和会議は世界初の大規模な国際会議として知られており、1648年**10月24日**に調印された講和条約「ウエストファリア条約」は、世界初の近代的な国際条約とされる。

三十年戦争はドイツで始まった新旧キリスト教両派の宗教内乱に端を発する。争いは全ドイツに広がり、さらには西ヨーロッパの新教国・旧教国各国が介入して入り乱れ、最終的にはヨーロッパの覇権を巡る国際紛争へと変質していった。

講和会議がスタートしたのは1645年。ドイツ西部のウエストファリア地方の都市ミュンスターとオスナブリュックに分かれて開催された。会場が2カ所になったのは、戦勝国のフランスとスウェーデンを分散させて、それぞれと有利に講和しようとしたからだともいう。神聖ローマ皇帝をはじめ、フランス、スウェーデン、スペイン、オランダ、ドイツの領邦国家をそれぞれ1国と数えて総計66国が参加した会議は、各国の利害が衝突して長引き、3年を要してようやく締結へ至った。

ウエストファリア条約で戦勝国のフランスとスウェーデンは領土を拡大。さらに神聖ローマ帝国議会への参加権を獲得するなど国際的立場を強化した。逆にハプスブルク家は勢力を後退させた。オランダとスイスの独立も承認。また新教徒の信仰が認められ、宗教改革以来100年以上にわたって続いてきた新旧両派の対立がようやく終わった。また欧州での新旧両教派の勢力均衡が実現した。

ドイツでも大きな変化があった。ドイツの約300に及ぶ領邦はそれぞれが立法権、課税権、外交権をもつ独立した主権国家だと認められたのだ。神聖ローマ帝国内の分立主義は決定的になり、神聖ローマ帝国は実質的に解体された。この変化をもって、ウエストファリア条約は神聖ローマ帝国の死亡証明書とも呼ばれる。

ウエストファリア条約を経て、国家関係のあり方が国家主権・国際法・勢力均衡の三要素からなる欧州国家体系として確立。20世紀頃まで続く新たなヨーロッパが誕生した。

**その他の出来事**

1860年・北京条約締結　　1929年・ニューヨーク株式市場大暴落

# 10月/25日 【1637年】 歴史上最大の百姓一揆「島原の乱」始まる

No.298

天草四郎の銅像　©toyohara

島原藩（長崎県）と天草の農民がキリシタン信仰を旗印として起こした百姓一揆が「島原の乱」だ。1637年**10月25日**、過酷な年貢の取立てやキリシタン弾圧に耐えかねた領民が、代官を殺害したことに始まる。当時16歳の少年・天草四郎（益田時貞）を首領に総勢3万7000という人々が廃城となっていた原城に籠城。5カ月にわたって幕府軍と激しい対立を繰り広げた。宗教戦争の意味合いもあるが、年貢の重さも要因の1つになったことから、日本の歴史上最も大規模な一揆と評価される。

かつてはキリシタン大名、有馬晴信や小西行長が治めた島原・天草。領民にもキリスト教信者が多かったが、関ヶ原の戦いを経て天草の領主は寺沢氏、島原の領主は松倉氏に代わり、キリシタンへの締め付けが激しくなった。江戸幕府は禁教政策をとっており、1626年に徳川家光が将軍となった頃からより厳しさを増していく。全国的に吹き荒れたキリスト教への締め付けだが、島原・天草での弾圧はとくに苛烈で、強く棄教を迫り、従わない者は火あぶりになることもあった。

また松倉・寺沢両氏は重税を課して農民らを苦しめた。重い年貢を強いただけでなく、取り立てもすさまじく、滞納する者、納付できない者には見せしめとして、蓑（みの）を着せて火を付ける「蓑踊り」や、水攻めなど過酷な刑罰に処した。

1634年からの数年間、島原・天草ではひどい凶作が続いたが、領主は例年どおり年貢を取り立てた。農民たちは困窮し、餓死者が相次ぐ有様だったという。農民らは年貢減免を望んだが、相次ぐ凶作下では当然の要望も信仰による抵抗とすり替えられ、さらなる弾圧が正当化されてしまう。宗教面では弾圧され、生活面では餓死寸前。領民の絶望が一揆へと結び付いたのだ。

キリシタンの間でカリスマ的な人気を誇った天草四郎が首領となったが、実際は元武士だった四郎の父親や小西行長、有馬晴信の遺臣や浪人が中心だったと考えられる。また庄屋が農民たちを統率し、組織的に幕府軍と相対したのだ。

重税に耐えかねての一揆か、信仰による蜂起か。島原の乱の評価は今も諸説ある。しかし生活と信仰を同時に脅かされたからこそ強硬な抵抗が可能だったのだから、幕府や藩の失政の影響は大きいといえそうだ。

**その他の出来事**

1415年・百年戦争アザンクールの戦い　1873年・板垣退助らが参議を辞職

# 10月/26日【1909年】
# 伊藤博文暗殺が韓国併合の足がかりに

No.299

1909年**10月26日**、満洲（中国）のほぼ中央に位置するハルビン駅にて銃撃を受け、伊藤博文がこの世を去った。暗殺犯として逮捕されたのは、韓国の独立運動家、安重根（あんじゅうこん）だった。

暗殺犯として知られる安重根

明治時代、4度にわたって内閣総理大臣を務めた伊藤博文。日露戦争後の1905年に韓国統監府が設置されると、初代統監に就任する。韓国統監府とは日本が韓国を支配するために設置した統治機構。韓国の外交権を掌握した日本は、韓国の権限を少しずつ奪って植民地化を進め、韓国を併合しようと目論んでいた。ただし伊藤は韓国併合に前向きではなかった。伊藤が目指したのは韓国の独立を維持したまま、保護国として統治する保護国化だった。しかし韓国では保護国化に反対する反日義兵闘争が起こり、日本国内では手ぬるいと伊藤の政策は支持されなかった。韓国併合推進派からの説得もあって伊藤も保護国支配策から韓国併合策へと転換。韓国併合を既定路線とし、併合後の舵取りを行なうために韓国統監を辞任。枢密院議長に就任し、満洲へと視察に赴いていた。

伊藤がハルビン駅へと足を運んだのは、ロシアの蔵相ウラジミール＝ココツェフが視察のためにハルビンを訪れるとの情報を得たためだ。非公式の会合をもち、満洲・朝鮮問題についてロシアの動向を探り、日露関係を調整する意図があった。まずはココツェフが日本側の列車を訪れて20分ほど会談し、宴席の用意されたロシア側の列車に移動するためホームに降り立った。ロシアの要人らと挨拶していたちょうどそのとき、伊藤めがけて3発の銃弾が撃ち込まれたのだ。伊藤は30分後には死亡し、暗殺犯とされる安重根はその場でロシア兵によって取り押さえられた。

伊藤がハルビン駅に来ると知った安重根は群衆に紛れて接近。至近距離からしゃがんで発砲したという。逮捕後も獄中や裁判時に伊藤の罪状や韓国独立を訴え続けたが、1910年3月26日に死刑が執行。韓国では安重根の記念館がつくられるなど、抗日闘争の民族的英雄としてたたえられている。

日本はこの暗殺を好機と捉え、抗日運動抑制を口実に韓国併合を急ぐことになる。韓国独立を望んでの暗殺が、逆に併合を後押しするという皮肉な結果になったのだ。

**その他の出来事**

前202年・第2次ポエニ戦争ザマの戦い　899年・イングランド王のアルフレッド大王が死去

# 10月/27日【113年】トラヤヌス帝最後の戦い パルティア遠征が始まる

No.300

トラヤヌスの記念柱

五賢帝の1人に数えられ、在位中にローマ帝国の最大領土を獲得したトラヤヌス帝。文武両面に秀でたことで知られる皇帝は、113年**10月27日**新たな戦いへと赴いた。目的地はイランに栄えた東の大国パルティアだった。

優れた君主として知られ、最良の皇帝とも呼ばれるトラヤヌス。古代ローマ最盛期の5皇帝を五賢帝というが、帝位にあった順に、ネルウァ、トラヤヌス、ハドリアヌス、アントニヌス＝ピウス、マルクス＝アウレリウス＝アントニヌスと続く。この時代の帝位は世襲ではなく、貴族から有能な人材を養子に迎え、皇位を継承させた。先帝ネルウァが選んだのは属州ヒスパニア（スペイン）出身で、血縁・姻戚関係にないトラヤヌスだった。属州出身者初の皇帝だ。

トラヤヌスの政治は穏健で、独断的な行動を慎み、人々の声によく耳を傾けたという。旧来勢力の元老院を尊重する一方で、属州出身者などの新興勢力の登用にも熱心と、新旧のバランスを心がけていた。社会政策にも力を入れたという。

とくに熱心だったのは対外政策で、大規模な遠征も盛んに行なった。まずはドナウ川の北側に広がるダキア（ルーマニア）へ親征、101年にダキア戦争が勃発する。勝利したトラヤヌスはダキアで産出される金銀を得て、ローマにトラヤヌス広場と市場を建設した。元老院は戦勝を記念して、その広場にトラヤヌスの戦勝記念柱を建設。この記念柱は現在もローマに残っている。トラヤヌスは公共工事にも熱心で大建築物を多数造営した。荒地開拓、港湾建設、街道修築や水道建設などを行なったほか、大規模公共浴場も設置した。

最後の遠征は113年。ローマの保護国アルメニアに侵攻したパルティアを撃退するためのものだった。トラヤヌスはすでに60歳を超えていたが果敢に出撃し、パルティア討伐だけでは飽き足らず、さらに進軍。アルメニア、北メソポタミアを属州とし、チグリス川を下ってペルシア湾に到達した。ローマ帝国が最も拡大した瞬間だ。

しかしこの広大な領土の統治は難しく、征服したばかりのパルティアをはじめ、各地で反乱が勃発。トラヤヌスも重病にかかり、後継者のハドリアヌスに管理をゆだねてローマに戻る途中、64歳で生涯を終えた。

**その他の出来事**

1553年・カルヴィンがセルヴェを異端として処刑　1859年・吉田松陰が処刑される

# 10月/28日【1922年】ローマ進軍が始まる ファシスト政権誕生の契機

No.301

ファシズムの創始者ムッソリーニが、1922年**10月28日**、武装勢力を率いてローマへの進軍を開始した。この事件を「ローマ進軍」という。首都に迫るファシスト党を阻止するべく政府が動くも、混乱を恐れた国王がムッソリーニを首相に指名したことで状況は一転。政府は退陣し、ムッソリーニが組閣を行なうこととなった。

©Mary Evans Picture Library/アフロ

ファシスト党のローマ進軍

第一次世界大戦では戦勝国となったイタリア。しかし新たな領土は得られず、戦後の不況とインフレーションで国民の生活は苦しくなるなど、政府への不満が高まっていた。閉塞感の漂うなかで人気を集めたのがムッソリーニ率いる戦闘者ファッショだった。のちのファシスト党だ。反社会主義を掲げるファシスト党は、社会主義革命を恐れる支配層や中産階級の間で支持が拡大する。同時に国家による経済統制を行ない、失業者や貧困層を助けるという政策が好まれ、一般市民からの支持を得ることにも成功した。1921年の議会には35人の代議士を送り込むなど勢い付くファシスト党は、暴力で社会主義運動を鎮圧、さらには地方都市の行政権を把握するなどし、1922年には北部イタリアを支配下に置いた。

1922年10月24日、ナポリでファシスト党大会が開かれた。ムッソリーニは党員たちに政権奪取を宣言。黒シャツ隊と呼ばれる武装私兵を集結し、ローマへの進軍を開始したのだ。

ローマ進軍は暴力的手段によって政変を起こそうというクーデタだった。しかし軍による妨害活動や党員間の連絡の不行き届きもあって、計画の多くは未遂に終わり、ムッソリーニ自身も失敗を覚悟し、亡命を想定していたほどだった。しかし国王が政変を受け入れたため、無血入都がかなう。ローマ進軍は無血クーデタとして成功を収め、イタリアにファシスト政権が誕生した。ローマ進軍とファシスト政権の誕生は、ヒトラーをはじめ世界のファシズム団体に大きな影響を与えた。

1929年、ムッソリーニはローマ教皇庁との間でラテラノ条約を締結し、19世紀から続いたローマ教皇庁との断絶状態を解消した。ローマ教皇庁にはローマ市内の一部地域を現在も続くヴァチカン市国として独立させることを承認し、代わりにムッソリーニ政府の承認を与えられた。ローマ教皇からのお墨付きを得て、ムッソリーニはさらにイタリア国民の支持を集めるようになる。

**その他の出来事**

312年・コンスタンティヌス大帝がローマ帝国西側の支配者となる　1919年・アメリカで禁酒法が成立

# 10月/29日【1923年】トルコが共和国宣言 近代国家への道を歩む

No.302

ムスタファ＝ケマル
（ケマル＝アタテュルク）

第一次世界大戦で敗北を喫したオスマン帝国は、1920年に連合国との間で講和条約を結ぶ。セーブル条約と呼ばれるこの条約は、イラク、パレスチナ、シリアの全域とアラビア半島を放棄し、バルカン半島ではイスタンブルと隣接地を残してギリシアに割譲、さらに治外法権の存続や、財政を連合国の共同管理下に置くなど、屈辱的な内容だった。これを受け入れようとする政府に対し、各地で反帝国主義運動が起った。この運動を統合したのが、のちに共和国初代大統領に就任するムスタファ＝ケマル（ケマル＝アタテュルク）だ。

1919年、ギリシアはアナトリア半島のスミルナに侵攻した。なすすべのない政府に代わり、ケマルがギリシア軍に対し軍事行動を起こす。ギリシア＝トルコ戦争が始まった。この戦いに勝利したケマルはギリシア軍を追い出し、1922年には弱腰のオスマン帝国を退場させるべく、スルタン制を廃止。13世紀末から続いたオスマン帝国を滅亡へと追いやって、トルコの実権を掌握した。

1923年7月、ケマルは国の代表として連合軍との条約締結に臨み、トルコに有利なローザンヌ条約を締結。セーブル条約の破棄に成功した。ローザンヌ条約では領土の分割を大幅に免れ、失いかけた国土を回復したほか、連合国軍隊の撤退や治外法権・財政管理の廃止など主権も取り戻している。

1923年**10月29日**にトルコ共和国の成立を宣言。首都はオスマン帝国色を薄めるためにイスタンブルではなくアンカラに定め、トルコ共和国憲法も制定された。主権在民、一院制の議会制度、大統領制などが次々と規定され、革命の立役者ケマルは大統領に就任。トルコ共和国は近代国家への道を歩み始め、国際的地位も向上したのだ。この功績から、ケマルは今日アタテュルク（トルコの父）という名で呼ばれている。

領土を巡って争ったギリシア＝トルコ戦争では、トルコ軍による虐殺も行なわれ、両国間に感情的な敵対意識を残した。ローザンヌ条約では両国の対立要因を排除する目的で、国内に居住する住民の交換が行なわれた。しかし、住民交換が強制に近かったため、さまざまな悲劇を生み、両国の感情はさらに悪化したという。

**その他の出来事**

1831年・エジプト軍のムハンマド＝アリーがオスマン帝国に反乱　　1888年・スエズ運河条約調印

# 10月30日【1890年】 明治天皇からのメッセージ 教育勅語が発布

No.303

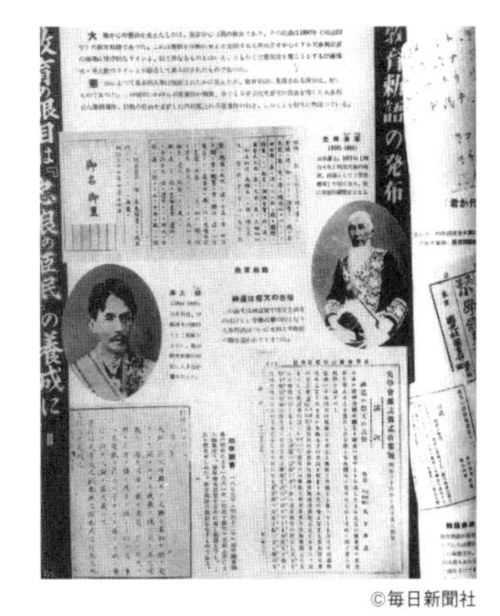


©毎日新聞社

教育勅語発布を報じるパンフレット

1868年、明治天皇は日本の今後に関する方針を発表する。近代国家として日本が繁栄するためには教育が重要であり、急務だとして1872年に学制、1879年には教育令を公布した。学校の設置、義務教育制度確率などを通じて、近代教育制度を整備したのだ。

江戸から明治へと大きな変革があった時期。文明開化や西洋が重んじられ、脈々と受け継がれてきた伝統的な倫理道徳の教育が軽視される傾向に悩む市井の人々が少なからずいた。実情を憂慮した明治天皇や側近が、「教育勅語」を起草。1890年**10月30日**に発表され、新たな教育の基本理念が提示されることとなった。

教育勅語の元になったのは儒学者で宮内官僚の元田永孚（もとだながざね）が起草した教学聖旨（きょうがくせいし）だった。伊藤博文や井上毅（いのうえこわし）など近代的な考えをもつ官僚・政治家の意見も取り入れられ、日本軍隊の創設者である山県有朋も内閣総理大臣として参画するなど、さまざまな立場、思想の人々が草案にたずさわったとされる。

教育勅語が重視したのは徳育だ。知育や体育とともに教育の基本的な分野とされ、おもに道徳教育を指す。内容は日本の教育の基本方針を示すもので、忠君愛国などの国民と天皇が一体となって守るべき道徳を説き、父母への孝や夫婦相和など、国民が体得すべき14項目の徳目を記す。またこれらの徳目は天皇と臣民が今後も普遍的に遵守・実践することを希望すると述べている。発布された教育勅語は明治天皇からの直接のメッセージとして重く受け止められた。国民道徳と国民教育の基本とされ、国家の精神的支柱として重視された。

戦前は各学校で天皇・皇后の写真拝礼とともに、勅語奉読が盛んに行なわれたが、1948年の国会決議によって失効が決定する。謄本は回収、処分された。

近年、教育勅語が見直されつつある。時代や現在の道徳・倫理にそぐわない部分もあるが、現在でも通じる内容も多いと考えられるようになってきた。現代日本にマッチするようにアレンジしたり、部分的な紹介だったりはするものの、学校教育のなかに教育勅語が取り入れられる例も増えているという。

**その他の出来事**

1922年・ムッソリーニがローマ入城　　1938年・CBSラジオドラマ『火星人襲来』でアメリカがパニック

# 10月/31日【1517年】「95カ条の論題」発表 宗教改革が始まる

No.304

マルティン＝ルターの肖像

ヴィッテンベルク大学の神学教授だったルターは、1517年**10月31日**「95カ条の論題」を発表。神学的討論と批判を目的としたもので、贖宥状（免罪符）の効力についての批判的な見解などを95個の命題として提示した。ルターの主張はまたたく間に全国に広がり、宗教改革のきっかけとなって全世界に大きな影響を与えた。

当時、ローマ教皇レオ10世はローマの聖ピエトロ大聖堂新築の資金をまかなうために贖宥状を発行していた。各地に修道士が派遣され、売り歩くようなことも見られた。ドイツではドミニコ会の修道士テッツェルが販売を担当。ルターは贖宥状が正しい信仰にとって有害であり、人々の信仰に悪影響をおよぼすとの考えから、自己の見解を表明した。

贖宥は本来、地上におけるキリストの代理としての教皇が、特別な功労のあった信徒に対し、犯した罪を赦免するというものだ。贖宥状さえ買えば功徳が積まれ、神の罰を免れるなどとして贖宥状を売りさばくことに、ルターは異を唱えた。ルターの信条は「人は信仰によってのみ救われるもの」とする信仰義認説であり、贖宥状を買うことは気休めに過ぎないのではないかと疑問を呈したのだ。

95カ条の論題は、公開状としてヴィッテンベルクの城教会の門扉に貼り出されたというのが定説だ。ラテン語で書かれていたが、すぐにドイツ語に翻訳され、活版印刷されてドイツ中に知れ渡ったとされる。

内容としては、贖宥状の問題を中心に、教義、教皇庁の政策、僧侶の日常生活など、多彩な観点から、カトリックの教義上未解決だと考える問題を95項目にわたって取り上げていた。批判的な立場から疑義を提示してはいるが、一方的な糾弾ではなく、目的はあくまでも公開討論の題材の提供であり、当時の神学論争ではごく普通の行為でもあった。

しかしルターの呈した贖宥状に関する疑義は、腐敗したローマ教会の体質をドイツだけでなく全ヨーロッパ、さらには全世界に知らしめることとなり、宗教改革という大混乱を巻き起こすことになる。やがては旧教カトリックに対する新教プロテスタントを生み、新たな宗教闘争と戦争の種を蒔くことにもなったのだ。

**その他の出来事**

1793年・山岳派がジロンド派をコンコルド広場で処刑　1984年・インディラ＝ガンディーが暗殺される

# 11月

November

# 11月/1日【1858年】

# インド大反乱を経て ムガル帝国が滅亡する

No.305

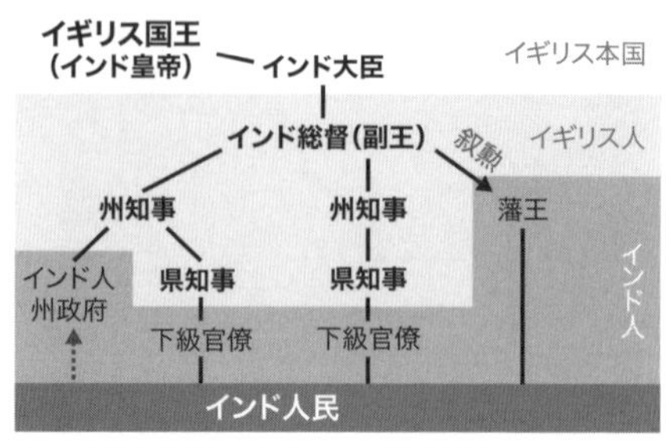

インド大反乱後のイギリスの統治制度

16世紀に成立したインド史上最大のイスラーム王朝「ムガル帝国」は、インドの広範囲を支配し、ヨーロッパやアジア諸国と結ぶなど繁栄を得た。しかし、18世紀頃から衰退し始め、しだいにイギリスの支配下に置かれるようになる。

「東インド会社」を通じて間接的にムガル帝国を支配していたイギリスだが、1857年インド人傭兵(ようへい)による反英蜂起の「インド大反乱」がきっかけで直接支配へと乗り出した。

しかし、ムガル皇帝バハードゥル＝シャー2世に人望がなかったため、しだいに内部は分裂。また、明確な指導者や中心人物がいない大衆蜂起だったこともあり、混乱状態へと陥っていく。イギリスもなんとか乱を鎮圧しようと、海外からの支援も得て多数の近代兵器と援軍を送り込む。1857年9月、イギリスはデリーを回復。ムガル皇帝は捕らえられ、1858年に廃位・流刑となる。それにより、同年**11月1日**イギリスの直轄植民地となり、17代332年続いたムガル帝国は滅亡した。

1858年7月、イギリスは反乱鎮圧の声明を出したが、東インド会社を通じての統治には限界があると認識。東インド会社を解散させ、インド総督を中心に本国から派遣した官僚・軍隊による直接統治に切り換えた。

インド大反乱は、一部の人々による反乱ではなく、イギリスの植民地支配に対する不満が連鎖的に爆発したものだ。「インド史上初の反英闘争」であり、「最初の独立戦争」とも呼ばれる。ムガル帝国を滅亡へと導いた反乱は、全民族的な抵抗の第一歩となり、現代まで長く続く本格的反英闘争の出発点ともなっていく。

イギリスのヴィクトリア女王は、インド内の有力者の支持を得るため、ヒンドゥー教やイスラーム教に基づく習慣に介入しないことを表明する。ただ、この方針には、インド人が団結してイギリスに反抗することを防ぐため、インド内の宗教対立や、カースト間の分断を温存する意図があった。

また、インド内で活動するイギリスの軍人や官僚の人件費、イギリス人による工場や鉄道、公共機関の建設費などは「本国費」と呼ばれ、ほぼインド人の税金でまかなわれた。それらはインド人にとって大きな負担となる。さらに、1877年以降は、イギリス国王がインド皇帝を兼任することが定められる。

**その他の出来事**

1512年・ミケランジェロがシスティーナ大聖堂の天井画公開　1922年・オスマン帝国滅亡　1993年・EU発足

11月/2日
【1917年】

# パレスチナ問題の原因「バルフォア宣言」が発出される

No.306

イギリス外相アーサー＝バルフォア

イギリス外相バルフォアが1917年**11月2日**に送った「バルフォア宣言」。その内容は「パレスチナにユダヤ人の民族的郷土（ナショナルホーム）をつくる」ことを支持したものだ。ユダヤ系イギリス人の銀行家ロスチャイルドあての書簡で表明されたもので、ユダヤ人から第一次世界大戦への支援を取り付ける意図だったと考えられる。ユダヤ人の「民族的郷土（ナショナルホーム）建設」をイギリスが後押しするとも取れる内容は画期的だったが、イギリスがほかに結んだ協定と矛盾することもあり、大きな禍根を残した。

バルフォア宣言の書簡の宛先だった、シオニスト連盟会長のロスチャイルド。「シオニスト」とは、ユダヤ人を「民族」と見なし、ユダヤ人による国家を形成することで差別からの解放を目指す運動を指す。具体的にはユダヤ教の「約束の地」とされるパレスチナへの移住を望んだ。また、この宣言はシオニズム運動への支持を表明したもので、パレスチナにユダヤの目的達成の努力を約束していた。

問題は、バルフォア宣言と過去に結んだ2つの協定との矛盾だ。イギリスが大戦を有利に進めるため各国と交わした約束は、不誠実な「三枚舌外交」と非難された。

1つは1915年、イギリスがアラブ勢力と結んだ「フセイン・マクマホン協定」で、オスマン帝国への反乱と引き換えに、第一次世界大戦後のアラブ人居住地の独立支持を約束したこと。ただし、この協定に規定されたアラブ人居住地の範囲にはパレスチナは含まれていないため、矛盾していないとも考えられる。また、バルフォア宣言では「先住民の権利を侵害しないことが前提」という旨が明記されているため、アラブとユダヤが共存すれば問題ないとも考えられる。

もう1つは1916年、イギリス、フランス、ロシアの間で、中東トルコ領分割について結ばれた「サイクス・ピコ協定」。この協定ではパレスチナを国際管理すると規定し、バルフォア宣言とは矛盾する。しかし、バルフォア宣言では民族的郷土（ナショナルホーム）建設が約束されているだけで、ユダヤ人がパレスチナに入植することを妨げるものではなく、やはり矛盾はしないとの説もある。

この宣言を受け、1948年にはイスラエル共和国が成立。しかし矛盾をはらむ3つの約束はそれぞれに遺恨を残しており、現在まで続くパレスチナ問題の原因だと考えられている。

**その他の出来事**

1601年・江戸大火をきっかけにかわら版が登場　　1963年・南ベトナムで軍事クーデタ

# 11月/3日【1946年】 戦後、日本の再出発となる日本国憲法が公布される

No.307

第二次世界大戦中に発表された「ポツダム宣言」を受け入れた日本。軍国主義を捨て、平和国家を目指すことが決まった。日本の再出発には、君主が定めた欽定憲法の「大日本帝国憲法」ではなく、国民に寄り添う新たな憲法が必要だと考えられ、戦後の日本を占領・管理するための最高司令部「GHQ」の監督の下、国民が定める「民定憲法」策定に向けた準備が始まった。

ダグラス＝マッカーサー

その後、「日本の民主的変革の基本原理」を提供する憲法として、1946年**11月3日**、「日本国憲法」が公布され、この日は「文化の日」に制定されている。日本の法体系のなかで最高法規に位置付けられる。

当初は、大日本帝国憲法の修正を考えたものの、GHQは国民主権を基本とする新憲法が必要と判断。新たな憲法に向けての草案、いわゆる「マッカーサー草案」を作成し、日本政府に示した。この草案を元に日本国憲法が作成され、議会での審議を経て採用が決まった。

マッカーサー草案には、もちろん日本人の意見も反映されている。この当時、政府・民間を問わず、多数の人々や団体が憲法改正法案の作成を手がけた。政府や与党の草案は大日本帝国憲法をアレンジした内容のものが多かったが、民間考案のものには先進的なものもあり、GHQも参考にしたと考えられる。とくに1945年12月26日に発表された憲法研究会の「憲法草案要綱」には天皇の権限を国家的儀礼のみに限定することや、主権在民、生存権、男女平等など、新憲法の根幹をなす基本原則が盛り込まれたものだったという。

法律は基本的にまず「公布」され、その後ある程度の日をあけて「施行」される。日本国憲法も、施行から半年前の1946年11月3日に公布され、まずは国民に新憲法を周知することになった。新憲法はまず施行日が1947年5月3日と設定され、その逆算で公布日が決められたという。この11月3日は明治天皇誕生日「明治節」にあたる。内閣ではGHQなどから反対意見が出るのではないかと危惧したが、とくに異論はなかった。じつは、GHQ内部には反対意見もあり、中華民国からも疑義が呈されていたというが、GHQでは日本の決定を尊重。明治節を公布の日として認定したのだ。

**その他の出来事**

592年・蘇我馬子が崇峻天皇を暗殺　644年・ウマル1世、暗殺　1615年・遣欧使節支倉常長がローマ教皇に謁見

# 11月/4日 【1979年】

# 在イランアメリカ大使館人質事件が勃発

No.308

アメリカ大使館の塀を越える学生たち

1979年に起こったイラン革命前のイランは、50年以上続くパフレヴィー朝の世。アメリカ資本を導入し、石油開発を行なうなど、親米政策を採っていた。莫大な石油利潤を得て、強制的に西欧化と近代化を進める「白色革命」政策を推し進める一方で、国民を弾圧し、さらには急激な西欧化による生活苦もあり、若者を中心に民衆が反発を起こす。事態を収拾できないパフレヴィー2世は国外へ逃亡、イランは混乱に陥った。混迷するイランを新たに率いたのは、アメリカにすり寄る皇帝を批判し、国外追放になっていたシーア派最高指導者ホメイニだ。亡命先から戻った彼は、政権を掌握し「イラン・イスラーム共和国」を樹立、トップの座に就いた。この一連の出来事を「イラン革命」と呼ぶ。

アメリカへ亡命していたパフレヴィー2世の身柄引き渡しを求めたイラン革命政府だったが、アメリカにそれを拒否される。そして、イラン革命中の1979年**11月4日**、これを契機とした学生らがアメリカ大使館へと押し寄せ、52人の大使館職員を人質にしてアメリカ大使館を占拠した。この事件は「在イランアメリカ大使館人質事件」や「アメリカ大使館占拠事件」などと呼ばれる。

アメリカは大使館の占拠中止と人質の解放を求め、報復もほのめかしながら交渉したが難航。1980年4月には「イーグルクロー作戦」という人質奪還作戦を試みるも、ヘリコプターの故障などもあって大失敗に終わる。

1981年1月、1年以上、444日にもわたった在イランアメリカ大使館人質事件は、アルジェリア政府の仲介によって解決する。人質も解放されたが、以前から関係性の悪かったイランとアメリカの関係はさらに悪化。1980年には国交を断絶し、現在もまだ国交再開はされておらず、アメリカとイランとの間に決定的な亀裂を生じた事件といえる。また、1980年に勃発した「イラン＝イラク戦争」でもアメリカはイラクを支援している。さらにアメリカは1984年にはイランを「テロ支援国家」に指定。経済制裁を行ない、イランの孤立を狙っている。イランは中東での存在感と影響力を強めるとともに、ロシアや中国などへも接近するなど、「対米」を想定した動きを続けており、とくに親米アラブ国はイラクに対する警戒心を強め、問題は2国間ではなく、世界中を巻き込んだものへと発展している。

**その他の出来事**

1770年・エジプトがオスマン帝国から独立を宣言　1921年・原敬、暗殺　1956年・ソ連がブダペスト占領

# 11月/5日【1556年】 アクバルのムガル帝国が再建を果たす

No.309

16世紀前半から19世紀中期にかけて存在した、インド史上最大のイスラーム王朝「ムガル帝国」。この国の転機にはいつも、インド・デリー北方にある要衝の地、パーニーパットで戦いが行なわれている。

1526年4月21日の「第1次パーニーパットの戦い」では、初代皇帝になるバーブルがロディー朝を下した。この戦いでロディー朝は滅亡。バーブルがムガル帝国を創始した。1761年1月14日の「第3次パーニーパットの戦い」では、ムガル皇帝はもう衰退しており、代わって台頭した勢力同士が対決。この戦いでインドのその後が決まっている。

ガンジス川を渡るアクバル帝

ムガル帝国の「再建」ともなった決戦もパーニーパットが舞台だ。1556年**11月5日**、ムガル帝国3代皇帝アクバルの宰相と、帝国の脅威となっていたスール朝の武将ヒームーとが争った。当時のムガル帝国はデリーを巡って他勢力と争いを繰り返しており、「インドを支配する帝国」としての力と地位を失いつつあった。さらに父の死によって皇帝を継いだアクバルはまだ13歳という若さ。ムガル帝国は危機に瀕していたのだ。

皇帝の死と幼帝の即位という混乱期を狙い、ヒームーはデリーを奪取。デリーを取り戻し、新帝としての実力を内外に知らしめる戦いが「第2次パーニーパットの戦い」だった。そして、その戦いにおもむいたのは、幼帝の摂政を務めたバイラム＝ハーン。ムガル帝国軍2万ほどに対し、ヒームーは少なくとも10万という大軍を率いており、劣勢は明らかだったが、ムガル帝国は奇跡的に戦いに勝利して、再建を遂げた。それと同時に、不安定だったアクバルの皇帝位も盤石にした。

名実ともに「皇帝」となったアクバルは寛容な政治を行なった。人心を掌握し、軍事制度・官僚制度のほか、土地制度や税制、貨幣などの制度を統一・構築して帝国の根幹をつくり上げたのだ。多数派のヒンドゥーと、少数だが支配者側のムスリムとをうまく共存させ、互いを融和する仕組みをつくり、2つの宗教が混在するインドを巧みに統治。帝国の繁栄の基礎を固めた。ムスリムとヒンドゥーの融和政策の時代に、ヒンドゥー教とイスラーム教の統合を説いて誕生した「シク教」は現在も1千万人以上の信者をもち、独立戦争を起こすなど、インドの抱える難問の1つにもなっている。

**その他の出来事**

1689年・オレンジ公ウィリアム3世がイギリス上陸　1757年・ロスバッハの戦い（七年戦争）　1943年・大東亜会議

# 11月/6日【1937年】 反ソ反共3国協定である日独伊防共協定が成立

No.310

日本とドイツ、2国間で1936年に締結された「日独防共協定」は、共産勢力に対抗して結ばれたもので「反ソ反共」の協定だ。有効期間は5年。翌1937年**11月6日**にはイタリアが加わり、ローマで「日独伊防共協定」が新たに調印された。

日独伊防共協定の調印式の様子

日独防共協定の正式名称は「共産インターナショナルに対する日独協定」で、対コミンテルンの対抗措置を定めたものだ。「コミンテルン」とは、国際共産主義インターナショナルの略称で、1919年にレーニンの提唱によりモスクワで結成された革命政党・組織の指導機関を指す。

日独（伊）防共協定は基本的に、コミンテルンの活動についての相互協力と情報交換、国内共産主義活動の弾圧、さらにソ連に対する軍事牽制（ぐんじけんせい）を目的とするものだ。「秘密協定」として、「いずれかの国がソ連から攻撃を受けた場合、もしくは攻撃の脅威を感じた際、ほかの国はソ連の負担を軽くするようないっさいの措置を採らないこと」との付帯が付けられている。ソ連を仮想敵国に据えて、日独伊の提携を想定する内容だ。

この協定は、1933年に国際連盟を脱退、国際社会から孤立しつつあった日本が、同じく国際連盟から脱退したドイツや、ドイツと関係の深いイタリアと接近する意味があった。同時に、今後の大陸政策の遂行を阻害する要因となるソ連を牽制できるとして、軍部、とくに陸軍からの強い要請により結ばれたと考えられる。しかし、ソ連はこれに強く反発。以降、日ソ関係は悪化の一途をたどり、日ソ間の軍事衝突、1938年の張鼓峰（ちょうこほう）事件や翌年のノモンハン事件などにもつながった。

ドイツとイタリアは1936年10月、すでに「ベルリン＝ローマ枢軸」と呼ばれる提携関係を構築していた。日独防共協定は日本がドイツ、イタリアの枢軸国に加わり、アメリカ・イギリス・フランス陣営と対決姿勢を取っていくことを意味していた。日独伊防共協定の締結には「三国枢軸」形成の意味があり、3国とソ連との関係性が変化した後は、1940年9月に結ばれた反米軍事同盟「日独伊三国同盟」へと強化発展していく。さらにこの「防共協定」も、翌年11月には5年間の延長が決まり、満洲国、ハンガリー、スペインも参加した。ドイツ・イタリアと組み、対連合国の姿勢を明らかにした日本は、第二次世界大戦への道を着々と歩むことになる。

**その他の出来事**

1494年・スレイマン１世、誕生　　1945年・財閥解体

# 11月/7日【1917年】 ロシアで十月革命が勃発 世界初の社会主義国誕生

No.311

ロシア革命とは、第一次世界大戦末期の1917年にロシアで起きた2度の革命のことをいう。3月に「二月革命」、11月に「十月革命」が起こった。

巡洋艦アヴローラ

二月革命で皇帝が退位し、大衆は新たなロシアに戦争終結を求めた。それを受け、ロシアには皇帝に代わり政権を担う臨時政府が立ったが、臨時政府は戦争容認の姿勢だったため、庶民に不信が広がった。

大衆の不満を救ったのは、社会主義革命を目指して活動を続けていたレーニンだ。その活動を問題視されたため、国外に逃亡していたが、亡命先で祖国の危機を知り急遽帰国。ロシア社会民主労働党「ボリシェヴィキ」派の指導者として、反対運動をスタートする。戦争そのものや、政府の対応に不満を募らせていた労働者、兵士の支持を獲得し、臨時政府から政権を奪取しようと動き出した。

1917年**11月7日**、ボリシェヴィキは首都ペトログラード（現在のサンクト＝ペテルブルク）の輸送機関や通信機関を武力制圧しようと突入する。しかし、戦闘らしい戦闘もなく、首都のすべての拠点を無血占領している。次いで臨時政府が立て籠もる冬宮殿へと攻め込んだが、こちらも巡洋艦アヴローラからの砲撃を行なった程度で、翌日には制圧。さらに、レーニンを議長とする人民委員会議を設立し、世界初の社会主義権力を樹立した。当時のロシア暦（ユリウス暦）では10月25日だが、グレゴリオ暦では11月7日となるため「十一月革命」とも呼ばれる。

レーニンは戦争を終結させるべく、1918年にブレスト＝リトフスク条約を結んでドイツと講和し、第一次世界大戦から離脱。さらに、社会主義という理想に向かって歩みを進め、地主や教会から土地を没収して銀行や工場を国有化するなどの政策を進めたのだ。

社会の変革を喜んで受け入れる者もあれば、当然ながら反発する者もある。レーニンの政策にも反対派が生まれ、ロシアは反ボリシェヴィキ・反革命軍との内戦に突入していく。

世界初の社会主義政権を成立させた十月革命。ボリシェヴィキは「共産党」と名を変え、1922年には「ソヴィエト社会主義共和国連邦」が誕生した。資本主義諸国の競争相手として、また「冷戦」の相手として国際政治の軸になっていく。

**その他の出来事**

1944年・ゾルゲ処刑　1944年・ローズヴェルトが4選

11月/8日
【1932年】

# F=ローズヴェルトがアメリカ大統領に初当選する

No.312

第32代アメリカ合衆国大統領フランクリン＝ローズヴェルト。民衆人気に後押しされ、1933～45年の4期にわたって大統領を務めるという、空前絶後の長期政権を確立した。ローズヴェルトの初当選は、世界恐慌真っ只中の1932年**11月8日**。恐慌からの脱却を掲げた民主党のローズヴェルトは、異例の大量得票で大統領の座を手に入れたのだ。

フランクリン=ローズヴェルト

世界恐慌が始まったのは1929年10月24日木曜日。ウォール街のニューヨーク株式市場の株価大暴落に端を発しているため、きっかけの日は「暗黒（ブラック）の木曜日（サーズデイ）」とも呼ばれる。続く2カ月で株式は平均42％急落、さらに3年間でピーク時の90％も下落したという。工業・農業・金融と全産業分野に広がった結果、失業率は23％まで上昇。国民生活に多大な影響を及ぼした。

その原因は過剰投資にある。第一次世界大戦中、戦場にならなかったアメリカは、戦争での利潤を元に株式などの過剰投資を行なった結果、いわば「バブル」状態となり永遠の繁栄が約束されたかのような錯覚を得ていたともいう。また、国内では過剰生産も進行しており、これも恐慌の一因となった。

アメリカで引き起こされた未曾有（みぞう）の大恐慌は、全資本主義国へと波及し世界規模となる。1933年まで5年にわたり最大・最長の恐慌へと発展し、主要国が恐慌前の水準に回復するのには10年もかかったという。各国はブロック経済によって景気回復を図ったほか、軍備増強を行なったが、それが第二次世界大戦の大きな要因にもなったと考えられる。

1932年の大統領選挙はこの「大恐慌からの復活」が争点となった。対抗馬で現職大統領だったフーヴァーは、政府からの融資で金融機関を援助し、金融機関の融資を促して経済を回復させるという施策を行なったが、思うような効果は得られず、逆に民衆の不満は高まった。対するローズヴェルトは「ニューディール政策」を掲げて選挙に挑む。じつは「ニューディール」とは選挙演説のなかで出てきた単語で、政策の具体的な中身は決まっていなかったという。しかし「救済・回復・改革」とニューディールという短い言葉をスローガンに、「われわれが恐れるべきものはただ1つ、恐れそのものだ」と伝えるローズヴェルトの言葉は庶民の心に響き、ローズヴェルトを大統領に押し上げたのだった。

**その他の出来事**

1518年・アステカのモクテスマ2世とスペインのコルテスらが会見　1629年・紫衣事件　1895年・三国干渉

# 11月/9日【1799年】 ブリュメール18日のクーデタでフランス革命が終結する

No.313

ブリュメール18日のクーデタの様子

王政に対し、市民が蜂起することで始まった「フランス革命」。共和国宣言を行ない、市民の力で新たなフランスを勝ち取ったように思われた。しかし絶対王政の専制政治を打破するまではよかったが、その後さまざまな思惑（おもわく）が入り乱れる時代に突入する。紆余曲折（うよきょくせつ）の末、フランスには「総裁政府」が立ち、議会政治が始まってはいたものの、国家運営は順風満帆とは程遠い有様。反乱・政変・クーデタが相次ぎ、混乱に乗じた諸外国との争いも勃発する。物価は上昇し、庶民生活は困窮するなどフランスは混迷状態に陥った。

革命を起こせば輝かしい未来が訪れると信じていた国民は失望し、革命による変化はしだいに忌避され始めた。資本家は保守化して、関心は自身のもつ財産の確保と自由競争経済の獲得に寄せられる。また、地主や土地を所有する農民も同じく保守化。秩序の保たれた社会・国家が渇望されるようになっていく。

政治の安定とフランスの膨張を望む資本家、保守化した農民、都市に住む小市民の支持を集めたのが、海外遠征で輝かしい勝利を続け、名声を高めた軍人・ナポレオン＝ボナパルトだった。戦勝の高揚やナショナリズムの高まりも手伝って国民的英雄となった彼は、民衆から絶大な人気を得た。情勢不安定なとき、人々は強い指導者にすがりたいと願う。ナポレオンは、フランスを混迷から救うヒーローとして期待を集めたのだ。

ナポレオンが動いたのは、1799年**11月9日**。遠征中のエジプトから帰国したナポレオンは、元老議会でアナーキストの蜂起が企てられているとでっちあげ、防衛のため議会をパリ近郊のサン＝クルーへと移し、クーデタを起こす。この日が、共和暦8年、ブリュメール18日だったことから「ブリュメール18日のクーデタ」と呼ばれている。軍隊に囲まれたこの地で議会は解散にまで追い込まれた。そして、ナポレオンが総裁政府から実権を奪い、彼自身が第一統領となる新たな政権「統領政府」を樹立する。

統領政府は強力な中央集権体制であり、軍事的独裁政権でもあった。民衆によって始まったフランス革命は、この軍事クーデタと独裁によって終結したのだ。ナポレオンはこのわずか5年後に皇帝にまで上り詰める。

**その他の出来事**

1918年・ヴィルヘルム2世、退位　　1970年・ド＝ゴール、死去

# 11月/10日【1989年】 ベルリンの壁が崩壊し、東西冷戦終結への風穴となる

No.314

ベルリンの壁に登る市民たち

1961年8月13日、ドイツ民主共和国（東ドイツ）は、西ベルリンの全周に「ベルリンの壁」を建設。当初は石でバリケードをつくり、町を横切るように有刺鉄線を張ったが、その後、壁は改築と伸長を繰り返す。1975年頃には、ベルリンの中心部を横切る形で西側部分をぐるりと取り囲む、総延長約155キロメートル、高さ3メートルのコンクリート製の壁となった。こうしてベルリンの西側部分は、東ドイツと東ベルリンから分離された。

壁がつくられた理由は、東西ベルリンの格差にあった。東ドイツが建国されてから、毎年2000人もの市民が西ベルリンを経て西ドイツへと亡命し続けており、とくに熟練労働者、専門職、知識人らが逃げ出し、東ドイツの経済を揺るがしていたからだ。1950～60年頃になると、東ドイツの経済状況は悪化。対して西ドイツは経済成長を続けており、2つのドイツでは格差が広がり続け、西ドイツへの亡命がいっそう増えていった。それに危機を感じた東ドイツは、物理的に亡命を阻止せんとして、壁でベルリンを隔てることにしたのだ。この壁を乗り越えようとした者も多くいたが、逮捕、あるいは銃殺され、東西ドイツの民族分断の象徴となった。また、西側では「恥辱の壁」とも呼ばれるなど、冷戦時代の資本主義と共産主義の対立の象徴でもあった。それから28年あまり。壁は2つのベルリンを分断し、東ベルリンの人々は近くて遠い国へと思いをはせ続けたのだ。

東西の関係に変化が起こったのは、大国ソ連の動きがきっかけだった。1985年、ソ連のゴルバチョフ書記長が「ペレストロイカ」を提唱。東欧諸国では、独裁政権への反発と民主化要求が高まった。東ドイツも例外ではなく、共産主義政権は崩壊し、1989年11月9日の夜には、東ドイツ政府によって国外旅行と国外移住手続きの簡略化と実施が発表されたのだ。

事実上の国境開放の一報を聞いた東西ベルリン市民は、すぐさま壁へと駆けつけたという。数万人の市民が詰めかけ、1989年**11月10日**未明には市民の手でベルリンの壁は崩壊。市民の念願がかなって、2つのベルリンはようやく行き来できるようになったのだ。これは、ドイツ民族再統一の第一歩であり、東西冷戦に風穴が開いた劇的瞬間でもあった。翌年には東西ドイツは統一、1991年にソ連も崩壊した。

**その他の出来事**

1918年・ホーエンツォルレン朝、滅亡　　1982年・ブレジネフ、死去

# 11月/11日【1918年】 第一次世界大戦が終結し、世界地図が塗り替わる

No.315

第一次世界大戦後に新しくできた国

1914年7月28日、ヨーロッパを中心に30国以上が参加した、史上初の世界戦争である第一次世界大戦が開戦。開戦当初は、ドイツ・オーストリア・ハンガリーの「同盟国」と、イギリス・フランス・ロシア・セルビアの「連合国」とが戦うヨーロッパ諸国の対立だったが、のちにオスマン帝国、ブルガリアが同盟国側、日本、ルーマニア、イタリアなどの各国が連合国側につき参戦。戦いは世界へと広がった。

最初に動いたのはドイツだった。開戦当時は好調だったものの、資源・生産力で劣るドイツは徐々に形勢が悪くなり、打開策を模索していた。そこで、1915年、多数のアメリカ人乗客が乗ったイギリス客船を沈め、アメリカを激怒させてしまう。ドイツはさらに、1917年、潜水艦による無差別攻撃「無制限潜水艦作戦」を実行したため、同年4月、中立だったはずのアメリカは連合国側への参戦を決定した。戦況はドイツの不利に動くことになった。

次の変化は、1917年11月に起きた「ロシア革命」。戦争継続が困難となったロシアはドイツと単独講和し、戦争から撤退した。ドイツは対ロシアに費やしていた戦力を西部に向けたが、はかばかしい成果は得られなかった。

劣勢を覆すことができない同盟国側は、9月にブルガリアが停戦、オスマン帝国も降伏する。さらに、ドイツ、オーストリアで革命が起こり、ドイツ皇帝は亡命し、帝政が倒された。1918年**11月11日**にはドイツも降伏し、フランスで連合国との休戦協定が結ばれ、4年余りを費やし、多数の死傷者を出した第一次世界大戦は、ようやく幕を閉じた。

1919年にはパリ講和会議が開かれ、講和条約が結ばれる。相前後して、ドイツ、オーストリア、ロシア、オスマン帝国など専制君主を抱く帝国が崩壊。帝国支配下にあった諸民族が独立を果たすなど、世界地図は大きく塗り替わった。また、途中参戦したアメリカは、債務国から債権国へと転換し世界の大国の地位を得た。

しかし、敗戦国、とくにドイツでは、敗戦の経緯と、ヴェルサイユ条約の敗戦国やドイツへの過酷な要求に対する反発が、火種となって残った。この不満が国民を軍国主義やファシズムへと駆り立てる原動力にもなり、第二次世界大戦への道筋ができたといえる。

**その他の出来事**

1620年・メイフラワー盟約締結　1811年・コロンビア、カタルヘナが独立を宣言　1931年・渋沢栄一、死去

# 11月/12日【1921年】 ワシントン会議が開催 日本の大陸進出が抑制される

No.316

| 四カ国条約(1921.12) | 英・米・日・仏 | 太平洋地域の安全保障と現状維持 |
|---|---|---|
| 九カ国条約(1922.2) | 英・米・日・仏中・蘭・ベルギーポルトガル・伊 | 中国の主権尊重・門戸開放・機会均等。山東省権益の返還 |
| ワシントン海軍軍縮条約(1922.2) | 英・米・日・仏伊 | 主力艦・航空母艦の保有量を制限する。10年間建造を禁止 |

ワシントン会議で結ばれた3つの条約

1921年**11月12日**から翌年にかけて、アメリカのワシントンで開かれたワシントン会議。この会議には、アメリカ・イギリス・日本・フランス・イタリアに加え、中国・ベルギー・オランダ・ポルトガルの全9カ国が参加した。主導権はアメリカとイギリスにあり、表向きは世界での海軍軍縮や、太平洋・中国問題に関する対応が目的。しかし、実質は中国をはじめ、大陸への進出に積極的な日本に対する牽制(けんせい)的な意味合いが強かった。ロシア革命の余波に揺れるロシアや、中国・太平洋に有していた権益を第一次世界大戦の敗北で手放したドイツは、会議には呼ばれていない。

第一次世界大戦後の復興期、各国の負担となったのが軍事費だ。当時、平和維持には「勢力均衡」が重要として、足並みをそろえての軍縮が求められた。この会議では、アメリカ・イギリス・日本・フランス・イタリアの5大海軍国のなかで、主力艦の保有比率をアメリカ・イギリス「5」、日本「3」、フランス・イタリア「1.67」で制限する「海軍軍縮条約」が締結。互いに制限することで、無益な建艦競争から解放されることを目指した。そして、中国領土の安全をはかる「九カ国条約」、アメリカ・イギリス・日本・フランスによって、太平洋諸島の平和的現状維持を約束する「四カ国条約」も同時に締結された。

ワシントン会議で結ばれたこれら3つの条約は、国際協調の成果とされ、第一次世界大戦後の講和会議でつくられた「ヴェルサイユ体制」とともに、戦間期の国際秩序となった。この会議で新たにつくられた東アジア・太平洋地域の国際秩序は「ワシントン体制」とも呼ぶ。

日本はこの会議で、ロシアの極東進出を阻むため結んだ「日英同盟」を一方的に破棄されたほか、1915年の「二十一カ条の要求」でドイツから得た中国・山東省権益の放棄、シベリア出兵も中止を求められた。海軍軍拡は抑えられ、中国大陸・太平洋地域での勢力拡大を制限されるなど、日本にとって不利な内容ではあったが、「国際社会からの孤立」を脱却するため、ある程度の平和外交を受け入れた。

主催のアメリカにとって、外交上の懸念事項は、東アジア・太平洋における日本の勢力拡大にあった。日本の動きを抑止できたワシントン会議は、アメリカにとって大勝利といっていい成果となったのだ。

**その他の出来事**

1866年・孫文、誕生　1871年・岩倉使節団が横浜出港

# 11月/13日【2001年】 米英の空爆により ターリバーンが崩壊する

No.317

2001年**11月13日**、アフガニスタンの原理主義組織「ターリバーン」が、アメリカとの衝突の結果、首都カブールから敗走。1996年に政権を樹立した武装組織ターリバーンは政権を失い、崩壊した。

アル=カーイダの指導者
ビン=ラーディン

ターリバーンとは、アフガニスタンに興ったスンニ派過激組織で、アフガニスタンの宗教・政治・軍事勢力を指す。名は「学生たち」「求道者たち」に由来する。構成員はアフガニスタン最大民族の「パシュトゥン」がほとんどで、アフガニスタンに隣接するパキスタンの難民キャンプで宗教教育、軍事訓練を受けた神学生が中心だ。イスラーム法「シャリーア」を厳格に適用するため、いっさいの欧米文明を否定し、歌舞音曲、テレビ、ラジオ、映画などは禁止、男性はヒゲをはやし、女性はブルカと呼ばれるベールをまとうこと、女性の通学・就労は禁止など、おもに女性の自由が阻害されるとして、国際的に問題視される面もある。

出現当初は「世直し」を掲げたターリバーンだったが、1996年に権力を握ると過激化。反対派を次々と公開処刑するなど恐怖政治を行なった。また、増大する戦費をまかなうためアヘン栽培を推奨し、そこから税金を得るようになる。さらに、ウサーマ=ビン=ラーディンらが組織した国際テロ組織「アル=カーイダ」とも手を組み、アフガニスタン自身が国際的な脅威になっていったのだ。

2001年9月11日、アメリカで同時多発テロが起こった際、アメリカのブッシュ政権は首謀者と目されたビン=ラーディンを引き渡すよう、アフガニスタンに要請するも、ターリバーンはこれを拒否。同年10月、アメリカとイギリスは、ビン=ラーディンとアル=カーイダを保護しているとして、アフガニスタンに激しい報復空爆を仕掛けた。ターリバーン政権は崩壊し、反ターリバーン勢力「北部同盟」が首都カブールを制圧した。

アメリカをはじめ、各国が軍を駐留し、資金援助を行なうなどしてターリバーンとの決別を支援し続けているが、ターリバーンは復興。各地で戦闘活動を実施するなど、徐々に権力を取り戻しつつある。また、2021年にはアメリカのバイデン大統領がアフガニスタンからの撤退を始め、ターリバーン政権が「全土制圧」を宣言している。

**その他の出来事**

1460年・エンリケ航海王子、死去　1890年・コッホがツベルクリンを創製　1974年・アラファト議長が国連総会で演説

# 11月/14日【1860年】 清露間で北京条約を締結、沿海州がロシア領になる

No.318

1856年に始まったアロー戦争（第2次アヘン戦争）で敗北した清（中国）は、戦争終結にあたりイギリス、フランスとの間で講和条約「北京条約」を結び、天津の開港や賠償金の増額などを約束した。また、1860年**11月14日**、英仏との条約締結を仲介したロシアと、その報酬として条約を締結。この条約も同じく「北京条約」と呼ぶ。

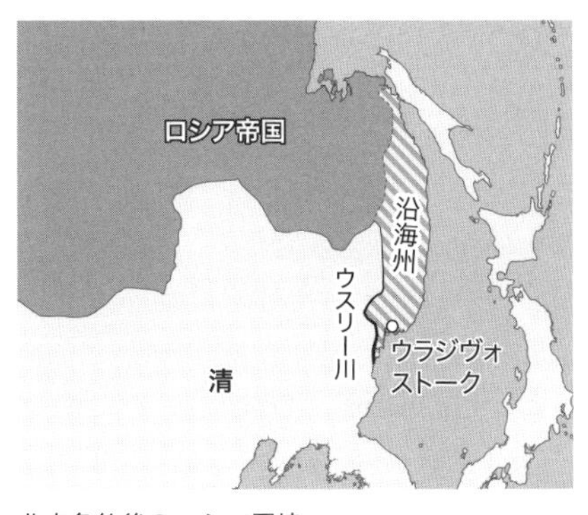

北京条約後のロシア国境

北京条約でロシアは清に対し、1858年に結んだアイグン条約に含まれていた黒竜江（アムール川）左岸の領有を再確認したほか、ウスリー川以東の沿海州の割譲を認めさせた。北京条約の結果引かれた国境線が、現在もロシア・中国の東部国境線となっている。中国とロシアの国境線はアムール川とウスリー川に沿って引かれているが、河川内の中洲はほとんどロシアが占有しており、それをソ連も継承。中国はこれを不服に感じ、1960年代には中ソ国境紛争も勃発している。中国は北京条約を不平等条約だったと考えているが、真に不平等条約かどうかは現在も議論がある。ただし、国境自体は条約締結時からほぼ動いていない。

17世紀後半頃からロシアは東方進出をもくろみ、中国との衝突を繰り返していた。ロシアが求めたのは「不凍港」。つまり、年間を通じて海面が凍結せず、一年中使用可能な港だ。高緯度のロシアには不凍港が少なく、東方、とくに日本を目指すうえで中国に近い不凍港は悲願だった。現在であれば砕氷船も発達したため、不凍港の存在はそれほど重要視されなくなったが、海軍全盛だったこの時代、不凍港は必要不可欠な存在だったのだ。

1871年、ロシアは中国から獲得した沿海州の海岸部に、ウラジヴォストーク軍港を新設。この「ウラジヴォストーク」とは、ロシア語で「東方（日本）を征服せよ」という意味だ。念願の不凍港を手に入れたロシアは、この港を日本海進出の拠点とし、さらに東方進出を活発化させていく。東アジアを狙うロシアは、同じく大陸への進出を強めていた日本と衝突し、これが1904年の日露戦争開戦へとつながることになる。ウラジヴォストーク港は、20世紀末までの長きにわたり外国船は入港できなかったが1992年に、ようやく一般船にも開放され、以降はロシアと日本の交易にも大いに活用されるようになった。

**その他の出来事**

565年・ユスティニアヌス1世、死去　　1805年・ナポレオンがウィーン入城

# 11月/15日【1884年】 アフリカの分割方針を決めるベルリン会議が開催される

No.319

1880年代頃からのアフリカは、ヨーロッパ各国による植民地争奪戦の渦中にあった。当然ながら、各国間で利害の対立が起こり、一触即発の様相を呈する。植民地はほしいが、既得権益は失いたくない。列強間の戦争はできるだけ避けたい。そんな思惑（おもわく）を各国が抱いていた。

列強が集まって開かれたベルリン会議

とくに、紛争の種となっていたのが、コンゴ川流域の分割問題だ。この地域を巡ってベルギーとポルトガル、イギリスが対立状態にあった。混乱から脱するべく、ポルトガルはドイツに助けを求め、鉄血宰相ビスマルク首相率いるドイツが調整役を引き受けたことから、ベルリンに各国が招集され、欧米諸国によるアフリカ植民地化についての国際会議が行なわれた。これを「ベルリン会議」、または、コンゴ問題がことの発端になったことから「ベルリン＝コンゴ会議」とも呼ぶ。会期は1884年**11月15日**～1885年2月にかけての100日ほどに及んだ。

会議には当時アフリカに野心をもっていた欧米列強のイギリス・ドイツ・オーストリア・ベルギー・デンマーク・スペイン・アメリカ・フランス・イタリア・オランダ・ポルトガル・ロシア・スウェーデン・オスマン帝国の14カ国が参加。なかでも当時のアフリカ支配権を握っていた4国、フランス、ドイツ、イギリス、ポルトガルが主役となった。

ベルリン会議での最重要決議は「ヨーロッパ各国がアフリカの土地と人間を勝手に区画分けして統治できる」という項目で、地域を最初に占領した国がその地域の領有権をもち、沿岸部を占領した国が内陸部も支配できるとの決定だ。つまりは、早いもの勝ちでアフリカへの支配を広げてもいいと、列強が勝手に決めたということになる。このようなアフリカ分割の大原則、既得権益の調整を実施し、国際的に承認することなど、全7章、38条からなる「ベルリン条約」が締結した。

ベルリン条約以降、ヨーロッパ列強はアフリカめがけて遠征を繰り返し、アフリカの分割はさらに加速。ほぼ全域が列強による植民地支配下に入った。20世紀になってアフリカ諸国は次々に独立を果たしたものの、列強が勝手に引いた国境線に基づいての建国になったため、現在も部族対立、国境対立など、不安定要素の原因として残っている。

**その他の出来事**

1867年・坂本龍馬、暗殺　1955年・自由民主党結成　1975年・第1回先進国会議

# 11月/16日 【1532年】 ピサロがインカ帝国首都クスコを征服する

No.320

コロンブスらが盛んに新大陸発見を成し遂げていた大航海時代。伝説上の黄金郷「エル＝ドラド」を求めて多くの冒険者が大海に漕ぎ出した。

スペインの代表的なコンキスタドール（征服者）であるフランシスコ＝ピサロは、パナマ地峡を発見した、バルボアの副官だ。南の海（太平洋）のかなたにあるというエル＝ドラドを探すため、パナマから南アメリカ大陸を目指した。

インカ帝国征服に成功したピサロ

1522年頃から何度かアタックの後、エクアドルに上陸。南下してペルーのインカ帝国を発見した。その後、ピサロは一度スペインへと帰国し、スペイン王カルロス1世との協議の末、インカ帝国征服のお墨付き協約を得て、再度インカ帝国へと足を踏み入れたのだ。ピサロが率いた部隊は船3隻。馬と鉄砲が積まれており、兵の数は200とも300ともいわれるが、寡兵であり、とても帝国を征服できるような手勢ではなかったという。

インカ皇帝アタワルパとカハマルカ広場で会見する約束を取り付けたピサロは、銃を構えた兵士を広場の周辺に潜ませて会見にのぞむ。片手に十字架、片手に聖書をもった従軍司祭のバルベルデが進み出て、皇帝に聖書を差し出し、キリスト教の教えを受け入れるかどうかと問う。皇帝がこれを拒否し、渡された聖書を投げ捨てると、ピサロは潜ませていた兵士に攻撃を命令。火縄銃や騎兵の攻撃にインカ兵たちは翻弄され、広場にいた4000人のうち2000人ものインディオが数分というごく短い時間で虐殺されたという。人口600万ともいわれるインカ帝国はごくわずかな兵に敗北したのだ。

こうして、1532年**11月16日**、皇帝を捕縛したピサロは身代金として、3トンとも、それ以上ともいう金銀を供出させた。ピサロは約束を反故（ほご）にしてアタワルパ皇帝を処刑。インカ帝国は滅亡した。そしてピサロの一行は、インカ帝国の首都クスコを征服し、1535年には海岸部に新都リマを建設。全ペルーを支配した。

スペインではピサロは英雄視されているが、ペルーでは侵略者と考えられており、今も民族に暗い影を落としている。1935年にはリマ建都400周年を記念してスペインからピサロの騎馬像が贈られたが、市民から反発が起こり1998年頃に撤去。両国間のギャップはいまだ解消されていない。

**その他の出来事**

1632年・リュッツェンの戦い　1801年・アメリカ最古の新聞、創刊　1917年・仏クレマンソー内閣成立

11月/17日 【1869年】

# 世界の海運を支える スエズ運河が開通する

No.321

約162キロメートルに及ぶスエズ運河

エジプトのスエズ地峡に運河を設けるというアイデアは古来から存在したという。エジプトの王が実際に運河をつくり、運用していた時代もあるが、大規模かつ永続的なものではなかった。そんななか、エジプトのスエズ地峡にある地中海とスエズ湾、紅海、インド洋までを結ぶ本格的な運河開設の事業に乗り出したのは、フランス人の元外交官レセップスだった。

彼がスエズ運河構想を立てたのは、エジプト領事時代。退官後、国際スエズ運河会社を設立して開削を手がけた。1854年、レセップスはエジプト総督サイードに運河敷設を提案する。領事時代にサイードとも特別な友好関係にあったことや、エジプトが宗主国オスマン帝国から自立の道を模索していたことなどもあり、交渉は比較的スムーズに進み、1859年に着工を迎えた。

しかし、実際の掘削工事はエジプト農民の無償労働だったため難航を極める。4万人ほどが動員され、2万人の死者が出たともいい、いかに過酷な作業が行なわれていたかが想像できる。

工事の難度を上げたもう1つの理由は、イギリスからの横槍だ。イギリスはスエズ運河計画は失敗すると判断し、債権者側に名を連ねなかったが、工事が進むと妨害に動き出す。エジプト以東からインドに向けたイギリスの権益が脅かされる可能性などを考慮した結果、スエズの開港には反対の立場を取った。イギリスはエジプトやオスマン帝国にさまざまな圧力をかけたため、計画はしばしば危機に見舞われたという。

苦難を乗り越え、1869年、約162キロメートルに及ぶスエズ運河が完成した。地中海側の入口には、総督サイードの名から「ポートサイド」という新港、中間地点にはサイードの次の副王イスマーイールの名から「イスマイリア」という新都市が建設される。1869年**11月17日**イスマイリアで行なわれた祝賀会にはフランス皇后を乗せた船を先頭に、48隻の各国船が運河に入り、盛大に完成を祝った。

スエズ運河はアジアとヨーロッパを最短距離で結ぶ航路であり、世界の海上交通を大幅に時間短縮。のちに拡張工事も行なわれて、現在は大型タンカーも運航できるようになった。現在も毎日多くの貨物船やタンカーが行き交っており、世界の海運を支えている。

**その他の出来事**

1558年・メアリ1世、死去(エリザベス朝始まる)　1796年・エカチェリーナ2世、死去

# 11月/18日【1903年】 アメリカがパナマ運河の永久租借条約を締結する

No.322

中央アメリカ南部、パナマ海峡を横切り、太平洋とカリブ海を結ぶ全長約82キロメートルに及ぶパナマ運河は、太平洋側・カリブ海側に各3段の閘門(こうもん)を設けた「閘門式運河」だ。1914年の8月に開通して以来、今も多数の船が行き交う海運の要衝として機能してきた。パナマ運河の工事を担当したアメリカは、1903年**11月18日**パナマとの間で運河の利用権についての条約を結んでいる。「パナマ運河条約」もしくは、締結者の名を取って「ヘイ＝ビュノー＝バリリャ条約」と呼ばれ、運河の開削権、管理権、運営権、周辺の運河地帯の施政権などを定めている。

カリブ海と太平洋を結ぶパナマ運河

アメリカとパナマとの間で締結されたこの条約は、パナマ運河の法的地位を規定したもので、アメリカが運河の独占的管理権を得る代わりに、パナマのコロンビアからの独立を保証するという内容だ。また、財政的保証も約束した。

19世紀末頃からのアメリカは、1898年のアメリカ＝スペイン戦争でフィリピンとグアムを獲得するなど、アジアや太平洋地域へ進出を積極化。この動きを加速させるために、アメリカ東部海岸から中央アメリカ地峡を横断し、太平洋に出るためのルートが必要だった。中央アメリカ地峡の運河を通れば、南アメリカ大陸の南端ホーン岬経由で太平洋と大西洋を行き来するのに比べると、その距離は3分の1にまで縮むため、アメリカが優先的に使える近道は悲願となったのだ。

アメリカはパナマ運河の建設のため、まず、当時パナマを共和国の一部としていたコロンビアに交渉するも不調に終わり、コロンビアから分離独立傾向のあったパナマと直接交渉することになる。そして1903年11月3日、パナマがコロンビアから分離独立を宣言。アメリカは海軍の軍艦を派遣し、全面的にそれをバックアップし、さらに11月6日にはパナマ共和国を承認している。

独立したパナマとアメリカとが結んだパナマ運河条約では、パナマ運河を建設・運営する権利と、カリブ海岸から太平洋岸に至る幅16キロメートルのパナマ運河地帯の永久所有権をアメリカが得た。パナマにとって不利なこの条約は、のちの禍根を生んだため、何度か見直され、1977年に「新パナマ運河条約」が締結。両国の共同管轄期間を経て、1999年にパナマ運河はパナマに返還された。

**その他の出来事**

1227年・フリードリヒ2世が十字軍派遣をしぶり破門される　1667年・オランダがゴワ王国を制圧

## 11月/19日【1863年】

# ゲティスバーグ演説で連邦制の優位を訴える

No.323

ゲティスバーグ演説

1850年頃のアメリカでは、北部と南部で奴隷制の拡大を認めるか阻止するかで、激しい対立が生じていた。奴隷解放で知られるリンカンだが、当初は南部の奴隷制維持も認める穏健派的立場にあった。

しかし、奴隷制反対運動が熱を帯びる一方で、南部の奴隷制拡大派が優勢になった状況を危惧し、リンカンは一時引退していた政界に「黒人奴隷制拡大反対論者」として復帰する。そして、共和党からの指名を受け、1960年第16代アメリカ大統領に就任した。

南部の奴隷制度拡大派はこれに反発する。別の大統領を選出し、アメリカ南部諸州の連合国家「アメリカ連合国」を発足させるなど、全面対決姿勢を取った。リンカンは連邦の維持に努力したが、1861年4月、ついに南北戦争が勃発。リンカンは、軍の最高司令官として戦争を指揮した。翌1862年9月には奴隷解放予備宣言を公布し、黒人奴隷解放を南北戦争の旗印に据えた。リンカンは国際世論を味方に付け、南北戦争を戦い抜く道を選んだのだ。

戦況はリンカン率いる北軍が劣勢だったが、しだいに巻き返す。一番の転換点は、1863年7月1日からゲティスバーグで起きた最大規模の対決だ。南部連合軍はリー将軍を筆頭に合衆国の領土への侵略を試みたが、それを北軍のグラント将軍が迎え撃つ。両軍の戦闘員は16万人以上、その4分の1が死傷し、南北戦争最大の激突は北軍の勝利に終わった。

4カ月後の1863年**11月19日**に、戦没者慰霊式典が営まれる。この式典に参加したリンカン大統領の「87年前……」から始まるスピーチは、米国史上最も有名な演説ともいえる。「人民の、人民による、人民のための政治」という有名な言葉で締めくくられるこの演説は、多くの人が亡くなったゲティスバーグで演説したことから「ゲティスバーグ演説」と呼ばれる。それは、人民の選挙によって選ばれた大統領のもとへの集結と、連邦制の優位を訴えると同時に、アメリカを守るために戦い、命を落とした人々の栄誉をたたえる演説は、わずか2分ほどの短いものだったが、今も語り継がれる名スピーチとなった。

南北戦争は1865年4月9日、南軍の降伏によって終結。しかしその直後、リンカンは熱狂的な南部派の俳優によって暗殺された。

**その他の出来事**

1589年・慶長の役、最大の海戦が行なわれる　　1942年・ソ連軍がスターリングラードで大反撃開始

# 11月/20日【284年】ディオクレティアヌスが即位 のちにローマ帝国を4分割する

No.324

ローマ帝国中興の祖ともいわれるディオクレティアヌスは、284年**11月20日**に即位。属州の解放奴隷出身ともいわれるなど、独自の出自をもつ。才覚と武力だけで、皇帝にまで上り詰めた彼だからこそ、斬新な改革を次々と行なうことができたのかもしれない。

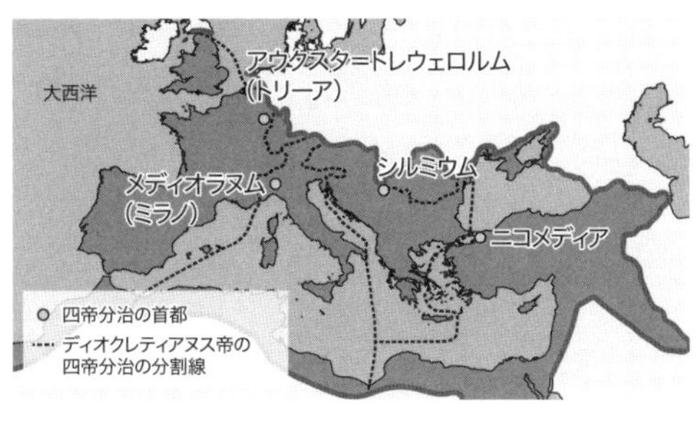

四帝分治の分割線

ディオクレティアヌスが皇位を継いだ時期、帝国は混乱期にあった。秩序を回復するため、ディオクレティアヌスは指導力を発揮する。まずは政治体制を変更し、軍人皇帝時代の元首政から専制君主政に切り替え、立法権、軍指揮権、行政権などをすべて掌握。権力を自身に集めたのち、着々と帝国再編策に着手した。官僚の数を増やし、軍事と行政を分離する。位階制を整備し、軍隊の再編強化を実施。建築、道路建設、開墾などを盛んに行なった。当然ながら財政は厳しくなり、人頭税や土地税を統合した統一税制を導入し、徴税を合理化する。市民への負担は増えたが、帝国の基盤は固まった。

ディオクレティアヌスが次に行なった改革は四帝分治だ。ラテン語で「テトラルキア」と呼ばれるこの形態は、帝国を4つに分割し、それぞれに異なる皇帝と都を置いて統治するというものだった。286年、まず帝国を東西に2分し、みずからは東の正帝としてニコメディアに都を置く。西の都はメディオラヌム（ミラノ）に置き、マクシミアヌスを西の正帝とした。293年にはそれぞれに副帝を置き、それぞれの副帝に北半分を統治させた。四帝分治ではあっても決定権、裁決権をもつのはディオクレティアヌス1人で、ほかの3帝は代理として統治を分担するだけなので、専制君主政とは矛盾しなかった。

四帝分治を行なった理由は、腐敗したローマから距離を置くこと。また、広大になりすぎた帝国は外敵からの防御に劣るので、4つに分割することで防衛範囲を狭くし、それぞれが責任をもつことで外敵に備えたのだ。また、正帝から副帝へとのルートを引き、皇位継承争いを減らす意図もあったようだ。

ディオクレティアヌスの治世において四帝分治は機能したが、退位後は主導権争いが勃発。原則が崩れた四帝分治は形骸化し、システムは終焉を迎えた。しかし、ディオクレティアヌスの築いた制度はローマ帝国の寿命を延ばすことに成功。のちの歴史を大きく塗り替えた。

**その他の出来事**

1702年・イギリス、アン女王が第1回議会を開催　1934年・士官学校事件　1945年・ニュルンベルク裁判

# 11月/21日 イギリスに対して大陸封鎖令 ナポレオン政権の寿命が縮む

【1806年】

No.325

ナポレオン全盛期のフランス帝国の最大領域

スペインのトラファルガー岬の沖で行なわれた「トラファルガーの海戦」は、ナポレオン戦争最大の海戦だ。この戦いでフランス艦隊は、イギリス軍に敗北。イギリス征服の夢を絶たれた皇帝が、報復とイギリスの弱体化を狙って1806年**11月21日**に発したのが大陸封鎖令。プロイセンのベルリンで出したことから「ベルリン勅令」とも呼ばれる。また、1807年12月にミラノで追加発令したミラノ勅令と併せて「大陸封鎖令」とも呼ばれる。緩和修正勅令を追加しながらも、この政策は1813年頃まで続いた。

目的はヨーロッパ大陸諸国と英国の通商断絶によるイギリス経済の封鎖。ナポレオンが制圧したヨーロッパの征服地や同盟国に、イギリス貿易の禁止を命令したのだ。貿易の禁止だけでなく、イギリス人の逮捕と財産没収、イギリス本国やイギリスの植民地で製造した商品、それらの国や地域から輸入された品の没収を命じるなど、「人」「物」の行き来を完全に阻害する内容だった。

これに先駆けイギリスも、1806年5月16日、北海や大陸沿岸の諸港に対する封鎖宣言を出しており、ナポレオンの大陸封鎖令はイギリスへの対抗措置でもあった。戦争で決着が付かなかったがゆえの「商業戦争」が勃発した格好だ。大陸封鎖令に対し、イギリスはさらに逆封鎖で対抗。ナポレオンもミラノ勅令を追加し、イギリスやその植民地の商港に出入りした船舶自体を没収するなど、より厳しい措置を取り、報復合戦が行なわれる。これにより英仏両国だけでなく、巻き込まれる欧米各国や植民地にも多大な影響を与えた。

これとは別に、イギリスに後れを取ったフランスの輸出振興という目的もあった。しかし、イギリスほどの工業化が進んでいなかったフランスには、安価で高品質な製品を供給することができなかった。また、農産物輸出に依存していたロシアやプロイセン、スペイン、ポルトガルなどの国々は、対イギリス貿易を断たれて苦境に陥る。さらに、関税収入がなくなりフランス経済にも打撃を与えるなど、多方面から経済問題が噴出した。

この政策が不興を買い、1812年にはロシアが離反。これに怒ったナポレオンはロシア遠征を行なうも失敗。フランス帝国の拡大を夢見た政策が、ナポレオン政権の寿命を縮める原因となったのだ。

**その他の出来事**

1894年・日本軍が旅順(りょじゅんこう)口を占領　　1957年・モスクワ宣言発表

11月/22日 【1963年】

# 「20世紀最大の謎」ケネディ大統領が暗殺される

No.326

オープンカーでパレードするケネディ大統領

アメリカ合衆国第35代大統領ジョン=F=ケネディは、1963年**11月22日**、翌年11月の大統領選に向けた遊説のために訪れた、テキサス州ダラスで銃撃され、死去。46歳だった。暗殺は多くの人が集まるパレード中の出来事で、衆人環視のなか行なわれ、そのニュースは世界中に衛星生中継された。犯人はすぐに捕まったものの、不可解な点も多く真相が解明したとはいえない。ケネディ大統領暗殺事件は、現在でも陰謀論がまことしやかにささやかれる「20世紀最大の謎」なのだ。

ケネディは1961年1月、43歳という若さで史上最年少の大統領に就任した。キューバ危機やベルリンの壁、米ソ宇宙開発競争など冷戦の時代で、難しい交渉にあたったケネディは、「アメリカの希望の星」といわれるほどの人気を誇った。強いアメリカを取り戻すために奔走するケネディには敵も多く、暗殺事件について陰謀論が根強いのはそのせいでもある。

1963年11月22日、ケネディはテキサス州ダラスを訪れた。ケネディとファーストレディのジャクリーン、テキサス州知事ジョン=コナリーと妻のネリー夫人の4人は1台のオープンカーに乗り込んで、空港から昼食会と大統領のスピーチが予定された会場であるダラス・トレードセンターへと向かった。

沿道の人々に見守られながら走るオープンカーを、3発の銃弾が襲い、そのうちの2発がケネディに命中。すぐに病院に運ばれたものの、頭部に致命的な傷を負い、息を引き取った。ダラスに到着後、わずか1時間20分後の出来事だったという。

犯人とされるリー=ハーベイ=オズワルド容疑者は即日逮捕。また暗殺から2時間ほど後には副大統領ジョンソンが大統領にスピード就任するなど、すばやい事件終結も憶測を生む理由になった。オズワルド容疑者は事件の2日後、警察から拘置所に移送される途中、多くのマスコミ陣が取り巻くなかで銃をもった男に射殺された。その犯人はマフィアとの関係が深いとされるナイトクラブの経営者。この犯人も数年後に獄中死している。アメリカ当局は「オズワルド容疑者単独犯行説」を取っているが、真相を知る者がすべて亡くなり、動機解明は不十分に終わっている。

ケネディは志半ばで銃弾に倒れた。政治思想はジョンソンに引き継がれたが、大きな謎を後世にまで残したのだ。

**その他の出来事**

1943年・カイロ会談

# 11月/23日【1542年】事実上のムガル帝国建国者、アクバルが誕生する

No.327

インドのムガル帝国第3代皇帝アクバル。正式名はジャラールッディーン＝ムハンマド＝アクバルという。アラビア語で“偉大な”を意味する名を付けられた皇帝は、1542年**11月23日**、父帝フマーユーンがイランに亡命中に誕生し、父帝の死により幼くしてムガル帝国を継いだ。基礎が揺らいでいた帝国を内政、外交、軍事、宗教政策などあらゆる方面から立て直し、次代につながる堅牢なものへと変えた。

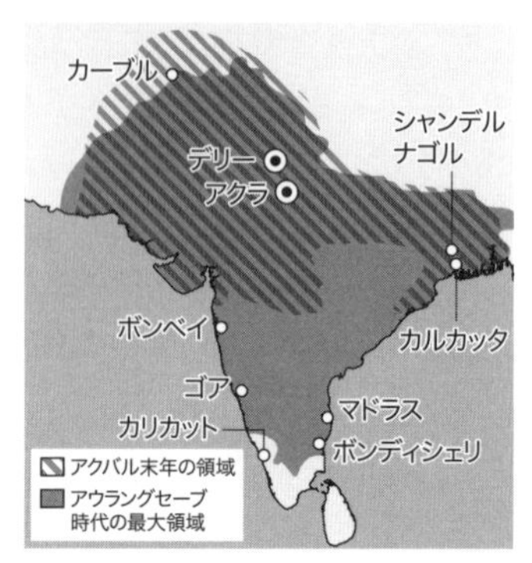

アクバルが獲得した領域

アクバルの父であるフマーユーンは、帝国の創始者である父帝のバーブルの跡を継ぎ、1530年に帝位に就いた。しかしこの当時、ムガル帝国の支配力はまだ弱く、敵も多い。とくに、ベンガル・ビハール地方のアフガン勢力は強力な敵対勢力で、激しい激突が起こっていたという。1540年、アフガン人将軍シェール＝シャーとの戦いで敗北。デリーを追われたフマーユーンはイランに亡命し、サファヴィー朝の庇護を受けた。ムガル帝国はこのとき、一度滅亡したともいえる。アクバルが誕生したのはサファヴィー朝に庇護を受ける直前の流浪時代で、母はイラン人だったとも伝えられる。

シェール＝シャーの死後、フマーユーンはサファヴィー朝の力を借りてインドを攻め、デリーを奪還。1556年にムガル帝国の再興に成功した。しかし、再建からわずか1年でフマーユーンは不慮の事故により死去。再建したばかりのムガル帝国はまだ13歳だった少年皇帝に委ねられた。

アクバルは即位の4年後から親政を開始。しかしこの頃、ムガル帝国の支配領域はごくわずか。カーブルやデリー、アグラなどの主要都市にも独立した別勢力があるなど帝政は盤石という言葉からは程遠い状態だったという。アクバルは祖父の代から仕えてくれた摂政のバイラム＝ハーンの助けも得て、インド北部の大部分を平定。民族などの出自にこだわらず、信頼できる人材を登用して国内外の発展を促した。宗教にも寛容でイスラーム教とヒンドゥー教を差別せず融和を目指し、キリスト教国との交易も盛んに行なって、ムガル朝をデカン高原の一部をも含む大帝国へと発展させた。つまり、アクバルはムガル帝国第3代の皇帝ではあるが、事実上の建国者ともいえるのだ。歴代皇帝のなかで最も偉大とされ、敬意を込めて「アクバル大帝」と呼ばれる。

**その他の出来事**

912年・オットー１世、誕生　1707年・富士山が噴火　1837年・カナダのケベックでフランス系住民が蜂起

# 11月/24日【1944年】 非戦闘員への攻撃 東京大空襲が始まる

No.328

1945年8月15日に終戦を迎えた。戦争末期には連日アメリカのB-29が来襲し、東京を中心に、日本中に焼夷弾や爆弾を落とした。東京で初めて本格的な爆撃があったのは1944年**11月24日**。終戦まで100回以上続いた東京大空襲の始まりだ。

B-29爆撃機

本土での空襲が始まったのは1944年夏。アメリカ軍がマリアナ諸島を占領し、新型の長距離超重爆撃機B-29の爆撃圏内に日本本土全体が入ったからだ。以降、連日の空襲が始まる。その規模は延べ4900機130回、38万9000発以上の焼夷弾と、1万発以上の爆弾が投下されたという。

当初、爆撃は軍需工場などを狙ったものだった。しかし、しだいに住宅密集地への無差別爆撃に変わっていく。「小さな町工場を爆撃する」ことが目的だったというが、住宅地への絨毯（じゅうたん）爆撃により戦意をくじく意図は明らかだった。木造住宅が密集する日本の都市構造や、防空壕程度しか備えがなかった状況からすると、焼夷弾を用いた爆撃は非常に有効な攻撃だったと考えられる。

最も大規模だったものは1945年3月10日未明の、東京の下町地区に対する爆撃だ。下町が狙われたのは、小さな工場が点在しており、一帯を焼き払った際の影響が大きいからだと考えられる。夜中0時過ぎから始まった爆撃は2時間半ほど続いた。300機ほどのB-29が低空飛行し、町工場と住宅がひしめく市街地に2000トン近い焼夷弾を落としたという。強風にもあおられ大火災が発生し、江東区・墨田区・台東区にまたがる40平方キロメートルが廃墟と化した。100万人が罹災、4万人が負傷、死者は8万人とも10万人ともいう。また27万戸が焼失、東京の全建物の4分の1が破壊され、100万人が家を失った。東京大空襲での死傷者は沖縄戦や広島・長崎への原爆投下と並ぶ大戦災であり被害は甚大。さらに4月、5月にも空襲が繰り返し起こり、東京の半分は焼け野原になったという。

終戦の日まで続いた空襲には非戦闘員への攻撃として異論もあったというが、戦争末期の混乱もあり、それほど大きな問題にはならなかったようだ。しかし1949年、武力紛争に直接参加しない者、傷病者、難船者、捕虜、文民などへの保護を目的とした保護条約ジュネーブ条約が全面修正されるなど、以降の戦争では一般市民が標的とされるような攻撃は起こりにくくなっている。

**その他の出来事**

1859年・『種の起源』出版　1954年・日本民主党結成　1966年・アジア開発銀行、設立

# 11月/25日 ポーランドが分割され100年以上地図から消滅

【1795年】

No.329

1772年、プロイセンとオーストリアが、ロシアにポーランド分割を提案した。その後3回にわたり、それぞれの国境に近いポーランド領を奪いポーランドを分割したのだ。

1772年の第1次、1793年の第2次分割を経て国土の大半を失ったポーランド。残るポーランド領は20万平方キロメートルの土地と400万人の国民のみ。地図にはまだ国として存続していたものの、国家としての機能は失い実質ロシアの属国と化していた。

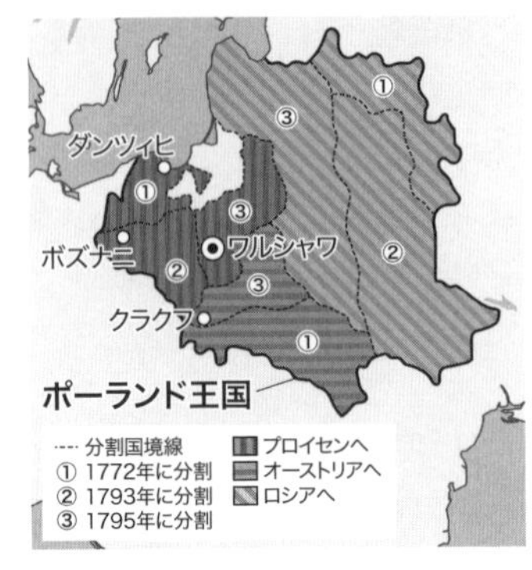


ポーランド分割後の勢力図

国家存亡の危機に直面したポーランドでは、国家の独立維持と失った国土を取り戻すための独立蜂起が起こる。1794年3月、ポーランドの軍人のコシューシコが立ち上がり、農民を組織して蜂起したのだ。蜂起軍は果敢に戦い、4月には第2次分割前の領土を回復。しかし、「隣国の火種を消す」との大義名分を掲げて介入してきたロシア・プロイセン連合軍に圧倒され、善戦もここまでに終わる。コシューシコは、事前にフランス革命の渦中にあったパリに渡り、ポーランドの窮状を訴え、支援の約束を取り付けていた。しかし、蜂起にあたって期待したフランスの救援は得られず、戦いのなかでコシューシコ自身も負傷、ついには捕虜となってしまう。コシューシコ離脱後も蜂起は続いたが、大国の前にはなす術(すべ)もなく、国家を守る戦いは鎮圧されて失敗に終わった。

鎮圧に乗り出したロシア、プロイセン、オーストリアは「二度と火種が燃え上がらないように」と、1795年10月24日に実施された第3次分割合意により残るポーランド領をさらに分割。国家防御を目的としたコシューシコの蜂起が、かえってポーランド国家消滅へ導くという皮肉な結果を呼んだ。そして、第3次分割合意の翌月**11月25日**には、ポーランド国王スタニスワフが3国により強制的に退位させられ「ポーランド」の名も消滅した。

17世紀にはヨーロッパの大国だったポーランドが、周辺諸国により簡単に分割され消滅したとの事実は、ヨーロッパの知識人に大きな衝撃を与えたという。当時高まりつつあったナショナリズム運動にも影響を与えたと考えられる。

地図上から姿を消したポーランドが、もう一度独立を回復したのは100年以上後の1918年。また、再興後の1939年にもドイツとソ連によって分割・占領されるなど、ポーランドはこの後も周辺の大国によって翻弄され続けることになる。

**その他の出来事**

1876年・『学問のすゝめ』最終刊が刊行　1936年・日独防共協定、調印される　1970年・三島由紀夫、自殺

# 11月/26日【1906年】日本の中国進出の足がかり 南満洲鉄道が設立される

No.330

1905年9月5日に調印された日露戦争の講和条約であるポーツマス条約で、日本はロシアが経営していた東清鉄道の南部線（長春 - 旅順間）の利権を譲渡された。当初はアメリカら他国との共同経営の動きもあったが、ポーツマス会議の全権大使・小村寿太郎の強い反対で日本の単独経営に決まった。

大陸を走る南満洲鉄道の列車

日露戦争後、ロシアから移譲された南満洲鉄道は、単に鉄道の運行と建設だけではなく、撫順（ぶじゅん）炭鉱、鞍山（あんざん）製鉄所、大連港などの開発・経営も含んでいた。また、鉄道沿線や駅周辺に設けられた鉄道附属地の開発やインフラ整備、土木関係なども担当。業務内容には学校や病院、宿泊施設の運営も含まれており、単なる鉄道会社ではなく、少なくとも都市開発会社であり地域の行政全般を担うものでもあった。

多岐にわたる業務を管轄し、円滑に進めること、さらに利潤を生み、中国進出への契機にもするため、1906年**11月26日**、半官半民の会社「南満洲鉄道株式会社」が設立された。略称で「満鉄」とも呼ばれるこの会社の設立時資本金は2億円、初代社長には台湾総督府民政長官であった後藤新平が就任した。形式こそ株式会社だったが、株式の半数を政府が所有したうえ、社債の元利保証、民間所有株式の配当保証、人事面での官僚の派遣など、多方面から政府が支える体制で、満鉄は本質的には国策会社だった。

鉄道経営による営利面と、満洲植民地化を円滑に遂行するという国策面。2方面に注力した満鉄は、第一次世界大戦時の輸送で巨利を獲得すると事業をさらに拡大し、多数の傘下企業を擁する「満鉄コンツェルン」へと急成長し、満洲を間接的に支配領域に組み込んだ。

1931年の満洲事変以降は、満洲への支配は関東軍による直接支配へと変遷した。満鉄は関東軍に全面協力することになり、軍事輸送などに力を発揮。1932年の「満洲国」建国へとなだれ込んでいく。満鉄が整備したインフラは満洲国の基盤となったのだ。

満鉄の終焉は第二次世界大戦終了とともに訪れた。1945年、満鉄はソ連が接収したことにより消滅した。中ソ共同経営の中国長春鉄路となり、1952年には中国へ返還された。

**その他の出来事**

1086年・白河天皇が譲位し、院政が始まる　　1924年・モンゴル人民共和国、成立

# 11月/27日 【1295年】

# 身分制議会の先駆け 模範議会がイギリスで招集される

No.331

イングランド王、エドワード1世の肖像画

かつての議会とは、王が聖俗の大貴族を招集して行なうものだった。参加できるのは大貴族に限られ、現在のように住民や地方を代表した人たちの話し合いの場ではない。司法や行政の重要事項を決定する際、王が意見を聞くために開く封建的諮問会を指した。

しかし、イングランド王エドワード1世が1295年**11月27日**に開催した議会には、大司教、司教、修道院長などの高位聖職者と伯爵や男爵などの大貴族のほか、各州2名の騎士と各都市2名の市民、さらには各司教区から2名の下級聖職者が招集された。この構成は当時の社会構成を表しているとされ、イギリスの身分制議会の祖とも、のちの上下両院の元ともいわれるなど、意義の大きな会議とされ、のちの議会構成の模範となったことから「模範議会」とも呼ばれた。

従来の議会と異なるのは、州代表の騎士と都市代表の市民が参加している点だ。彼らは庶民代表として招集されており、これまでの大貴族のみで行なわれていた議会とは一線を画する。

1295年11月27日の議題は「ウェールズ・スコットランド征服の遠征費用調達」について。その後も「フランスとの戦争の戦費を得るため」など、たびたび議会が開催されるようになる。回数を重ねるごとに、しだいに下級聖職者の招集はなくなり、庶民代表の参加は恒常化していった。

模範議会は近代代議制とは異なり、参加者は選挙などで選ばれた代表ではなく、各身分の有力者を国王が任命するものだった。また、議会は王の諮問機関にすぎず、王の意見に対しどこまで反対できたかも疑問だ。庶民を含めた臣下・国民の声に耳を傾けるというポーズにすぎなかった可能性もある。

しかし、さまざまな身分・立場の人々を招集して意見を聞く身分制議会は、のちの議会制民主主義へとつながる第一歩だともいえる。また、模範議会を皮切りに、14世紀初頭のフランスで始まった三部会、さらに遅れてドイツでは帝国議会、スペインのコルテスなど各国で身分制議会が開かれるようになる。国王が専制政治を行なうのではなく、形式的なものであっても議会を開き、各身分によって国王の決定に法的な裏付けを付与するこの動きは、近代化へと続く道だともいえそうだ。

**その他の出来事**

1095年・クレルモン宗教会議で十字軍が提唱される　　1895年・ノーベルがノーベル賞設定の遺言状に署名

## 11月/28日 【1943年】

# 米英ソがテヘラン会談で大戦の行方を決定する

No.332

左からスターリン、ローズヴェルト、チャーチル

第二次世界大戦中の1943年**11月28日**～12月1日にかけての4日間、イランの首都テヘランで米英ソ巨頭会談テヘラン会談が開かれた。この会議には、アメリカのローズヴェルト大統領、イギリスのチャーチル首相、ソ連のスターリン議長が参加したほか、3国の外相、軍指導者らが出席した。おもな議題は対ドイツにおける第２戦線。さらに、ドイツ降伏後のポーランド国境問題、ソ連の対日参戦などについても協議がもたれた。資本主義国のアメリカ・イギリスと、犬猿の仲ともいえる社会主義国ソ連の邂逅(かいこう)、米英ソ3首脳が一堂に会するのは初めてで、連合国側の結束と余裕を世界に見せ付ける効果もあった。

テヘラン会談の開催はイタリアでムッソリーニが失脚して新政府が成立し、連合軍に無条件降伏をした頃だ。そして、議題には「残るドイツと日本に向けての対策、ドイツ降伏後の処理」が挙げられた。

まずは対ドイツにおける第2戦線。これは、ドイツの戦力を分散させ、ソ連の負担を軽減しようという考えから、独ソ間が戦闘を続ける東部戦線に加え、米英両国がヨーロッパ大陸西部から攻め込み、ドイツに二正面作戦を採らせる意図だ。ソ連は東部戦線から遠い北フランスからの攻撃を望んだのに対し、イギリスはバルカン半島で戦うことを主張。協議の結果、ソ連案が採用され、1944年5月に連合軍による北フランス侵攻「ノルマンディー上陸作戦」が実行された。

続く「ポーランド国境問題」は大戦後のポーランド国境をどこに置くかを巡る、英ソの対立を調整するものだ。独ソの分割占領化にあるポーランドを再独立させること自体には誰も異論はないものの、国境をどこに引くかで意見が分かれた。とくに、ポーランド亡命政権が合意には猛反対したことから、結論は先送りにされた。

対独戦線でソ連に譲歩したイギリスが主張したのはソ連の対日参戦。ドイツが降伏したのち、ソ連にも対日参戦を要請したのだ。当時、日ソの間には日ソ中立条約が締結されていたにもかかわらず、ソ連は日本への攻撃を受諾。1945年8月8日、日本に宣戦布告することになる。

テヘラン会談での取り決めにより、ドイツは1945年5月8日に降伏。孤立した日本はソ連の宣戦布告で追い詰められ、1945年8月15日に終戦を迎えることになる。このテヘラン会談もまた第二次世界大戦を大きく動かした首脳会議だったのだ。

**その他の出来事**

1534年・オスマン帝国軍がバグダードに無血入城　1820年・エンゲルス、誕生　1975年・東ティモール、独立

# 11月/29日【1947年】国連のパレスチナ分割決議案が採択される

No.333

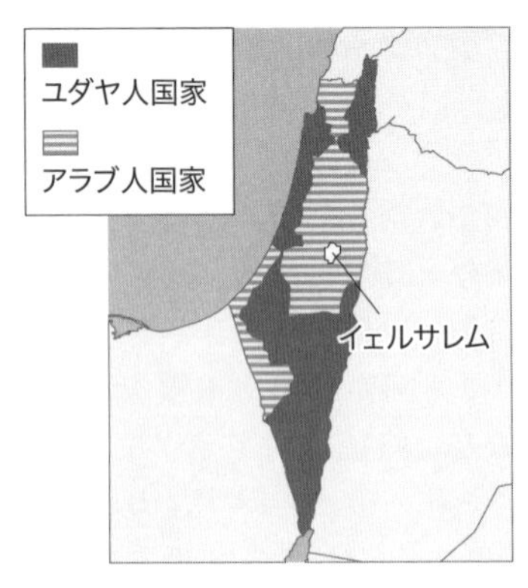

1947年に発表されたパレスチナ分割案

1920年のサンレモ会議でパレスチナはイギリスの委任統治領と認められ、1922年に委任統治が正式に始まった。ここからイギリスは第一次世界大戦中に行なった、みずからの「3枚舌外交」のつけを払わせられることになる。イギリスの統治下、過去の約束に従って、アラブ人は「アラブ国家の独立」、ユダヤ人は「ユダヤ人国家の独立」を主張。激しい衝突を伴う対立となり、ときにはイギリスの機関もテロの標的となるなど対応に苦しんだ。

第二次世界大戦後、紛争の処理に手を焼いたイギリスは、ついに事実上のパレスチナ放棄を決意。成立したばかりの国際連合にパレスチナ問題解決を委ねた。

1947年**11月29日**、パレスチナ分割決議案が国際連合総会で採択される。これは経済同盟を伴う分割案とされ、パレスチナに対するイギリスの委任統治を廃止。パレスチナをアラブ国家、ユダヤ国家、国連管理下の国際都市イェルサレムの3つに分割するもので、その内容は、パレスチナの全人口197万人中の約3分の1に過ぎないユダヤ人に、パレスチナの土地の約56％を与えるというユダヤ側に有利なものだ。アラブ諸国から反対はあったが、ユダヤ民族主義者シオニストにとって、かつてのバルフォア宣言が不完全ながらも実現されたとして大変望ましい案だった。投票を前に、シオニスト側、アラブ側の双方が国連加盟国に融資の申し出や援助の削減などを提案。脅迫めいたものも含めさまざまな工作を行なった。

アメリカやロシア、欧州各国など、複雑な思惑（おもわく）が絡む状況で行なわれた加盟国57カ国による採決の結果は賛成33、反対13、棄権10、欠席1。棄権と欠席を除く3分の2の賛成を得て可決された。反対に回ると思われた12の国が当日になって賛成に回るなど波乱に終わったこの投票は、「レークサクセスの奇蹟」と呼ばれる。レークサクセスは1946～51年まで国連安全保障理事会本部が置かれたニューヨーク州南東部、ロング・アイランド島にある村の名だ。

「もし1947年にアラブ側が国連のパレスチナ分割案を受け入れていたら、現在の紛争、難民問題も起こっていなかった」というのは、ユダヤ側支持者の声だが、事実はアラブ側が分割案に同意せず、問題は解決できずに今日に至る。1977年の国連総会では、11月29日が「パレスチナ人民連帯国際デー」と定められた。

**その他の出来事**

1780年・マリア=テレジア、死去　　1890年・大日本帝国憲法、施行

# 11月/30日【1016年】クヌーズがイングランド王になりデーン朝が復活する

No.334

インググランドの歴史を語るうえで欠かせないのがデーン朝だ。デーン人と呼ばれたデンマークを拠点としたヴァイキングは、10世紀頃にイングランドへ侵攻し、一時はロンドンを制圧して定住するようになる。しかし、ウェセックス王アルフレッドの反撃によりロンドンは奪回され、デーン人の支配区域は北東部一帯に限定された。その後もしだいにデーン人の領域は狭められていく。

クヌーズが支配権をもつ国（1000年頃）

11世紀、ふたたびデーン人の侵攻が活発化すると、イングランド王エゼルレッド2世は国内のデーン人を虐殺。デンマークとノルウェーの2国を治めた王で、自身もデーン人であるスヴェン1世がこれに激怒し、イングランドへと侵攻した。エゼルレッド2世は国内勢力をまとめることができず、友好国のノルマンディーに亡命。スヴェン1世は労せずしてイングランドの新たな王となり、第1次デーン朝が誕生した。しかし、スヴェン1世は翌年急死する。デンマークは長男ハーラル2世が継いだもののノルウェーを手放すことになった。この機に乗じてエゼルレッド2世はイングランドに帰国し、復位を果たす。

ハーラル2世の弟クヌーズは、支配地奪還のためにイングランドに攻撃を開始する。迎え撃つエゼルレッド2世だが、有効な策もなく、重臣の離反もあって防戦もままならない。交戦中の1016年4月、エゼルレッド2世が病死したことによりイングランドはさらに窮地に立たされた。

跡を継いだのは息子のエドマンド2世だ。クヌーズの侵攻を何度も押し返す奮闘ぶりに、「剛勇王」の二つ名が付いた。しかし、1016年10月の戦闘で敗北。直後に講和が行なわれ、クヌーズ側はテムズ以北の領土を獲得、南側はイングランド王の領地とすることで合意した。また「先に没したほうの支配地は、生き残ったほうに移譲する」との付帯条項も設けられた。

エドマンド2世はこの合意から間もない1016年**11月30日**に死去。取り決めに従い、クヌーズ1世がイングランド王として即位しデーン朝を復活させた。のちに兄のハーラル2世も死去し、イングランド、デンマーク2国の王となったクヌーズ1世は、ノルウェーやスウェーデンに遠征して勢力を拡大。さらには、1028年にノルウェーの王位も手に入れ3国の王となる。

**その他の出来事**

1700年・ナルヴァの戦い（北方戦争）　1939年・ソ連のフィンランド侵攻。「冬期戦争」開戦　1974年・ルーシー発見

日本
蝦夷地（北海道）
26,61,155,172
根室 172
箱館（函館） 155
尖閣諸島 109,122
首里 109
琉球 109,273
宮古島 109
蒲生 171
新潟 188
平泉 213
近江 84,171
大津宮 260
信濃 84
美濃
84,280
比叡山 277
竹島 191
京都 144,163,
171,223,244,251
大津浜 172
大宰府 260
長門 280
下関 122
鳥羽・伏見
14,116,370
上野 84
博多 371,379
日高市 286
神戸 188,371
名護屋 24
関ヶ原 280
印旛沼 26
姫路 144
対馬 24,
164,379
広島 247
東京 215,249,353
壱岐
379
江戸湾（東京湾） 172
備中 144
横浜 188
平戸 145,
223,392
高松城 144
浦賀 172
長崎 94,
172,188,247
大坂湾
119
鎌倉 213
長島
119
厚木 249
大浦天主堂
223
甲斐（山梨県） 84
大坂城 14,133,370
石山本願寺 119
伊勢
119
三河
156
駿河 84,156
島原 71,
94,322
河内 317
相良藩 26
豊後 317
紀州藩 26
尾張
156,196
桶狭間
156
遠江 156
天草 322
吉野 244
清洲
156,196
長篠 158
設楽原 158
薩摩（鹿児島） 109,116,223,289
小笠原諸島 273

# 12月

December

**12月/1日**
【1925年】

# ロカルノ条約調印 束の間の平和が西欧に訪れる

No.335

ドイツ外相を務めたシュトレーゼマン

第一次世界大戦後、同盟国の盟主であったドイツには莫大な賠償金が課せられ、ドイツ人の居住領土が割譲された。1923年、そのドイツに激震が走った。賠償金支払いが滞ったのを口実に、フランスとベルギーがドイツ経済の要地である重工業地域のルール地方に出兵し、占拠したのだ。

ヴェルサイユ体制下で自国の復興を目指すドイツ外相シュトレーゼマンは、賠償方式を緩和するためアメリカが考案したドーズ案を採用し、賠償金の減額に成功。これを受けてフランスとベルギーはルール地方から撤退した。さらに、シュトレーゼマンは周辺国との協調主義を推し進め、ルール地方を含むラインラント（ライン川両岸地帯）の非武装を中核とする地域的集団安全保障条約を提唱。ルール占拠によってほころびが生じたフランスやベルギーとの安全保障を改善し、西欧諸国との協調体制を整備しようという狙いがあった。

イギリス、フランス、イタリアなど7カ国は、シュトレーゼマンの提唱に同意。7つの条約がスイスのロカルノで成立したことから「ロカルノ条約」と呼ばれている。1925年**12月1日**、イギリスのロンドンで正式に調印された。

ロカルノ条約の中心となったのは、イギリス、フランス、ドイツ、イタリア、ベルギーの列強5カ国を対象とした集団安全保障条約だ。同条約には、ドイツとフランス、ドイツとベルギーの国境間の現状維持、ラインラントにおける永久非武装化、各国の相互不可侵が盛り込まれた。ドイツがこれらのことを守る見返りとして、ドイツは1926年に国際連盟への加盟が認められた。

ロカルノ条約では、このほかにドイツとフランス、ベルギー、チェコスロヴァキア、ポーランドとの間に仲裁裁判条約、フランスとチェコスロヴァキア、ポーランドとの間に相互援助条約が結ばれた。さらに翌1926年には、ドイツ、アメリカ、イギリス、フランスなど当時の列強が戦争の拡大を防止するため、パリ不戦条約が締結された。

ロカルノ条約は、西欧諸国に束の間の平和と、ドイツに復興を果たさせる転機をもたらした。また、隣国との紛争を平和的手段で解決する国際的な取り決めの先駆けにもなった。その見地から、第二次世界大戦後に調印された平和条約である「パリ条約」（1947年）の内容にも少なからず影響を与えたと考えられている。

**その他の出来事**

521年・教皇レオ10世が死去　1825年・ロシア皇帝アレクサンドル１世が死去

12月2日 【1823年】

# 米国外交政策の基本となったモンロー宣言

No.336

第5代米国大統領ジェームズ＝モンロー

1810～20年代にかけて、スペインやポルトガルがラテンアメリカに所有していた植民地では自由主義革命が起こった。アルゼンチン出身の軍人で政治家のサン＝マルティンや、ベネズエラ生まれの革命家シモン＝ボリバルが独立運動を指揮。チリは1818年、ペルーとベネズエラは1821年に、それぞれスペインから独立した。

一方、ナポレオンが失脚した以降のスペインは、フランスの支配から脱して復権しつつあり、これらラテンアメリカの独立運動に対して干渉の動きを見せていた。それに対しイギリスは、ラテンアメリカ諸国の独立を支持した。大陸の列強によるラテンアメリカ独立諸国への干渉を牽制(けんせい)し、独立国に自国の工業製品を輸出しようという狙いがあった。さらにロシアは1821年、正式にアラスカを領有し、次に太平洋進出を企てていた。1812年から始まったアメリカ＝イギリス戦争が終結したのち、国家意識が高まっていたアメリカ国内では、ロシアの南下政策は大きな脅威となった。

こうした背景のなか、米国は欧州列強の植民地拡大に反対の意思を示した。第5代大統領ジェームズ＝モンローは1823年**12月2日**の年次教書演説で、米国は欧州諸国に干渉せず、同時に欧州諸国の南北アメリカ大陸への干渉に反対するとする「モンロー教書」を発表したのだ。また、教書で示された「米国と欧州諸国は互いに干渉しない」という外交方針は「モンロー主義」や「孤立主義」と呼ばれ、以降の米国の外交政策の基本理念となった。

ただし、この宣言で触れられた「不干渉」には、「西半球への」という前置きが書かれている。米国は1890年代にカリブ海や太平洋へ進出。1898年にはアメリカ＝スペイン戦争に勝利し、スペイン植民地のプエルトリコ、フィリピン、グアムを併合。その後も中南米各国に介入し、西半球における西欧諸国の影響力を低下させると同時に、米国の影響力を拡大していった。

米国は第二次世界大戦を機に朝鮮半島やベトナム、中東、アフガニスタンへも派兵し、モンロー主義を放棄した。その後、モンロー主義への回帰を明確に示したのは、2016年の大統領選で「アメリカ・ファースト」を前面に打ち出して当選したドナルド＝トランプだ。トランプは、米国の底流をなすモンロー主義への回帰に訴えかけたともいえる。

**その他の出来事**

1805年・アウステルリッツの戦い　1852年・ルイ＝ナポレオンが皇帝に即位

# 12月/3日【1989年】 米ソ両首脳がマルタ会談で冷戦終結を宣言する

No.337

1980年代後半、世界は大きな転換期を迎えた。その中心となったのは、社会主義圏の盟主であるソ連と、その衛星国である東欧諸国だ。ソ連は1970年代末から経済が停滞。アフガニスタン侵攻（1978～89年）による軍事費の負担増もあり、国力が衰えていた。そこで1985年に共産党書記長に就いたゴルバチョフは、閉塞状況にあったソ連にペレストロイカ（改革）を推し進めた。

©MediaPunch Inc/Alamy Stock Photo

（左）ゴルバチョフ、（右）ブッシュ

ゴルバチョフはアメリカをはじめ西側諸国との関係を改善する一方、共産党の独裁体制や計画経済の見直しを進めた。しかし、国内の政治と経済の立て直しは成功せず、共産主義政権の東欧諸国（ポーランド、ハンガリー、東ドイツ、ルーマニア、ブルガリア、チェコスロヴァキア）へのソ連の影響力は弱まっていった。

こうした背景のなかで始まったのが東欧民主化革命だ。1989年5月、ハンガリーがオーストリアとの国境にある「鉄のカーテン」上の鉄条網を撤去。同年9月にはポーランドで非共産主義政権が誕生し、新政権は経済自由化政策を打ち出した。さらに11月には、東西冷戦ドイツ分断の象徴であったベルリンの壁が崩壊した。

東西冷戦終結の決め手となったのが、同年**12月3日**に地中海のマルタ島で開かれた米ソ首脳会談だ。米国大統領ジョージ＝H＝W＝ブッシュとゴルバチョフは共同記者会見で、第二次世界大戦後40余年続いた米ソ冷戦の終結を宣言した。これを「マルタ会談」という。

その後、ソ連と東欧諸国の自由主義経済への移行の動きは加速し、ロシアやグルジア（ジョージア）、ウズベキスタンなどソ連を構成する多くの共和国が独立を宣言。1990年10月に東西ドイツが統一し、ソ連は1991年に解体した。こうして冷戦は実質的に終結した。

マルタ会談が、その後の国際情勢に与えた影響は大きい。冷戦下では東西陣営の対立により十分に機能しなかった国連が、全世界を代表する国際機関としての役割を高めていった。また、地域統合が進み、ヨーロッパ共同体（EC）は1993年、域内の市場を統一させ、ヨーロッパ連合（EU）に発展した。EUは冷戦の終結で民主化した東欧へ拡大していった。

**その他の出来事**

1828年・ジャクソンがアメリカ大統領に選出　1971年・インド＝パキスタン紛争が全面戦争に突入

12月4日【1563年】

# トリエント公会議で教令採択 対抗宗教改革が始まる

No.338

ローマ教皇を最高指導者とするローマ＝カトリック教会は、16世紀に入ると内外から変革を迫られるようになる。多くの諸侯領に分裂していた神聖ローマ帝国では、諸侯の富はカトリック教会組織を通じてローマ教皇庁に搾取されていた。そのため諸侯や市民はローマ教皇への不満を高めていた。

そんな背景のなか、カトリック教会内部から自己改革を求める声が上がった。神学者マルティン＝ルターは1517年、公開質問状の『九十五カ条の論題』で、ローマ教皇レオ10世が販売した贖宥状（しょくゆうじょう）（罪の償いが軽減されるという免罪符）を批判したのだ。「人は善行によって救済される」とするカトリック教会の教義に対し、ルターは「人は信仰によってのみ救済される」と説いたため両者は対立し、ルターは1521年にカトリック教会から破門される。

諸侯や市民、領主に搾取されていた農民らはルターの主張を支持し、神聖ローマ帝国全土で教義の改革や修道院の廃止などの改革運動が起こった。ルター派は、抗議者という意味をもつ「プロテスタント」と呼ばれるようになる。

カトリック教会は宗教改革運動の高まりに危機感を覚え、教皇パウルス3世は1545年3月、イタリアのトリエント（トレント）でカトリック教会の総会「公会議」を開会する。これを「トリエント公会議」という。この会議はプロテスタントとの妥協点を模索するために開かれ、3期にわたって続けられたものの、カトリック教会の教義の再確認に終始し、1563年**12月4日**、第25総会をもって閉会した。

これにより、ローマ教皇と司教の権威が承認され、原罪や義認、秘蹟（ひせき）など重要な教義、公式聖書、聖職者の世俗化防止策などが決定した。さらに、宗教裁判の強化や禁書の指定などを通じて、プロテスタントを抑圧する方針が固まった。つまり結果的には当初の目的はかなわず、ただカトリックの教義を再確認し、プロテスタントを糾弾しただけに終わったのだ。

公会議の閉会は、カトリックの教義を明確にし、改革を具体化する教令を定め、第2バチカン公会議（1962～65年）に至るまで、カトリック教会の方向性を決定付けた。また、これを機にプロテスタントに対して守勢から攻勢に出、カトリックの宣教・教育活動「対抗宗教改革」が起こり、16世紀後半にはカトリック・プロテスタント両派の政治反目が強まっていく分岐点にもなった。

なお、この時期、ラテンアメリカやアジアでカトリック宣教師が盛んに布教活動を開始したのは、こうした欧州の情勢を反映したものだった。日本にも1549年にイエズス会のフランシスコ＝ザビエルらが渡来して、多くの信者を獲得していく。

**その他の出来事**

1884年・甲申事変が勃発　1916年・英ロイド＝ジョージ内閣成立

# 12月/5日【603年】 聖徳太子が冠位十二階を制定 国政改革に着手する

No.339

587年、ヤマト政権の大臣・蘇我馬子(そがのうまこ)は、親子2代にわたって対立していた有力豪族の物部守屋(もののべのもりや)の館を襲撃し、殺害した。馬子軍には、のちに摂政となる厩戸王(うまやと)(のちに聖徳太子)の軍勢も加わっていた。

物部氏を政権から排除し、政治権力を握った馬子は592年、自身に不満を抱く崇峻(すしゅん)天皇を部下に命じて暗殺。これを受けて姪の額田部(ぬかたべ)皇女が推古天皇として即位した。歴代の天皇のなかで初の女性天皇となる。

聖徳太子を描いたとされる肖像画

さらに馬子は翌593年、推古天皇の甥である厩戸王を皇太子と摂政に取り立て、自身は大臣に就いた。以後、馬子と厩戸王は、史上初の女帝の下で協力しながら国政改革に乗り出すことになる。

摂政に就いた厩戸王は603年**12月5日**、日本で最初の階級制度「冠位十二階」、翌604年には17条からなる法文「憲法十七条」を制定したと伝えられている。近年の学説では、厩戸王は1人ですべての政策を決定できるような存在ではなかったため、推古天皇と馬子、厩戸王の3人で制定したとする見方が主流になりつつある。

冠位十二階は、氏姓制度による政治的地位の世襲を打破し、広く人材を登用しようとした制度だ。個人の才能や功績に応じて12の階位を授け、それぞれに対応する冠の色で識別した。厩戸王には、氏族単位の王権組織を再編成すると同時に、天皇の権威を高める意図があったようだ。

一方、憲法十七条は、和を尊び、仏教を新しい政治理念として重んじるなど、豪族たちに国の官僚としての心構えを説いたもの。法典というより道徳律に近いものだった。

冠位十二階は当初、徳目を表す漢字（徳、仁、礼、信、義、智）で個々の官位を示していた。しかしその後、数回の改正を経て、数値で上下関係を示す中国（唐）式に代わっていった。これがのちに律令の位階制へと発展していったことから、冠位十二階が日本の律令制の土台を築いたとされている。

701年に制定された「大宝律令」は、冠位十二階の完成形とでもいうべきものとなった。これにより、厩戸王がかつて描いた天皇を中心とした本格的な中央集権統治体制が始まったといえる。

**その他の出来事**

1484年・インノケンティウス8世が魔女の取締りを強化　1933年・禁酒法撤廃　1936年・ソ連でスターリン憲法採択

**12月6日**
【1240年】

# モンゴル軍の侵攻でキエフ滅亡 東欧を240年間モンゴルが支配

No.340

14世紀の中国画に描かれたバトゥ

13世紀初頭、モンゴル高原で遊牧生活をしていたモンゴル系諸部族はしだいに勢力を増していった。やがて1206年、チンギス＝ハンが部族を統一して建国。その子オゴタイ（オゴデイ）や孫フビライは、ユーラシア大陸の東西にまたがるモンゴル帝国に成長させた。

モンゴル帝国は、東方では1227年に西夏（せいか）、1234年に金を滅ぼし、高麗（こうらい）を服属させた。西方では1231年、中央アジアを支配していたイスラーム王朝のホラズム＝シャー朝を滅ぼした。続いてモンゴル軍は欧州へ遠征した。

1236年、チンギス＝ハンの孫バトゥは大軍を率いてルーシ諸国（現ロシア、ウクライナ、ベラルーシ）へ攻め入った。ルーシとは、ロシアの古名だ。ルーシには当時、ドニエプル川中流右岸キエフを首都とするキエフ大公国が存在したが、その実態はウラジーミル＝スーズダリ大公国（現ロシア西部）やハールィチ＝ヴォールィーニ大公国（現西ウクライナ）など、複数の公国が割拠する分裂状態にあった。

モンゴル軍は1237年、ウラジーミル＝スーズダリ大公国の首都ウラジーミルを攻撃し、徹底的に破壊。ルーシ北部の都市は次々と征服されていった。1239年には、ルーシ南部の諸公国の首都を陥落させ、略奪した。

そして翌1240年、モンゴル軍はキエフを包囲。同年**12月6日**、キエフが陥落し、キエフ大公国は名実ともに亡国となった。これらの侵略戦争により、ルーシ諸国では少なくとも50万人が虐殺されたと見られている。

キエフ陥落は、その後のロシアや東欧の歴史に大きな影響を与えた。キエフ大公国が滅ぼされ、1480年に独立を回復するまでの約240年間のモンゴル帝国による支配の時代を、ロシアでは「タタールの軛（くびき）」と呼んでいる。「軛」とは、牛や馬を馬車や柱につなぐ際に首に付ける道具のこと。つまり、「ロシアがモンゴル帝国に押さえ付けられていた時代」という意味だ。

この間、ロシアは独立を認められず、モンゴル人の支配下で貢納を強いられた。また、モンゴル軍に焼き払われた都市の再建は進まなかった。そのためモンゴル軍の侵攻によるキエフ陥落は、ロシアにおける「不幸な時代」の始まりを表しているのだ。

**その他の出来事**

1648年・英プライドの追放　　1884年・イギリスで第3次選挙法改正案、成立。実質的な男子普通選挙実現

# 12月7日【1970年】 国交正常化により西独ポーランドの国境確定

No.341

ポーランドとの国交回復を実現したブラント

第二次世界大戦で勝利した連合国のうち、アメリカ、ソ連、イギリスの3カ国の首脳は1945年7月17日から8月2日、ソ連占領地のドイツ・ポツダムに集まり、戦後処理を話し合った。このポツダム会談により、ドイツとポーランドの間に暫定的な国境が設定された。それが「オーデル=ナイセ線」だ。

オーデル=ナイセ線は、占領国のソ連がポーランドとドイツに押し付けたものだったが、両国は当時それを拒否できる立場になかった。4年後の1949年にポーランドとドイツのソ連占領地区に建国された社会主義国家の東ドイツも、ポーランドとの国境を受け入れざるをえなかった。

一方、同年、米英仏の占領地域に建国された自由主義国の西ドイツは、対立関係にある東ドイツを正式な国家として承認しなかった。さらに、東ドイツと国交のある国とは外交関係を結ばない政策を採っていた。そのため、西ドイツはポーランドとは国交を開かず、東ドイツとポーランドとの国境「オーデル=ナイセ線」を認めなかったのだ。これが、のちに西ドイツ・ポーランド両国にとって第二次世界大戦後の大きな懸案となる「国境問題」の火種となるとは、このとき誰も予想していなかった。

その20年後にあたる1969年に西ドイツの首相に就任したブラントは、東ドイツを国家として認め、東方外交の一環として社会主義国との関係改善を進めようとする。翌1970年8月、ブラントとソ連首相コスイギンはモスクワ条約に調印し、西ドイツとソ連との国境不可侵と武力不行使を宣誓。

続いて同年**12月7日**、ブラントとポーランド首相ツィランキェヴィチは、ポーランドの首都ワルシャワで、相互関係正常化条約（ワルシャワ条約）を結んだ。これにより西ドイツとポーランドは国交を回復。条約のなかに東ドイツとポーランドの国境が明記されていたため、西ドイツとポーランドの間で20年続いた国境問題は解決された。

相互関係正常化条約は、1990年のドイツ再統一に少なからず影響を与えた。統一ドイツは、引き続きオーデル=ナイセ線をポーランドとの正式な国境と認めた。同条約ですでに国境問題が解決していたため、統一ドイツは新たな交渉に臨む必要はなかったのだ。

**その他の出来事**

前43年・キケロが死去　　1965年・ローマと東方教会が911年ぶりに和解

12月/8日
【1635年】

# 武家諸法度改定により参勤交代が制度化される

No.342

参勤交代を制度化した3代将軍徳川家光

1603年、徳川家康は征夷大将軍の職に就き、江戸に幕府を開いた。1615年に大坂夏の陣で豊臣氏が滅亡すると、2代将軍秀忠はただちに「一国一城令」と「武家諸法度（元和法度）」を発布し、諸大名の統制を始めた。

武家諸法度は、大名の基本的な義務を定めた全13カ条よりなる法令だ。内容は、文武両道の奨励、反逆・殺害人の追放、築城厳禁、城郭修理の申告、徒党の禁止、婚姻の許可、国主の人選などについて規定したものだった。秀忠以降も将軍が代わるたびに繰り返し発布された。

3代将軍家光は1635年**12月8日**、改定した武家諸法度（寛永法度）を発布した。その大きな特徴は、大名は妻子を江戸に置き、1年ごとに在府・在国を繰り返す参勤交代を義務付けたことにある。参勤交代は、のちに江戸幕府の大名統制の土台となり、大名（藩主）の藩（領地）運営にも大きな影響を与えた。また、諸大名に幕府への忠誠心を示させるだけでなく、各藩の財政に負担をかけ、大名の軍事力を低下させる目的もあったといわれている。

諸大名は1年間の江戸在府を強いられ、藩が設ける江戸屋敷の普請と維持費用のほか、往復にも多大な出費を要した。実際、のちに多くの藩が慢性的な財政不足に追い込まれるようになった。これが特定の藩では幕藩体制への不満に発展した。

その一方で、参勤交代により、江戸の日本橋を起点とする幹線道路の五街道をはじめ、江戸と各地の城下町を結ぶおもな街道や宿駅が整備され、陸上交通と経済の発達を促した。交通網の整備により、宿場で人馬を提供する伝馬役のような物流システムも発展。これにより地方の特産物が江戸に届けられるようになった。こうして全国から大名とその家臣、商人、物資が集まる江戸は、世界屈指の大都市となった。これらは参勤交代の副産物といえるだろう。

参勤交代が廃れるのは幕末になってからだ。幕府の財政難に加え、欧米列強が圧倒的な武力を背景に幕府に開国を迫った。幕府は全国の軍備強化のため、1862年、参勤交代の頻度を3年に1回と改め、江戸にいる大名の妻子を帰国させた。その5年後の1867年、大政奉還とともにこの制度は廃止された。

**その他の出来事**

1791年・フランス革命で逃亡を図ったルイ16世一家が捕まる　1788年・アメリカ合衆国憲法発効

# 12月/9日 【1867年】 王政復古の大号令により新政府が樹立される

No.343

岩倉具視

薩摩藩（鹿児島県）と長州藩（山口県）は1866年に密約を結び、武力による江戸幕府打倒を目指した。同年、幕府軍は第2次長州征討を開始したが、戦意に欠ける幕府軍は局地戦で長州軍に完敗し、幕府の権威はますます低下していった。

翌1867年1月に第15代将軍となった徳川慶喜（よしのぶ）は、長州征討の停戦を決定。薩長連合が武力倒幕を画策するなか、土佐藩の後藤象二郎は、幕府が朝廷へ政権を返上し、天皇の下で大名らの合議による政権を目指す「大政奉還」を慶喜に建白した。幕藩体制の行き詰まりを自覚していた慶喜は、この策を受け入れ、同年10月14日、薩長連合による武力蜂起に先んじ、大政奉還の意思を朝廷に提出した。慶喜は朝廷を中心とする新政権の下で、徳川が盟主となる諸藩の連合政権を目指したのだ。

先手を打たれた公家の岩倉具視（ともみ）と薩長両藩ら倒幕派は、慶喜が構想する連合政権が実現する前に、慶喜を排除した新政府を樹立する政変を企てた。岩倉らは同年**12月9日**、京都御所での朝議の直後、明治天皇の前で、天皇を中心とする政治に戻すことを宣言する「王政復古の大号令」を発したのだ。

内容は、京都守護職・京都所司代、幕府、朝廷の摂政・関白の廃止と、新たに総裁、議定、参与の三職を設けるというものだった。明治天皇がこれを承諾し、新政府が成立。新政府は、公家、大名、諸藩士から人材を登用する政治体制を導入した。

一方、王政復古の大号令の直後に開催された初の三職会議で、岩倉具視らは慶喜の政治的な影響力を排除するため、慶喜の官位辞退と領地の返上を決定した。これを受け入れた慶喜は幕臣の暴発により朝敵となることを恐れ、大坂城へ退去。薩摩・長州中心の新政府に不満をもつ旧幕府勢力と諸藩は翌1868年1月、慶喜を押し立てて大坂城から京都へ進撃。こうして鳥羽・伏見の戦いが勃発。新政府軍が勝利し、慶喜は江戸に逃れた。

同年4月、新政府はアメリカ合衆国憲法を模倣した三権分立制を取り入れ、欧米的な近代政治を整えた。王政復古の大号令は、260年以上にわたる江戸幕府を廃止し、徳川氏から政権を奪取する決め手となっただけではない。日本初の本格的な合議制の開始と、近代化の推進の分岐点となったのだ。

**その他の出来事**

1160年・平治の乱が起こる　　1905年・フランスで政教分離法が公布

# 12月/10日 【1126年】

# 靖康の変で北宋が滅亡 余波で日本の平氏が隆盛する

No.344

中国で広大な王朝を築いた唐が907年に滅亡すると、軍職である節度使がそれぞれ独立し、分裂状態に陥った。この時代を五代（907～960年）という。

五代最後の王朝である後周の節度使であった趙匡胤は960年、開封を首都とする宋を建国。のちに9代皇帝の実弟が臨安（現在の杭州市）で興した南宋と区別するため、このときに建国された宋は北宋と呼ばれている。

やがて北宋は、中央集権を実施して皇帝の権力を強化。文官を重用する文治主義を採用し、経済と文化は発展した。その一方で軍事力は脆弱であったため、タングート族が築いた西夏やモンゴル系契丹民族の遼の侵入に苦しんだ。

その遼に支配されていた女真族（満洲族）は遼に反旗を翻し、1115年に満洲に金を建国。北宋は金と同盟を結んで遼を滅ぼした。ところが、その後、北宋の背信行為に怒った金は北宋に攻め入り、1126年**12月10日**、首都・開封を陥落させた。北宋は滅亡し、金は華北を領土とする大国へと発展していった。この事変は、当時の宋の年号から「靖康の変」と呼ばれている。このとき、北宋の第9代皇帝欽宗や皇女は金へ連行された。だが、欽宗の弟である趙構は難を逃れ、翌1127年に江南で高宗として即位。臨安を都とする宋を再興した。これが南宋だ。

中国史では、漢民族以外の部族に支配された王朝を「征服王朝」と総称している。遼、金、元、満洲民族が築いた清がそうだ。靖康の変は、満洲族やモンゴル族などの異民族の侵攻をたびたび受け、征服王朝がつくられてきた中国の歴史を如実に物語っている。

のちに金はモンゴル軍に攻められ、1234年に滅亡。モンゴル帝国第5代皇帝のフビライは1271年、大都（現在の北京）を首都とし、国号を大元と改めた。元軍は1276年、南宋の首都・臨安を攻め落とし、南宋は滅亡。316年続いた宋はこうして亡国となった。

靖康の変は日本にも影響を与えた。日本は平安時代中期まで宋と国交を結んでおらず、貿易はわずかしかなかった。しかし北宋の滅亡により、華北から南宋へ漢民族が流入して人口が増大し、森林資源が枯渇したため、北宋は日本から木材を大量に輸入したのだ。

日本国内では、政権を掌握した平氏が博多を通じて日宋貿易を開始。これが平氏の重要な財源となった。さらに平清盛は大輪田泊（現神戸港の一部）を開いて、南宋の商船を受け入れた。こうした史実から、南宋が誕生したことにより、日宋貿易が盛んになったという因果関係を見出すことができそうだ。

**その他の出来事**

1520年・ルターがレオ10世からの警告文書を焼く　　1848年・ルイ=ナポレオンが大統領当選

12月/11日【1931年】

# ウェストミンスター憲章可決 大英帝国がイギリス連邦へ

No.345

19世紀前半から後半にかけて、欧州列強は植民地を拡大していった。なかでもいち早く産業革命を成し遂げていたイギリスは、「大英帝国」の呼び名にふさわしく快進撃を続けた。

イギリスは1824年にシンガポール、1841年に香港を領有し、統治を開始。1858年に建国したインド帝国は、事実上イギリスの植民地だった。その後、イタリアやドイツなど新興工業国が進出を始めたため、1882年にエジプトを保護国化し、翌1883年にはスーダンへ侵攻するなど、アフリカ大陸の植民地政策を強化した。こうしてイギリスは、世界屈指の帝国主義国となった。

その勢いが鈍ったのは、第一次世界大戦後だ。イギリスは経済不振が著しく、植民地や自治領の再編を余儀なくされた。1919年には、当時イギリス領であったアイルランド島で、アイルランド独立運動の急進派が独立を宣言して武装蜂起する（アイルランド独立戦争）。独立戦争は1921年に休戦し、イギリスは翌1922年、アイルランドを自治領として独立させることを認めた。このときの国名は「アイルランド自由国」だった。一方、北アイルランドはイギリス領にとどまった。

そして1930年、イギリス自治領（カナダ、オーストラリア、ニュージーランド、南アフリカ、アイルランド自由国）からイギリス議会へ、本国との対等な関係を要求する動議が提出。協議の結果、海外自治領は、イギリス国王に対する忠誠心によって団結した平等な共同体であり、自主的な外交権をもつ独立国家であることが承認された。また、イギリス議会では、自国をこのような諸国からなる連邦とする方針が決議された。

1931年**12月11日**、これらのことを明文化した法律がイギリス議会で可決され、成立した。それが「ウェストミンスター憲章」だ。この憲章は、自治領の独立を認め、大英帝国がイギリス連邦へと変わることを規定した重要なものになった。特筆すべき点は、これを機に大英帝国が解体されていったことだ。

アイルランド人は、イギリスからの完全な独立を求め、1937年に国名をアイルランド自由国から「エール」に、その後の1949年には「アイルランド共和国」と改称。イギリス連邦からも脱退した。これはイギリスの影響力が著しく低下したことを象徴している。

第二次世界大戦後、インド、パキスタン、スーダン、ガーナなど、イギリスの植民地の多くは独立した。これらのことは、イギリスがアメリカと肩を並べる超大国から脱落し、代わりに米ソが超大国として君臨する体制が始まったことを物語っている。

**その他の出来事**

1198年・ムワッヒド朝の宮廷医イブン=ルシュドが死去　　1937年・イタリア国連脱退

# 12月/12日【1936年】 張学良の軍が蔣介石を軟禁 第2次国共合作が成立する

No.346

張学良（左）と蔣介石（右）

中国では、1924年に革命家の孫文を指導者とする中国国民党が、北京政府と北方軍閥を倒すため、中国共産党と連携して統一戦線を組んだ。この中国国民党と中国共産党の連携協力関係を「第1次国共合作」という。

孫文の死後、国民党の指導者となった蔣介石は1927年、国民革命軍を率いて北伐を開始。蔣介石は急激に勢力を拡大する中国共産党を警戒し、共産党員を排除して南京国民政府を樹立したため、第1次国共合作は消滅した。翌1928年、国民党は北京政府を倒し、軍閥によってばらばらに支配されていた中国を統一。国民政府主席となった蔣介石は共産党への激しい弾圧を開始した。以降、約10年にわたる国共内戦が続く。

そんな状況のなか、1931年に満洲事変が勃発し、日本軍が満洲全土を占領。中国では、日本軍の侵入に対する抗日の世論が高まっていったが、蔣介石は日本軍との戦いよりも共産党の壊滅を優先した。共産党は国民党の圧力から逃れるため、1934年に江西省の瑞金（ずいきん）から奥地への根拠地の大移動を実施した。これを「長征」という。

この時期に共産党の実権を握った毛沢東は、蔣介石に抗日民族統一戦線の結成を呼びかけた。また、国民革命軍の軍人で、西安（せいあん）で共産党と戦ってきた張学良（ちょうがくりょう）は毛沢東の提言に共鳴し、蔣介石に方針転換を迫った。そして1936年**12月12日**、西安に督戦に訪れた蔣介石を張の軍隊が軟禁。張は蔣介石に内戦停止と第2次国共合作の重要性を訴えた。この西安事件を機に事態は急変する。

調停に訪れた共産党幹部の周恩来は、張に蔣介石を釈放するよう説得。これに応じた張は蔣介石を釈放し、逮捕された。この事件が転機となり、翌1937年9月、国民党と共産党は協力して日本軍と戦うために第2次国共合作を開始した。

西安事件は、中国と日本の両国で大きな意味をもつ歴史上の事件となった。まず、国民党軍は共産党軍との最終決戦を企み、軍備を充実させていた矢先だったため、この事件によって中国共産党は延命したといえる。

次に、これを機に抗日民族統一戦線が結成され、日中戦争が全面戦争に発展したことを踏まえれば、日中戦争の長期化はこの事件から始まったともいえる。一枚岩となった中国はアメリカ、ソ連、イギリスの支援を受け、抗日戦争を続けた。こうして日中戦争は泥沼化していった。

**その他の出来事**

316年・西晋が滅亡　1574年・セリム2世、死去　1963年・西ドイツ初代大統領のホイス、死去

# 12月/13日【1925年】レザー＝ハーンがペルシアの新皇帝に即位する

No.347

イランの独立を回復した
レザー＝ハーン

18世紀末から20世紀初頭にかけて、ペルシア帝国では、トルコ系王朝ガージャール朝がテヘランを首都にして存続した。ペルシアとはイランの古称だ。

19世紀になると中央アジアを併合したロシアが、南下政策を推進。同時にペルシアを植民地にしようと企てるイギリスの干渉も激しくなっていった。やがてイギリスとロシアは台頭するドイツに対抗するため、1907年に英露協商を結び、ペルシア北部をロシア、南部をイギリスの勢力範囲として半植民地化した。中部は中立地帯とした。

1914年に第一次世界大戦が始まるとペルシアは中立を宣言。しかし同盟国側で参戦したオスマン帝国が侵入し、ペルシアは戦場と化した。そして大戦後にはイギリスがペルシアを保護国化した。これに対して皇帝アフマド＝シャーはなんら対抗できず、シャー（皇帝）の権威は失墜。さらに1917年に起こったロシア革命の影響でアゼルバイジャンやカスピ海南西沿岸で独立運動が起こり、ペルシアは無政府状態に陥っていった。

こんな状況のなか、1921年に政変が勃発した。ペルシアコサック旅団を率いる軍人のレザー＝ハーンが首都テヘランを占領し、クーデタに成功したのだ。そこでレザー＝ハーンはソ連と和親条約を締結し、軍隊改革を断行。イラン中央部で暗躍していた遊牧民の反乱を制圧した。さらにレザー＝ハーンは1923年、首相に就任し、翌1924年のペルシア議会でカージャール朝の廃止を決定。そして1925年**12月13日**、ペルシア議会はレザー＝ハーンを皇帝に推挙。こうして彼はパフレヴィー朝を創始し、初代皇帝レザー＝シャー（国王）となった。

レザー＝ハーンの皇帝即位は、のちのイランに大きな影響を及ぼした。大きな成果は、1928年にロシア、イギリスとの間の不平等条約の撤廃に成功したことだ。さらに1935年には、国号をペルシアからイランに改称した。

パフレヴィー朝はアメリカからの経済援助により高度経済成長を成し遂げるが、急速な近代化は世俗化と経済危機を招き、反皇帝運動を招くことになる。その結果、1979年にホメイニを指導者とするイラン革命が勃発。パフレヴィー朝は消滅し、イラン・イスラーム共和国が成立した。ただしこの革命を経ても国名のイランは継続して使われることになったことからも、レザー＝ハーンの改革の一部は引き継がれたといえよう。

**その他の出来事**

756年・安禄山が洛陽を占領　1577年・英ドレークが世界周航に出発　1845年・インドで第1次シク戦争勃発

# 12月14日 ロシアでデカブリストの乱が勃発 自由主義運動を活性化させる

【1825年】

No.348

フランスの皇帝ナポレオン1世は1812年、約69万人の大軍を率いてロシア遠征を決行した。ロシア軍はこれを迎え撃たず、フランス軍の進路を焼き払って後退する焦土作戦を選択した。ロシア国内で食糧が手に入らず、遠征の失敗を悟ったナポレオンは冬の到来を前に撤退を決定。フランス軍は帰路、ロシア軍と農民ゲリラの追撃に遭い、数十万人の死者を出しながら敗走した。

ロシア遠征に失敗して以降、ナポレオン軍は翌1813年のライプツィヒの戦いでロシアを中心とする連合軍に敗北。同じく、1815年のワーテルローの戦いで英蘭連合軍に敗北。ナポレオンはイギリス軍に投降し、ナポレオン戦争は終結した。

ナポレオン戦争に従軍したロシアの青年将校たちは侵攻したパリに滞在中、ロシアと比べてはるかに進歩した欧州の生活と自由な環境をかいま見る。それと同時に農民出身の兵士たちである自分たちの境遇の劣悪さを知った。青年将校たちはロシア皇帝による専制政治と農奴制を廃止し、ロシア国家の改革を目指すようになる。

1816年、ペテルブルク（現在のサンクト=ペテルブルク）で6人の青年将校が秘密結社を結成。1818年には、約200名が参加する「福祉同盟」が誕生。以降、水面下でロシアの改革運動を続けた。

1825年11月、アレクサンドル1世が旅先で急死。皇帝の空位期間が生じたのを見計らい、秘密結社を束ねる青年将校たちはロシアの君主政打倒を唱え、武装蜂起を実行する。**12月14日**、首都ペテルブルクの元老院広場に約3000人の兵士を集めたが、反乱は政府軍により鎮圧。300人以上が逮捕され、首謀者とされる6人が絞首刑となった。

ロシア語で12月を「デカーブリ」と呼ぶ。そこから、後年になり、この蜂起に参加した青年将校たちは「デカブリスト（十二月党員）」、この蜂起は「デカブリストの乱」と呼ばれるようになった。この乱は、その後のロシアの革命運動のみならず、欧州の自由主義運動や独立運動に大きな影響を与えた。その一例が、1830年にフランスで起こった市民革命の七月革命と、ポーランドで起こったロシアの支配に異を唱える武装反乱の十一月蜂起だ。七月革命では、労働者を中心とするパリの民衆は、王政復古打倒を唱え、宮殿や市庁舎などを占拠。国王シャルル10世は退位し、これを機にフランスは立憲君主政に移行した。

十一月蜂起は、ワルシャワの士官学校の生徒による蜂起。彼らはロシアからの独立を唱えたが、ロシア軍に鎮圧された。

**その他の出来事**

1960年・国連総会が植民地解放宣言を採択　1799年・米ワシントン元大統領、死去

# 12月/15日 【208年】 劉備・孫権連合軍が赤壁の戦いで曹操軍撃破

No.349

赤壁の戦い後に始まった三国時代

中国の古代王朝であった後漢は、184年に起こった黄巾の乱を契機に統治能力を失っていく。それとともに地方の豪族や武将たちが台頭。群雄が政権獲得の争奪戦にしのぎを削るなか、のし上がっていったのは、黄河中流域の河南を本拠とする曹操だ。

曹操は漢最後の皇帝となる献帝を洛陽から迎え、背後で操った。まず華北一帯を支配下に収め、次に南征に乗り出した。一方、長江下流の江南地方には会稽郡長官の孫権がおり、長江中流の荊州地方には、益州牧（行政長官）であった劉璋の客将・劉備がいた。

15～25万の曹操軍に対抗するため、孫権と劉備は連合軍（3～5万）を組んで対抗する作戦を選んだ。これは劉備の軍師である諸葛孔明が説いた「天下三分の計」、つまり3勢力が互いに牽制しあって均衡を保つという戦略を採用したものだ。

曹操軍と孫権・劉備連合軍は208年**12月15日**、揚子江の赤壁（湖北省嘉魚県）で対峙した。曹操軍が疫病に苦しめられているという情報を得た連合軍は、油まみれの薪を積んだ火船を曹操軍の軍艦に激突させる策を選ぶ。強風にあおられ、曹操軍の軍艦は延焼。曹操は華北へ撤退した。これを「赤壁の戦い」という。

この戦いの結果、曹操は華北、孫権は江南、劉備は四川を領地とすることになり、諸葛孔明が狙った「天下三分」の形勢が成立した。曹操が220年に亡くなると、その息子の曹丕が魏を建国してその初代皇帝（文帝）となった。

西方に本拠を置いた劉備は翌221年、蜀を建国し、初代皇帝に即位。さらに江南を拠点とする孫権は222年に呉を建国。ここに魏、蜀、呉が中国を三分し、並び立つ三国時代が始まったのだ。赤壁の戦いは、結果だけみれば、その後の中国に三国時代が訪れる契機となる重要な戦いであったことがよくわかる。また、呉や蜀が支配した中国南部はのちの後漢時代以降に人口が増え、発展する。この三国が互いに拮抗する状況が、黄河流域以外の地域にも中国文化が広まることをもたらしたともいえる。

**その他の出来事**

828年・空海が綜芸種智院をつくる　940年・平将門が新皇を名乗る　1961年・独アイヒマンが死刑判決

# 12月16日 安史の乱が起こり唐が滅亡へ向かう

【755年】

No.350

7世紀から8世紀初頭、中国の唐は最盛期を迎えた。唐の都・長安（現在の西安）は東西約10キロメートル、南北約8キロメートルの規模を誇る、広大な市域を正方形に区分する条里制を用いて区画した都市だった。

日本は中国の文化を吸収するために遣唐使を長安に派遣した。また、トルコ系の遊牧国家の西突厥（にしとっけつ）や西域諸国などの周辺国は朝貢した。交易目的で訪れるソグド人に代表される異民族も多かった。

唐代は、律令制が完成した時代だった。律は刑法、令は行政法を示し、律と令を柱として国を統治するのが律令制だ。政治の運営には三省・六部と呼ばれる政治システムが採用され、均田制による土地制度や、租庸調による租税制度が全国で実施された。こうした中央集権体制は、6代皇帝の玄宗の時代にはすでに崩壊しつつあった。

玄宗は中年期以降、皇妃である楊貴妃を溺愛して政治をおろそかにした。代わりに政権を掌握したのは、楊貴妃の一族で宰相の楊国忠（ようこくちゅう）だ。楊国忠は、玄宗が信頼を寄せる節度使の安禄山（あんろくざん）を排除するため、安禄山に謀反の疑いがあると吹聴。玄宗がそれを信じ、安禄山を長安へ呼び戻そうとしたため、安禄山は盟友の史思明とともに反乱を決意し、755年**12月16日**、挙兵した。これを「安史の乱」という。

安禄山は約15万の軍を率いて南下。唐軍は20万の軍で迎え撃つも、安禄山軍は突破し、長安に攻め入った。玄宗と楊国忠は四川へ逃げたが、唐軍の兵士の不満が爆発し、乱の原因をつくったとして楊国忠と楊貴妃は殺害された。

その後、安史の乱は763年まで続いた。長安を陥落した安禄山は暗殺され、唐軍が長安を奪還するも、都は荒れ果てていった。その観点から、安史の乱は、唐が凋落（ちょうらく）する契機となる重要な事件だったといえよう。

安史の乱に前後して、貴族による大土地所有（荘園）が進行する一方で、天災により耕作地を失った農民が本籍地から逃亡し始めたことで、均田制が成り立たなくなっていった。さらに大地主の下で小作人になる農民が急増したことから、租庸調による国の収入も減少していった。

これら負の要素に加え、各地で起こる節度使の反乱、隣接諸民族の侵入などにより、唐はじわじわと滅亡へ向かって進んでいった。こうした唐の「終焉の始まり」は安史の乱にあると読み解くことはできるだろう。

やがて塩の密売人の挙兵から始まった黄巣（こうそう）の乱が全国に広がり、節度使の朱全忠（しゅぜんちゅう）により唐は907年に滅んだ。滅亡直前、最盛期に5000万人を超えていた唐の人口は2000万人台に減少していたという。

**その他の出来事**

1689年・イギリスで権利の章典が成立　1773年・ボストン茶会事件が起こる　1774年・仏経済学者ケネー、死去

# 12月/17日【1903年】ライト兄弟が世界初の有人動力飛行に成功

No.351

ライトフライヤー号

世界初の有人動力飛行に成功したのは、兄ウィルバー、弟オービルの兄弟で飛行機の開発研究を続けてきたアメリカのライト兄弟だ。彼らはドイツ人技師リリエンタールが自作のグライダーで飛行に成功したことに刺激を受け、グライダーに発動機とプロペラを付けた飛行機の開発に挑んだ。第1号機は、自作の12馬力ガソリンエンジンを搭載した複葉機ライトフライヤー号で、機体の大きさは、全長6.4メートル、全幅12.3メートル、全高2.7メートルだった。

1903年**12月17日**、アメリカのノースカロライナ州キルデビルヒルズの砂丘で、弟のオービルがライトフライヤー号を操縦し、世界初の動力飛行に成功した。合計4回の飛行を試み、最長飛行時間は59秒、最長飛行距離は259.6メートルだった。

ライト兄弟の動力付き飛行機の発明を機に、世界の飛行機開発技術は一気に進歩を遂げる。フランスやアメリカでは実演飛行が公開され、大衆の注目を浴びた。1909年には、フランスのルイ＝ブレリオが自作の飛行機を操縦し、英仏海峡の横断に成功している。

ライト兄弟は同年、飛行機製造を手掛けるライト社を創業。操縦可能な飛行機を製造するため改良を続け、競技会用の飛行機を販売しながら特許使用料も得た。しかし社長であった兄ウィルバーが1912年に腸チフスで他界。残されたオービルは後発会社との競争や特許侵害訴訟に疲れ果て、1915年に会社を売却した。

飛行機はその後、欧米列強で軍用機として実用化され、第一次世界大戦ではドイツやイギリス、フランスが戦闘機を実戦に導入した。一方、オービルが手放したライト社は、のちに航空機メーカーのグレン＝L＝マーティンと合併。さらに1995年に同じく航空機メーカー大手のロッキード社と合併し、現在はロッキード＝マーティン社として旅客機や戦闘機などの開発生産をしている。

ライト兄弟による世界初の有人動力飛行が、その後の飛行機産業、軍事産業、運輸・物流業、旅行ビジネスに及ぼした影響は計り知れない。そのうちの1つがアメリカの航空産業だ。規模は現在、約14兆円。その起源が、ライト兄弟による世界初の有人動力飛行にあることはいうまでもない。

**その他の出来事**

1807年・ナポレオンがミラノ勅令を発布　　1945年・日本で婦人参政権が認められる

# 12月/18日【1271年】 元朝が成立、中国全土を支配する征服王朝へ

No.352

13世紀初頭、チンギス＝ハンはユーラシア大陸の東西にまたがる大モンゴル国を築いた。その息子で2代皇帝オゴタイが率いるモンゴル軍は、女真（じょしん）族（満洲族）が華北に築いた金に侵攻し、1234年に滅ぼした。また、翌1235年には3度目の高麗（こうらい）侵攻を開始した。

文永の役を描いた『蒙古襲来絵巻』

その後、チンギス＝ハンの孫フビライが王位継承戦争に勝利し、1264年に第5代皇帝に即位。改革を実行した。1271年**12月18日**、モンゴル帝国の都を大都（現在の北京）に移し、国号を元（大元）と定めて中国に征服王朝を開いたのだ。

フビライがモンゴル王朝で初めて中国の元号を導入したことの意味は大きい。それは、モンゴル高原の遊牧国家が帝国の中心を中国に移し、中国文化を取り入れた巨大な王朝をつくろうとする意思の表われだった。その後、フビライは1276年、中国王朝の南宋を滅ぼし、中国全土を完全に支配する。漢民族を詐称せず、どうどうと異民族として中国全土を支配したのは、中国史上初めてのことだった。

元朝の成立は、中国のみならず朝鮮半島と日本にまで多大な影響を及ぼした。元は中国を支配するにあたり、高級官僚をモンゴル人や中央アジア・西アジア出身者に独占させた。つまり、漢民族の排除だ。儒学は軽視され、中国の官僚登用制度である科挙も当初は行なわれなかった。

また、高麗は完全に元朝の支配下に置かれ、元朝へ貢物を届け続けた。元は高麗を従え、日本の対馬、壱岐、博多湾岸へ侵攻した。1274年の文永の役と、1281年の弘安の役だ。2度の蒙古襲来（元寇）は内紛と暴風雨に助けられ、元軍は引き上げていったが、当時の鎌倉幕府にとって元は大きな脅威となった。以降、元寇に対抗するため、博多湾岸で、海岸に築く石塁などの防備を整えることになる。

一方で、元は商業を重視して陸路と海路を整えていったことから、東西の交通が発達し、泉州や杭州などの海港都市は繁栄した。欧州から商人や宣教師が元を訪れ、カトリックが伝来。また、西方からイスラーム教が伝来し、元からは火薬や羅針盤がイスラーム諸国に伝えられた。

日本へは、元の商船により銅銭（元銭）や錦織物、陶磁器が入ってきた。これらは、侵略と同時に海外諸国と積極的に交流する元朝が成立したから始まった文化の東西交流といえよう。

**その他の出来事**

1812年・シーボルト事件　1865年・アメリカ奴隷制を廃止　1914年・英がエジプトを保護国

# 12月/19日 【1946年】 ベトナムの独立を巡るインドシナ戦争勃発

No.353

アジア・太平洋地域で繰り広げられた太平洋戦争の終結は、欧米列強の植民地となっていた東南アジア諸国が独立する契機になった。大戦中の一時期、日本軍の占領下にあったフィリピン、ビルマ（現在のミャンマー）、インド、パキスタンは1950年までに独立した。

しかしベトナムは特殊な事情があり、すぐに独立することはできなかった。ベトナムは1887年以降、カンボジア、ラオスとともにフランス領インドシナ連邦に組み込まれていた。1940年に日本軍が進駐すると、軍事的には日本軍が占拠し、内政はフランスが担う二重支配が約5年間続いた。

1945年3月、日本軍がインドシナでフランス軍を撃破し、フランス領インドシナ政府はいったん消滅した。これを受けてベトナム第13代皇帝バオ＝ダイは、フランスの植民地支配の終結とベトナム帝国の成立を宣言した。ところが、日本がポツダム宣言を受諾すると、同年8月17日、ホー＝チ＝ミンを主導者とする独立運動組織が全国で蜂起し、首都ハノイを制圧した。

このベトナム八月革命によりバオ＝ダイは退位。同年9月、ホーが大統領となり、ベトナム民主共和国の成立を宣言した。

これに対しベトナムの再植民地化を目指すフランスはベトナムの独立を認めず、両者は対立。1946年**12月19日**、フランス軍がハノイを襲撃し、インドシナ戦争が勃発した。

約8年に及ぶ戦闘が続いたのち、1954年のジュネーブ協定でフランス軍の撤退と北緯17度線を軍事境界線とする休戦が実現。こうしてようやくベトナム、カンボジア、ラオスの独立は国際的に認められた。

翌1955年、北緯17度線以南の地域に、アメリカ政府が支援するベトナム共和国（南ベトナム）が誕生した。一方のベトナム民主共和国（北ベトナム）は社会主義の実現を目指し、親ソ路線に傾いた。インドシナ戦争は、ベトナムの実質的な独立と同時に、南北分裂を招いたことから、その後の南北ベトナムはもちろんのこと、アメリカやソ連、中国にも大きな影響を及ぼした。

やがて南北ベトナムは内戦を経て、アメリカとソ連の代理戦争というべきベトナム戦争に突入。1965年には米軍が北ベトナムへの爆撃（北爆）を開始し、ソ連と中国は北ベトナムを支援したため、ベトナム戦争は泥沼化した。

長い戦争が終わり、南北ベトナムが統一し、ベトナム社会主義共和国が誕生したのは1976年。インドシナ戦争の勃発から、30年後のことだった。

**その他の出来事**

1154年・イングランド王ヘンリ2世が戴冠　　1587年・豊臣秀吉が太政大臣となる

12月20日【1803年】

# 仏領ルイジアナ購入により米国の領土は倍増

No.354

アメリカの領土拡大

大航海時代にアジアやアメリカ大陸へ進出したフランスは、16世紀以降、北アメリカ東部や南アメリカに植民地を開いた。そのうちの1つが、アメリカのミシシッピ川流域に広がるルイジアナ地方だ。

フランスは1699年から1762年までルイジアナ地方を所有していた。1762年にいったんスペインに移譲したが、1800年に仏領に戻った。ナポレオン率いるフランス軍に征服されたスペインがルイジアナをフランスに譲渡したのだ。

仏領ルイジアナは、現在のアイオワ、アーカンソー、コロラド、カンザス、ルイジアナなど15州にまたがる広大な土地だった。首府が置かれたニューオーリンズは農産物の物流の拠点となっており、スペイン領時代には輸出用の物資を貯蔵するために、アメリカ人商人の港の使用は許可されていた。

しかしルイジアナがふたたび仏領となったため、第3代大統領ジェファソンは、ニューオーリンズの港を使用するアメリカ人の権利が停止されることを恐れた。また、アメリカ人の間では、フランスの侵略が始まることに危機感が広がった。

ニューオーリンズを所有したいと熱望するジェファソンは、駐英大使ジェームス＝モンローらを特使としてフランスへ派遣し、ナポレオンにニューオーリンズ買収を提案するよう命じた。対するナポレオンは、天敵のイギリスがカナダからルイジアナに侵攻した場合、押し戻せないと判断。また、ルイジアナの黒人奴隷による反乱の鎮圧に失敗していたこともあり、ルイジアナを米国に売却し、戦費にあてようと考えた。

そこでナポレオンは交渉の場でニューオーリンズのみならず、ルイジアナをすべて売却すると申し出た。金額はわずか1500万ドルだった。譲渡を取り決めたルイジアナ条約は1803年4月にパリで調印され、同年**12月20日**、ルイジアナ地方は正式にアメリカ領となった。

これによりアメリカはフランスの影響下から逃れ、領土は一挙に2倍になった。やがて東部から太平洋に至る西部地域への流入が始まり、西部発展の契機となった。アメリカが仏領ルイジアナを購入できていなければ、今日のアメリカはなかったことを想像すれば、この買収がどれほどの価値があったのかがわかるだろう。

**その他の出来事**

727年・渤海使が初の入京　　1615年・大坂冬の陣の講和成立

12月/21日
【1958年】

# 抵抗運動の英雄ド=ゴールが仏大統領に就任する

No.355

第18代フランス大統領
シャルル＝ド＝ゴール

第二次世界大戦中の1940年、フランスはドイツ軍にパリを占領され、降伏。休戦協定により北部と東部はドイツ軍の占領下に置かれた。南部の自治を認められた仏政府は中部のヴィシーに首都を移転し、対独協力派がヴィシー政権を運営した。

これに対しフランス軍准将のド＝ゴールは英国に亡命し、抵抗組織「自由フランス」を結成。国内外の同胞に向けヴィシー政権への抵抗とドイツへの徹底抗戦を呼びかけた。さらにイギリスから軍事物資の支援を受けて武装組織である自由フランス軍を指揮し、北アフリカ戦線やシリアなどで連合軍の作戦に参加した。

対独抵抗運動（レジスタンス）のリーダーとなった彼は1944年6月、自身が主席となって仏領アルジェリアに、フランス共和国臨時政府を成立。同月、連合軍がノルマンディー上陸作戦に成功し、8月25日にパリを奪還した。凱旋したド＝ゴールは市民からフランス解放の英雄として迎えられた。

フランスでは同年、第四共和政が始動。ド＝ゴールは政党を立ち上げて活躍し、1953年に政界から引退した。しかし彼の政界復帰を望む事件が起こる。アルジェリアで欧州系入植者と先住民、親仏派と反仏派の対立が激化し、内戦に発展。世論はアルジェリア独立容認派と非容認派に分裂した。やがて1958年にアルジェリア駐留軍が、ド＝ゴールの政界復帰を要求してクーデタを決行したのだ。

当時の大統領コティは軍部を抑えられる人物としてド＝ゴールを首相に指名し、彼の組閣は議会で承認された。ド＝ゴールはアルジェリア問題解決のための全権委任と大統領の権限を強化した新憲法を立案し、国民投票に臨んだ。その結果、8割の賛成により第五共和政が発足。ド＝ゴールは同年**12月21日**、第18代フランス大統領に就任した。

任期中、多くの政策を実現した。1960年、世界で4番目の核爆発実験に成功し、フランスは核保有国となった。また、1962年にはアルジェリア独立を承認した。その一方で、1966年に北大西洋条約機構（NATO）から離脱するなど、米英追従から脱却し、独自外交を推し進めた。

このようなド＝ゴールの政治手法は「ド＝ゴール主義」と呼ばれ、のちの政治家に影響を与えた。第22代大統領のシラクはその1人で、仏海軍の航空母艦に「シャルル＝ド＝ゴール」と命名したことでも知られている。

**その他の出来事**

1620年・ピルグリム＝ファーザーズが米プリマスに上陸　　1855年・日露和親条約、調印

# 12月22日【1885年】伊藤博文が初代総理大臣に任命される

No.356

明治維新期の1874年、前年に参議を辞職した板垣退助と後藤象二郎らは政治結社を設立し、国会開設を求める民撰議院設立の建白書を左院（明治初期の立法府）に提出した。これが日本での自由民権運動の始まりだ。

1878年に内務卿の大久保利通（としみち）が暗殺されると、参議の伊藤博文（ひろぶみ）がその後任につき、明治政府の中心人物となった。1881年には、参議の大隈重信が英国流の議院内閣制の早期導入を主張。ドイツ国憲法の導入を目指す伊藤は大隈を明治政府から排除した。同年、明治政府は、天皇が定める欽定憲法の基本方針を決定し、1890年に国会を開設すると公約。こうして伊藤は君主権の強い立憲君主政の成立に向けて準備を始めた。

1882年、伊藤は欧州に渡り、ドイツ流憲法理論を調査。帰国後、憲法制定と国会開設の準備を進めた。そして1885年、右院・左院・正院で構成されていた太政官制を廃止して内閣制度を創設。そして伊藤は**12月22日**、日本初の内閣総理大臣に就任したのだった。

伊藤が組閣した内閣の顔ぶれを見てみると、10名の閣僚中4人が自身の出身藩である長州藩（山口県）、4人が薩摩藩（鹿児島県）出身者で、この時代でも薩長派閥の勢力が強かったことがわかる。この傾向は1910年代半ばまで続き、総理大臣は、数人の例外を除けば、旧薩長出身者ばかりだった。

伊藤は組閣後すぐさま盟友であり外務大臣であった井上毅（こわし）らと秘密裡に憲法草案の起草に着手し、1889年、大日本帝国憲法（明治憲法）が発布された。明治憲法は国家的権限をすべて天皇に集中させ、天皇の下にそれぞれが役割を分担する国家機関を置くものだった。翌1890年、予定どおり国会が開設され、第1回帝国議会（衆議院）議員総選挙が実施された。選挙人は満25歳以上の男子で、直接国税15円以上を納入する者に限られたため、国民全体の1％程度だった。

伊藤博文が最初の内閣総理大臣になったことで、多くの改革が進められた。その1つが、旧幕府が欧米列強と結んだ不平等条約の改正だ。それは富国強兵と対外的な独立を目指す明治政府の最重要課題で悲願だった。

1894年、第2次伊藤内閣の外相・陸奥宗光（むつむねみつ）は日英通商航海条約の締結に成功。これによって法権回復、関税自主権の一部回復などの実現が可能になった。ほかの欧米諸国とも同様の条約を結び、40年近くにもわたる悲願を達成。1911年には、日米新通商航海条約に締結し、関税自主権の完全回復が実現した。これら不平等条約の改正は、伊藤が内閣総理大臣に就き、強力なリーダーシップを発揮したから達成できたことだ。

**その他の出来事**

1894年・仏ドレフュス大尉、スパイ容疑で終身禁固の判決　1919年・渋沢栄一ら協調会設立

# 12月/23日 【1876年】
# オスマン帝国で憲法が公布 現トルコ近代化の礎となる

No.357

オスマン帝国は16世紀に最盛期を迎え、エジプトやギリシアの支配を強化したうえで、ハンガリー王国を併合。さらにペルシア帝国（現在のイラン）からペルシアとアゼルバイジャンの大半を奪い、地中海の制海権も握った。

その領土は17世紀後半から欧州諸国に奪われていった。産業革命の波及により近代化を果たした欧州諸国が勢力を拡大してきたからだ。18世紀に入るとクリミア半島はロシア領土になり、1829年にギリシアが独立。1833年にはエジプト総督ムハンマド＝アリーにシリアを制圧され、バルカン地方の諸民族もオスマン帝国から独立していった。

こうした背景のなか、第31代皇帝アブデュルメジト1世は1839年、西欧的体制への転向を図る改革を開始した。同年、ムスリムと非ムスリムを平等と認めるギュルハネ勅令を発令。その後、紙幣の導入、郵便局や中央銀行の設立、戸籍制度の実施、民法と刑法の制定など、さまざまな分野で改革を実施した。この一連の改革を「タンジマート（再編成）」という。

やがて若い自由主義運動家たちが新オスマン人協会を組織し、立憲体制の樹立を目指すようになる。その指導的立場にあったのがミドハト＝パシャだ。1876年に新皇帝に即位したアブデュルハミト2世は、諸外国のさらなる支持を得るため憲法制定を立案。ミドハトが草案をつくり、同年**12月23日**、オスマン帝国憲法が公布された。ミドハトは大宰相（首相）に就任し、第1次立憲政がスタートした。

同憲法は、イスラーム教徒と非イスラーム教徒の平等、二院制議会の開設、トルコ語の公用語化、西洋式の裁判所の開設、言論の自由などを規定したアジアで初めてといわれることもある近代憲法となった。なかでも国会開設を定めたことは画期的だった。

しかしアブデュルハミト2世は翌1877年、ロシアとの戦争に完敗して非常事態を理由に憲法を停止。ミドハトを国外追放し、議会を閉鎖して専制政治を始めた。その後、皇帝の独裁政治に対する国民の不満が爆発し、立憲政治の復活を目指す青年トルコ人革命が1908年に勃発。これによりオスマン帝国憲法は復活し、1921年に立法府のトルコ大国民議会が成立するまで存続した。このトルコ大国民議会の起源は、オスマン帝国憲法に基づいて1877年に招集されたオスマン帝国議会にあるので、オスマン帝国憲法は今日のトルコ議会の礎を築いたといえよう。

オスマン帝国は1922年に消滅。翌1923年にトルコ共和国が成立する。1924年に制定された第一共和政憲法は独裁を招いたことから、1961年に新憲法に移行。さらに1982年に改定され、今日に至る。

**その他の出来事**

805年・空海が長安に入る　1938年・フランコ軍がカタロニア進撃開始　1948年・A級戦犯7人の絞首刑が執行

# 12月24日【1979年】 ソ連にとってのベトナム戦争 アフガン侵攻が始まる

No.358

1978年4月、アフガニスタンで社会主義政党の主導による軍事クーデタが発生し、社会主義政権が誕生した。ソ連と友好・善隣条約を結んだ革命政府が急進的な土地改革と男女平等政策を推し進めると、これに反対するイスラーム武装勢力が各地で蜂起した。それを受けて1979年**12月24日**、ソ連軍は首都カブールへ侵攻。イスラーム武装ゲリラを制圧するための本格的な戦闘に入った。

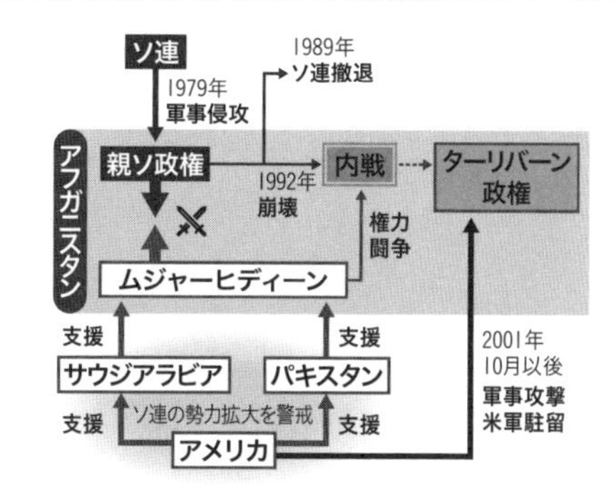

アフガン侵攻における各国の関係

同年、隣国イランではイラン革命が起こり、イスラーム原理主義が台頭していた。ソ連政府は自国内のイスラーム系民族が政権を樹立してソ連から離脱することを危惧し、アフガニスタンのイスラーム武装勢力の弱体化を目指したのだ。

イスラーム原理主義者のゲリラ兵は「ムジャーヒディーン」と呼ばれる。ジハード（聖戦）を遂行する者という意味だ。彼らの抵抗は激しく、ソ連軍の駐留は長期化していった。1980年には、西側諸国がこのアフガン侵攻を批判し、モスクワ・オリンピックをボイコット。1982年には、国連総会でソ連軍のアフガニスタン撤退を要求する国連決議が採択されたが、ソ連軍は戦争を続けた。

ゲリラ兵は当初、ソ連軍の武器を奪って戦ったが、1984年にアメリカ製の武器がゲリラ兵に支給されるようになる。また、イラン、イギリス、サウジアラビア、中国、パキスタンなどが反政府ゲリラを支援した。ベトナム戦争と同様、この争いが米ソ冷戦の代理戦争となって泥沼化してゆき、ソ連軍の駐留は約10年間続くことになる。その後、1988年にようやく和平協定が成立。ソ連軍が完全撤退したのは、1989年2月だった。死者数はソ連軍が1万5000人、ゲリラ兵を含むアフガニスタン人は60万人強といわれている。また、この紛争で軍事力を付けた戦士たちが世界各地に広まり、その後のテロを多数引き起こすことになる。

ソ連ではアフガニスタン侵攻の戦費が経済の大きなブレーキとなり、ソ連の解体の一因になったともいえる。また、ソ連撤退後のアフガニスタンで国内の支配を巡って内戦が始まったのも、ソ連軍の侵攻がもたらしたものだ。1994年にイスラーム過激派の武装勢力ターリバーンが勢力を拡大したのも、アフガン侵攻により生まれた負の産物といえよう。

**その他の出来事**

1167年・英ジョン王が生まれる　1800年・ナポレオン暗殺未遂事件　1948年・A級戦犯19人が釈放

# 12月/25日【800年】 カール大帝が西ローマ皇帝の帝冠を受ける

No.359

独アーヘン大聖堂に残るカール大帝の像

古代ローマ帝国の皇帝テオドシウスは395年、亡くなる直前に2人の息子に、国土を二分して分担統治するよういい残した。その結果、東ローマ帝国と西ローマ帝国が成立する。東ローマ帝国はビザンツ帝国とも呼ばれ、1453年まで続いたが、一方の西ローマ帝国は、クーデタによる皇帝追放が原因で476年に滅亡する。

ビザンツ帝国首都のコンスタンティノープル教会は、帝国の保護を受けて発展し、やがてギリシア正教会と呼ばれるようになる。一方のローマ教会は、西ローマ帝国滅亡後、名目的にはビザンツ帝国の庇護を受けていた。しかし726年、ビザンツ帝国皇帝レオン3世が、教会での聖像崇拝を禁止する令を発布すると、ローマ教会はこれに反対して皇帝と対立。聖権の独立が保たれる政治的な後ろ盾を求めるようになる。

こうした背景のなか、ローマ教会を信仰するフランク王国の宮宰カール＝マルテルは732年、現フランス西部に侵入したイスラーム王朝ウマイヤ朝軍を撃退し、西欧にイスラーム教が流入するのを阻止した。そこでローマ教皇は751年、カールの子ピピン3世のフランク王への即位を主張。この宮廷革命により、フランク王国にカロリング朝が誕生する。

さらにピピン3世の長男カール大帝（カール1世）は周辺国へ遠征し、フランク王国の領土を拡大してビザンツ帝国に対抗する強国をつくりあげた。また、征服した地域に教会を建て、住民をカトリック教会に改宗させた。カール大帝はこうした功績が認められ、800年**12月25日**、ローマ教皇レオ3世から西ローマ皇帝の冠を授けられた。

ローマ教皇から西ローマ帝国の後継者に指名され、ローマ・カトリックの拡大という重要な任務を与えられたカール大帝は、その使命をまっとうするかのごとく、その後も異教徒を討伐しながらさらに領土を拡大していった。こうして古代ローマの伝統、正統派キリスト教、ゲルマン文化が融合し、のちの西欧キリスト教国家の骨格ができあがっていったのだ。

その一方で、カール大帝の働きが、その後のキリスト教会の東西分裂の一因になったという見方もできる。キリスト教会はビザンツ皇帝が支配するギリシア正教会と、ローマ教皇を最高指導者とするローマ・カトリックとに二分されていき、やがて11世紀になると完全に分裂することになる。

**その他の出来事**

1066年・ノルマンディー公ウィリアムが戴冠式を行なう　1130年・シチリア王国成立

# 12月/26日【1991年】ソ連最高会議がソ連の消滅を宣言する

No.360

1985年、ソ連では共産党書記長のゴルバチョフが社会主義体制の改革「ペレストロイカ」(立て直し)を提唱した。具体的には軍事支出の削減や情報公開(グラスノスチ)などに着手し、米国レーガン大統領とは中距離核戦力制限条約を結んだ。

1989年に始まった東欧の民主化革命はバルト3国の独立を促し、リトアニア、エストニア、ラトビアはソ連に独立を要求した。しかしソ連はこれを武力で鎮圧し、新連邦条約締結に向けて準備を進めた。そして1990年に一党独裁制を廃止して大統領制を導入。ゴルバチョフが初代大統領に就任した。

ソ連解体で大きな役割を果たしたエリツィン

これに対し守旧派の党官僚は、新連邦条約締結によって自分たちの利益が損なわれると考え、ゴルバチョフの政策に猛反対。政治勢力は改革派と保守派に二分された。そして新連邦条約締結の前日にあたる1991年8月19日、条約に反対する保守派(反改革派)グループが大統領辞任を迫ってゴルバチョフを軟禁。モスクワ中心部に戦車で乗り入れ、モスクワ放送を占拠した。これに対してロシア共和国大統領のエリツィンを先頭とする市民は抵抗し、クーデタは数日で終結した。

エリツィンは市場主義経済に順応した共和政国家の建国を構想。同年12月8日、エリツィン、ウクライナ大統領、ベラルーシ最高会議議長の3首脳は秘密裡に会談し、3国のソ連邦からの離脱と独立国家共同体(CIS)の樹立を宣言する。

この流れを止められないと見たゴルバチョフは12月17日、年内での連邦政府の活動停止と全ソ連構成共和国の連邦脱退、バルト3国の独立を承認。12月21日にはグルジア(ジョージア)とすでに脱退しているバルト3国を除くすべての連邦構成国の首脳がCISの設立に調印した。これは実質的にソ連の解体でもあった。

ゴルバチョフは12月25日に大統領を辞任。翌**12月26日**、最高会議がソ連邦の解体を宣言した。同日、エリツィンを大統領とするロシア連邦が成立し、国連の常任理事国など国際的な権利を旧ソ連から継承した。

ソ連の消滅は、世界中にさまざまな影響を与えた。ロシアでは市場経済化への一環として行なわれた価格自由化が極端なインフレを引き起こし、ロシア政府はやむをえずルーブルの切下げを実施した。その後も続く混乱で、国民は疲弊していくのだが、やがて「強いロシア」復権を夢見させるプーチンが台頭してくる。

**その他の出来事**

1791年・カナダ法が発効　1805年・プレスブルクの和議成立　1530年・ムガル帝国初代皇帝バーブル、死去

12月/27日【1945年】

# 米英ソ3外相のモスクワ宣言で日本占領管理を決める

No.361

1946年4月の対日理事会・第1回会議

日本政府は1945年8月15日、ポツダム宣言の受諾と降伏決定を国民に発表した。ここに第二次世界大戦は終結した。

同年10月、日本を占領・管理するための最高司令部として東京に設置されたのが連合国軍最高司令官総司令部（GHQ）だ。アメリカが日本占領での主導権を握ることは、同国がポツダム宣言文の大部分の作成を担った時点で連合国側に承認されていたという。

同年**12月27日**、モスクワで米英ソ3カ国外相会議が開かれた。この会議は、日本の占領と管理政策、降伏条件の補足指示の執行、平和条約問題などを決定する場として設定されたものだった。イギリスは親米反ソ派のヘヴィン、ソ連はスターリンの片腕としてソ連の外交を担ったモロトフ、アメリカは国務長官のバーンズが参加した。バーンズはソ連より優位に立つため、日本に対する原爆投下を大統領のトルーマンに進言した人物として知られている。

この会議で決定し、発表されたのが、連合国軍最高司令官と協議し、助言を与える「連合国対日理事会」の設置だった。これはアメリカ、イギリス、ソ連、中国の4カ国の代表からなる対日管理機関の1つで、連合国軍最高司令官の諮問機関だった。東京で毎月2回、定期的に会合することが決まった。隔週開催というサイクルから、解決すべき問題が当時山積みだったことが想像できる。

米英ソ3カ国外相会議自体は、その後の日本、米英ソになんらかの影響を与えるものではなかったが、このときに設置が決まった連合国対日理事会は、日本の農地改革など初期の占領政策に一定の影響を及ぼしたという。やがて米ソの冷戦が激化してゆくにつれこの理事会は機能しなくなり、1952年のサンフランシスコ平和条約の発効に伴い第164回会議を最後に解散した。

この機関がたいした機能を発揮しなかったのは、そもそも米英ソという一番初めの外相会議の出席者自体に起因するかもしれない。1948年にはすでに、アメリカのロイヤル陸軍長官が「日本を共産主義の防波堤にする」と宣言したことに表れているように、冷戦が本格化しつつあった。そういった情勢で米英ソが設立した機関が機能しないのは自然の成り行きだろう。

**その他の出来事**

1831年・ダーウィンがビーグル号で出帆　　1979年・アフガニスタンでクーデタ

12月28日
【1885年】

# インド国民会議ポンペイ大会が開催される

No.362

インドは1877年にイギリス国王がインド皇帝を兼ねるインド帝国となった。イギリスはインドを支配するにあたり、ヒンドゥー教とムスリムを互いに反目させることで反英運動の組織化を抑制し、安定的に統治しようと計画した。しかし、1883年、ベンガルを中心に民族主義的活動を行なっていたバネルジーらはカルカッタ（現在のコルカタ）で反英民族運動組織を発足。インド総督はこれを警戒し、植民地統治に対するインド人の不満のガス抜きをするための方策を発案した。それがインド国民会議だ。

インド国民会議議長を務めたネルー

1885年に結成されたインド国民会議の第1回会議は**12月28日**、ボンベイ（現在のムンバイ）で開催された。参加者はほとんどがヒンドゥー教徒の知識人だった。

インド総督には、インドの知識人を味方に付けて植民地支配を円滑に進めるという狙いもあった。同会議は当初、その思惑どおり親英的で穏健な組織だったが、しだいにインドの自治獲得を目指す反英の急進派が組織内で台頭していった。

こうした動きを牽制する意図もあり、インド総督は1905年、民族運動の分断を図るベンガル分割令を発令。これにより反英闘争はさらに激化した。1906年にカルカッタで開かれたインド国民会議で、英国商品の不買、国産商品の購買、自治の獲得、民族教育の実施の「カルカッタ4綱領」が採択。ベンガル分割令は1911年に撤回された。

第一次世界大戦後、独立運動の主導者ガンディーや、のちに初代首相となるネルーがインド国民会議に参加し、インド独立運動を牽引。インド国民会議は1920年の大会で全国組織を改革し、政党となる。ネルーは1929年にインド国民会議議長に就任し、ヒンドゥー教徒とムスリムが共存する統一インドの独立を提唱するが、ムスリム連盟の指導者ジンナーは、ムスリムが多く住む州での独立を要求。自分たちの意思で新しい国家をつくるというパキスタン構想を立ち上げたのだ。

1947年にイギリス領インドは、ヒンドゥー教徒多数地域のインド連邦と、イスラーム国家のパキスタンに分離独立した。独立後、インド国民会議は与党となり、ネルーが初代首相に就いた。歴史の流れを見るとインド国民会議の歴史が、そのままインド独立の歴史であることがわかる。同会議は2014年に野党に転落したが、インドを独立に導いたことは世界が認める功績だ。

**その他の出来事**

1673年・清で三藩の乱が始まる　1856年・米大統領ウィルソン、生誕

# 12月/29日【1934年】ワシントン海軍軍縮条約が失効し、日本は軍備拡張へ

No.363

戦艦「大和」

第一次世界大戦終結後、アメリカは戦勝国となった連合国側の海軍力の増強を懸念し、軍艦建造競争を抑制するための会議を提案した。これを受けて1921年11月、ワシントンで米国、英国、フランス、イタリア、日本の5大海軍国が参加して、戦艦と空港母艦の保有の制限を決める軍縮会議が開かれた。

会議では、建造中の軍艦をすべて廃棄したうえで、主力艦建造の10年間停止と、戦艦の保有比率を英米各5、日本3、仏伊各1.67とすることが定められた。日本は当初、自国防衛のため、米英に対し軍艦の保有率7割を主張したが、両国はこれを拒否。そこで日本は英米5、日本3を受け入れるかわりに、建造中の軍艦「陸奥」の保有を認めさせた。翌1922年2月、5カ国は会議で決定した取り決めに調印した。これがワシントン海軍軍縮条約だ。

さらに1930年に開かれたロンドン海軍軍縮会議では、主力軍艦の建造停止が1936年まで延長されることが決定した。ところが、前年の1929年から起こった世界恐慌が状況を大きく変えた。アメリカは軍需産業の拡大により経済の回復を目指した。イギリスは植民地との間に排他的な経済ブロックを形成して世界恐慌に対処した。

日本国内では、軍部を中心にワシントン海軍軍縮条約に反対する声が上がった。その後、1931年の満洲事変を契機に軍部主導の軍国主義が台頭。やがて日本は満洲事変により国際的に孤立していき、1933年に国際連盟を脱退。政府は世界恐慌から脱する方策として南方へ進出する方針を決定した。同じく国際連盟を脱退したドイツと提携を深め、大規模な軍備拡張計画を進めることになる。

1934年**12月29日**、ワシントン海軍軍縮条約の破棄を閣議決定し、アメリカに通告。同条約は失効した。同条約の破棄は、日本の軍国主義が招いた選択であり、すでに他国との開戦を想定して決定されたものだった。

翌1937年には、多くの軍艦を要するアメリカとの海戦を想定した巨大戦艦「大和」と「武蔵」の建造を開始した。また同年7月、中国との全面戦争に突入した。結果だけを見れば、ワシントン海軍軍縮条約の破棄は、第二次世界大戦の開戦の序章となったといえるかもしれない。

**その他の出来事**

1845年・テキサスがアメリカに併合　　1890年・ウンデッドニーの虐殺

# 12月/30日【1916年】 ニコライ2世に取り入ったラスプーチンが暗殺される

No.364

ロシア帝国は、皇帝ニコライ2世が治めた時代に大変革期を迎えた。1904年に日露戦争が勃発。翌1905年には、首都ペテルブルク（現在のサンクト＝ペテルブルク）で行なわれた非武装の市民行進に向け、軍隊が発砲する「血の日曜日事件」が起こった。これを機にロシアでは、市民の抵抗運動が活発になる。

怪僧やペテン師と呼ばれたラスプーチン

ニコライ2世とアレクサンドラ皇后の間には、血友病患者のアレクセイ皇太子がいた。1907年に皇太子の治療にあたったのが、当時ペテルブルクで熱心な修行僧として話題になっていた祈禱僧ラスプーチンだ。皇太子の症状が改善したことから、皇帝夫婦はラスプーチンをすっかり信頼するようになる。

やがてラスプーチンは皇帝夫婦の友人として宮廷に出入りするようになり、宮廷貴族の子女から信仰を集めていった。これに対し地元の司祭たちはラスプーチンの醜聞をもとに不道徳者と非難した。それでも、皇帝夫婦はラスプーチンを擁護した。やがてラスプーチンは、ニコライ2世に他国との開戦の助言をするほど政治に影響力をもつようになる。するとロシア議会からもラスプーチンをロシアから追放せよとの声が上がった。

ニコライ2世は日露戦争敗北後、バルカン半島への侵攻を企て、1914年には第一次世界大戦が勃発。ニコライ2世はみずから戦線を指揮したが、戦況を好転させることはできなかった。また、ニコライ2世が自身や皇后に批判的な首相や大臣を相次いで解任したことで、ロシア議会との対立は深刻化していった。

そんな状況のなか、有力貴族のユスポスとニコライ2世の従弟ドミトリー大公らが行動に移した。ラスプーチンの暗殺計画だ。1916年**12月30日**、ラスプーチンはユスポスの発砲を受けて死亡した。享年47歳。

翌1917年2月、改善しない戦況と物資不足に苦しむ民衆が蜂起し、二月革命が勃発。軍隊の一部も反乱に加わり、ロシア全土は大混乱に陥った。これによりロシア議会は解散。ニコライ2世は退位し、ロシア帝国は消滅。臨時政府はニコライ2世一家を拘束。一家はシベリア西部に流され、のちに処刑された。

**その他の出来事**

1160年・南宋が手形の一種・会子を発行　1922年・ソヴィエト社会主義共和国連邦成立宣言　1947年・ルーマニア王政廃止

# 12月/31日【1600年】 エリザベス1世が東インド会社に特許状を与える

No.365

15世紀半ばに始まった大航海時代で、先行したのはポルトガルとスペインの2国だった。新航路開拓に後れを取ったイギリス、フランス、オランダの3国はアフリカやインド洋に着目し、独自の交易地や植民地を開拓していった。

イギリスのエリザベス1世は1600年**12月31日**、イギリス東インド会社を法人と認める特許状を下した。こうして英国における貿易の独占権を得た東インド会社はアジア貿易を開始した。これに対抗するため設立されたのが、オランダ東インド会社（1602年設立）と、フランス東インド会社（1604年設立）だ。以降、3社は東南アジアにおける貿易を巡って衝突を繰り返すことになる。

イギリス東インド会社は1602年にジャワ島のバンテンに商館を設けたのを皮切りに、インドのスーラト、マレー半島のパタニ王国、タイのアユタヤ、1613年には日本の平戸にも商館を置き、香辛料と茶を中心とするアジア貿易を拡大した。

各国の東インド会社は、17世紀半ばまでは貿易商社に過ぎなかったが、ライバル国との抗争が激化したため武装して軍事力をもつようになる。1623年、オランダ領東インド（現在のインドネシア）にあるイギリス東インド会社の商館員がオランダ人に捕らえられ、殺害される事件（アンボイナ事件）が発生。イギリス東インド会社は、この事件を機に活動の拠点をインドと中国に移した。

18世紀に入ると当時インドを領地としたムガル帝国が衰退。イギリス東インド会社は、これに乗じてインド支配を進めていった。同社軍は1757年、プラッシーの戦いでベンガル太守（ムガル帝国の地方長官）・フランス東インド会社連合軍に勝利。以降、母国のインド植民地統治機関へと変わっていく。

ところが、1857年に英国の植民地化政策に抵抗するインド人傭兵（ようへい）が蜂起し、インド大反乱が勃発。英国軍がこれを武力で鎮圧したのち、英国女王を皇帝とするインド帝国が誕生。政治的支配権は英国政府に移り、イギリス東インド会社は解散した。

イギリス東インド会社が1600年に女王から特許状を与えられたことをきっかけに、東南アジアを舞台に熾烈な競争が始まった。さらにイギリス東インド会社のインド進出が、のちの英国によるインド支配につながったことを鑑みれば、同社はインドの歴史を塗り替える起点になったともいえよう。一民間企業の商業活動がのちに起こった産業革命の発展を背景に軍事機関および実質的な統治機関へと変貌し、その進出した国を植民地へと組み込んでいく過程は、西欧列強の海外進出の典型的なサンプルとして見ることができる。

**その他の出来事**

1945年・GHQが日本の歴史教育を停止させる　　1805年・ナポレオンが革命歴を廃止

青木裕司 著『1日1実況 歴史に学ぶ365日の教訓』（KADOKAWA）
明石欽司 著『ウェストファリア条約──その実像と神話』（慶應義塾大学出版会）
安藤達朗 著、山岸良二 監修『いっきに学び直す日本史 古代・中世・近世 教養編』（東洋経済新報社）
飯田育浩 著『ビジュアル版 経済・戦争・宗教から見る教養の世界史』（西東社）
池内了 監修『30の発明からよむ世界史』（日本経済新聞社）
一条真也 監修『100文字でわかる世界の宗教』（KKベストセラーズ）
梅本憲二 著『日本と世界のやさしいキリスト教史』（光言社）
太田牛一、中川太古 著『現代語訳 信長公記』（KADOKAWA）
岡本隆司 監修『一冊でわかる中国史』（河出書房新社）
小和田哲男 監修、TOA 絵『日本の歴史366 ぜんぶ この日に あったこと！』（主婦の友社）
加藤迪男 編『366日の話題事典』（東京堂出版）
北山茂夫 著『女帝と道鏡 天平末葉の政治と文化』（講談社）
木畑洋一 著『国際体制の展開』（山川出版社）
木村靖二、岸本美緒、小松久男 編『詳説世界史研究』（山川出版社）
本村凌二 著『教養としての「ローマ史」の読み方』（PHP研究所）
本村凌二 監修『30の「王」からよむ世界史』（日本経済新聞社）
木村凌二 監修『世界史100人の履歴書』（宝島社）
グループSKIT 編著『日本陸軍と日本海軍の謎』（PHP研究所）
小口彦太 監修『同時にわかる！ 日本・中国・朝鮮の歴史』（PHP研究所）
小林照夫 監修『一冊でわかるイギリス史』（河出書房新社）
坂上康俊 著『律令国家の転換と「日本」』（講談社）
佐田英明 著『あなたの誕生日はこんな日 三六六日の文化人類学、生命科学、歴史学』（ブイツーソリューション）
佐藤信、五味文彦、高埜利彦、鳥海靖 編『詳説日本史研究』（山川出版社）
佐藤次高 編集『イスラームの歴史〈1〉イスラームの創始と展開』（山川出版社）
佐藤優 監修『人物で読み解く世界史365人』（新星出版社）
ジェームズ・ウエスト・デイビッドソン 著、上杉隼人、下田明子 訳『若い読者のためのアメリカ史』（すばる舎）
塩野七生 著『レパントの海戦』（新潮社）
篠田雄次郎 著『テンプル騎士団』（講談社）
神野正史 監修、クリエイティブ・スイート 編著『世界史から読み解く日本史』（ナツメ社）
神野正史 監修『30の都市からよむ世界史』（日本経済新聞社）
鈴木邦男 監修『「右翼」と「左翼」の謎がよくわかる本』（PHP研究所）
「世界の歴史」編集委員会 編『新もういちど読む 山川世界史』（山川出版社）
関眞興 著『一冊でわかるトルコ史』（河出書房新社）
関眞興 著『一冊でわかるロシア史』（河出書房新社）
辻野功 編著『きょうの歴史365日の事典』（明石書店）
中野昭夫、松方安雅 編著『今日ってどんな日──365日話のネタ事典』（日本能率協会マネジメントセンター）
永田智成、久木正雄 編著『一冊でわかるスペイン史』（河出書房新社）
野島博之 監修『一冊でわかる イラストでわかる 図解日本史』（成美堂出版）
平野邦雄 著『和気清麻呂』（吉川弘文館）
福井憲彦 監修『一冊でわかるフランス史』（河出書房新社）
藤沢道郎 著『ファシズムの誕生──ムッソリーニのローマ進軍』（中央公論社）
古川浩司 監修『「国境」で読み解く日本史』（光文社）
まがいまさこ 著『いちばんやさしい 世界史の本』（西東社）
松村劭 監修『世界史が簡単にわかる戦争の地図帳』（三笠書房）
三崎良章 著『五胡十六国：中国史上の民族大移動〔新訂版〕』（東方書店）
水島司 監修『一冊でわかるインド史』（河出書房新社）
水村光男 編著『世界史のための人名事典』（山川出版社）
南川高志 著『ローマ五賢帝「輝ける世紀」の虚像と実像』（講談社）
宮崎市定 著『中国史』上下（岩波文庫）
矢部健太郎 監修『日本史100人の履歴書』（宝島社）
山本健 著『ヨーロッパ冷戦史』（筑摩書房）
山本博文 監修『学校で教えない 日本史人物ホントの評価』（実業之日本社）
山本博文 監修『東大教授が教える！ 超訳 戦乱図鑑』（かんき出版）
『学研ニューコース 中学歴史 新装版』（学研プラス）
『世界の最凶独裁者 黒歴史FILE』（ダイアプレス）
レジーヌ・ペルヌー 著、南条郁子 訳、池上俊一 監修『テンプル騎士団の謎』（創元社）

1000

1016 11/30 クヌーズ即位 359
1077 1/25 カノッサの屈辱 36
1122 9/23 ヴォルムス協約 288
1204 5/17 第4回十字軍 154
1215 6/15 大憲章に署名 184
1241 4/9 ヴァールシュタットの戦い 114
1295 11/27 模範議会招集 356
1302 4/10 第1回三部会開催 115
1303 9/9 アナーニ事件 274
1307 10/13 テンプル騎士団の最期 310
1396 9/25 ニコポリスの戦い 290
1419 7/30 フス戦争が勃発 231
1453 5/29 ビザンツ帝国滅亡 166
1492 1/2 スペイン、国土回復運動 13
1492 8/3 コロンブスが航海開始 236
1494 6/7 トルデシリャス条約 176

1500

1517 10/31 95カ条の論題発表される 328
1519 1/12 マクシミリアン1世死去 23
1522 9/6 マゼラン船団が世界一周 271
1529 9/26 第1次ウィーン包囲 291

1520 6/29 アステカ王国が滅亡 198、246
1521 8/13
1532 11/16 インカ帝国が滅亡 345、193
1533 6/24

1071 8/26 マラズギルトの戦い 259 
1240 12/6 キエフ滅亡 367
1258 2/10 アッバース朝滅亡 53
1260 5/5 フビライがモンゴル帝国皇帝に即位 142
1402 7/28 アンカラの戦い 229
1498 5/20 ヴァスコ=ダ=ガマがインド航路を開拓 157
1511 8/10 マラッカ王国占領 243
1539 9/22 シク教創始者ナーナク死去 287

907 6/1 朱全忠が後梁を建国 170
960 2/3 趙匡胤が宗を建国 46
1115 1/28 女真族が金を建国 39
1126 12/10 北宋が滅亡 371
1127 5/24 南宋が成立 161
1234 2/9 金国が滅亡 52
1271 12/18 元朝が成立 379
1279 3/19 南宋が滅亡 92
1392 3/27 李氏朝鮮建国 100
1405 7/11 明の鄭和を南海へ派遣 212

1192 7/12 源頼朝が征夷大将軍に 213
1338 8/11 足利尊氏が征夷大将軍に 244
1467 5/26 応仁の乱が起こる 163
1549 7/22 フランシスコ=ザビエルがキリスト教を伝える 223

# 関連年表

## ヨーロッパ

前371 7/6 レウクトラの戦い 207
前338 8/7 カイロネイアの戦い 240
前323 6/13 アレクサンドロス大王急死 182
前216 8/2 カンネーの戦い 235
前48 8/9 ファルサルスの戦い 242
前44 3/15 カエサル暗殺 88
前31 9/2 アクティウムの海戦 267
前30 8/1 アントニウス自刃 234
前27 1/23 オクタウィアヌスが帝政を確立 34

*A.D.0*

30 4/7 イエス処刑 112
64 7/18 ローマ大火 219
113 10/27 パルティア遠征が始まる 324
284 11/20 ディオクレティアヌス即位 349
392 10/8 キリスト教がローマ帝国の国教に 305
395 1/17 テオドシウス帝死去 28
410 8/24 西ゴート族がローマを陥落 257
455 7/15 ガイセリックのローマ略奪 216
732 10/11 トゥール・ポワティエ間の戦い 308
800 12/25 カール大帝即位 386

## アメリカ

## アジア・アフリカ

前587 7/19 イェルサレム陥落 バビロン捕囚 220
622 7/16
630 1/11
632 6/8 イスラーム教成立 217、22、177
756 5/15 後ウマイヤ朝成立 152
786 9/14 ハールーン＝アッラシード カリフ就任 279

## 中国・朝鮮

前551 9/28 孔子が生まれる 293
前202 2/21 垓下の戦い 64
前87 2/14 漢の武帝死去 57
8 1/10 前漢が滅亡 21
189 9/27 董卓が献帝を擁立 292
208 12/15 赤壁の戦い 376
265 2/8 西晋が成立 51
439 10/19 北魏が華北を統一 316
589 2/2 隋が中国を統一 45
618 6/18 李淵が唐を建国 187
626 9/4 李世民が太宗となる 269
641 3/2 文成公主が吐蕃に降嫁 75
660 6/6 百済が滅亡 175
668 9/21 高句麗が滅亡 286
755 12/16
756 6/12 安史の乱 377、181

## 日本

603 12/5 冠位十二階を制定 366
663 8/27 白村江の戦い 260
702 10/14 大宝律令が頒布 311
768 10/20 道鏡が法王となる 317
894 9/30 遣唐使の停止 295

1821 3/6 ギリシア独立戦争が開始 79
1825 12/14 デカブリストの乱が勃発 375
1830 7/27 フランス七月革命 228
1830 10/4 ベルギーが独立を宣言 301
1833 8/28 イギリス奴隷廃止法が成立 261
1833 8/29 イギリスで工場法が制定 262
1848 2/22 フランス二月革命が起こる 65
1851 5/1 第1回ロンドン万国博が開催 138
1859 4/29 第2次イタリア独立戦争 134
1861 1/7 ヴィルヘルム1世即位 18
1861 3/17 イタリア王国成立 90
1870 7/13 エムス電報事件 214
1878 10/21 社会主義者鎮圧法公布 318
1881 3/13 アレクサンドル2世暗殺 86
1884 11/15 ベルリン会議 344
1894 1/4 露仏同盟が完成 15
1896 3/25 イタリア軍、エチオピアに侵攻 98
1896 4/6 第1回オリンピック開催 111
1899 7/29 ハーグ国際平和会議が終了 230

*1900*

1904 4/8 英仏協商の調印 113
1905 1/22 血の日曜日事件 33
1907 6/26 ハーグ密使事件 195

---

1823 12/2 モンロー宣言 363
1848 1/24 ゴールドラッシュが始まる 35
1863 11/19 ゲティスバーグ演説 348
1865 4/3 リッチモンド陥落 108
1867 3/29 英領北アメリカ法が成立 102
1870 3/30 黒人選挙権が承認 103
1898 4/21 アメリカ=スペイン戦争の開始を宣言 126
1898 8/12 ハワイを併合 245
1903 11/18 パナマ運河の永久租借条約締結 347
1903 12/17 ライト兄弟が有人動力飛行に成功 378

---

1857 5/10 シパーヒーの大反乱 147
1858 11/1 ムガル帝国滅亡 330
1869 11/17 スエズ運河開通 346
1876 5/30 ミドハト=パシャの政変 167
1876 12/23 オスマン帝国で憲法が公布 384
1877 4/24 ロシア=トルコ戦争 129
1883 8/25 フエ条約調印 258
1885 12/28 インド国民会議が開催 389
1898 9/19 ファショダ事件 284
1899 10/12 1902 5/31 南アフリカ戦争 309、168
1905 3/31 第1次モロッコ事件 104

---

1840 6/28 アヘン戦争 197
1856 10/23 第2次アヘン戦争 320
1858 5/28 アイグン条約 165
1860 11/14 北京条約 343
1875 9/20 江華島事件 285
1894 9/17 黄海海戦 282
1898 6/11 変法自強を宣布 180
1901 9/7 北京議定書調印 272

---

1825 2/18 異国船打払令 61
1853 6/3 ペリーが浦賀に来航 172
1858 6/19 日米修好通商条約を調印 188
1863 8/18 八月十八日の政変 251
1867 12/9 王政復古の大号令 370
1868 1/3 1868 4/11 1869 5/18 戊辰戦争 14、116、155
1868 3/14 五箇条の誓文を布告 87
1871 7/14 廃藩置県を布告 215
1876 2/26 日朝修好条規(江華条約) 69
1877 9/24 西南戦争で西郷隆盛が自刃 289
1879 4/4 琉球処分 109
1884 5/16 群馬事件が発生 153
1885 12/22 伊藤博文が総理大臣に任命 383
1889 2/11 大日本帝国憲法を発布 54
1890 10/30 教育勅語を発布 327
1895 4/17 日清戦争が終結 122
1902 1/30 日英同盟 41
1905 5/27 日本海海戦 164
1905 9/5 日露戦争の講和 270

## ヨーロッパ

- 1563 12/4 トリエント公会議で教令採択 365
- 1571 10/7 レパント海戦 304
- 1593 7/25 国王アンリ4世が改宗 226
- 1618 5/23 三十年戦争が勃発 160
- 1644 7/2 鉄騎隊が王党派に勝利 203
- 1648 10/24 ウエストファリア条約締結 321
- 1651 10/9 航海法が英国で発布 306
- 1653 4/20 クロムウェルが残部議会を解散 125
- 1685 10/18 ナントの王令廃止 315
- 1689 2/13 権利の宣言を承認 56

*1700*

- 1704 7/24 ジブラルタル占領 225
- 1707 5/12 イギリスとスコットランドが合併 149
- 1762 7/9 エカチェリーナ2世即位 210
- 1772 8/5、1795 11/25 ポーランド分割 238、354
- 1789 6/20、1791 6/21、1793 1/21、1795 10/5、1799 11/9 フランス革命 189、190、32、302、338
- 1806 11/21、1808 5/2、1813 10/16、1814 4/2 ナポレオン戦争 350、139、313、107
- 1814 9/18 ウィーン会議が幕開け 283

## アメリカ

- 1620 9/16 ピルグリム=ファーザーズがアメリカに到着 281
- 1755 7/8 フレンチ=インディアン戦争 209
- 1775 4/19 アメリカ独立戦争勃発 124
- 1776 7/4 アメリカ独立宣言 205
- 1783 9/3 パリ条約 268
- 1787 5/25 フィラデルフィア憲法制定会議 162
- 1789 4/30 ワシントン大統領就任 135
- 1803 12/20 仏領ルイジアナ購入 381
- 1811 7/5 ベネズエラ独立宣言 206
- 1813 8/30 ミムズ砦の虐殺 263

## アジア・アフリカ

- 1542 11/23、1556 11/5 ムガル帝国再建 352、334
- 1588 10/1 サファヴィー朝再建 298
- 1600 12/31 イギリス東インド会社設立 392
- 1602 3/20 オランダ東インド会社設立 93
- 1757 6/23 プラッシーの戦い 192
- 1767 3/28 アユタヤ朝滅亡 101
- 1805 8/6 ムハンマド=アリーがエジプト総督となる 239

## 中国・朝鮮

- 1597 1/13 慶長の役 24
- 1644 4/25 明が滅亡 130
- 1662 5/8 鄭成功が死去 145
- 1796 2/19 白蓮教徒の乱 62

## 日本

- 1560 5/19、1571 9/12、1575 5/21、1576 4/14、1582 3/11、1582 5/7 織田信長の戦い 156、277、158、119、84、144
- 1582 6/2 本能寺の変 171
- 1582 6/27 清須会議 196
- 1600 9/15 関ヶ原の戦い 280
- 1612 3/21 キリスト教を禁止 94
- 1615 4/28 大坂夏の陣 133
- 1635 12/8 武家諸法度改定 369
- 1637 10/25、1638 2/28 島原の乱 322、71
- 1772 1/15 田沼意次、老中に就任 26

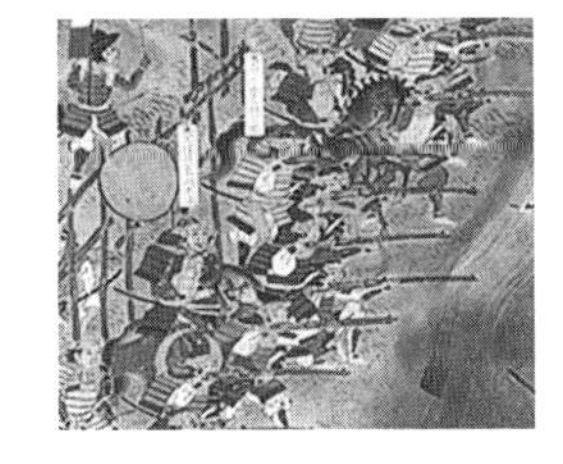

1939 9/1
1940 6/10
1940 6/14
1940 7/10
1944 1/14
第二次世界大戦 266、179、183、211、25
1945 2/4 ヤルタ会談 47
1945 7/17 ポツダム会談が開催 218
1945 12/27 モスクワ宣言 388
1946 3/5
1947 3/12
1948 4/1
1949 5/6
1956 2/25
1957 8/21
1958 6/16
1968 8/20
冷戦の進行 78、85、106、143、68、254、185、253
1958 12/21 ド=ゴールが仏大統領就任 382
1970 12/7 西独ポーランドの国境確定 368
1989 11/10
1989 12/3
1991 12/26
冷戦の終結 339、364、387
1991 6/25 クロアティアと
スロヴェニアが独立宣言 194

2000

1945 8/16 日本分割占領計画が廃案 249
1947 11/29 パレスチナ分割決議案採択 358
1959 2/16 カストロ、キューバ首相に就任 59
1962 10/22 キューバ危機 319
1963 11/22 ケネディ大統領暗殺 351
1964 8/4
1965 2/7
1968 3/16
1973 1/27
ベトナム戦争 237、50、89、38
1969 7/20 アポロ11号が月面着陸 221
1971 8/15 ドル=ショック 248
1972 6/17 ウォーターゲート事件 186
1974 8/8 ニクソン大統領辞任 241
2001 9/11 同時多発テロ 276

1953 8/19 モサデグ政権失脚 252
1955 4/18 第1回アジア=アフリカ会議 123
1956 3/23 パキスタン・イスラーム共和国成立 96
1956 7/26 スエズ運河エジプト国有化 227
1958 10/2 ギニア独立 299
1959 3/10 チベットで反乱が発生 83
1966 2/23 ジャディードがクーデタ 66
1968 1/9 アラブ石油輸出国機構結成 20
1970 3/18 カンボジアでクーデタ 91
1973 10/6 第4次中東戦争 303
1976 5/13 ポル=ポトが首相に就任 150
1979 1/16 イラン革命 27
1979 2/17 中越戦争 60
1979 3/26 エジプト=イスラエル平和条約 99
1979 11/4
1981 1/19 在イランアメリカ大使館人質事件 333、30
1979 12/24 ソ連がアフガン侵攻 385
1998 4/15 ポル=ポト死去 120
2001 11/13 ターリバーン崩壊 342
2011 2/15 リビア騒乱 58

1959 4/27 毛沢東が国家主席を辞任 132
1965 6/22 日韓基本条約 191
1971 9/13 林彪が謎の墜落死 278
1976 4/5 第1次天安門事件 110
1989 6/4 第2次天安門事件 173

1942 6/5 ミッドウェー海戦 174
1944 11/24 東京大空襲 353
1945 8/14 ポツダム宣言を受諾 247
1946 11/3
1947 5/3 日本国憲法公布、施行 332、140
1948 1/6 逆コースが始まる 17
1951 9/8 サンフランシスコ平和条約調印 273

## ヨーロッパ

- 1907 8/31 英露協商成立 264
- 1912 10/17 第1次バルカン戦争 314
- 1915 4/26 ロンドン秘密条約に調印 131
- 1916 5/9 サイクス・ピコ秘密協定に調印 146
- 1916 12/30 ラスプーチンの死 391
- 1917 1/31 ドイツ、無制限潜水艦作戦の再開 42
- 1917 3/8
- 1917 4/16
- 1917 11/7 ロシア革命 81、121、336
- 1918 11/11 第一次世界大戦終結 340
- 1919 1/5 ドイツ労働者党結成 16
- 1922 10/28 ローマ進軍が始まる 325
- 1925 12/1 ロカルノ条約調印 362
- 1931 12/11 ウェストミンスター憲章が可決 372
- 1932 7/21 オタワ会議が開催 222
- 1932 7/31
- 1933 2/27 ナチ党が第1党に 232、70
- 1934 6/30 長いナイフの夜事件 199
- 1936 3/7 ドイツ、ラインラントに進駐 80
- 1937 11/6 日独伊防共協定が成立 335
- 1938 9/29 ミュンヘン会談が開催 294
- 1939 1/26 スペイン内戦 37
- 1939 5/22 独伊軍事同盟が締結 159
- 1939 8/23 独ソ不可侵条約が締結 256

## アメリカ

- 1917 2/5 メキシコで新憲法が成立 48
- 1918 1/8 十四カ条の平和原則を発表 19
- 1919 1/29 禁酒法施行 40
- 1921 11/12
- 1922 2/6 ワシントン会議 341、49
- 1930 4/22 ロンドン海軍軍縮条約が調印 127
- 1932 11/8 F=ローズヴェルト大統領就任 337
- 1933 3/9 百日議会が開会 82

## アジア・アフリカ

- 1908 7/3 青年トルコ人の武装蜂起 204
- 1911 7/1 第2次モロッコ事件 202
- 1917 11/2 バルフォア宣言 331
- 1919 4/13 アムリットサール事件 118
- 1920 4/23 トルコ大国民議会 128
- 1923 10/29 トルコが共和国宣言 326
- 1924 3/3 トルコでカリフ制廃止 76
- 1925 12/13 レザー=ハーン即位 374
- 1931 3/4 デリー協定 77
- 1935 10/3 エチオピア戦争 300
- 1943 11/28 テヘラン会談 357
- 1945 8/17 インドネシア独立宣言 250
- 1946 12/19 インドシナ戦争 380
- 1947 2/20 インド独立 63
- 1948 5/14 イスラエル建国宣言 151
- 1952 7/23 エジプト七月革命 224

## 中国・朝鮮

- 1910 8/22 韓国併合ニ関スル条約調印 255
- 1911 10/10 辛亥革命 307
- 1912 1/1 中華民国の成立を宣言 12
- 1912 2/12 清朝が滅亡 55
- 1916 3/22 袁世凱が帝政を廃止 95
- 1917 9/10 広東軍政府樹立 275
- 1919 5/4 五・四運動 141
- 1924 1/20 第1次国共合作が成立 31
- 1927 3/24 南京事件 97
- 1927 4/12 蒋介石が上海クーデタ 117
- 1928 6/9 北伐が終結 178
- 1932 3/1 満洲国の建国 74
- 1934 10/15 毛沢東の長征開始 312
- 1936 12/12 第2次国共合作 373
- 1937 7/7 日中戦争幕開け 208

## 日本

- 1906 2/1 韓国統監府を設置 44
- 1906 11/26 南満洲鉄道設立 355
- 1909 10/26 伊藤博文暗殺 323
- 1915 1/18 二十一カ条の要求 29

- 1933 2/24 松岡洋右、国際連盟総会を退場 67
- 1934 12/29 ワシントン海軍軍縮条約が失効 390
- 1939 5/11 ノモンハン事件 148

**監修　神野正史**（じんの・まさふみ）

河合塾世界史講師。1965年名古屋市生まれ。立命館大学文学部史学科西洋史学専攻卒。世界史ドットコム（http://sekaisi.com）主宰。学びエイド世界史鉄人講師。ブロードバンド予備校世界史講師。ネットゼミ世界史編集顧問。歴史エヴァンジェリスト。河合塾で長年にわたって教壇に立ち、圧倒的な支持を受け続けてきたベテラン世界史講師。また、TV出演、講演、雑誌取材、ゲーム監修なども多彩にこなし、著作家としても活躍している。おもな著書・監修書に『「世界史」で読み解けば日本史がわかる』（祥伝社）、『世界史劇場』シリーズ（ベレ出版）、『現代への教訓！ 世界史』（PHP研究所）、『イラスト図解 感染症と世界史 人類はパンデミックとどう戦ってきたか』（宝島社）などがある。



STAFF

編集　株式会社クリエイティブ・スイート

執筆　奈落一騎、佐藤賢二、つるたちかこ、目片雅絵、倉田楽

装丁　krran

本文デザイン・図版制作・DTP　小河原德、大槻亜依（c-s）

編集協力　橋詰久史、阪井日向子

その日何があったかがわかる
1日1話5分で身につく
**歴史の教養365**

2021年10月22日　第1刷発行

監　　修　神野正史
発 行 人　蓮見清一
発 行 所　株式会社宝島社
〒102-8388 東京都千代田区一番町25番地
電話（営業）03-3234-4621
　　（編集）03-3239-0928
https://tkj.jp

印刷・製本　サンケイ総合印刷株式会社




ISBN978-4-299-02017-8